図解心電図
テキスト

Dr. Dubin式 はやわかり心電図読解メソッド

原著第6版

Dale Dubin, M.D.
デイル　デュービン

[訳] 村川裕二
帝京大学医学部附属溝口病院第四内科：教授

文光堂

日本語版版権所有　文　光　堂

本書の内容の一部あるいは全部を無断で
（複写機等いかなる方法によっても）複写
複製すると，著作権および出版権侵害と
なることがありますので御注意下さい．

RAPID INTERPRETATION
OF
EKG's

… an interactive course

by
Dale Dubin, MD

Rapid Interpretation of EKG's

Published by:
COVER Publishing Company
P. O. Box 07037
Fort Myers, Florida 33919
U.S.A.

Telephones:
In U.S.: 1-800-441-8398
Outside U.S.: 813-238-0266
FAX: 813-238-1819
E-mail: info@coverpub.com

First Edition Copyright © 1970 COVER Inc.
  first printing, April, 1970
  second printing, May, 1970
  third printing, July, 1970
  fourth printing, October, 1970

Second Edition Copyright © 1971 COVER Inc.
  fifth printing, February, 1971
  sixth printing, May, 1971
  seventh printing, July, 1971
  eighth printing, November, 1971
  ninth printing, March, 1972
  tenth printing, May, 1972
  eleventh printing, August, 1972
  twelfth printing, November, 1972
  thirteenth printing, April, 1973
  fourteenth printing, December, 1973
  fifteenth printing, June, 1974

Third Edition Copyright © 1974 COVER Inc.
  sixteenth printing, October, 1974
  seventeenth printing, February, 1975
  eighteenth printing, August, 1975
  nineteenth printing, April, 1976
  twentieth printing, December, 1976
  twenty-first printing, July, 1977
  twenty-second printing, January, 1978
  twenty-third printing, October, 1978
  twenty-fourth printing, May, 1979
  twenty-fifth printing, February, 1980
  twenty-sixth printing, October, 1980
  twenty-seventh printing, May, 1981

  twenty-eighth printing, February, 1982
  twenty-ninth printing, September, 1982
  thirtieth printing, June, 1983
  thirty-first printing, October, 1983
  thirty-second printing, August, 1984
  thirty-third printing, October, 1985
  thirty-fourth printing, November, 1986
  thirty-fifth printing, December, 1987
  thirty-sixth printing, April, 1988
  thirty-seventh printing, December, 1988

Fourth Edition Copyright © 1989 COVER Inc.
  thirty-eighth printing, February, 1989
  thirty-ninth printing, September, 1989
  fortieth printing, March, 1990
  forty-first printing, December, 1991
  forty-second printing, July, 1993
  forty-third printing, October, 1994

Fifth Edition Copyright © 1996 COVER Inc.
  forty-fourth printing, February, 1996
  forty-fifth printing, November, 1996
  forty-sixth printing, March, 1997
  forty-seventh printing, April, 1998
  forty-eighth printing, October, 1999
  forty-ninth printing, December, 1999

Sixth Edition Copyright © 2000 COVER Inc.
  fiftieth printing, March, 2000
  fifty-first printing, August, 2004
  fifty-second printing, March, 2005
  fifty-third printing, July, 2005
  fifty-fourth printing, February, 2006

All rights reserved. No part of this book may be reproduced in any form, except for pages 333 through 346, which may be copied, unedited, by the book's owner for personal use. No other portion of this book, including text, illustrations, or graphics may be committed to any computer-based system, storage system, computerized memory or retrieval system, or internet communication system. Only the publisher, COVER Publishing Company, can grant written permission for the use of any portion of this copyrighted text in any format. This book is protected by domestic and foreign copyrights, as well as by the Universal Copyright Convention, the Buenos Aires Convention, and the Berne Convention. All foreign language editions are granted by exclusive imprimatur guaranteed by contract between the US publisher and foreign publisher. Cover Publishing Company is a subsidiary of COVER, Inc., a Florida corporation registered on July 24, 1967 under chapter 48.091 and sections 607.1006, 607.134, 607.157, 608.09(4), and 608.73 in the United States of America. All text, artwork, photos, and graphics are the intellectual property of Cover Publishing Company, so only the publisher can sell or grant permission for its use.

Copyright © 2000 COVER Inc.

Library of Congress Catalog Card Number 88-072108
ISBN 0-912912-06-5

謝　辞

　御世話になった方たちの名前をあげます．これらの皆さんの助けによりこのテキストができました．

　私がこれまで無事にやってこられたことや，本を作るという創造的な仕事を始められたのは神様の大きな力があればこそです．感謝．

　心電図の手ほどきをしていただいた多くの先生．

　もちろん家族．いつも支えてくれました．

　コンピュータの知識とグラフィックのセンスを駆使して美しい図を作ってくれたのはPaul Heinrich氏です．

　ECGと写真を提供してくださったCarol Hoosier医師，Rupinder Singh医師，Mike Allison氏，Yani Wood氏，Carter Henrich医師，Tony Piscitelli氏，そしてChris Buckley氏に．

　Mikel Rothenberg博士，John Desmond氏，Kathleen Dubin氏，そしてDeborah Heinrifch氏．専門的なアドバイス，校正，編集をしていただき大変感謝いたします．

　技術的・実務的な助力をいただいたFrancesca Lala氏に．

　最後になりましたが，我慢強く面倒をみていただいた出版社のCOVER Publishing Company．私と貴社との固い絆は，これ以上望めないほどのものでした．

　コンピュータグラフィックのイラストのいくつかはLife ARTのクリップアートを利用しています．

著者が学んだ次の諸先生に本書を捧げます．

George C. Griffith 博士
Willard J. Zinn 博士
Henry J. L. Marriott 博士
Charles Fish 博士
William L. Martz 博士
Nathan Marcus 博士
Richard G. Connar 博士
Jose Dominguez 博士
Louis Cimino 博士
David Baumann 博士
Suzanne Knoeble 博士
Dale Dubin 博士

訳者からの短い序文

●ずっと前のことですが，私もこのテキスト（旧版）で心電図を勉強しました．とても読みやすく，スイスイ理解できました．

●心電図の入門書としてもっともすぐれたテキストだと思っています．頑張らなくても読み通すことができるでしょう．

●空欄のなかに入る言葉は必ずしもひとつとは限りません．なかなか思いつきにくいものもあります．ピンとこなかったら，すぐに右側の答えを見てください．

●少ししつこく感じるかもしれませんが，そこが大事なポイントです．

●読者のみなさんに心電図の面白さを知っていただけることを期待しています．

2007年1月

村川裕二

目　次

第1章	基本となる生理学	1
第2章	ECGを記録します	31
第3章	自律神経	55
第4章	心拍数	65
第5章	調律，パート1	97
	不規則な調律	107
	補充調律と補充収縮	112
	期外収縮	122
	頻　拍	146
第6章	調律，パート2	173
	洞停止あるいは洞房ブロック	174
	Ⅰ度AVブロック	177
	Ⅱ度AVブロック	179
	完全（Ⅲ度）AVブロック	186
	脚ブロック	191
第7章	電気軸（Axis）	203
第8章	肥　大	243
第9章	心筋梗塞（ヘミブロックを含む）	259
	ヘミブロック	295
第10章	さまざまなECG所見	309
モニター心電図		329
Personal Quick Reference Sheets		331
さまざまなECG		345
索　引		363

著者から読者へ

おめでとうございます！　これであなたも知識豊富な医療人の仲間入りです．米国で30年以上にわたるベストセラーである「*Rapid Interpretation of EKG's*」は28ヵ国語で出版され，世界中の多くの人々の知識向上に役立ってきました．

更新・改訂され第50刷に至ったこの歴史あるテキストは，最も広く親しまれている医学書です．

しかし，本書をうまく活用できるかどうかは本文中の細かい指示に従うかどうかにかかっています．

もし次のようにアドバイスされた場合は：
- 「そのイラストをおさらいしてください」…そうしてください！　大切な理由があるのです．
- 「付箋をそのページにつけてください」…理解するために必要なことです．
- 「戻って，そのページを見直してください」…躊躇せずそうしてください．
- 「この章を読む前に，章のまとめをのぞいてみましょう」…先ずそれに目を通してください．

これらの細かい内容を忠実に守ってください．そうすれば，一生涯役立つ実用的な「知識」を確かなものとするための「理解」が得られることでしょう．

> Most teachers are knowledgeable.
> Good teachers are intelligent.
> Great teachers are patient.
> Exceptional teachers are students themselves.
>
> **D.D.**

「壮大な夢をかなえるためにまず必要なものは，夢を見るという偉大な能力である．その次に必要なのがそれを持続すること―つまりは夢を信じることである」

Hans Selye 博士

このテキストの使い方ですが…

　ページの上のほうにイラストが描かれています．その下にこれから何を学ぶのかコンパクトにまとめられています．イラストを眺めながら読めば，すぐにピンとくるはずです．

　なにがどうなっているのか本質的なことを学ぶことが大事です．表面的な知識ではなく実感としてわかって欲しいのです．

　つぎに，空欄にどういう言葉が入るか考えながら本文を読み進めてください．

- もし空欄に入る言葉が何なのかわからなかったら，イラストとその説明文にもどります．つまり，イラストをくりかえし見ることで，イラストからのメッセージがあなたのものになります．
- それぞれの項目は互いに関連していますので，イラストからの視覚的情報が少しずつ系統だった深い理解に変化していきます．

　…このテキストの読者は舞台を楽しんでいるような気分になるかもしれません．著者である私も，ときどき顔を出させてください．おせっかいかもしれませんが，ときどき " メモ :" として短くコメントさせてください．

　なにはともあれ，楽しく学びましょう．

"ちゃんとした理解がなければ使い物になる知識は得られません"

　　　　　　　　　　　　　では，ゆっくりお付き合いください．
　　　　　　　　　　　　　　　　　　　　デイル・デュービン

＊ところでp.46に載っているクラシックなフォード社製サンダーバードは，本テキスト6版に隠されていたメッセージの解読に成功した一読者に贈呈されました．このテキストの姉妹版にあたる「Ion Adventure in the Heartland」の読者にも，サターンイオンの新車を贈呈する機会があるかもしれません．そちらのほうもじっくり読んでいただければ幸いです．

第1章　基本となる生理学

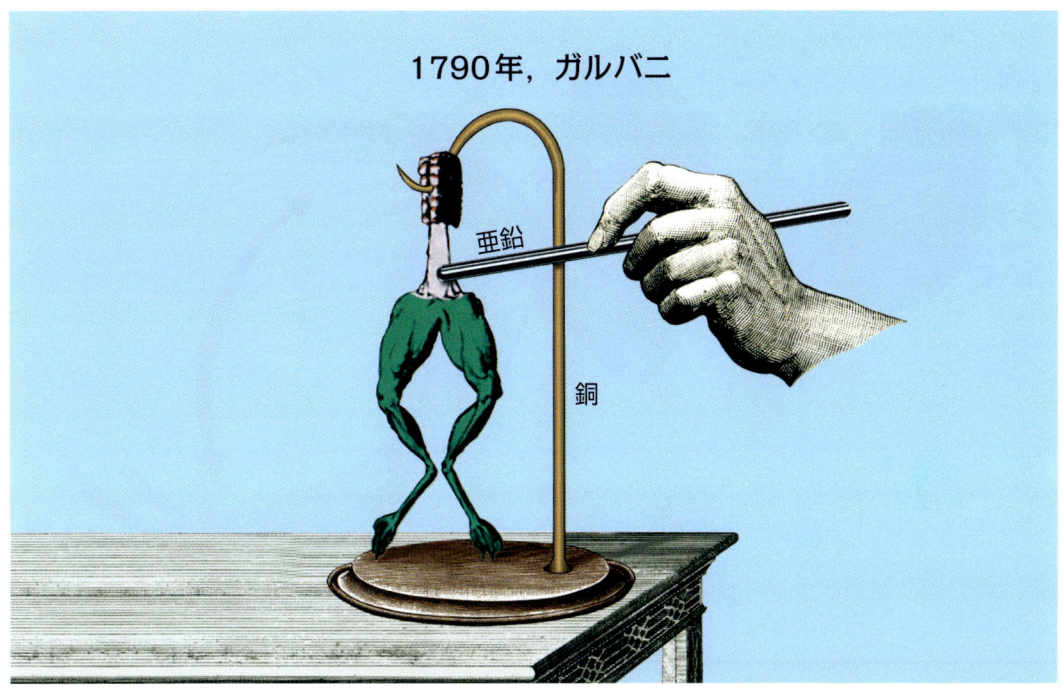

1790年のことです．ルイジ・ガルバニ Luigi Galvani は下半身と脊髄をくっつけたまま胴体から切り離した蛙の標本において，脊髄の電気的刺激が下肢を動かすことを示しました．さぞガルバニの手際もよかったのでしょうが，まるでダンスを踊っているように見えました．この実験を見た多くの科学者はいつもの冷静さを忘れて驚嘆の声をあげました．

● ガルバニは異なる金属を組み合わせた回路を形成することで，蛙の脊髄と下半身の標本に_____刺激を与えたのです．

電気的

● 電流が流れると蛙の下半身はぴょんとジャンプするような動きをします．ですから電気刺激を反復すれば，まるで_____をしているように見えたわけです．

ダンス

メモ：昔のことですから，切り離した蛙の足がぴょんぴょん動くのは理由もわからず，ぞっとする見世物だったはずです．気味の悪い"超自然現象"は，ガルバニの趣味には合っていたようです．

＊どうですか．あまりむつかしい話じゃないでしょう？
　この後も，せいぜいこの程度です．あたたかいコーヒーでも飲みながら，のんびり読み進めてください．

1章

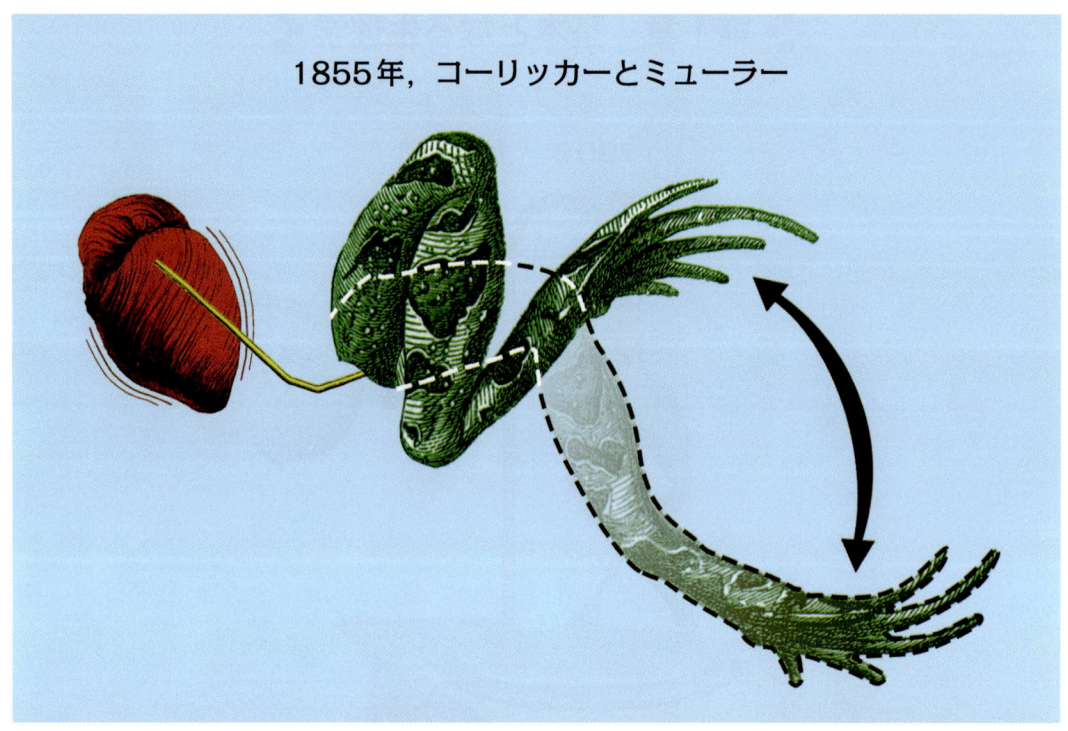

1855年，コーリッカーとミューラー

コーリッカーKollickerとミューラーMuellerは1855年におもしろい生理学的実験を発表しました．それは蛙の足につながる運動神経を切り出した心臓とつないだら，心臓の拍動にあわせて足がぴょんぴょん動いたというものでした．

- "わかったぞ"．コーリッカーとミューラーは膝をたたきました．"蛙の足は電気で動くが，心臓の_____も電気によって始まるんだ"．　　　　　拍動

- というわけで，心臓の規則的な動きは周期的な_____的刺激によるものであると結論されました．　　　　　電気

メモ：つまり心臓の規則的なポンプ活動が電気的現象と関連することが科学的に解明されたのです．現代の科学からみればごく単純な発見にみえますが，実はとても大事な発見なのです．

第1章 基本となる生理学

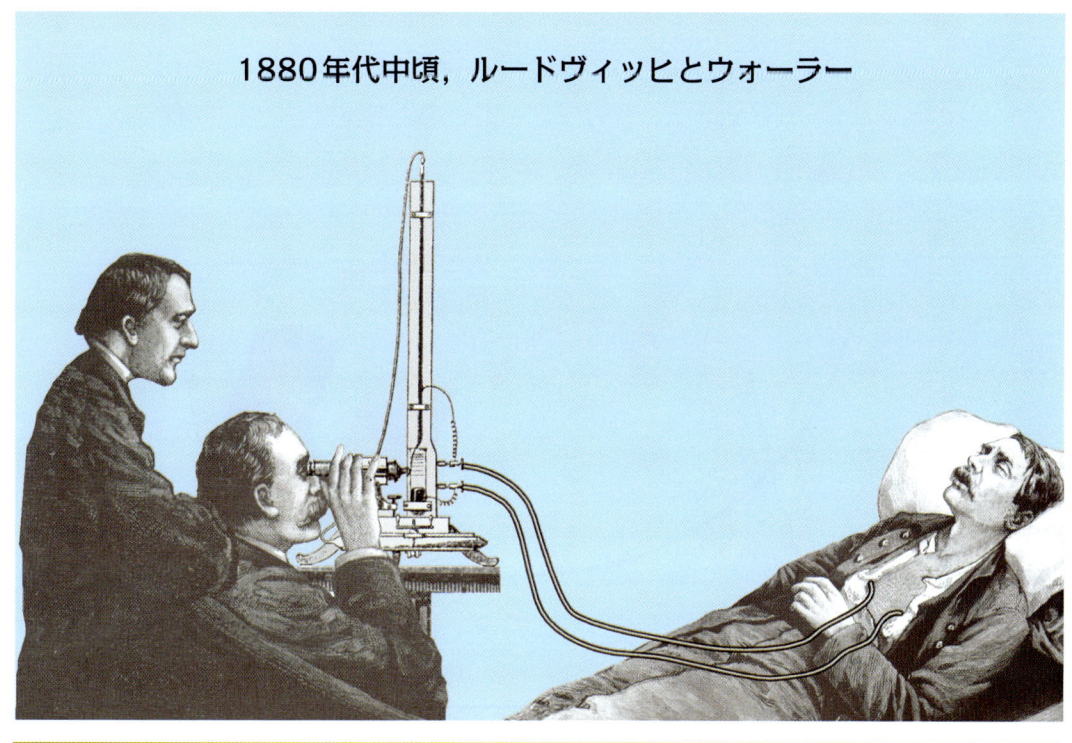

1880年代中ごろのことです．ルードヴィッヒLudwigとウォーラーWallerは"毛細管電位計（capillary electrometer）"という装置を使い，ヒトの皮膚を通して心臓の電気的活動を観察しました．

- 彼らの使った装置とはヒトの_____の上に置いた電極をリップマンの毛細管電位計につないだものです．ちなみに毛細管電位計とは電場のなかに細いガラス管を配したもので，ごくわずかな電気を検出するための装置です． 　皮膚

- 毛細管の液面が_____の拍動に一致して上下する様子はとても興味深い現象でした． 　心臓

- この装置はサイズが大きく，手間やコストの面で臨床的には使いにくいものでしたが，観察された現象はそれなりに_____ものでした． 　興味深い

メモ：この発見はヒトの皮膚を通して心臓の電気現象を記録できることを示したという点で価値があるのです．

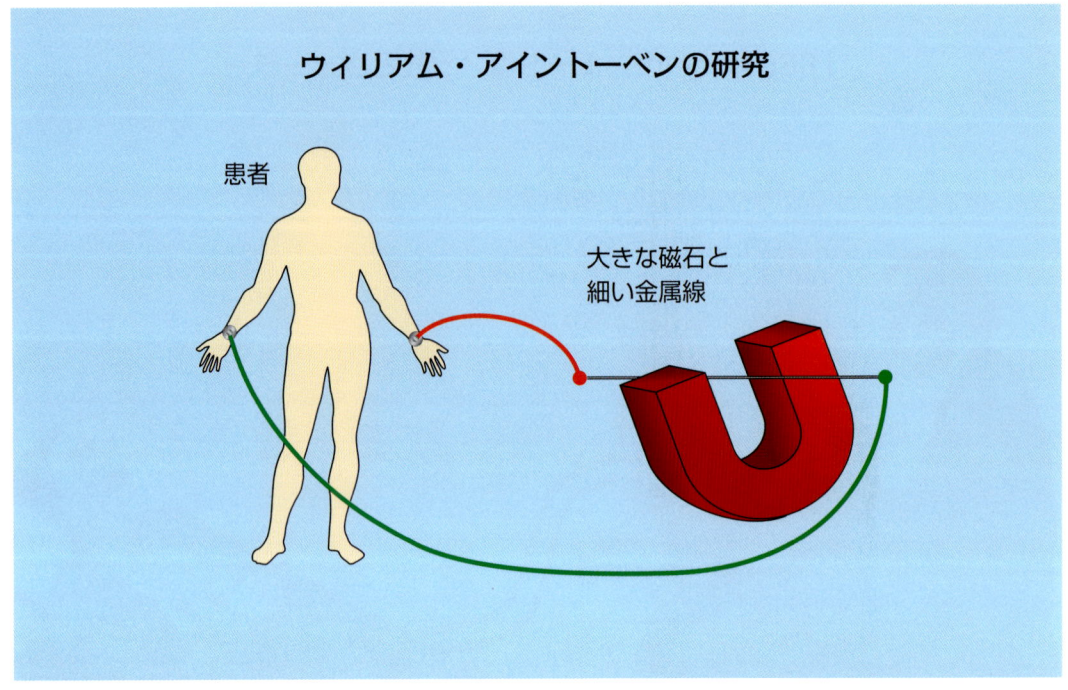

ウィリアム・アイントーベンの研究

患者

大きな磁石と
細い金属線

ウイリアム・アイントーベン Willem Einthoven という優れた科学者がいました．彼は磁石の両極にはさまれたスペースに銀メッキしたワイヤを通してみました．

●銀メッキしたワイヤの両端をヒトの両腕の電極とつなげました．そのワイヤは＿＿＿＿の両極にはさまれたスペースを通っています．	磁石
●銀メッキされた＿＿＿＿は磁場の動きに影響を受けたらしく，心臓の動きに一致してピクピクと動いたではありませんか．	ワイヤ
●これだけでもずいぶん面白い現象ですが＿＿＿＿博士はさらにこのワイヤの動きを眼に見えるかたちで記録したいと思いました．	アイントーベン

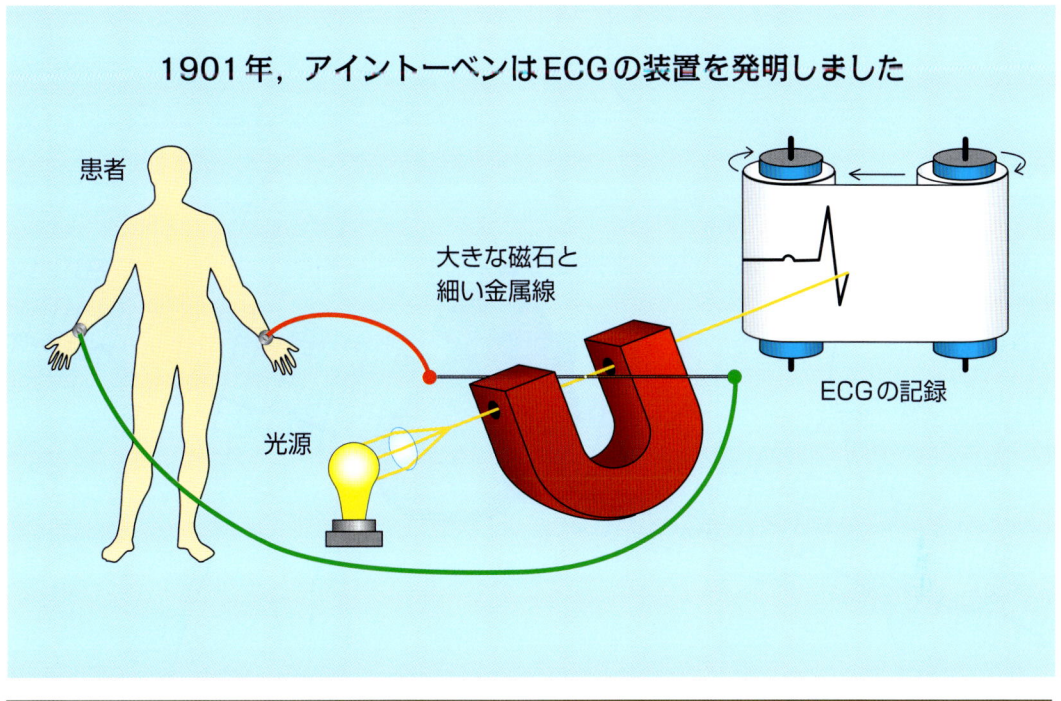

どうやったかといいますと，アイントーベンは磁石の両極に小さな穴をあけ，そこからピクピク動くワイヤをねらって細い光線を送り込みました．こうしてワイヤのリズミカルな動きは一定の速度で巻き取られる感光紙に波状の揺れとして記録されたのです．アイントーベン博士はこれらの揺れをP，QRS，Tと名づけました．

●アイントーベン博士はなかなかやってくれますね．ワイヤの＿＿＿＿な動きは心臓の電気的な活動を反映しています．感光紙のうえでは上下に揺れる影として表現されました．	リズミカル
●…つまりワイヤの動きを眼に見える周期的で＿＿＿＿な波として記録したのです．	リズミカル
●アイントーベン博士は記録された揺れをアルファベット順にP，QRS，そして＿＿＿＿とよびました．	T

メモ：「これで心臓の電気活動の異常がわかるぞ」とアイントーベン博士は思いました．偉大な診断の道具である心電図（electrocardiogram：ECG）はこうして発明されました．1901年のことです．では心電図で何がわかるのか，どう使いこなすのか勉強を始めましょう．

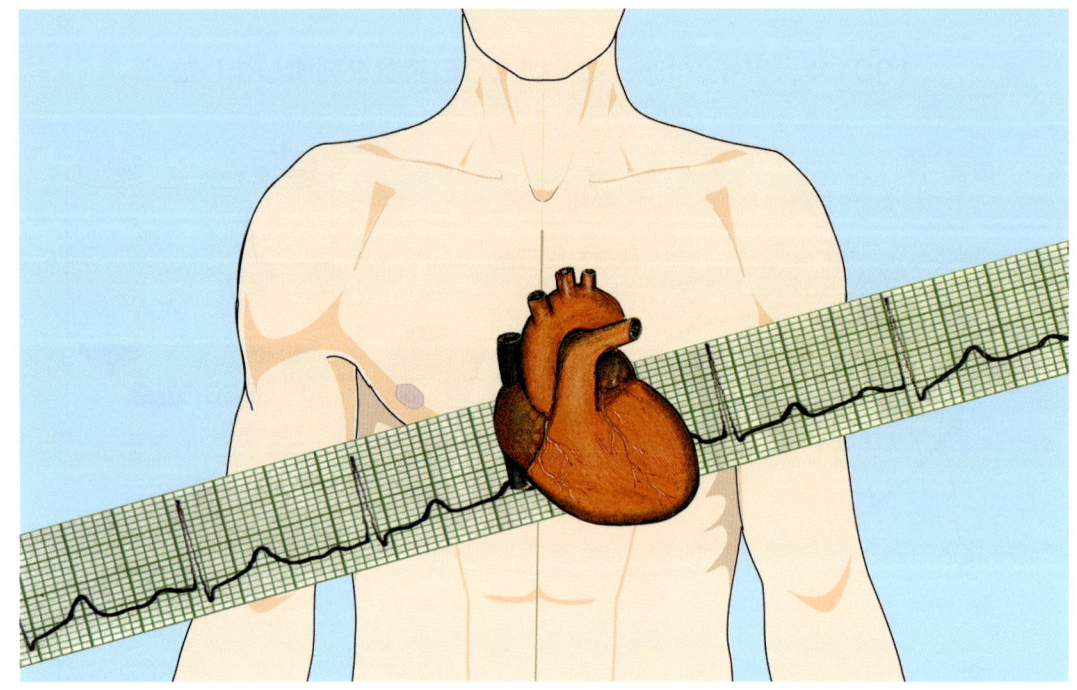

心電図 (electrocardiogram：ECG) は心臓の電気的活動を記録することで心臓の機能や構造に重要な情報をもたらします．

●心電図は心臓の電気的活動を記録して，心臓の機能と構造に重要な情報をもたらします．心電図は_____と略します． —— ECG

メモ：もともと electrokardiogram という綴りだったこともあり，アイントーベンの時代からEKGという用語が使われてきました．医学用語は伝統を重んじるものですから，EKGのほうが長い風雪をくぐりぬけてきたといえましょう．もうひとつ，ECGはEEG（脳波）と読み方が似ていますのでちょっとまぎらわしいこともあり，個人的にはEKGという略語のほうが趣味に合います．しかし，今ではECGという用語のほうがよく使われていますから，このテキストでは "ECG" で話しを進めましょう．

●ECGの波形は目盛りのついた紙に記録されます．心臓の電気的活動とその健康状態をずっと後まで_____として残せます．それとは対照的に，モニター心電図やテレメトリー心電図はリアルタイムに心電図の情報を提供することに重点が置かれています． —— 記録

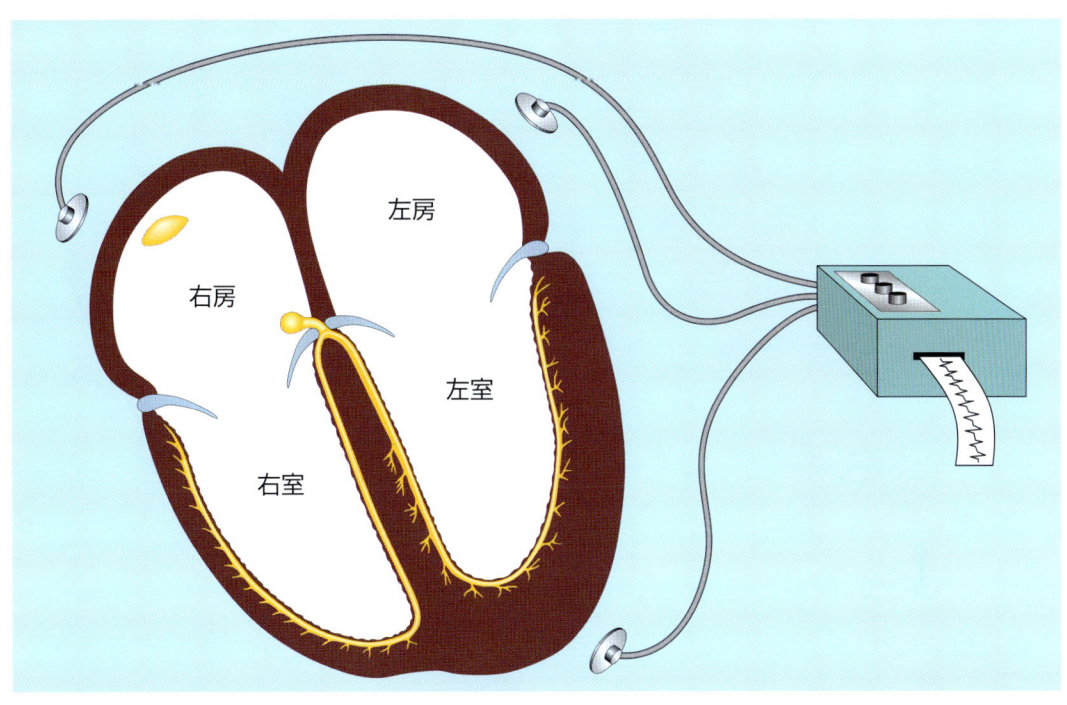

ECGは心筋（心臓の筋肉のことです）の電気的活動を記録します．

●ECGで記録できるのは心臓の_____的な活動です． 　　電気

●ECGは心臓の_____に関連した電気的活動を反映しています． 　　収縮

メモ：ECGは心臓のレートやリズムについて有用な情報をもたらします．

●心筋（英語ではmyocardiumといいます．myoは筋肉，cardiumは心臓のことです）が電気的な刺激によって_____します． 　　収縮

メモ：このページのイラストには心臓の断面が示されています．4つの部屋（心腔といいます）がみえますが，それぞれの位置と名称をよく覚えておいてください．この心臓のかたちはこのあと何度も出てきます．

静かにしているとき（静止状態といいます），心筋細胞*（心臓の細胞のことです）の内部は電気的にマイナス（陰性）になっています．細胞内部がマイナスかプラスかは細胞膜の外側を基準にして表現しています．この状態を生理学的には分極している（polarized）といいます．細胞の外側と内側が電気的にくっきりした差があるという意味です．一方，収縮するときの細胞は脱分極して（depolarized），その内部は陽性側に変化します．分極状態が消失するという意味です．

● 静止状態の心筋細胞は分極しています．その内側は_____に荷電しています． 　　陰性

　メモ：正確には静止した心筋では細胞内部が陰性に荷電し，外側の表面は陽性に荷電しています．しかし，このテキストではシンプルさを尊重して，外側を基準としてみたとき内部がどうなっているかに注目したいと思います．

● 静止した心筋細胞の内部は陰性ですが，脱分極したときは_____となり心筋は収縮します． 　　陽性

● 興奮（個々の心筋細胞では脱分極のことですが）は波となって心筋から心筋へと伝わっていきます．**脱分極波**は心筋細胞を刺激して細胞内部の電荷を陽性に向かわせ，心筋細胞は_____します． 　　収縮

*心臓の筋肉は心筋とよび，心筋の細胞は心筋細胞といいます．

［訳者注］：脱分極とは心筋細胞が興奮することと近似した用語です．文章の流れから理解しやすくなるように，depolarizationを興奮と訳しているところもあります．ご了承ください．

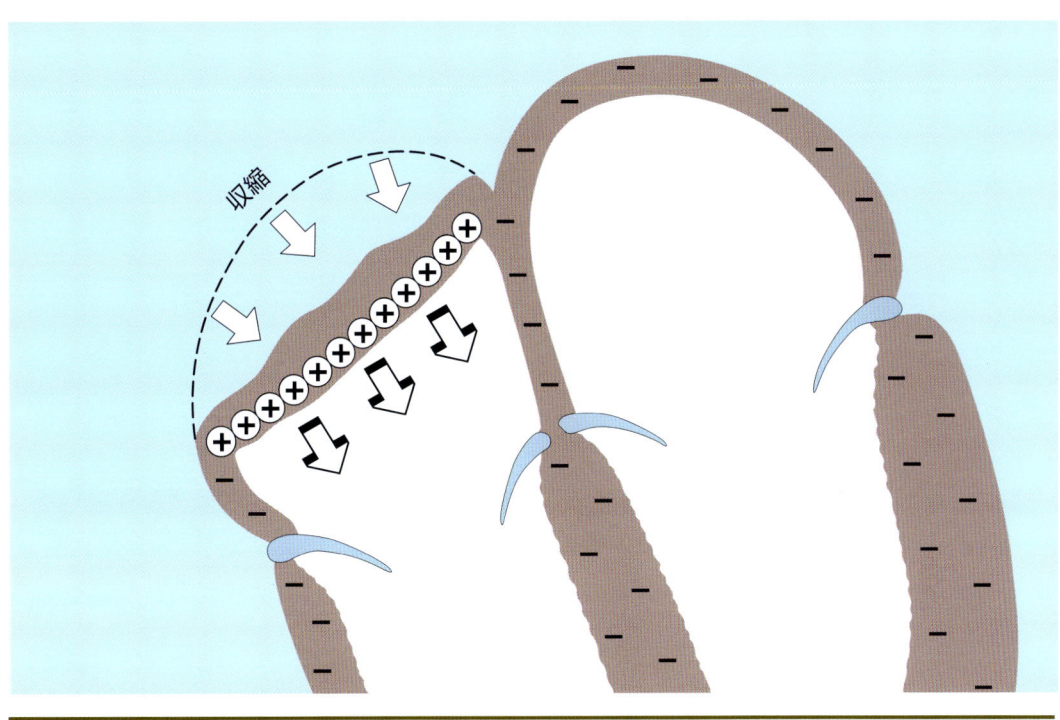

心臓のなかを脱分極の波が進んでいくにつれ，心筋は収縮します．

●脱分極とは心筋細胞のなかを_____の電荷の波が広がっていくことです． | 陽性

メモ：脱分極の波は静止状態の心筋細胞内部を陰性から陽性に変化させて収縮に至らせます．

●脱分極の波が伝播することは_____の電荷が心筋細胞内部に到達することです．こうして心筋収縮が広がっていくのです． | 陽性

メモ：心筋細胞の脱分極は細胞膜の外から内へナトリウムイオン（Na^+）がすばやく移動することによって生じます．細胞から細胞への脱分極の伝播はナトリウムイオンそのものの移動を必要とするものではなく，イラストにあるように"電荷"の移動によるものです．

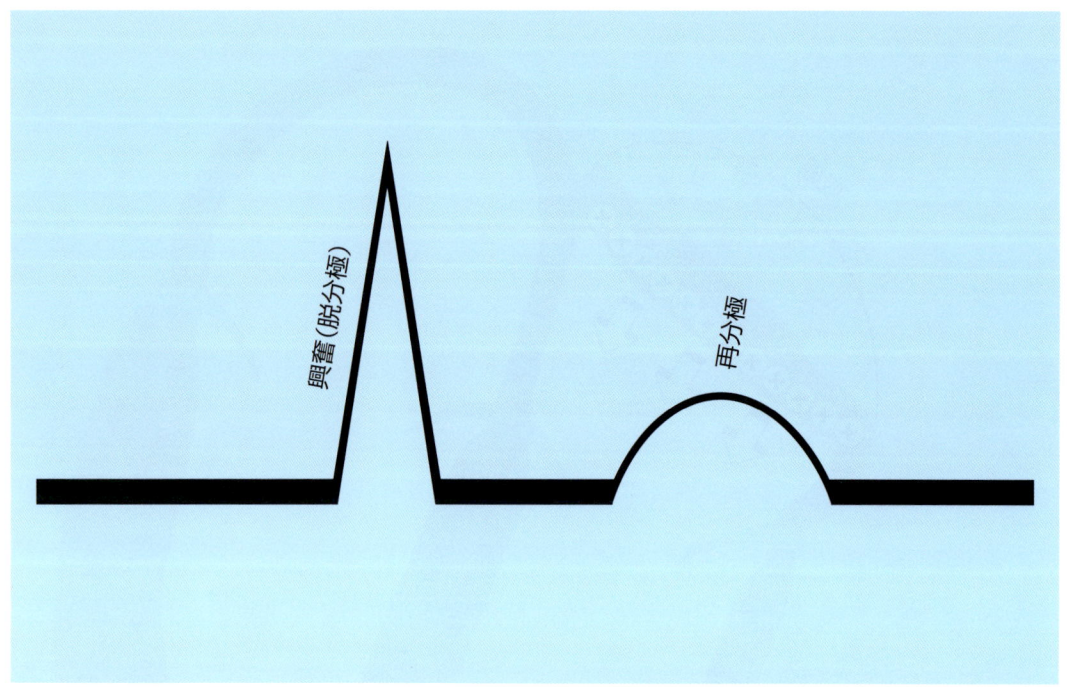

細胞内部が陽性になった後，つまり脱分極したあとに今度は陰性にもどるプロセス（再分極といいます）が続きます．このイラストは脱分極と再分極が ECG でどう表されるか示したものです．

●脱分極は細胞内部を＿＿＿＿に変化させ，心筋収縮を招きます．	陽性
●脱分極が終わると細胞内部は徐々に陰性側に戻ります．陰性に復帰するプロセスが＿＿＿＿です．	再分極
メモ：本当は細胞の脱分極が終わればすぐに再分極という電気現象が始まっています．イラストにみられる ECG の山は再分極の過程のうち最も活発なところだけが現れているわけです．	
●心筋の収縮は心筋細胞の＿＿＿＿によって生じます．ECG ではイラストのようにシャープな振れが見られます．脱分極のあとに続くのは，＿＿＿＿とよばれる静止状態にもどるプロセスです（イラストの後半に見える半円です）．	脱分極 再分極

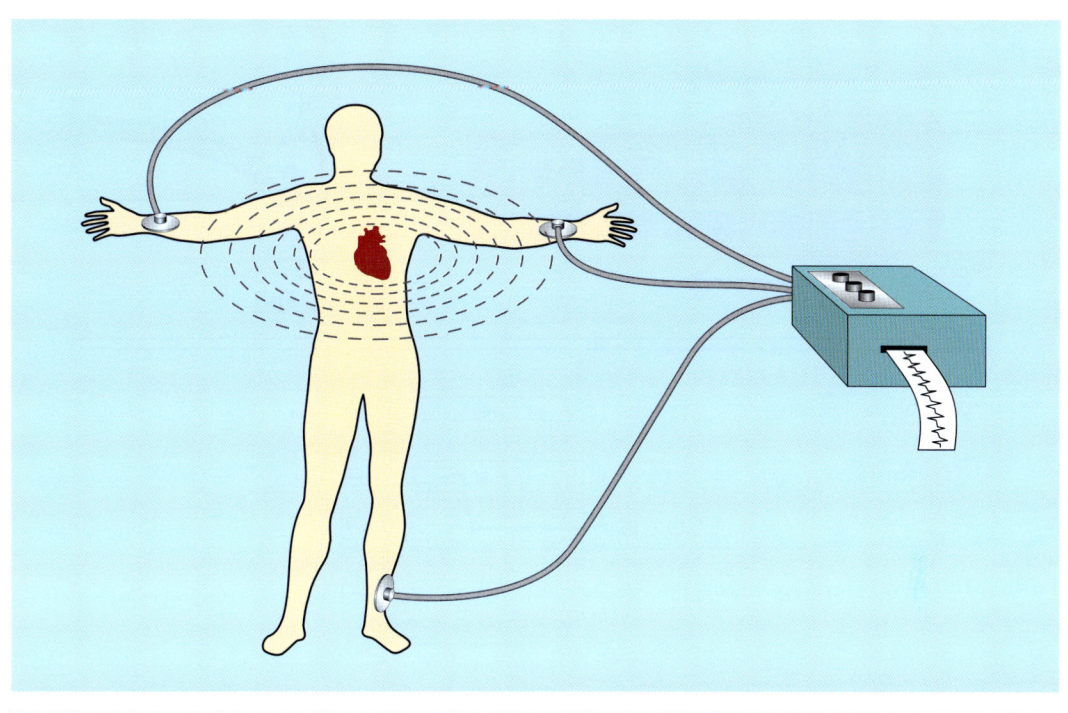

心臓の電気的活動は皮膚を通して検出できます．皮膚には微小な電流を感知できる"電極"を置きます．ECG とよばれる装置はこの微小電流を心電図として記録紙に残したものです．

●脱分極も再分極もイオンの流れによって引き起こされた＿＿＿＿的現象です．	電気
●通常の ECG，モニター心電図，あるいはテレメトリー心電図など感度のよい装置を使えば，心臓の電気的活動を＿＿＿＿の表面から検出し，記録することができます．	皮膚
●ECG が心臓の電気的活動を記録するために皮膚に＿＿＿＿を置きます．	電極

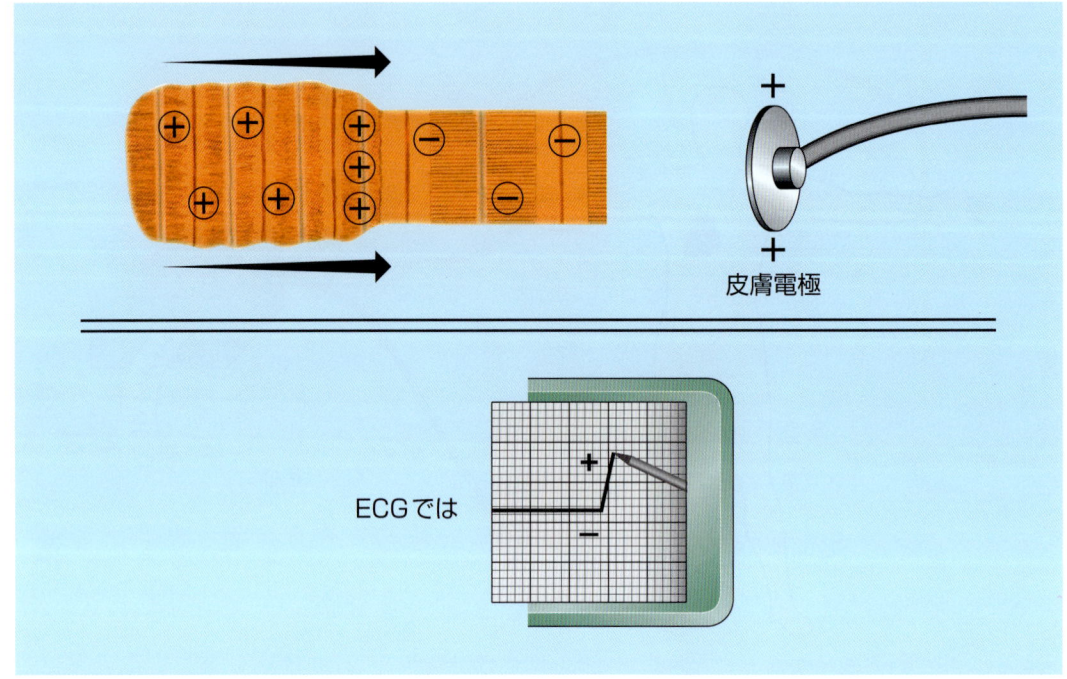

脱分極すれば心筋細胞の内部は陽性になります．この陽性の波が陽極電極に向かって進めばECGの波は陽性側，つまり上向きに振れます．

> **メモ**：言うまでもありませんが，この"陽極電極"はECGを記録するために患者さんに接触している電極のことをさしています．

- 心筋を広がる脱分極の波は＿＿＿＿電荷が広がっていくことです．それぞれの心筋細胞の脱分極にはNa$^+$イオンが活躍しています．　　陽性

- 陽性電荷（主にNa$^+$イオンによって形成されます）が陽極電極のほうに進んでいけば，＿＿＿＿では上向きの振れを認めます． 　　ECG

- 逆にECGで上向きの振れが見られるときは，脱分極の波が＿＿＿＿電極に向かっているということです． 　　陽極

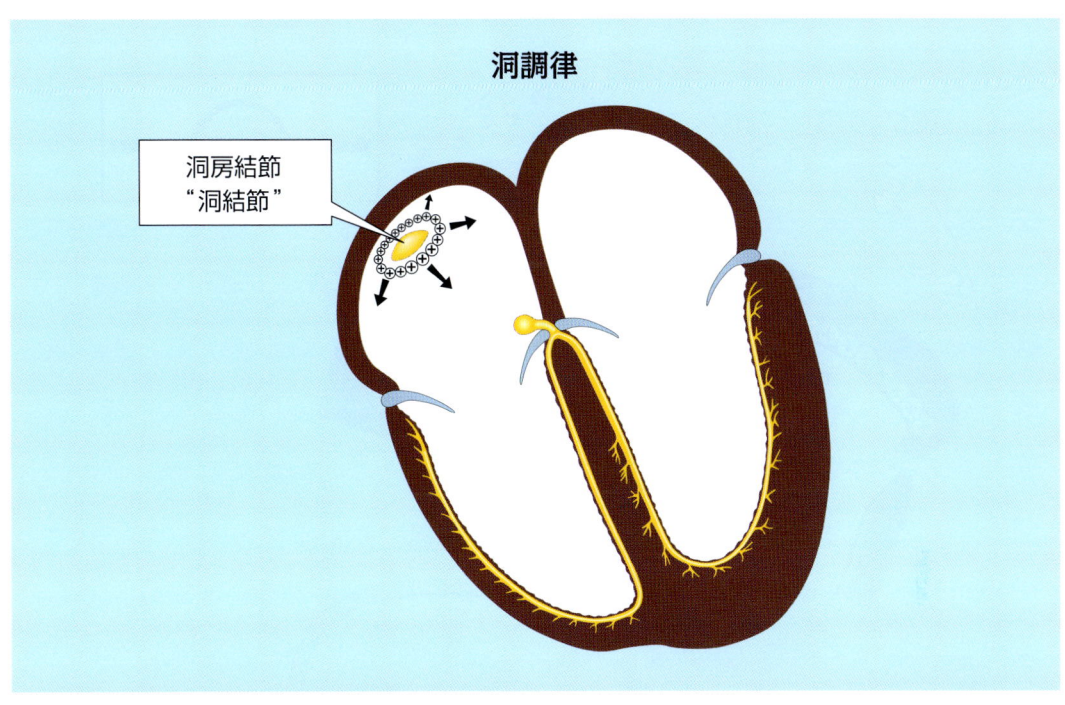

心臓の脱分極は洞結節という生理的なペースメーカーから始まります．洞結節からの脱分極は心房へと広がり，徐々に収縮を呼び起こします．

メモ：洞結節は正常人のペースメーカーです．洞結節がリズムの源となっていれば，そのリズムのことを洞調律とよびます．自然に刺激が生成されるからペースメーカーというのですが，この機能を**自動能**とよびます．洞結節以外にも自動能をもっている部位がありますが，脱分極生成の速度や信頼性の点で洞結節が主たるペースメーカーとして働いています．

● 洞結節は右の＿＿＿＿の上部，ややうしろ寄りに位置しています．洞結節は周期的に脱分極することによりペースメーカーとしての機能を果たしています．　　　　心房

● 陽性電荷（Na^+イオン）によって作られた脱分極の波は洞結節から両方の心房に伝わり，それらを＿＿＿＿させます．　　　　収縮

● 洞結節のようにペースメーカー機能をもつことを＿＿＿＿を有するといいます．　　　　自動能

メモ：洞結節からの脱分極は四方に広がっていきます．心房を水の張ったプールと思ってください．脱分極は小石をプールに投げ入れたようなものです．その波は輪状に拡大していくでしょう．脱分極は陽性電荷の波として心房筋の細胞の中を広がり，収縮させていきます．ちょっとわかりにくかったら，もう一度このページを読み直してください．

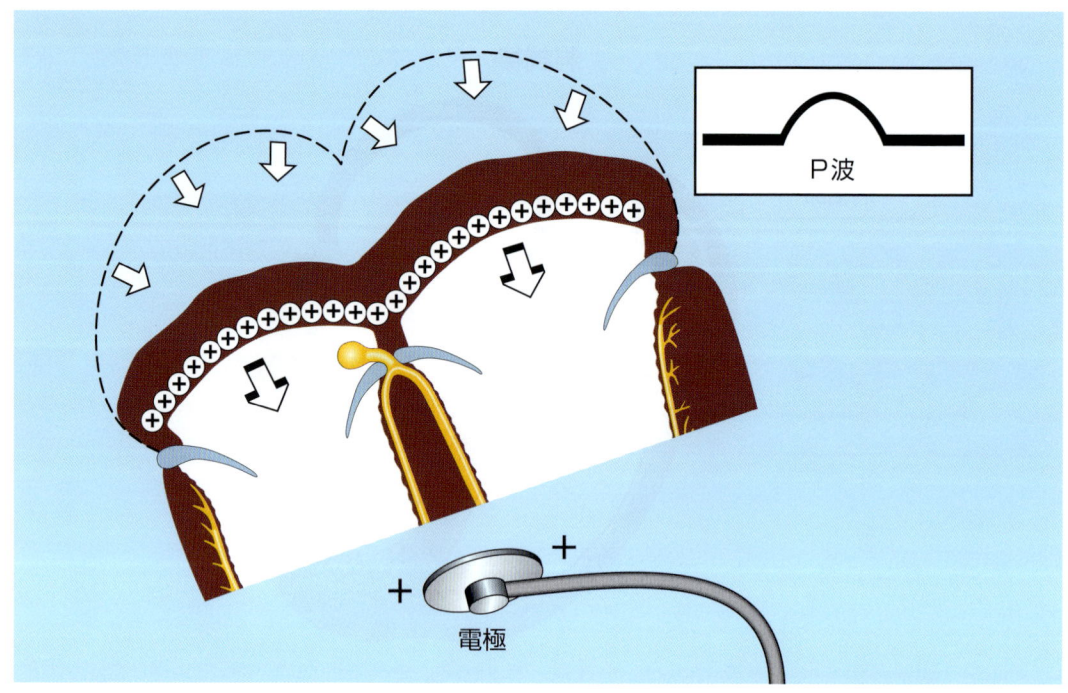

洞結節からの脱分極は両方の心房に広がり，ECGには**P波**が現れます．

> **メモ**：イラストでは心房脱分極の陽性波が陽極電極に向かっています．ECGのP波は上向き，つまり陽性側に振れています．

● 心房を脱分極波が通り抜ける様子は_____に置いた電極で検出できます．　　皮膚

● 心房の脱分極はECGでは_____波として表されます．　　P

● ということはECGにP波を認めたら，電気的な現象としては心房の_____が生じたことがわかります．　　脱分極

> **メモ**：心房には独特な伝導システムがありますが，これは後で述べましょう．興味がありましたらp. 101を参照してください．

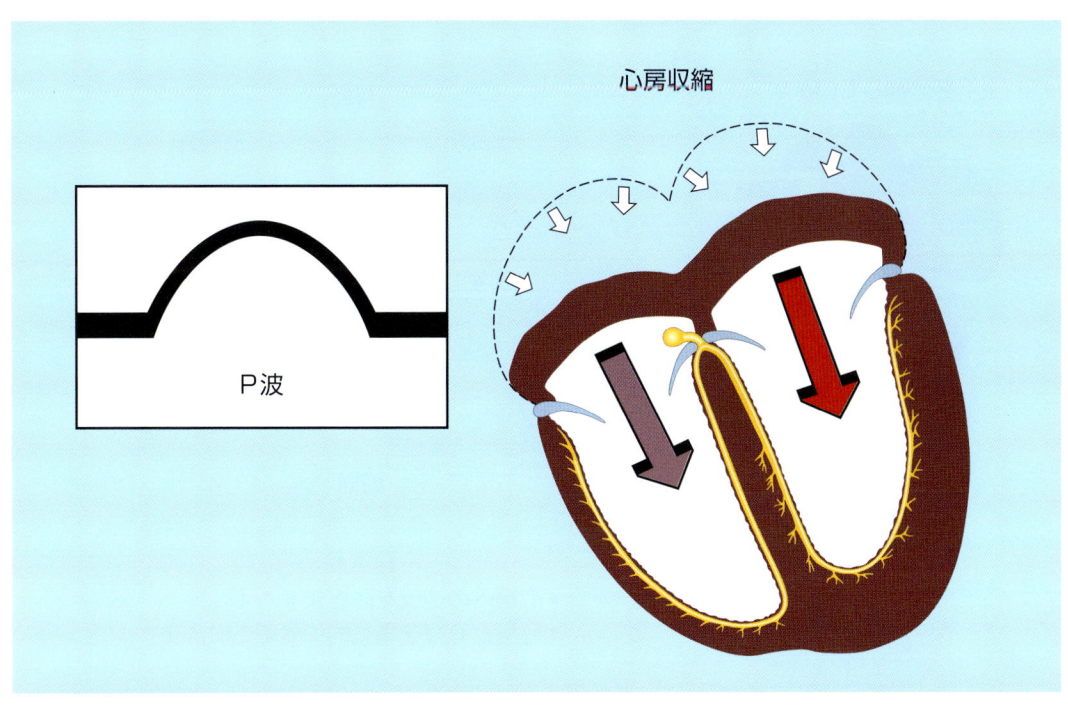

P波が両心房の電気的活動（脱分極）を意味することと，それに応じた心房の収縮と対応していることがわかりました．

●両心房に脱分極が到達すれば，まもなく心房の_____が見られます．	収縮
●つまり，P波は_____の脱分極と収縮の両方を表していることになります．	心房

メモ：実際の心房収縮はP波が見られる時間よりも長く続きます．それでも，シンプルなほうが理解しやすいですからP波＝心房の収縮と考えて話しを進めましょう．心房の収縮は房室弁を開いて，心房から心室に向けて血液を送り出します．

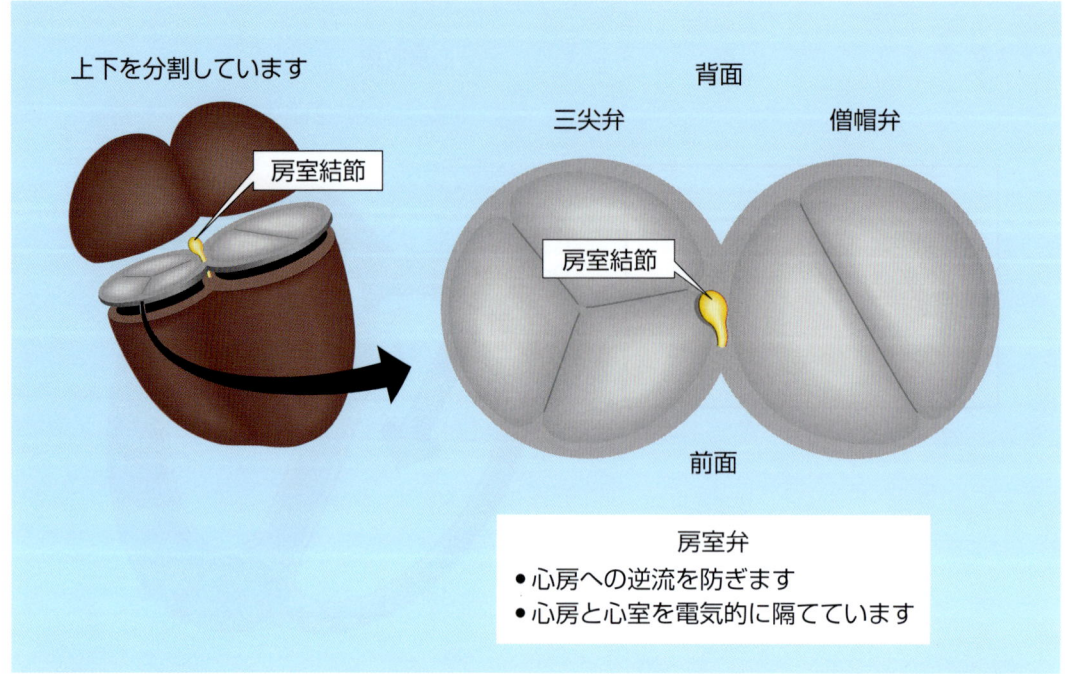

房室弁は心室から心房へ血液の逆流することを防いでいます．弁が付着しているあたり（弁輪部といいます）は電気的に絶縁されています．ですから心房と心室のあいだは電気的にはつながっていません．例外的に**房室結節**がただ一ヵ所心房と心室を結ぶ経路となっています．

- 心室が収縮しても心房への血液の逆流は起きません．なぜかといえば，心房と心室のあいだには_____があるからです． 　　房室弁

- 心房と心室のあいだにあるのは**僧帽弁**と**三尖弁**です．これら2つの弁が房室弁のことですが，心房と心室のあいだには一部を除いて電気的な連絡は_____． 　　ありません

- …その例外的な房室間の連絡とは_____結節のことです．心房の脱分極は唯一この房室結節を通って心室に到達します． 　　房室

> **メモ**：房室結節から心室に向けて特殊な伝導系が続いています．次は血液が心臓のなかをどう移動していくか復習しましょう．

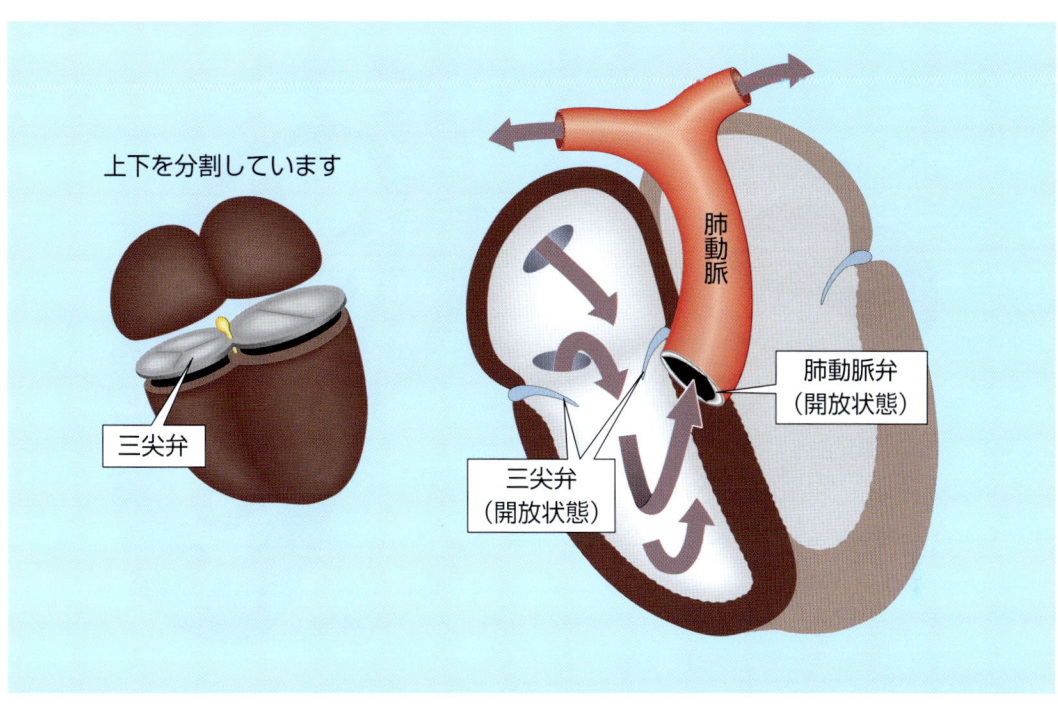

酸素を使い果たした血液は静脈から右房に戻ってきます．右房の収縮は血液を右室に送り，右室は肺血液を移動させます．

メモ：三尖弁は心臓の右側にあります．

●心臓の右側，つまり右房と右室には全身から酸素濃度の低下した血液が戻ってきます．右室の血液は_____に送り出されます． | 肺

●右室の収縮は酸素濃度の低下した血液を送り出しますが，その通り道に**肺動脈弁**があります．肺動脈弁の先には_____があります．さらにその先が肺になります． | 肺動脈

メモ：両方の心房はいっしょに収縮します．左右の心室もほぼ同時に収縮します．とはいえ，心臓の右側と左側はそれぞれ異なった仕事を与えられています．

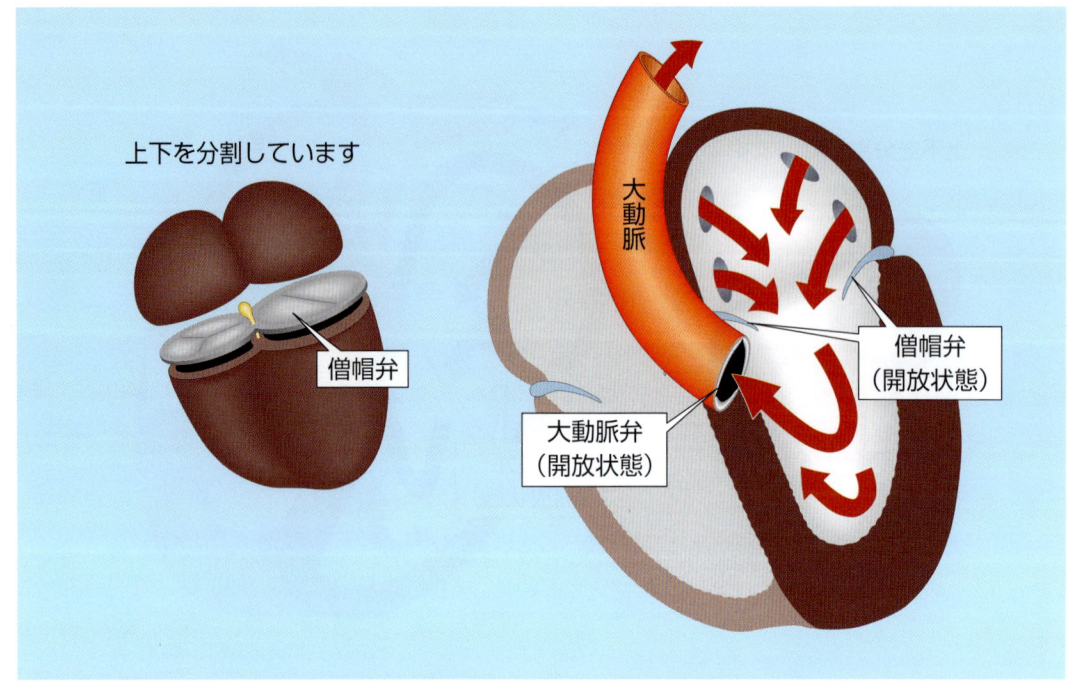

肺を通り抜けた血液はたくさんの酸素をもらって左房にたどりつきます．左房が収縮すると血液は僧帽弁を開いて左室に移動します．左室の収縮はとてもパワフルです．血液は**大動脈**を通って全身に流れていきます．

> **メモ**：僧帽弁は心臓の左側にあります．

●左房が収縮すれば酸素を多く含んだ血液は_____弁を通り抜けて左室に達します．	僧帽
●血液で膨らんだ左室は，今度は収縮を始めます．厚みのある心筋でできている左室が力強く収縮します．酸素濃度の高い血液は**大動脈弁**を過ぎて_____に達します（えらく単純な話ですね）．	大動脈
●左右の心房はほぼ同時に収縮しますが，左右の_____の収縮もだいたい同じタイミングです．	心室

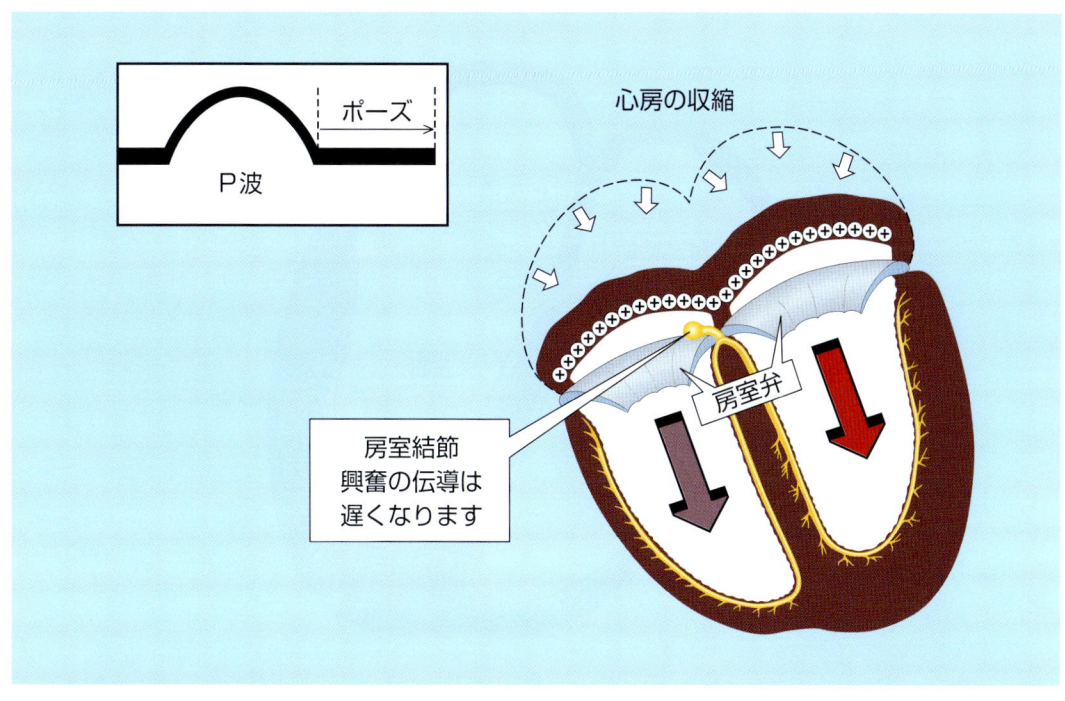

心房脱分極が房室結節に届くと，急に伝導する速さが低下するため房室結節を脱分極が通り抜けるのに少し時間がかかります．これにより心房の収縮から若干遅れて心室が収縮しますから，結果的に血液はスムーズに心房から心室に流れ込みます．房室結節におけるゆっくりした伝導にはカルシウムイオンが関わっています．

メモ：もうおわかりのように房室結節は心房と心室をつなぐ唯一の伝導路です．

●脱分極は房室結節で速度が低くなります．つまり心室に脱分極が届くまで少しよけいに_____がかかります．　　　　　　　　　　　　時間

●心房から心室に脱分極が届くのにひと呼吸かかることは，心房からの血液が房室弁を経て_____まで届くのにちょうどいい収縮の連携につながるのです．　　心室

メモ：今のところ心臓の電気的活動と機械的な動きをひとまとめにして話しを進めています．心房が収縮すれば血液は房室弁を通って心室に向かいますが，心室にたどりつくにはちょっと時間がかかります．そこで心房と心室の収縮や拡張のタイミングにずれがあったほうが血液の移動には都合がよいのです．ECG上でP波とQRSのあいだにわずかですが平坦なところが見られますが，これが心房と心室の収縮の時間的なずれを反映しています．イラストをもういちどよく見てしっかり理解してください．

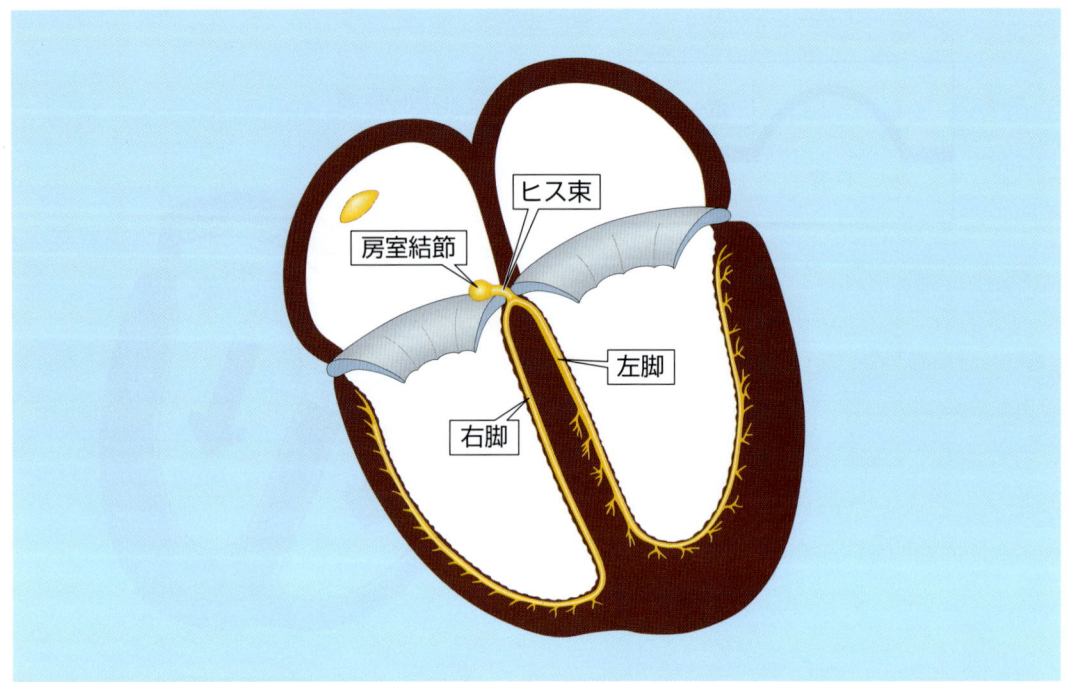

脱分極は房室結節を通るときはゆっくりしていますが，ひとたび心室の**刺激伝導系**に達すると**ヒス束**，**左右の脚枝**，さらに広く分布した分枝をすばやく伝播していきます．

●脱分極は房室結節を緩徐に下っていきます．なぜ房室結節で伝導速度が遅いかというと房室結節の伝導がカルシウム電流に依存するからです．ところが＿＿＿＿束から始まる心室の刺激伝導系ではかなり速くなります．	ヒス
●房室結節をゆっくり通り抜けた脱分極はヒス束を通って左右の伝導＿＿＿＿に達します．	脚
●ヒス束から伝導脚を通り抜けた脱分極は末梢の分枝を経て，すばやく＿＿＿＿の心筋細胞に到達します．	心室

メモ：心室の刺激伝導系はヒス束から始まります．ヒス束は心室中隔の房室弁輪を貫通したあと直ぐに右脚と左脚に分岐します．ヒス束も左右の脚も伝導速度の高い**プルキンエ線維**でできています．

[原書注]：本書の旧版も含め，これまでのテキストでは心室の内膜側に分布する細い末梢の線維だけをプルキンエ線維とよんでいました．しかし，解剖学的には誤りです．通常の心筋と同じく，プルキンエ線維もナトリウム電流に依存しています．このことが通常の心筋やプルキンエ線維の伝導速度が高い理由です．

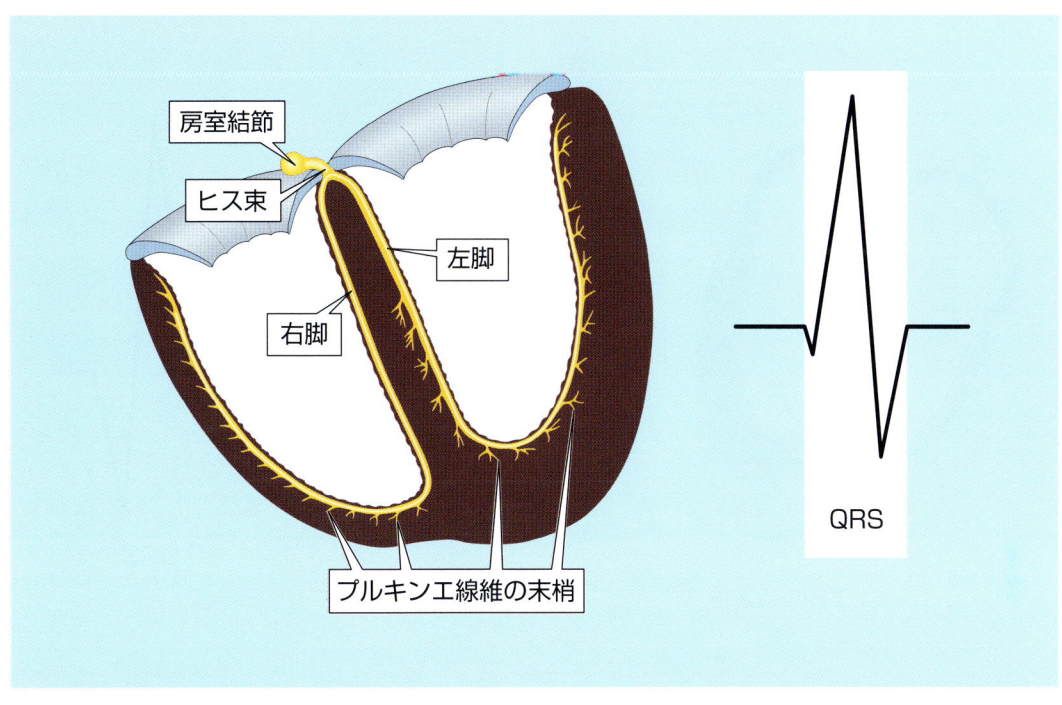

プルキンエ線維の末梢線維は心室筋に脱分極をすばやく伝えます．心室筋の脱分極の始まりから終わりまでがECGの**QRS**に相当します．

> **メモ**：心室の刺激伝導系はプルキンエ線維を経由して，房室結節からの脱分極をすごい速さで心室に伝えます．プルキンエ線維の末端は細い線維となって心室筋を直接脱分極させます．心室のなかを脱分極が降りていくときに生じる電流はごくわずかですからECGにはとくに揺れは生じませんので，QRSは心室筋に脱分極が到達したあとに出現する波形です．

●脱分極は房室結節を通るときはかなりゆっくりした速度です．伝導速度が遅いのはカルシウム電流に依存した伝導だからです．ヒス束から右脚と左脚に分かれて末梢のプルキンエ線維に届くまではナトリウム電流に依存していますから速い伝導を示します．そのあと，＿＿＿＿が脱分極します． 　　心室

> **メモ**：末梢の細いプルキンエ線維は左右の心室の内膜直下に分布しています．そのため心室の脱分極は内側から開始して，外側に波及していきます．外側のことを**外膜**といいます．プルキンエ線維は内膜で分岐して広がっていきますが，あくまで内膜側にとどまっています．イラストは平面での表現ですからプルキンエ線維の分布について正確さに欠けることをご了解ください．

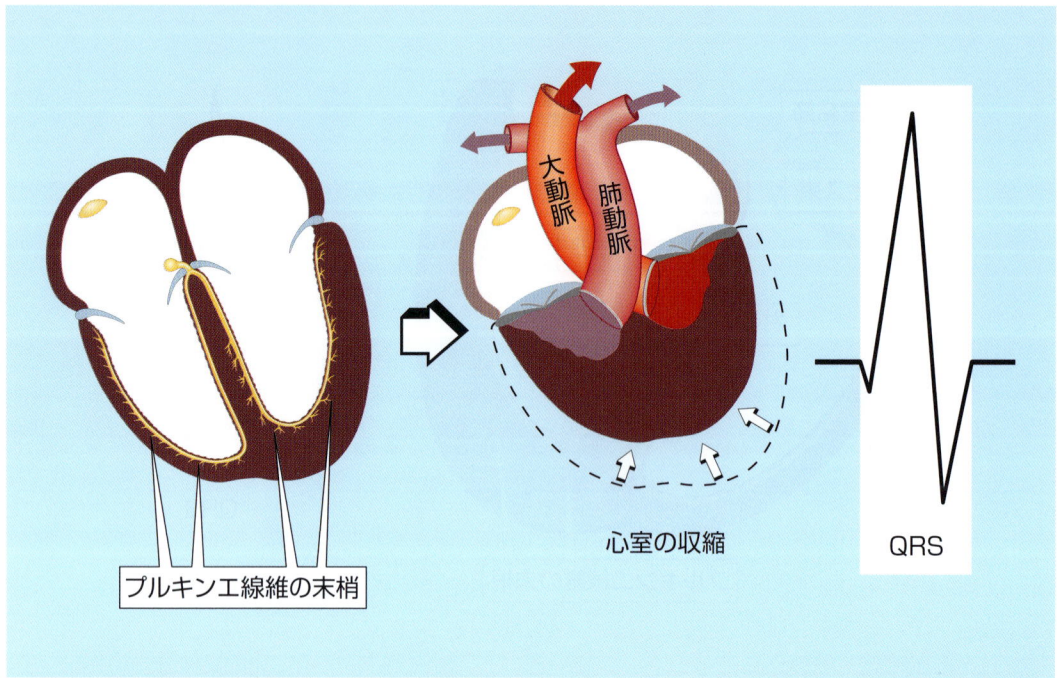

心室の刺激伝導系は速い伝導が可能なプルキンエ線維によって構成されています．プルキンエ線維の末梢は心室筋を脱分極させ，収縮させます．心室の脱分極と収縮はQRSと対応しています．

● プルキンエ線維の末梢は左右心室内膜側の心筋に高速度で_____を伝導します． | 脱分極

メモ：心室の刺激伝導系，すなわちヒス束から末梢の伝導線維まで，その本体はプルキンエ線維です．プルキンエ線維の伝導はナトリウム電流を使うのでとても速いのです．

● 心室の脱分極は心電図上_____を出現させ，心室を収縮させます． | QRS

メモ：QRSは厳密には心室収縮の始まりに相当します．心室の収縮はQRSが終わったあとも続いています．しかし，このテキストではシンプルさを損なわないように，便宜的にQRSと心室収縮を同じに考えます．つまりQRSは心室脱分極を表す一方で，心室収縮とも対応するということにしておきます．よろしいですか？

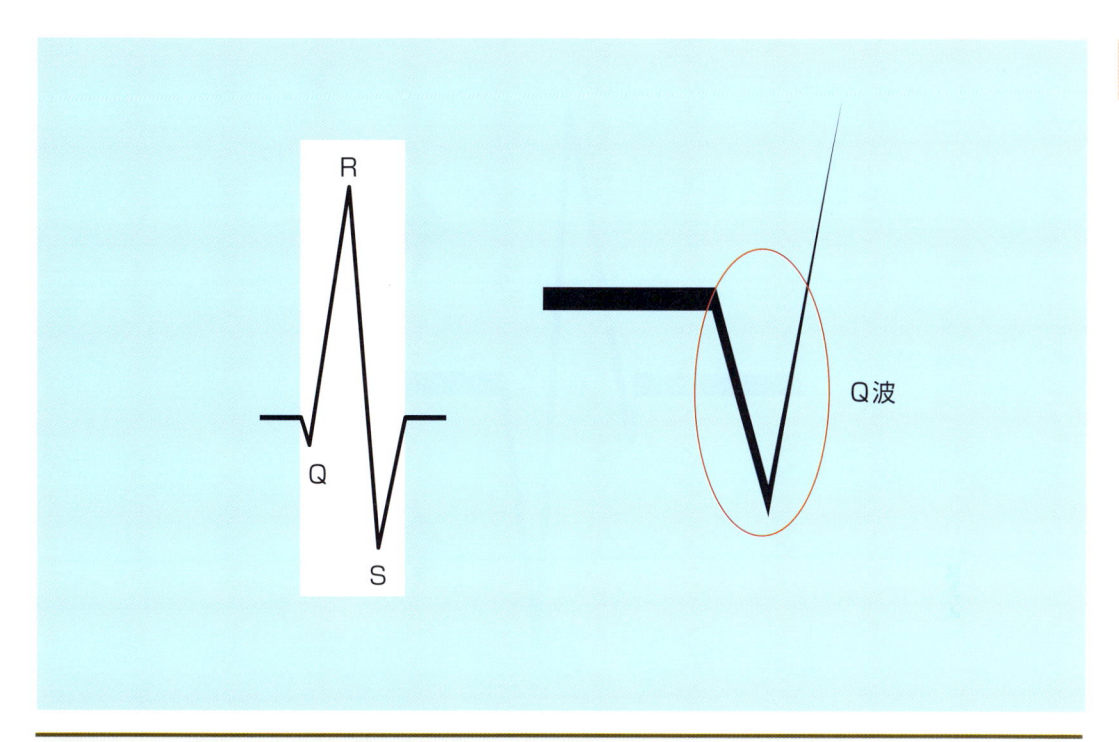

QRSのうち最初の振れが下向きなら，それを**Q波**といいます．上向きの振れのなかで，最初のものを**R波**といいます．もしQRSの最初の振れが上向きなら，Q波は存在しないことになります．

- Q波*は常に存在するとは限りませんが，もしあるとすればQRSの一番_____に認める下向きの振れのことです． | 最初

- 下向きの振れであるQ波の後に上向きの振れがあれば_____波です． | R

メモ：下向きの振れの前に上向きの振れが見られたら，その下向きの振れはもはやQ波とはよべません．というのは定義上，QRSの最初が下向きのときのみ，それをQ波という約束になっているからです．

*同じQ波でもその大きさによって大文字を使ったり小文字を使ったりすることがあります．

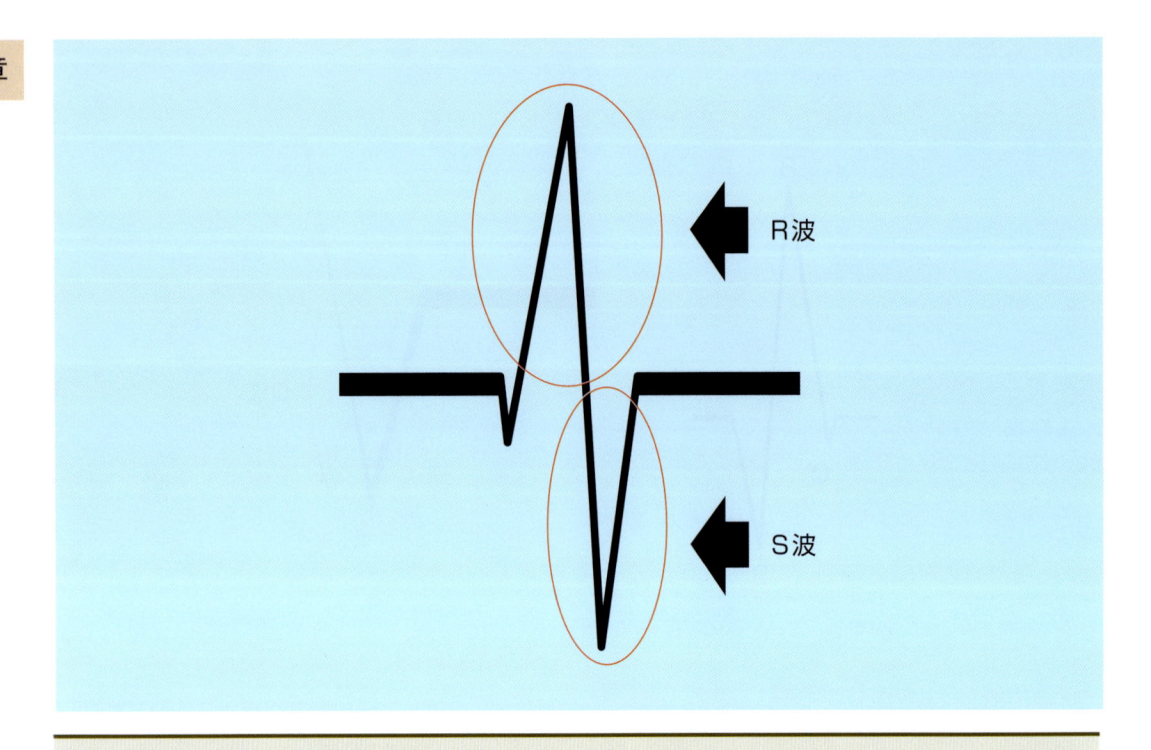

[R波の図、S波の図]

R波が上向きであることはすでに述べましたが，R波のあとに下向きの振れがあればそれはS波といいます．繰り返しますがQRS全体で心室の脱分極を表現しています．

● QRSに上向きの振れがあるとすれば，その最初のものは_____です．　　R波

● 上向きの後に下向きの振れがあれば，それは_____です．　　S波

● QRSは_____の脱分極，そして収縮に対応しています．　　心室

メモ：上向きの振れはQRSのどこにあってもR波とよばれます．では下向きの振れであるQ波とS波の違いはどこにあるのでしょうか？　それはR波との位置関係にあります．QRSは必ずしもQ波があるとは限りませんが，存在するとする場合はQRSの最初のところにある下向きの振れです．つまり必ずR波の前にあります．これに対し，S波はR波のあとに続く下向きの振れを指します．あまり難しく考えることはありません．アルファベットの順番がわかっていればいいのです．

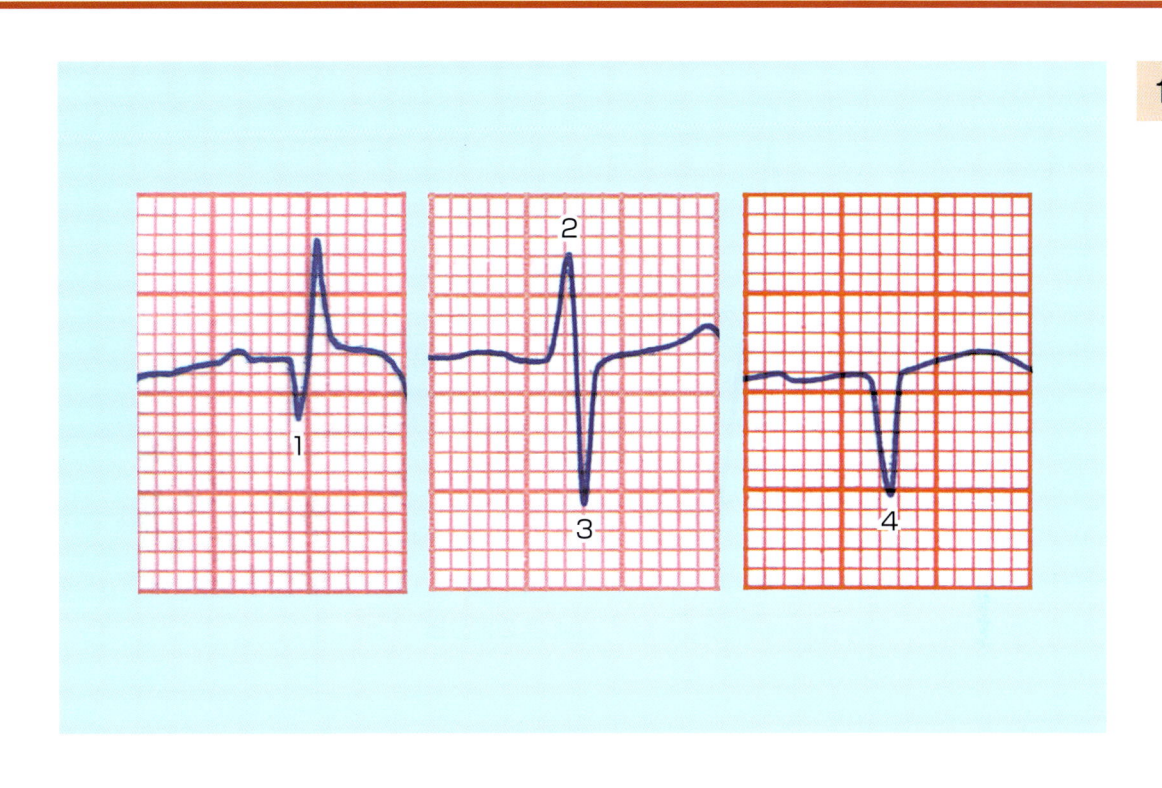

●QRSのなかでどの波にあたるのか考えてください．

1. _____　　　　　　　　　　　Q波

2. _____　　　　　　　　　　　R波

3. _____　　　　　　　　　　　S波

4. _____　　　　　　　　　　　QS波

> **メモ**：問4.はちょっと例外です．QRSに上向きの成分がまったく見えません．R波がなければQ波とよぶのか，S波とよぶのか手がかりがなくなります．そこでやむを得ず**QS波**というよび方にしたのです．Q波と同じ扱いになります．

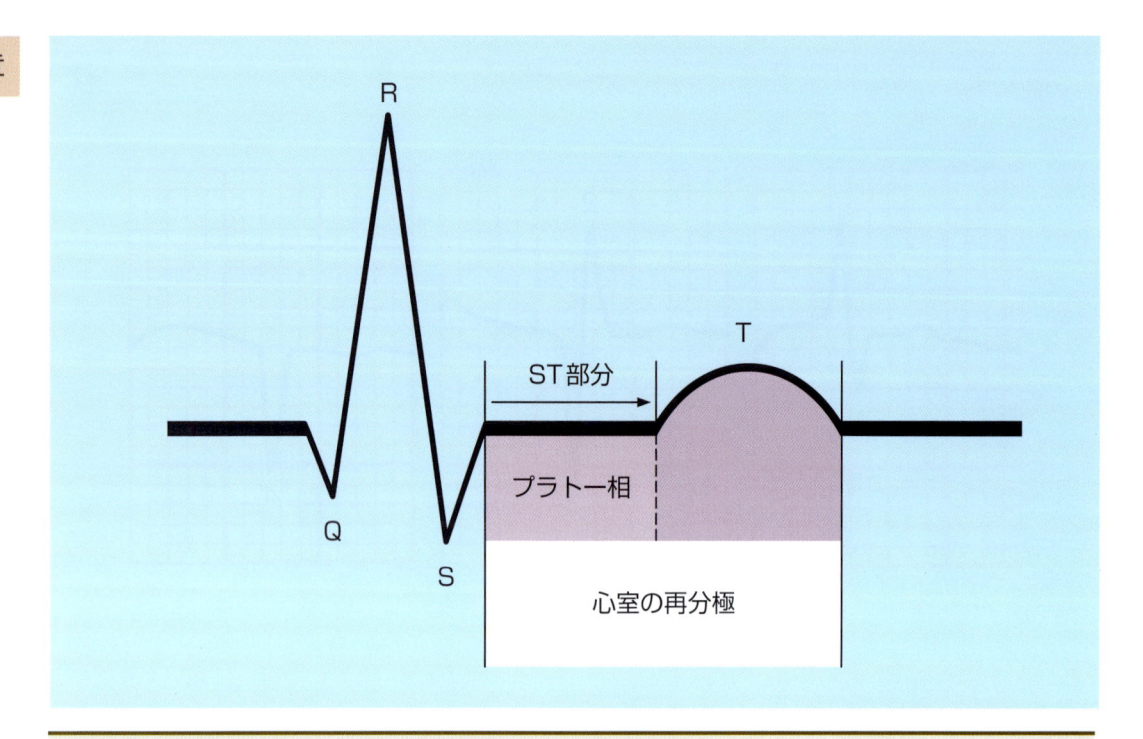

QRSの後にはちょっとだけフラットなところがあります．ここは**ST部分**とよばれます．ST部分のあとにはもっこりとした**T波**が現れます．

● QRSのうしろの水平なところは_____部分とよばれます．　　　　ST

● QRSとその後のフラットな線のあとに少し鈍なふれが見えますが，これは
　_____波という名前をもっています．　　　　　　　　　　　　　　T

メモ：ST部分は水平な線です．ただ横にまっすぐというだけでなく，他の水平なところと位置的に同じであることが大事な点です．もしST部分が基準となるレベルから上下のどちらかにシフトしていたら何らかの病的な意味をもっています．

メモ：ST部分は心室の再分極相のなかで，"プラトー（plateau：平衡）相"に一致しています．このプラトー相では心室の再分極はごくわずかで，ほとんど動きがない時期にあたります．

第1章 基本となる生理学

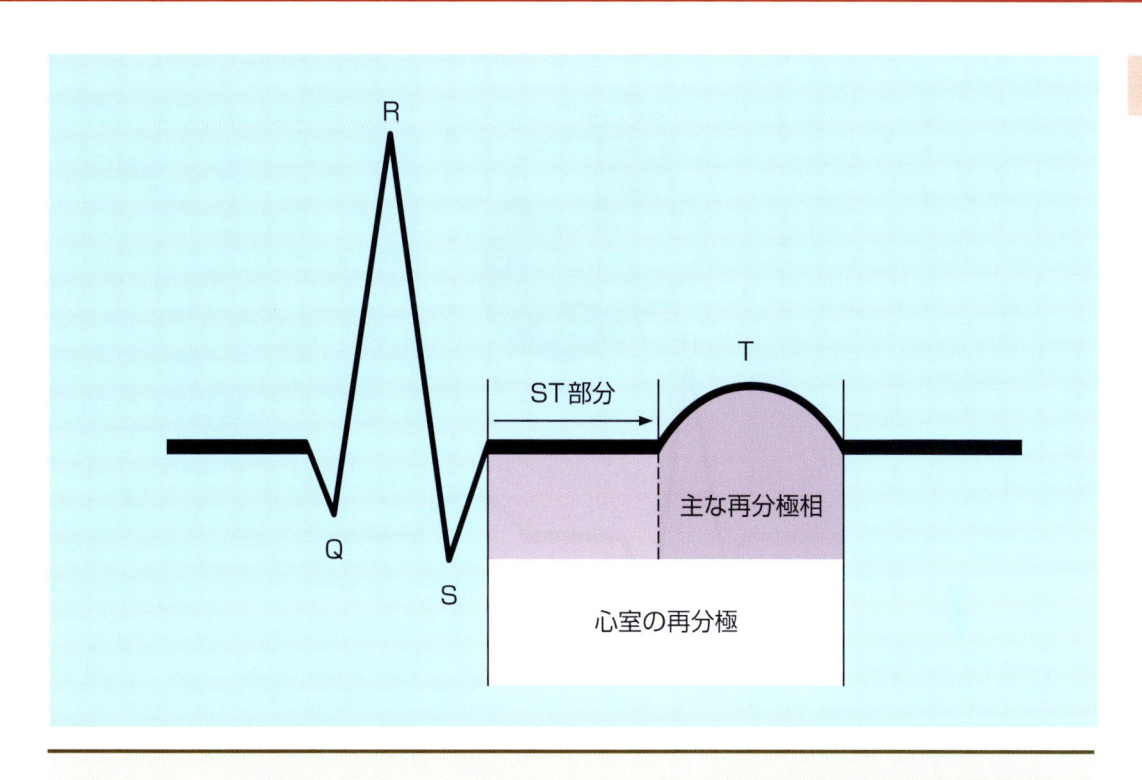

```
        R
        │
        │   ST部分
        │  ┌───→      T
        │  │        ┌──┐
────────┤  │        │  │       主な再分極相
        │  │        │  │
        Q  │        │  │
           S        │  │
                    │  │  心室の再分極
```

T波は心室の再分極が急激に進行する時期と一致しています．すばやくかつ効果的に再分極が達成されます．

● 再分極過程は心室筋の細胞内部が静止膜電位を取り戻すプロセスですが，静止電位は_____側のことで，つまり再分極というのは分極状態に復帰することを意味します．	マイナス
● T波はR波に比べれば背が低く，あまり尖ってもいませんが，心室が_____に再分極する時期に相当します．	急激
● 心室の再分極はQRSが終わるあたりから始まり，_____波の終末まで続きます．	T

メモ：再分極はST部分にあたるところもT波に一致するところもどっちも，カリウムイオンが細胞内から細胞外に放出されることによって成立します．

メモ：心室の**収縮**（systole，シストリーと発音します）はQRSとともに始まり，T波の尻尾で終わります．つまり，心室の収縮は心室の脱分極と再分極の両方にまたがっています．心室収縮がQRSの最初と一致し，T波の終わりまで続くというのはそれなりに理解しやすいものです．

```
                              R



                              Q   S
                                  QT時間
```

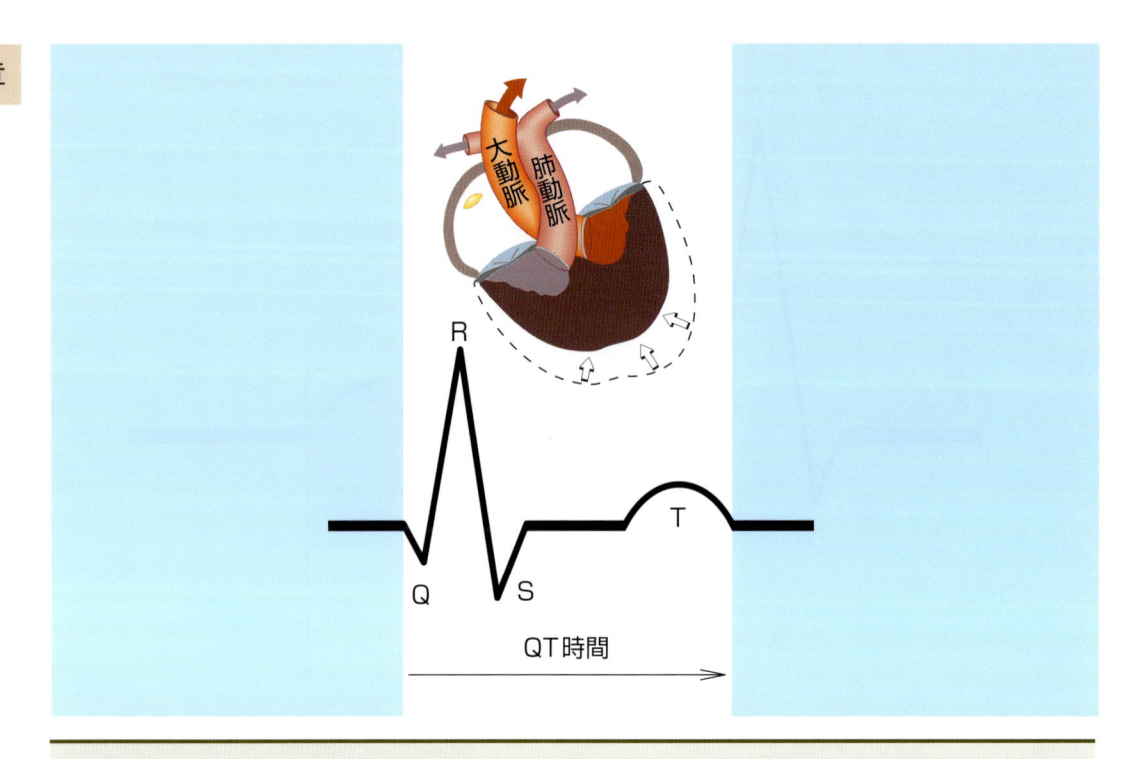

心室の収縮のはじまりはQRSの開始点と一致し，T波の終わりとともに終了します．それゆえ，QT時間が臨床的に大事なパラメータになります．

● QT時間は心室_____の時間に相当します．QRSの開始からT波の終わりまでがQT時間です．　　　　　　　　　　　　　収縮

> **メモ**：QT時間は再分極に要する時間を知るのに便利な指標です．遺伝的QT延長症候群はときに致死的となる頻拍を生じる病態です．日常の臨床でも注意深くQT時間を観察していれば，致死的イベントを未然に防げる可能性があります．

> **メモ**：心拍数が高いときは脱分極と再分極のプロセスが速やかに進行します．つまりQT時間は心拍数に依存しています．QT時間は心拍数に応じて補正（correct）され，QTc時間とよばれます．一応のめやすですがRR時間の半分より短いQT時間は正常とみなしてもいいでしょう．

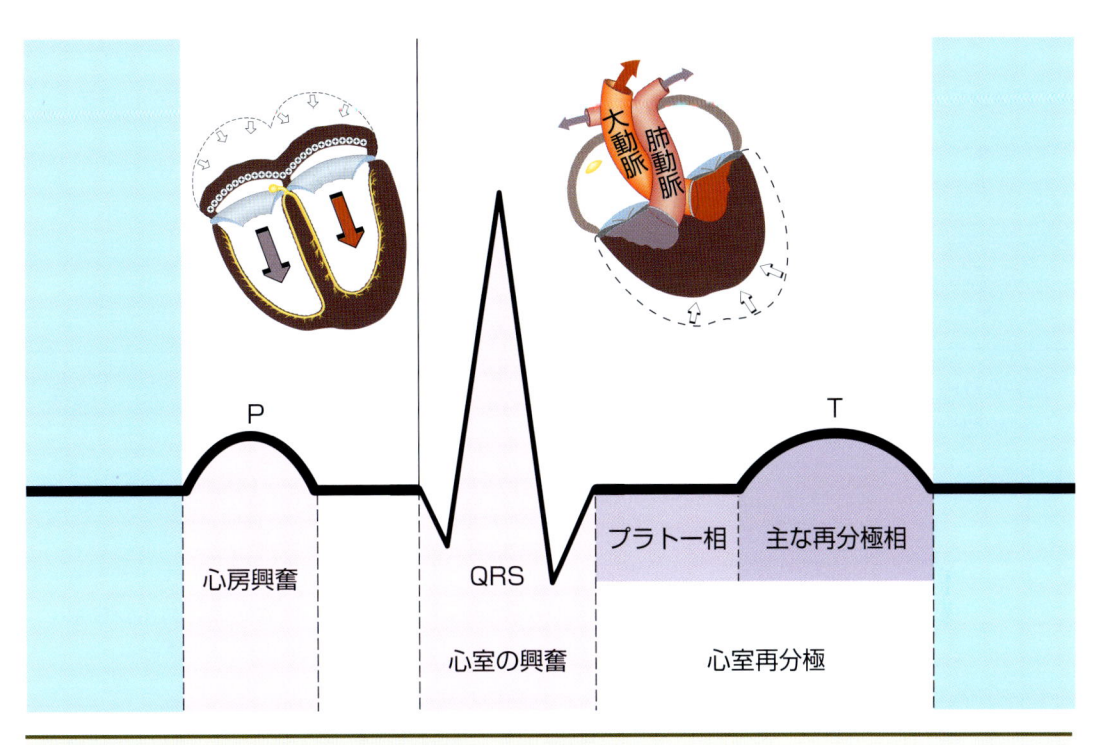

P波, QRS, T波とそれぞれをつなぐ水平の線はまとめてワンセットとなっています. このひとかたまりを心周期といいます. 心周期が繰り返されることで, 心臓の仕事は続いているわけです. それぞれの波がどういう意味をもつかイラストを見てよく理解してください.

> **メモ**: 生理学的に表現すれば, 心周期は心房収縮, 心室収縮, 再分極および次の心房脱分極が始まるまでの静止状態を加えたもので構成されます.

●心房の脱分極は_____波で表現されます.　　　　　　　　　　　P

●心室の脱分極は_____と対応しています.　　　　　　　　　　　QRS

> **メモ**: 心房の収縮はP波が終わっても続いていますし, 心室の収縮もQRSを過ぎたところまで続いています. もうご存知と思いますが.

1章

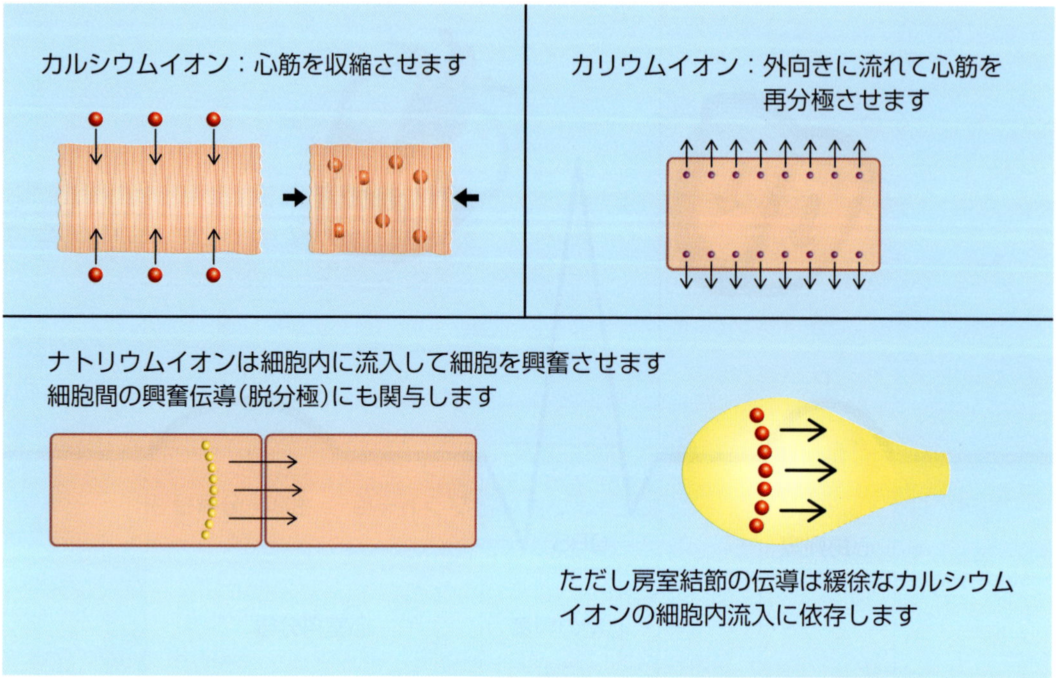

カルシウムイオン：心筋を収縮させます

カリウムイオン：外向きに流れて心筋を再分極させます

ナトリウムイオンは細胞内に流入して細胞を興奮させます
細胞間の興奮伝導（脱分極）にも関与します

ただし房室結節の伝導は緩徐なカルシウムイオンの細胞内流入に依存します

心臓の脱分極伝導，収縮，および再分極には3つのイオンが重要な役割を果たしています．

●細胞内に遊離Ca^{2+}イオンが放出されると心筋は_____します．	収縮
●脱分極が終われば，_____イオンが細胞内から細胞外へ流出することにより再分極が生じます．	K^+
●心筋細胞間の脱分極伝播にはNa^+イオンが大きな役割を果たします．一方，房室結節の伝導はより緩徐な_____イオンに依存しています．	Ca

メモ：ECGの勉強にここまで細かい知識はいらないんじゃないかと思うかもしれませんが，本当はもっとも大事なポイントなのです．ここであげたナトリウム，カリウム，カルシウムの3イオンの働きは心臓の電気生理学において基本中の基本です．きっとさまざまな面で役に立つはずです．

第2章　ECGを記録します

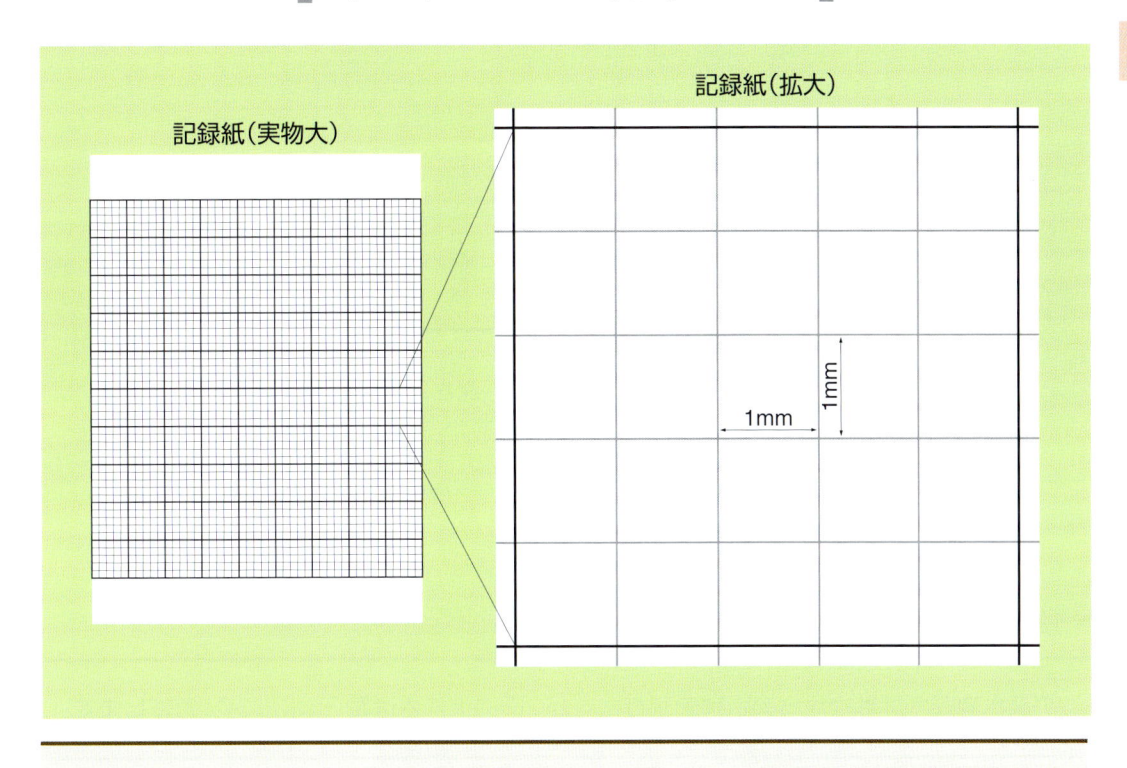

記録紙（実物大）
記録紙（拡大）
1mm
1mm

ECGは方眼紙のような紙に記録します．もっとも小さな目盛りは1mm間隔です．

	目盛り
●ECGは_____のついた紙に記録します．幅の広い記録紙では同時にたくさんの誘導を記録できます．	
●小さな目盛りの間隔は横に1_____，縦に1_____です．	mm, mm
●目盛りには太い線もあります．この**太い線**ではさまれて，小さな四角が縦と横に_____個ずつならんでいます．**太い線**で作られる大きな四角の1辺は5mmです．	5

メモ：時間を扱うグラフに共通していることですが，横軸が時間になります．つまり，左から右に時間が進みます．モニター画面でも左から右に時間が流れます．

2章

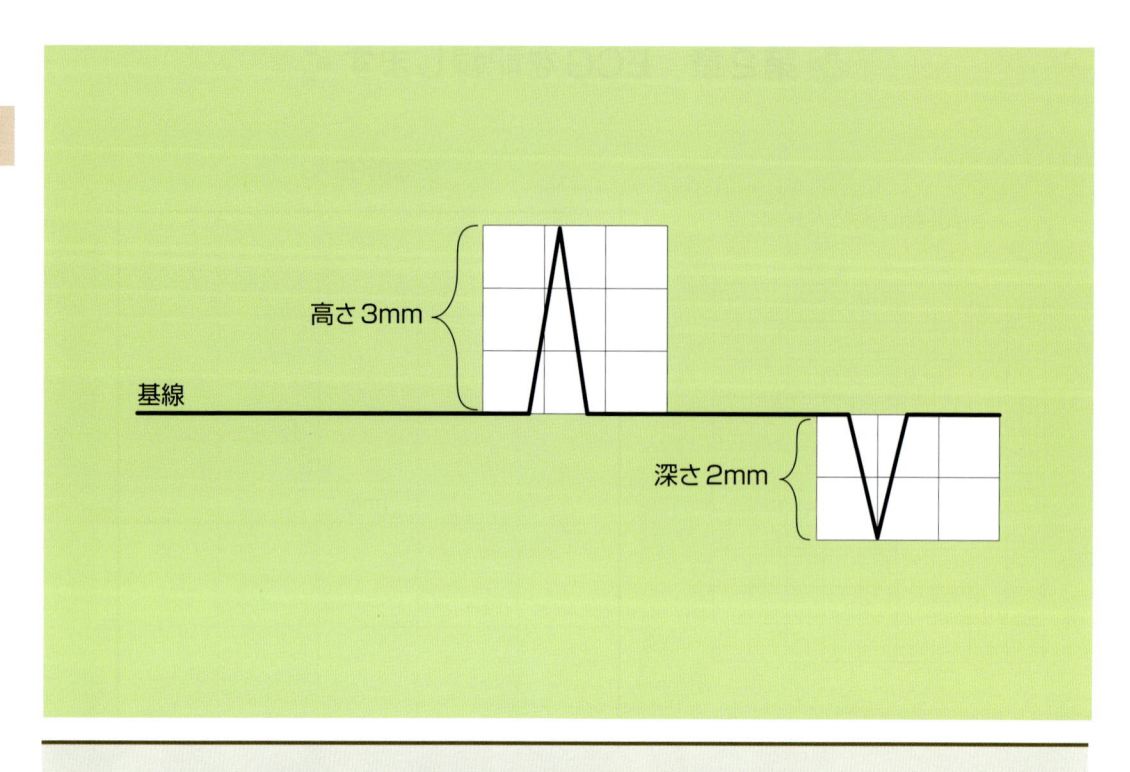

[図：基線から上向きに高さ3mmの波、下向きに深さ2mmの波]

波の高さや深さは基線からの距離で測りますが，その大きさは電圧（ボルト*）で表します．

●波の高さや深さは基線から何mmかで表されますが，電気的活動ですから_____という単位に置き換えられます． 　　ボルト

> **メモ**：心電図の振れには"上向き"も"下向き"もあります．しかし，振幅(amplitude)といえば<u>大きさ</u>(mm)だけの話で，どちら向きかは考慮しません．波の高さや深さ（つまり振幅ですが）は電圧と対応しています．

●上の図を見てください．まず上向きに振れています．その_____は3mmです． 　　振幅(amplitude)

> **メモ**：ある部分が基線からシフトしているときもmmで測定できます．上下どちらかはこだわりません．

*縦方向の10mmが1mVに当たります．いちいち電圧に置き換えるのは面倒ですから，普段はmmで表します．

陽性
＋

＋　＋

＋　＋

基線

－　－

－　－
陰性

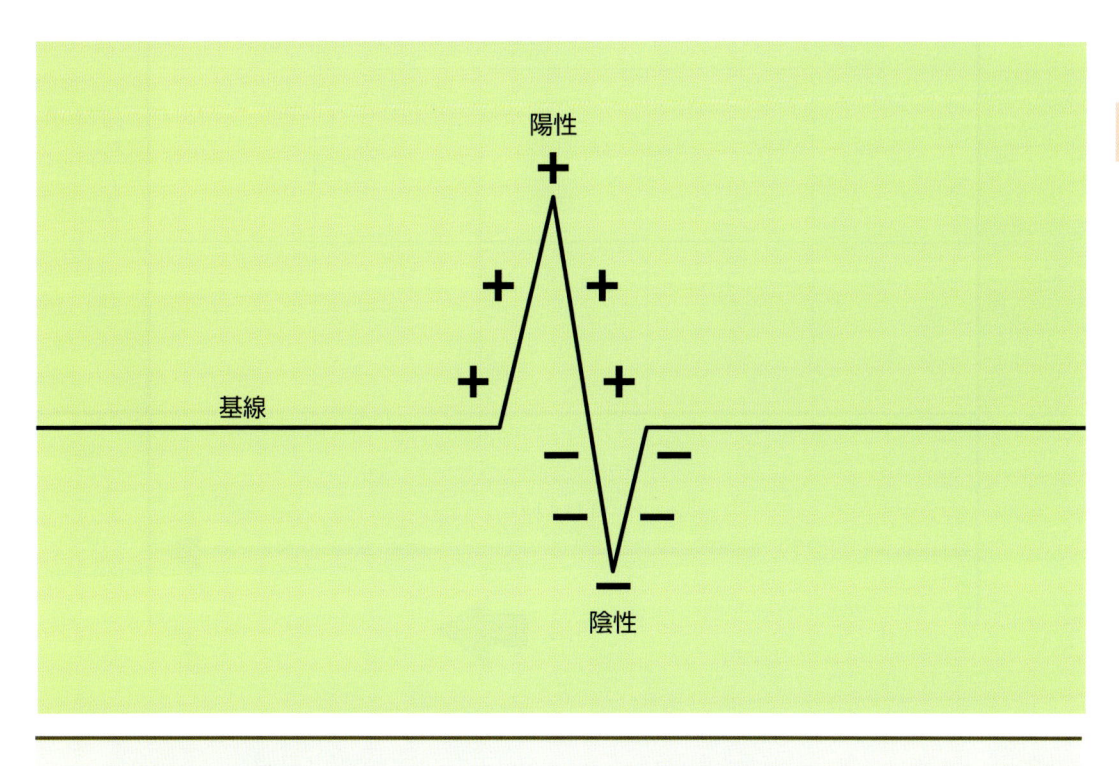

上向きの振れは"陽性"の振れです．下向きは"陰性"です．

● ECGで陽性とは，＿＿＿＿向きということです．　　　　　　　　　上

● 陰性の振れは＿＿＿＿向きの振れです．　　　　　　　　　　　　　下

メモ：興奮（個々の細胞では脱分極です）が陽極に向かってくるときは陽性の，つまり上向きの振れを認めます．心筋細胞が脱分極するとき細胞内部に陽イオンが増加します．興奮が広がるとき，細胞内につぎつぎと陽イオンが広がり，ECGには陽性の振れが形成されます．興奮が向かってくれば陽性（positive）です．ちょっと飛躍しますが，勉強するときもpositive（前向き）な姿勢がとても大事ですね．

第2章　ECGを記録します

0.04秒

0.2秒

時間

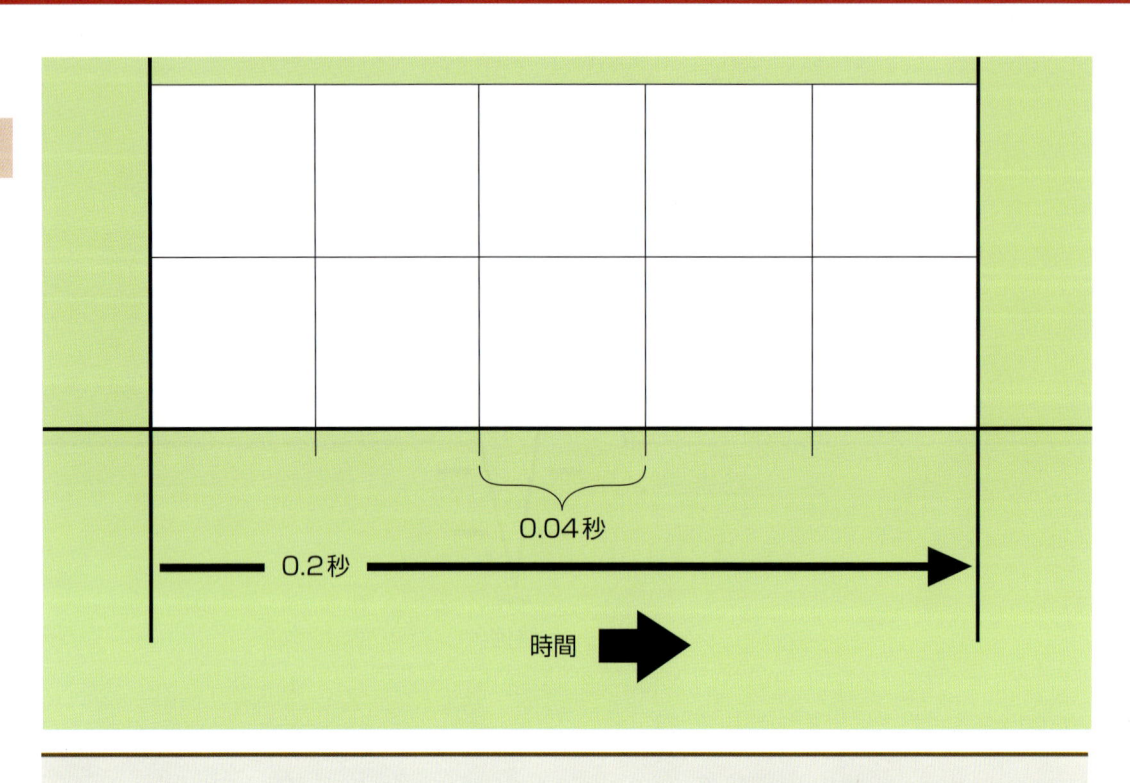

横軸は時間を表します.

● 太い線にはさまれて，小さな四角が_____個.　　　　　　　5

● 太い線ではさまれた区間は_____秒です.　　　　　　　　　0.2

● 細い線で囲まれた小さな四角は時間にすれば_____秒です.　0.04（わずか4/100！）

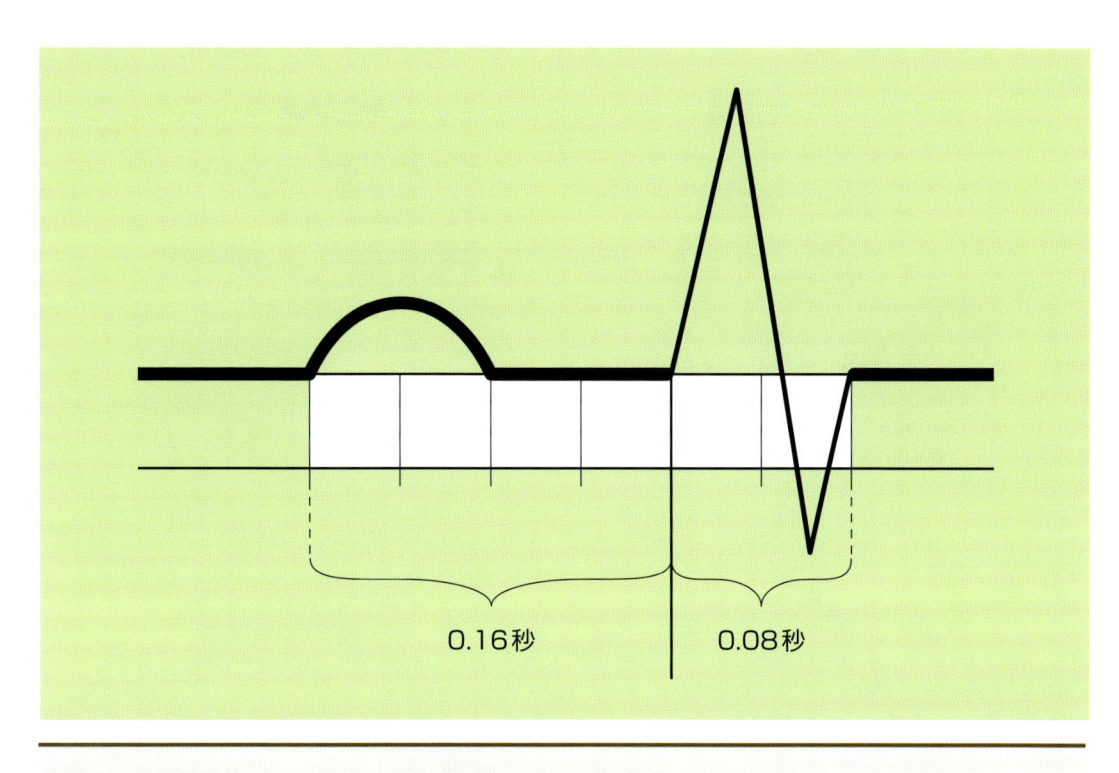

横方向の四角の個数を数えれば時間がわかります．

- 時間的パラメータを知るには＿＿＿＿方向にいくつの四角があるか数えます． | 横
- 小さな四角が4個なら＿＿＿＿秒です． | 0.16 (16/100)
- 0.12秒のあいだに心電図から送り出される記録紙の長さは小さな四角＿＿＿＿個分です（心電図の判読には難しい数学はいりません）． | 3

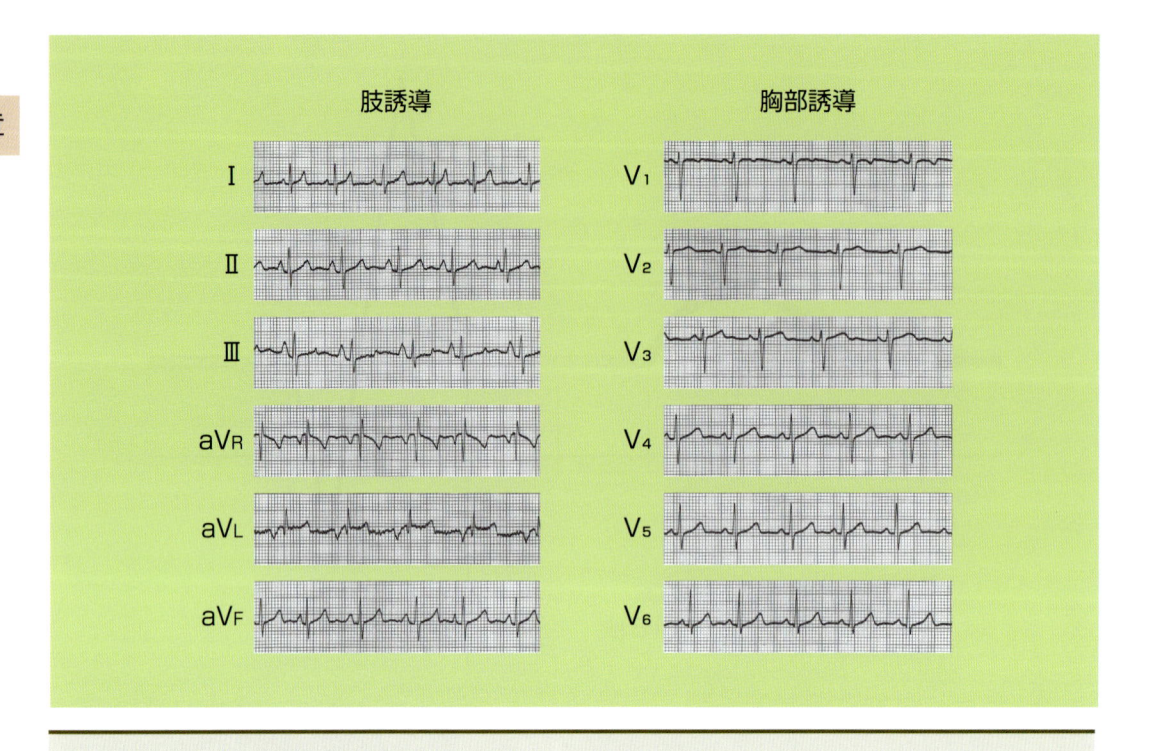

	肢誘導		胸部誘導
I		V₁	
II		V₂	
III		V₃	
aVR		V₄	
aVL		V₅	
aVF		V₆	

心電図には12個の誘導があります．

- 標準12誘導ECGのうち手足の電極だけで構成される誘導は6個です．これらは肢＿＿＿＿といいます．　　　　　　　　　　　　　誘導

- 前胸部の電極からは6個の＿＿＿＿誘導が得られます．　　　　　胸部

メモ：たとえば右室梗塞の診断のような特別な目的があれば，"標準12誘導ECG"とは異なる部位に電極を置くこともあります．

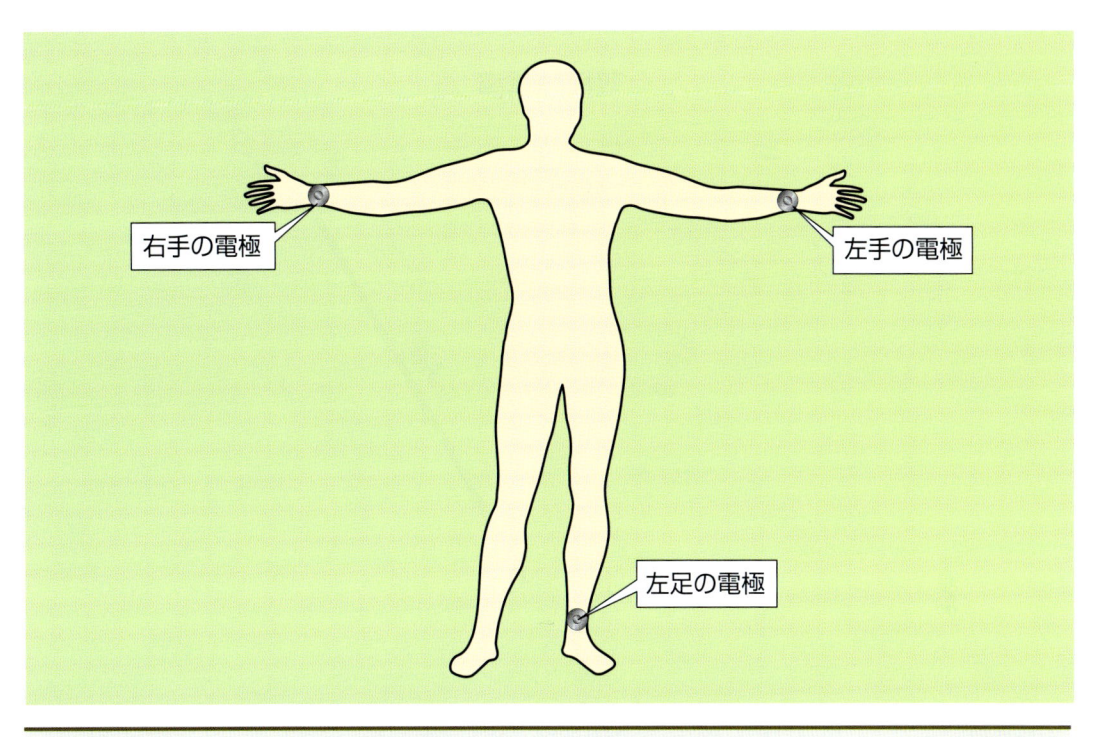

右手，左手，および左足に電極を置いて，そのうちの2個を組み合わせて1つの**肢誘導**ができあがります．

● 左右の手と左足の電極から＿＿＿＿誘導が得られます． 　　　肢

メモ：四肢電極はアイントーベンも使いました．100年たった今でも本質的には同じかたちで心電図が記録されているとは驚きです．

● 標準12誘導ECGの肢誘導＿＿＿＿の構成はアイントーベンの頃と変わっていません． 　　　電極

メモ：1つの肢誘導には2つの電極を使います．電極の組み合わせから，それぞれの肢誘導ができています．

双極肢誘導

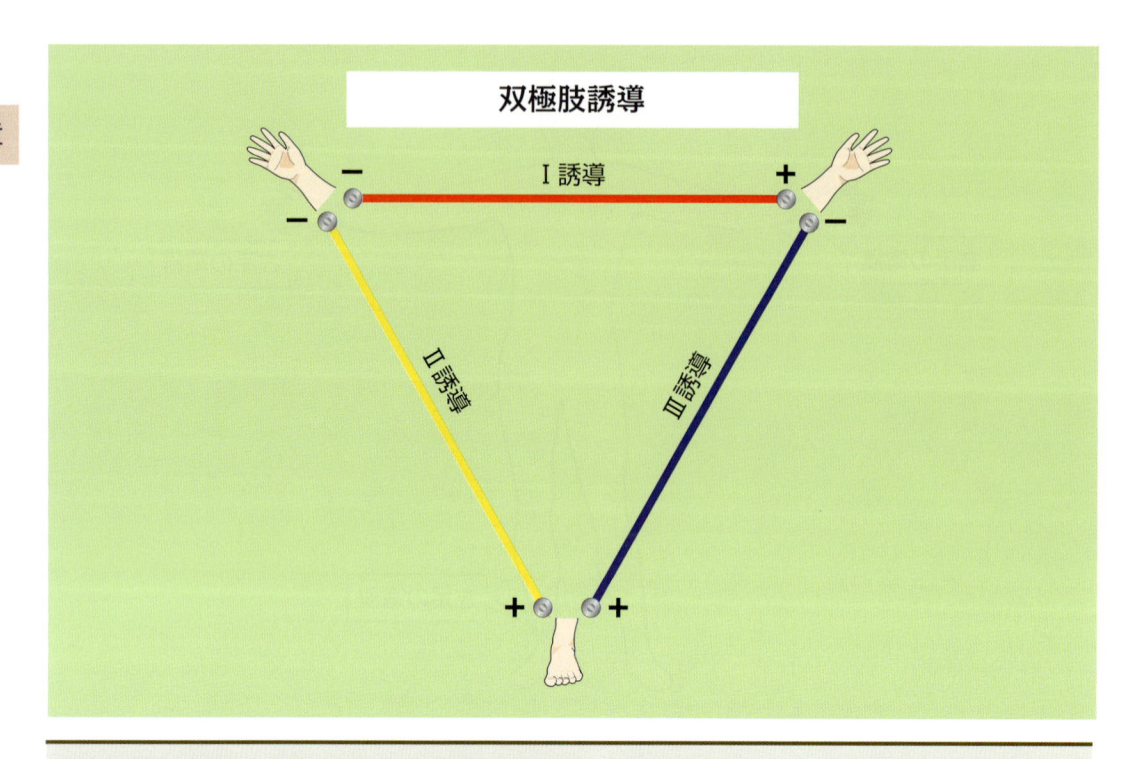

2つの四肢電極を選んで作るのが**双極肢誘導**です．右手，左手，左足，3つの電極から，3対の組み合わせができます．それぞれ**I誘導**，**II誘導**，そして**III誘導**になります．

●肢誘導は2つの電極で構成されます．片方が陽極なら，もう一方は_____極電極です．2つの電極を使うので，これらの肢誘導は"双極"肢誘導ともいいます．	陰
●I誘導は水平方向から心臓を見ています．左手が_____極で，右手が陰極です．	陽
●III誘導では左手が_____極，左足が陽極になります．	陰

メモ：ECGというのは面白い装置です．どの電極であれ陽極にも陰極にもなれます．記録したい誘導に応じて，その選択は自由自在です．

メモ：双極肢誘導の電極構成は"アイントーベンの三角"とよばれます．

双極肢誘導

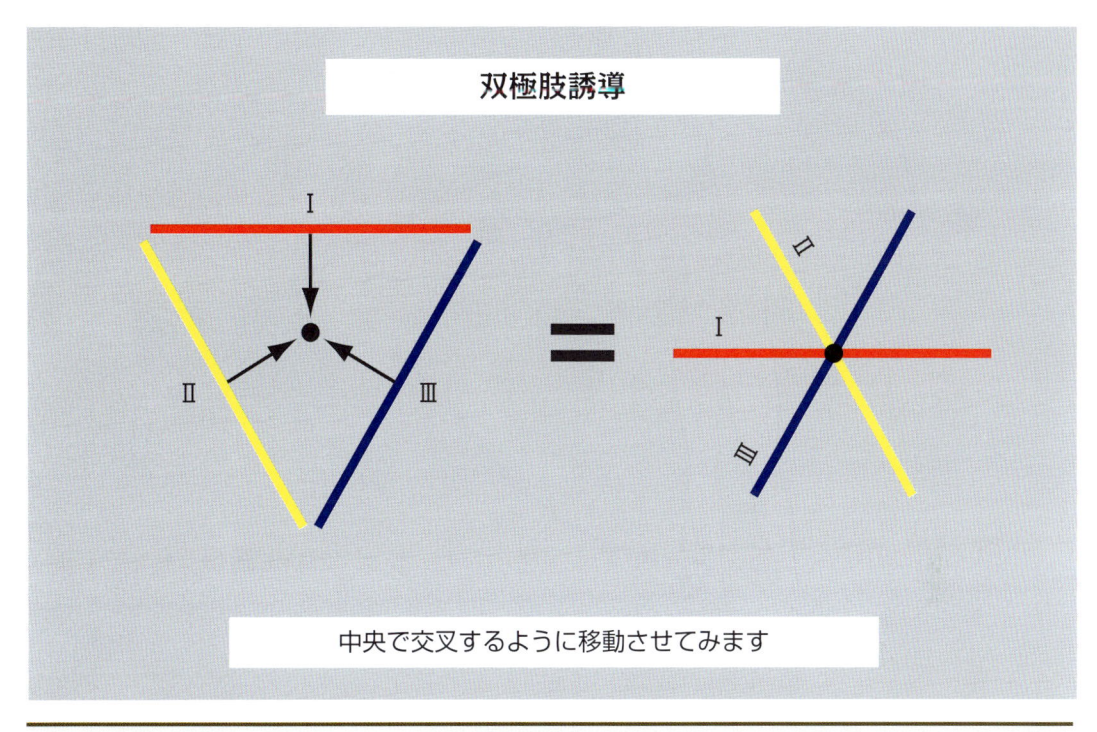

中央で交叉するように移動させてみます

3つの双極誘導を，それらによって作られる三角形の中心に平行移動してください．互いに交わる3本の線によって三軸座標系とよばれるものができあがります．このコンセプトはECGというものが心臓をいろいろな方向から観察していることを教えてくれます．

- 三角形には中心があります．それぞれの辺はそれぞれの_____を表しますが，三角形の中心にズズーっと平行に移動できます． 　　誘導

- Ⅰ誘導，Ⅱ誘導，Ⅲ誘導を三角形の中心にシフトさせ，3本の交叉直線を作れば_____系になります． 　　三軸座標

- 双極肢誘導を三角形の_____に平行移動させたとしても，お互いの角度は変化しません．ベクトルとしてみたとき，平行移動してもそれぞれの誘導の方向は変わらず，そこに含まれる情報にも影響はありません． 　　中心

aV_F 誘導

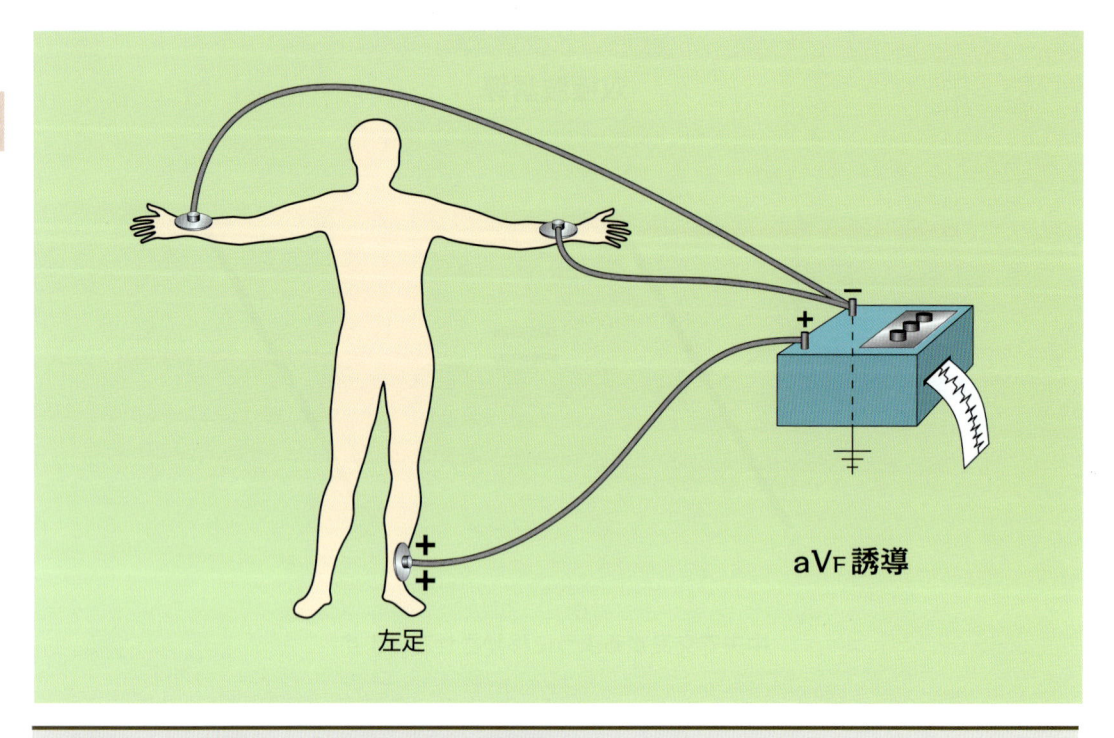

aV_F 誘導も肢誘導の1つですが，左足が陽極です．両上肢の電位から基準点を作ります．基準点はゼロ点のことです．実際の電極が存在しているわけではありませんが，左右の手に置いた電極から得られた電位の平均を仮想の陰極，つまりゼロ点とします．

●aV_F 誘導では左足が_____極です．　　　　　　　　　　　　　　　　　　　　　陽

●aV_F 誘導では左右上肢の電位から基準点を作成します．左足が陽極ですから，
　この計算上の基準点が_____極というわけです．　　　　　　　　　　　　　　　陰

> **メモ**：“増幅”肢誘導を開発したのはエマニュエル・ゴールドバーガー Emanuel Goldberger 博士です．博士は左下肢が陽極となる電位を，Ⅰ，Ⅱ，Ⅲ誘導と同じ感度にするには若干の補正が必要であることに気づきました．こうした経緯から彼はこの誘導に A（augumented [増幅した] の頭文字は A ですね），V（voltage 電位），F（foot 左下肢）という文字を使い，増幅肢誘導とよびました．同じようなルールで，aV_F 以外に2つの誘導ができました．

> **メモ**：aV_F はⅡ誘導とⅢ誘導を足して2で割ったようなものです．ゴールドバーガー博士もそのつもりだったようで，aV_F はⅡとⅢ誘導の中間にあると思ってください．ほかに2つの増幅肢誘導がありますので，その話に移りましょう．

aVR誘導 / **aVL誘導**

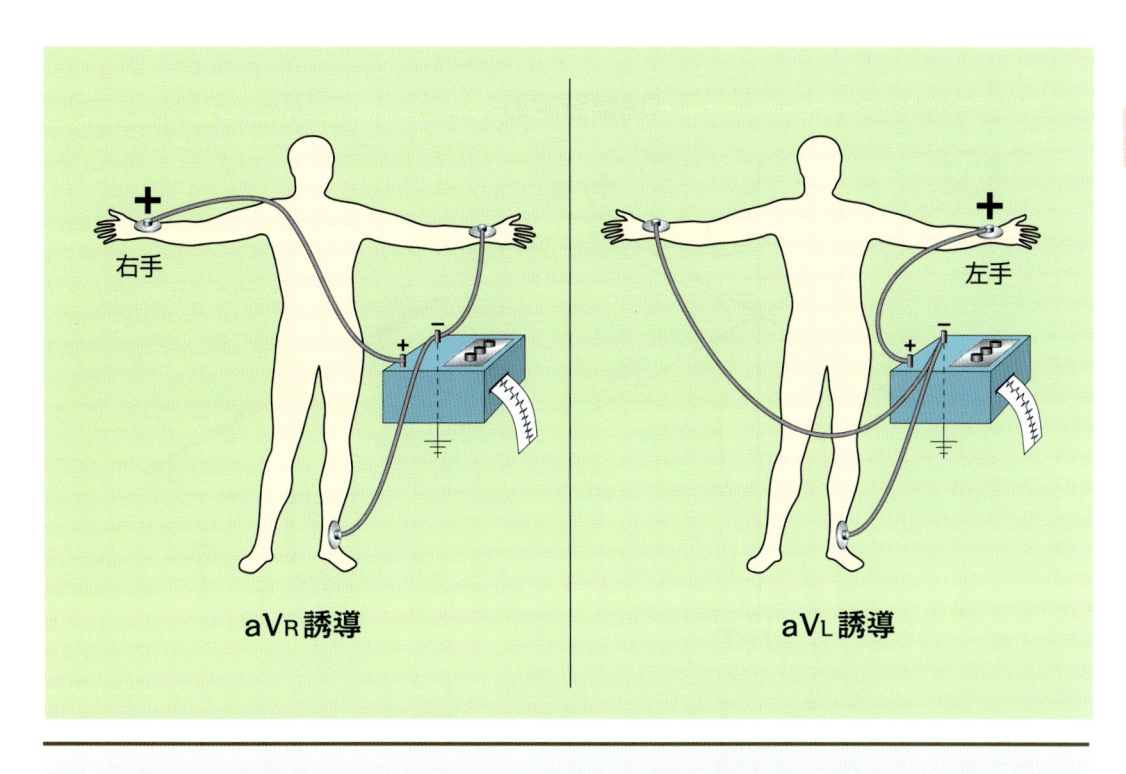

残る2つの増幅肢誘導, **aVR**と**aVL**もaVF誘導と同じような方法で記録されます.

●aVR誘導では右手が陽極. 残りの左手と左足を平均して_____極ができます. | 陰

●aVLでは左手が_____になります. ほかの2つの電極から陰極を作ります. | 陽極

メモ：aV<u>R</u>—右手（<u>R</u>ight arm）が陽極
　　　　aV<u>L</u>—左手（<u>L</u>eft arm）が陽極
　　　　aV<u>F</u>—左足（left <u>F</u>oot）が陽極
　　　（増幅肢誘導は"単極"肢誘導とよばれることもあります. これは陽極がどれか1つの電極であるのに対し, 陰極が計算によって得られた概念上の基準点を用いているからです）

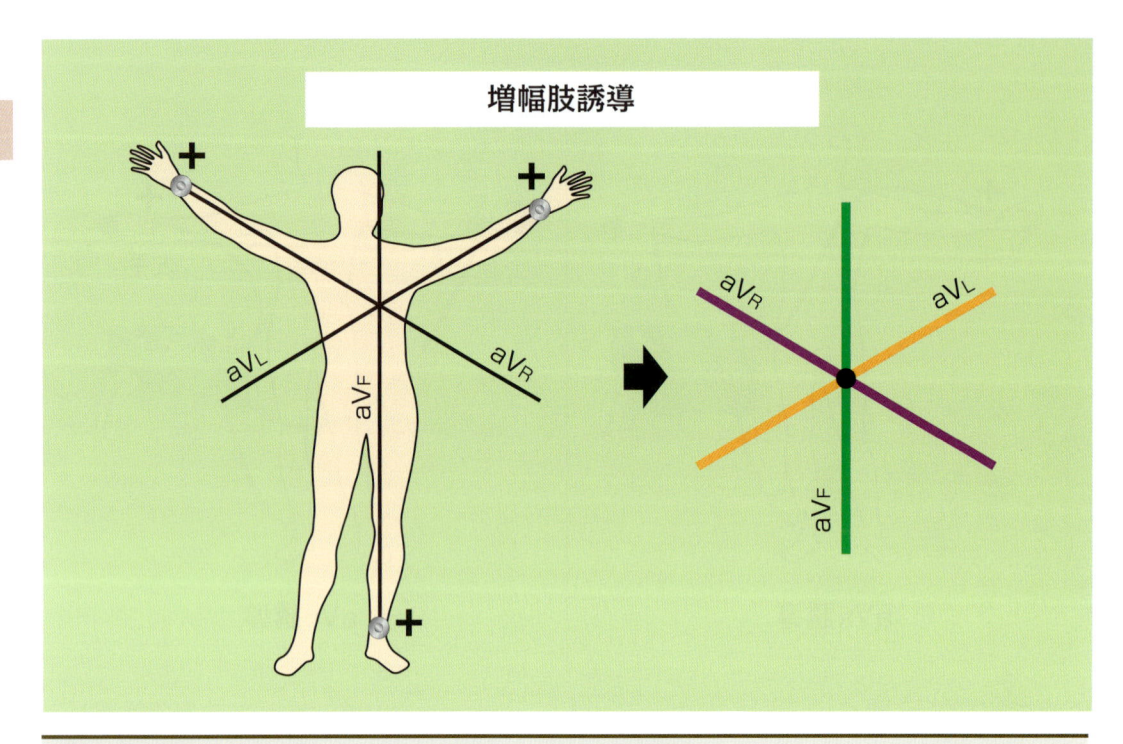

増幅肢誘導

増幅肢誘導であるaV_R, aV_L, およびaV_Fは双極肢誘導（Ⅰ誘導，Ⅱ誘導，Ⅲ誘導）とは異なるアングルをもっています．これら3つの誘導も，もう1つの三軸座標系を作っています．

● aV_R, aV_L, およびaV_Fは増幅（単極）＿＿＿＿誘導とよばれます．	肢
● 増幅肢誘導は互いに120°の角度をもって＿＿＿＿しています．双極肢誘導のⅠ，Ⅱ，Ⅲ誘導でつくられる角度は60°です．	交叉
● aV_R, aV_L, およびaV_Fが作る三軸座標系の位置はⅠ，Ⅱ，Ⅲ誘導の三軸座標系と＿＿＿＿（同じですか？ 異なりますか？）．それぞれの座標系は互いに補完しあう関係にあります．	異なります

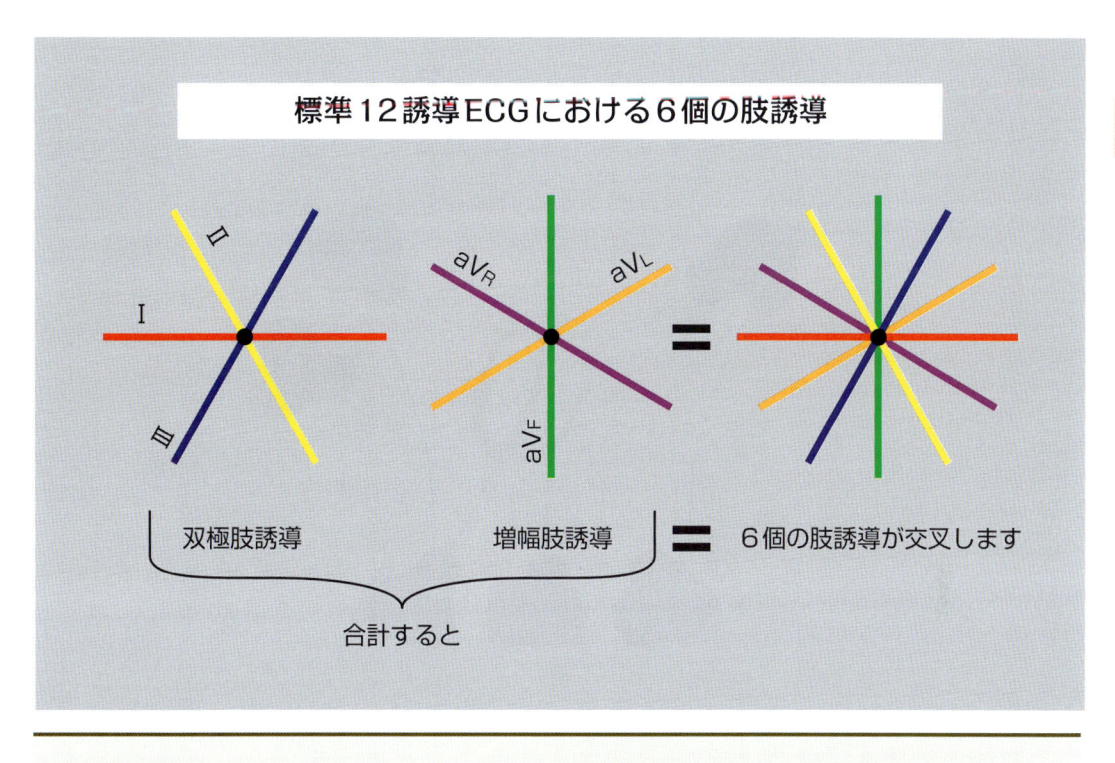

標準12誘導ECGにおける6個の肢誘導

双極肢誘導　　増幅肢誘導　＝　6個の肢誘導が交叉します

合計すると

6個の肢誘導（Ⅰ, Ⅱ, ⅢとaV_R, aV_L, aV_F）は合計6本のベクトルを形成しますが，これらは被検者の胸部前面に平行した**前額面**のベクトルです．

●6個の肢誘導は3個の双極肢誘導Ⅰ, Ⅱ, Ⅲと3個の増幅肢誘導＿＿＿＿で構成されています．	aV_R, aV_L, およびaV_F
●双極肢誘導を増幅肢誘導のaV_R, aV_L, およびaV_Fと重ねれば，6個の誘導が被検者の＿＿＿＿の前面で交叉します．	胸部
●肢誘導が構成する胸部前面に平行した面は＿＿＿＿面（frontal plane）とよばれます．	前額

> **メモ**：いろいろな肢誘導があるからといって混乱しないでください．もうちょっと我慢して読み続ければどうして複数の肢誘導があるのかわかってくるはずです．

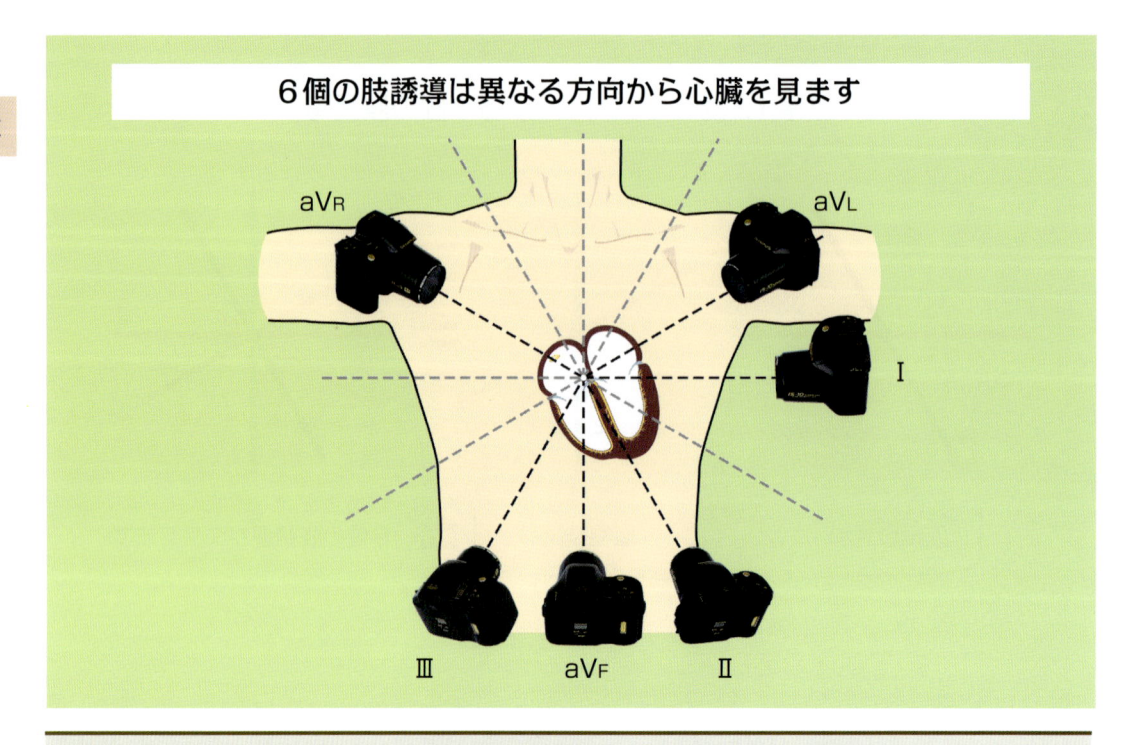

6個の肢誘導は異なる方向から心臓を見ます

それぞれのカメラ*を肢誘導の陽極と考えてください．Ⅰ，Ⅱ，Ⅲ，aV$_R$，aV$_L$，およびaV$_F$の各誘導はそれぞれ異なる角度から心臓を記録します．心電図は心臓の電気的活動を複数の視点から観察します．

メモ：誘導の陽極は異なる位置にありますから，同じ心臓を見ていても少しずつ異なった姿に見えます．興奮は心筋から心筋に陽性の電荷が伝わることによって伝播することを学びました．どの誘導であれ，興奮が陽極に向かってくれば陽性（上向き）の振れが生じます．ちょっとしつこいですが，とても大事なことなのです．

- どの誘導で記録するにせよ，心臓の電気的_____が変わるわけではありません． 　　活動

- 各誘導が心臓の電気的活動を観察する_____は違いますから，誘導ごとに心電図波形も同じではありません． 　　アングル（視点）

*カメラのかわりにビデオカメラという喩えもありえます．この場合はモニター心電図と同じく長時間の記録が可能でしょう．

第2章　ECGを記録します　45

2章

6個の肢誘導が必要な理由をわかって欲しいのです．なぜかって？
たとえばこの車を観察するならどうしますか？　見た目はどうか，傷はついていないか
などいろいろな方向から調べてみたくないですか．

メモ：このページはかなりスカスカに見えませんか？

メモ：いま心電図の考え方を学んでいます．この自動車が何という名前なのかわからなくて
も気にしないでください．

1つの対象でも6つの方向から観察すれば，かなりの情報が得られるでしょう．たとえば，この車でしたら車種だけでなく外見の良し悪しも正確にわかります．

> **メモ**：左上の写真ではリアバンパーは見えません．しかし，見る角度を変えていけばリアバンパーもよく見えてきますし，運転している人の姿もわかります．同じように心電図でも1つの誘導のみでは判断できなくても，複数の誘導をぐるっと眺めると何がどうなっているのか見えてきます．

> **メモ**：6個の誘導があることは1つの誘導よりも優れています．異なる視点から心臓の電気的活動を観察すれば，より精度の高い情報が得られるわけです．車の話か心電図の話かごちゃごちゃしてきました．ちなみにこの車は1965年製のフォードサンダーバードですが，「いろいろな方向から観察すれば正確な情報が得られる」ということをいいたいのです．

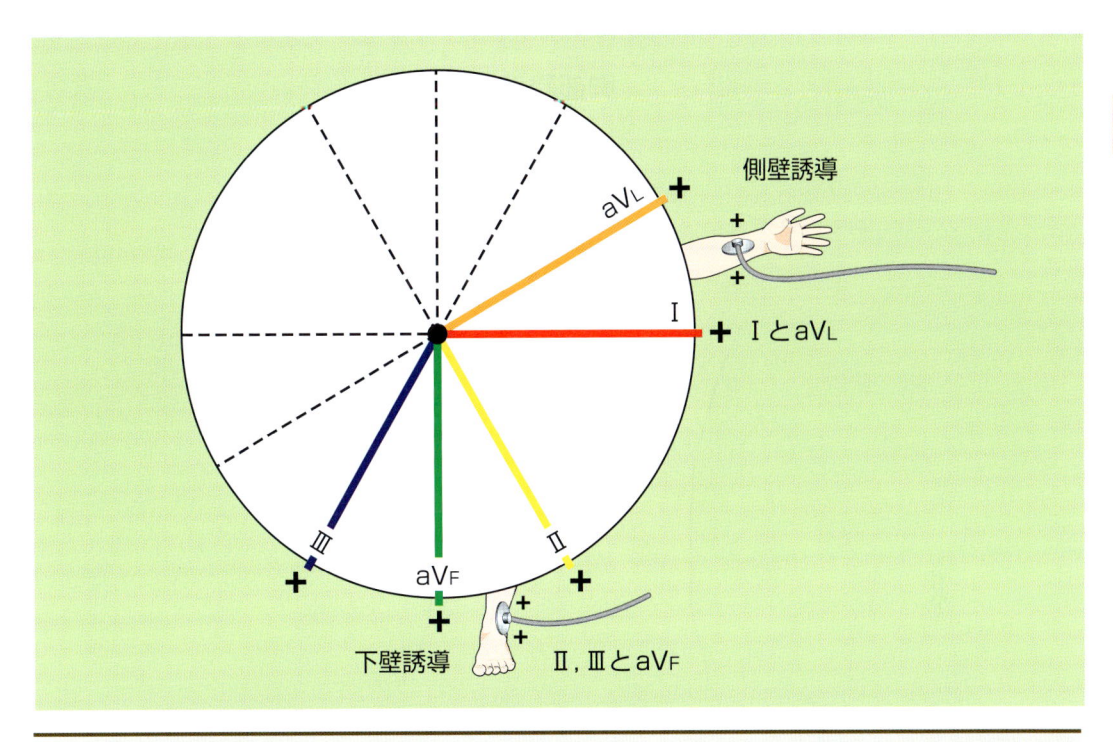

肢誘導は陽極の位置によってグループ分けができます．左手が陽極として使われているⅠとaV_Lは**側壁誘導**とよびます．左足を陽極とするⅡ，Ⅲ，aV_Fはまとめて**下壁誘導**といいます．どちらも陽極の位置が大事です．

● ⅠとaV_L誘導は側壁誘導とよびます．いずれも左手に_____極が置かれています． | 陽

● 一方，Ⅱ，Ⅲ，aV_Fは下壁誘導といいます．こちらは陽極が左_____にあることが共通しています． | 足

> **メモ**：こうしたことがわかったら興奮が左手のほうに向かっているか，あるいは上下どちらに向いているのかも見当がつきます．下壁誘導と側壁誘導という考え方は興奮の広がり方を表したり病変がどこか診断するのに便利です．よく使われますので，知っておいて損はありません．

胸部誘導

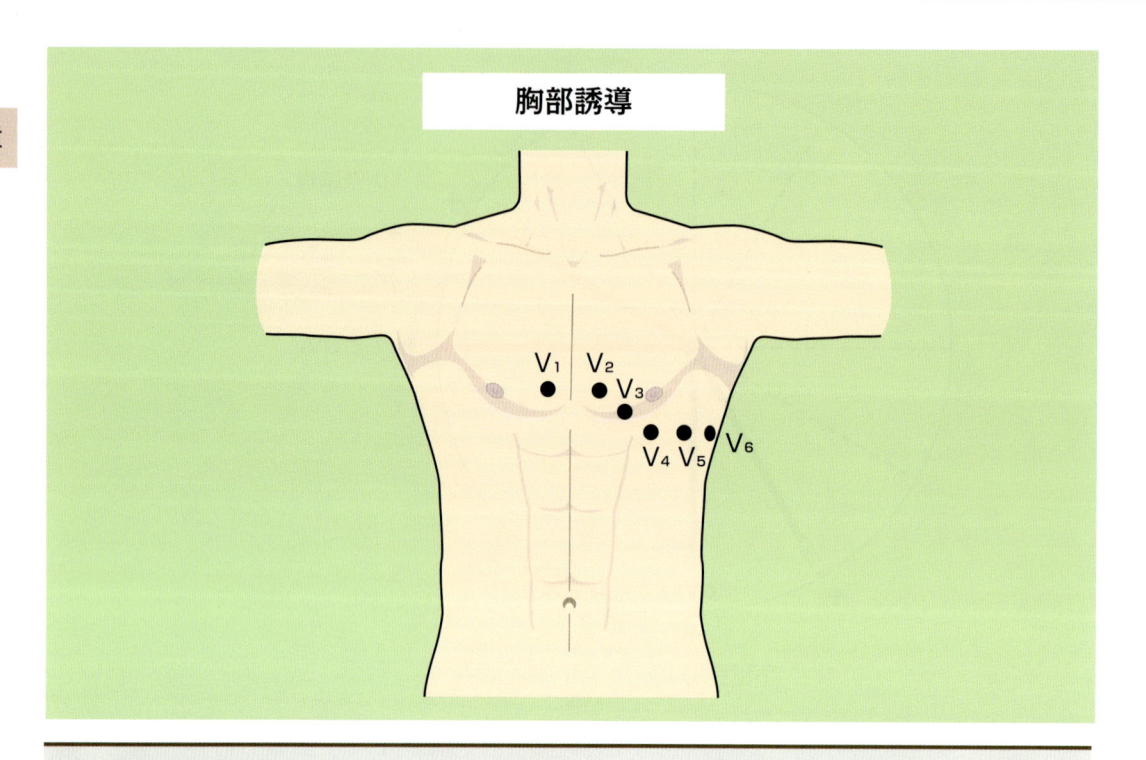

胸部誘導は前胸部から左脇にかけて陽極電極を6ヵ所に置いて記録します.

● 6個の胸部誘導は電極を＿＿＿＿に並べて記録します.　　　胸部

● 胸部の電極はいずれも＿＿＿＿極です.　　　陽

● 胸部誘導は右から左に向かって, V_1 から V_6 まで番号がつけられています. 電極が＿＿＿＿を取り囲んでいる位置関係をよく理解してください.　　　心臓

> **メモ**：胸部誘導の記録には吸引電極が用いられてきましたが, 最近は貼り付け電極も見かけます. 胸部誘導は陽極ですから, 興奮が向かってくれば陽性(上向き)の波が生じます.

第2章　ECGを記録します　49

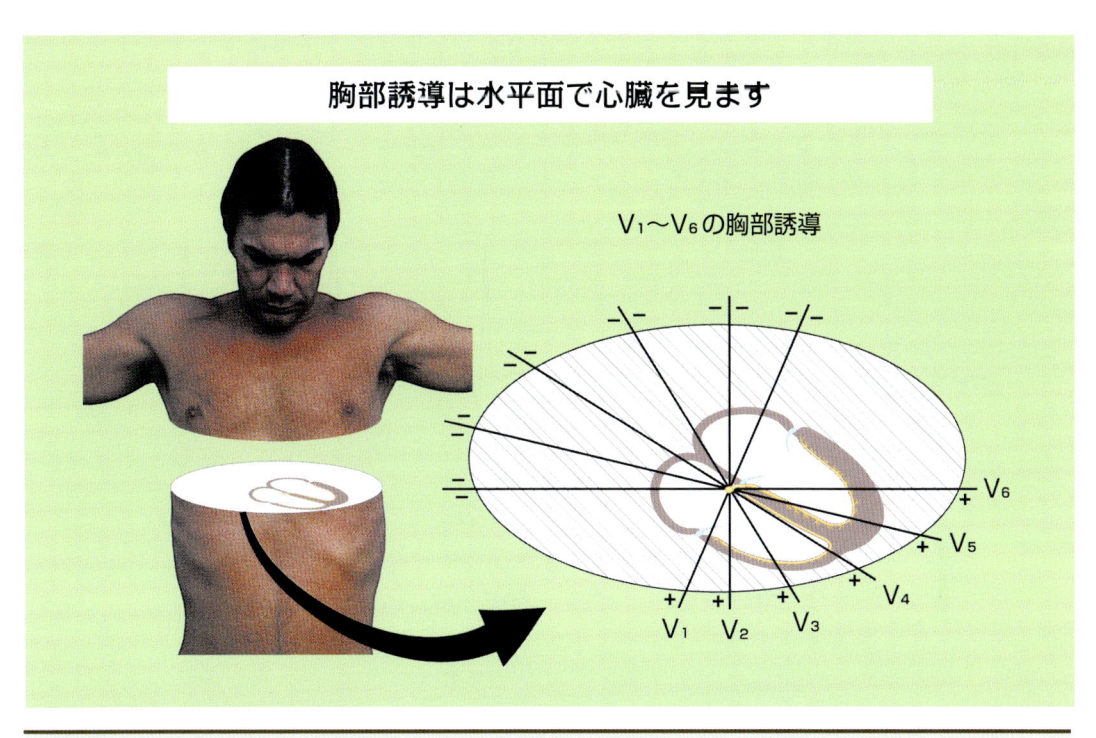

胸部誘導は水平面で心臓を見ます

V₁〜V₆の胸部誘導

胸部電極を心臓の中心にある房室結節と線で結んでください．その線をまっすぐ延ばして背中と交わるところにイメージ上の陰極があります．実際は背中には電極はありませんが，架空の電極を想定しているのです．

メモ：胸部電極は身体を**水平**にスライスして心臓を観察しています．

- 陽極か陰極かと問われれば，胸部電極は_____です． 　　　陽極

- V₁からV₆誘導に相当するベクトルを車輪のスポークとすれば，車輪の中心は_____あたりになります． 　　　房室結節

- V₂誘導のベクトルは胸の前面と背中をまっすぐ貫いています．背中側は_____極になります． 　　　陰

＊胸部誘導は前胸部誘導ともよばれます．フランク・ウィルソンFrank Wilson博士が考案したのです．

ECGの胸部誘導

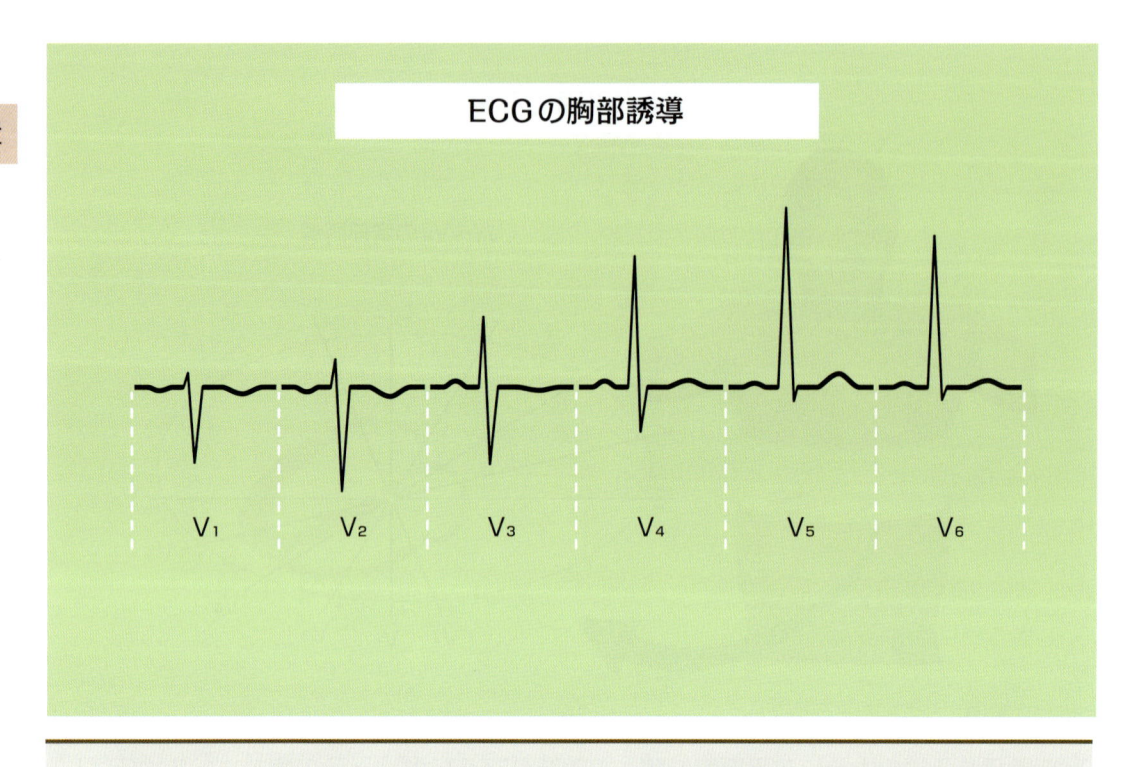

6個の胸部誘導をじっと見てください．V_1からV_6にかけて少しずつ変化していきます．

メモ：電極はV_1からV_6まで順番に並んでいますから，P波もQRSも徐々に形が変わっていきます．

●図を見てください．V_1誘導のQRSは主に_____側にあります．陽性か陰性かで答えてください．	陰性
●V_6誘導のQRSはおおむね_____側にあります．なぜだかわかりますか．	陽性
●V_6誘導のQRSが陽性であることは，心室興奮がV_6電極に向かってくることを意味します．このコメントは正しいですか，間違っていますか？　自信がなかったらp.12を見直してください．	正しい

右胸部誘導 / 左胸部誘導

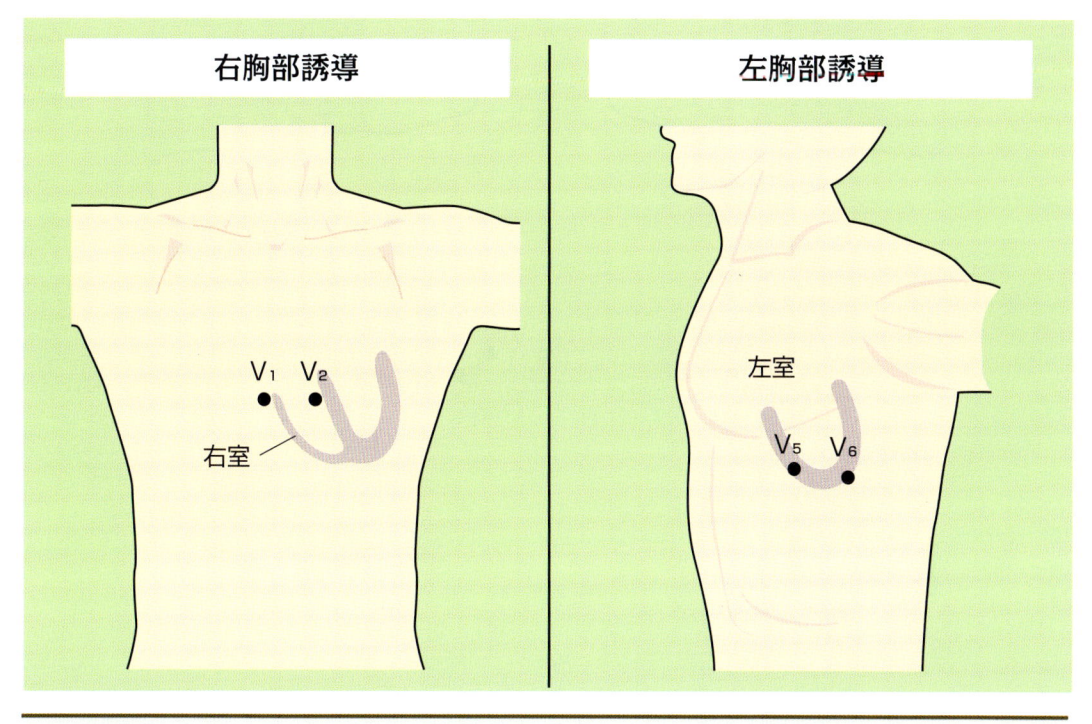

V_1とV_2は心臓からみれば右寄りに位置します．V_5とV_6は心臓の左側に乗っかっています．

● V_1とV_2は_____胸部誘導とよばれています．右か左で答えてください． | 右

● 心臓の左側に重点を置いているのは_____と_____です（V_1〜V_6のなかの2つです）．左胸部誘導とよばれています． | V_5とV_6

● V_6電極に興奮が向かってくれば，V_6誘導には_____向きの振れが現れます．もうおわかりですね． | 上あるいは陽性

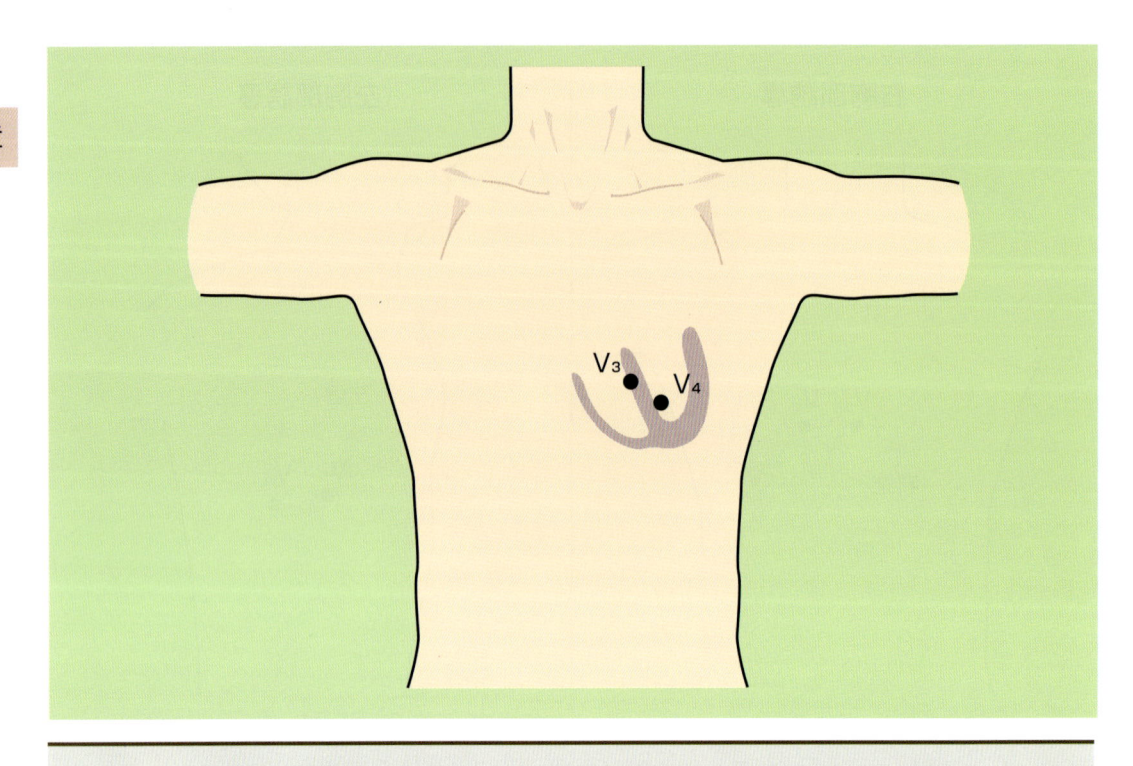

V₃とV₄は心室中隔の近くにあります．

● V_3 誘導と V_4 誘導は心室＿＿＿＿あたりに位置しています． | 中隔

メモ：心室中隔は右室の壁であると同時に左室の壁にもなります．左右の心室を隔てる壁ともいえます．右脚も左脚も心室中隔のなかを通ります．

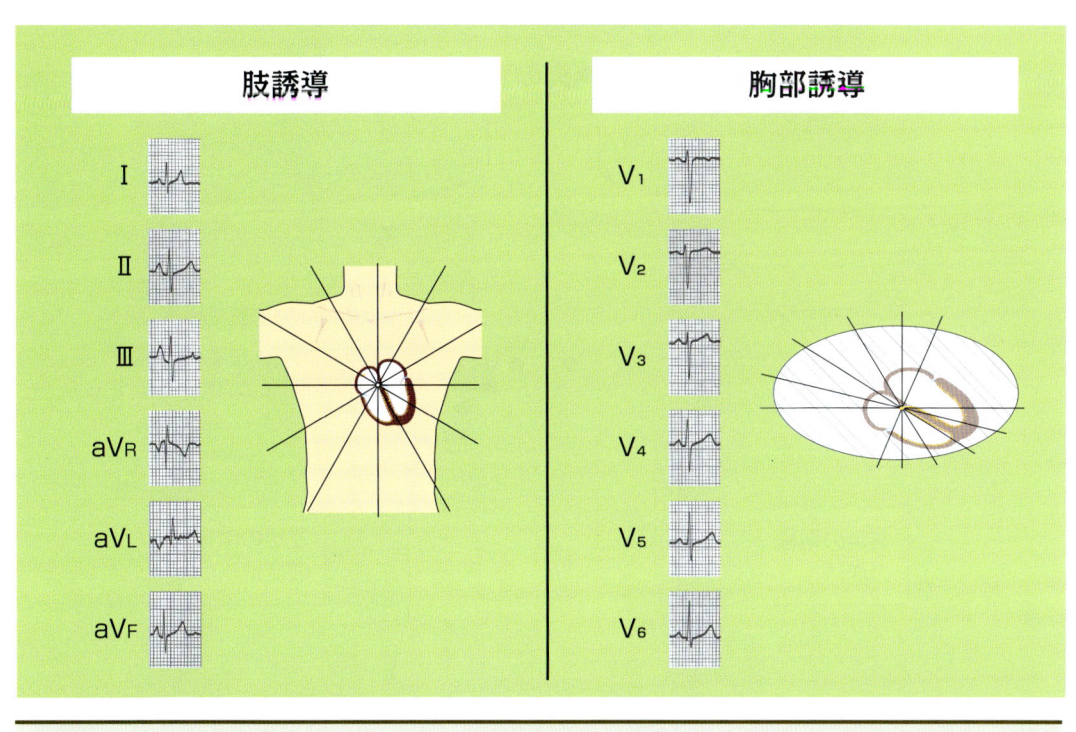

肢誘導	胸部誘導
I, II, III, aVR, aVL, aVF	V_1, V_2, V_3, V_4, V_5, V_6

標準的なECGは6個の胸部誘導と6個の肢誘導で構成されます．両方合わせて12誘導心電図になるわけです．

● 6個の肢誘導は_____面，つまり胸部前面に平行なスライスで心臓の電気現象をとらえます．	前額
● 胸部誘導は水平面で心臓の電気現象を把握します．V_1から_____まで，順番に並んでいます．	V_6
● 胸部誘導はすべて陽極．電極は_____において心臓を取り囲むように配置されています（前額面ですか，水平面ですか）．	水平面

肢誘導の変法

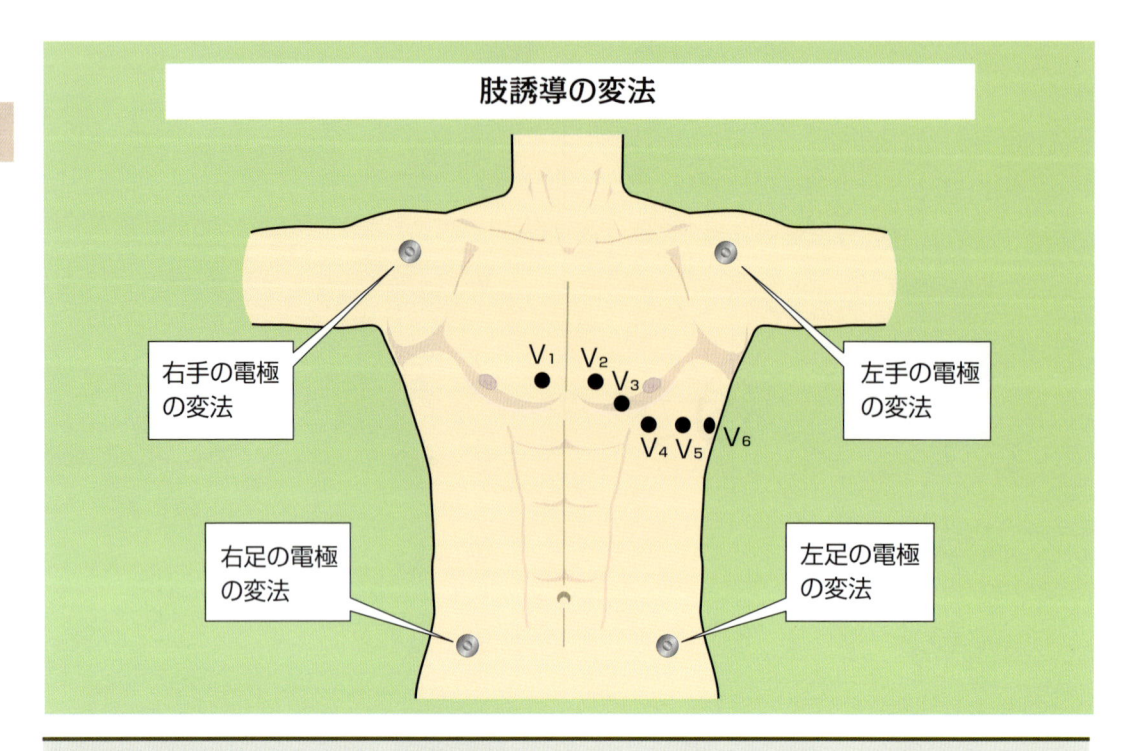

右手の電極の変法

左手の電極の変法

右足の電極の変法

左足の電極の変法

肢誘導は手首や足首に置いた電極で記録されてきましたが、肩や腰に電極を置いても記録可能です。この図は運動負荷試験のときの電極位置ですが、これでも12誘導心電図が記録できます。

メモ：手首や足首の電極のかわりに体幹に置いた電極でも、ほぼ同じような精度と大きさをもつ心電図が得られます。標準12誘導心電図は体幹の電極を使っても記録できるわけです。

●病室，救急室，手術室，リカバリールーム，CCU，あるいはICUでのモニター心電図は＿＿＿＿の電極でも記録できます．　　　　　　　　　　　　　　体幹

●パラメディックや臨床工学技士は12誘導心電図でもモニター心電図でも体幹*に＿＿＿＿を貼りつける機会が多いものです．　　　　　　　　　　　　電極

では，次に自律神経の話に移りましょう．

＊体幹の電極といっても必ずしも前胸部に貼るわけではありません．肩や腹部あるいはその近くに電極を置くこともあります．状況に応じていろいろな誘導法が考案されています．

第3章 自律神経

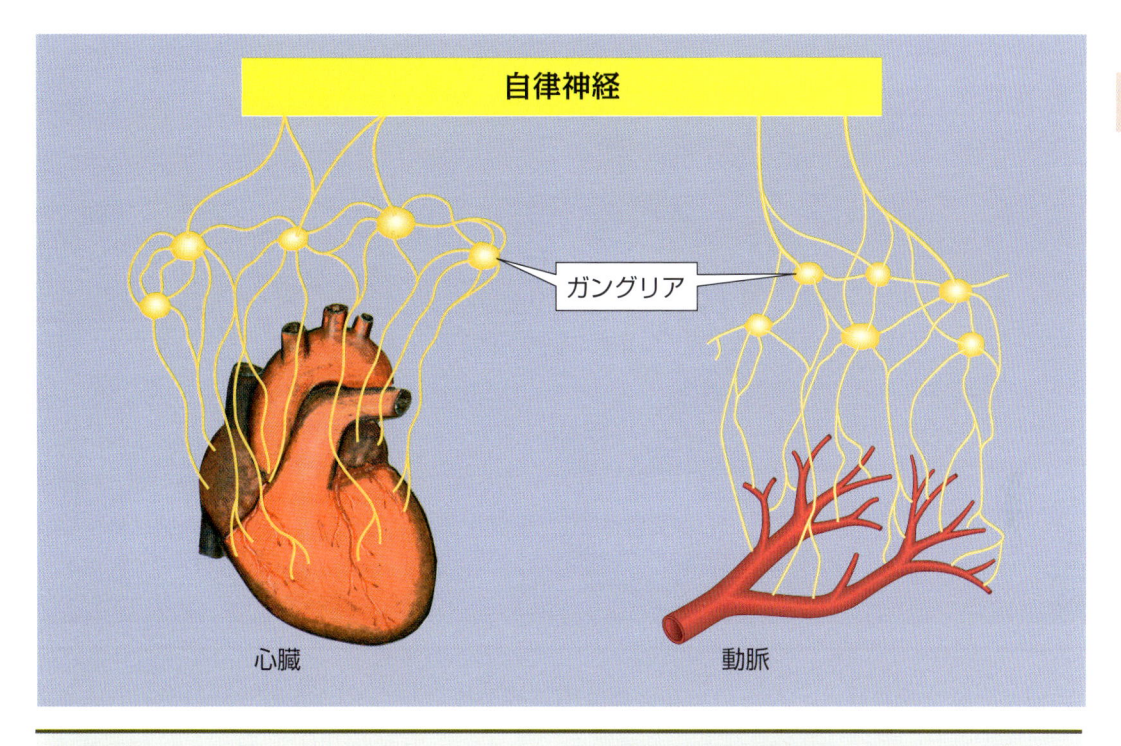

自律神経

ガングリア

心臓　動脈

自律神経（autonomic nervous system）は各臓器の重要な機能を，反射や中枢神経によりデリケートにコントロールします．この制御は不随意なもので，意識的に操作することはできません．

●自律神経は個々の臓器だけでなく，それらの相互作用もコントロールします．自律神経による_____や血管のコントロールは心電図所見やその判読に深い関連をもっています．血管，ことに動脈の収縮と拡張は血圧を左右します．

心臓

> **メモ**：自律神経は2つの要素で構成されていますが，その働きを理解するのはそれほど簡単ではありません．というのは2つの要素のうちどちらか一方をとりあげても，ある臓器は刺激するのに，別の臓器は抑制するということがあります．しかし，心臓と動脈だけなら，それほどごちゃごちゃしていませんから御心配なく．片方の要素は刺激して，もう一方は抑制するとすなおに考えてください．スッキリしてますね．片方がある細胞の機能を亢進させるなら，他方はその刺激に拮抗します．2つの要素は細胞機能を制御する受容体に作用します．受容体はスィッチの役割をもっています．

> **メモ**：自律神経のなかで生じた刺激は次の**神経節**に伝達されます．さらに神経節から神経終末まで刺激が伝えられますが，そこは軸索末端となり心筋細胞の受容体を覆っています．神経線維の末端はその形から，フランス語の**bouton**（ボタンのことです）という用語が使われています．ちょっと難しいかもしれませんが，あと少し続きます．

自律神経系

副交感神経 / **交感神経**

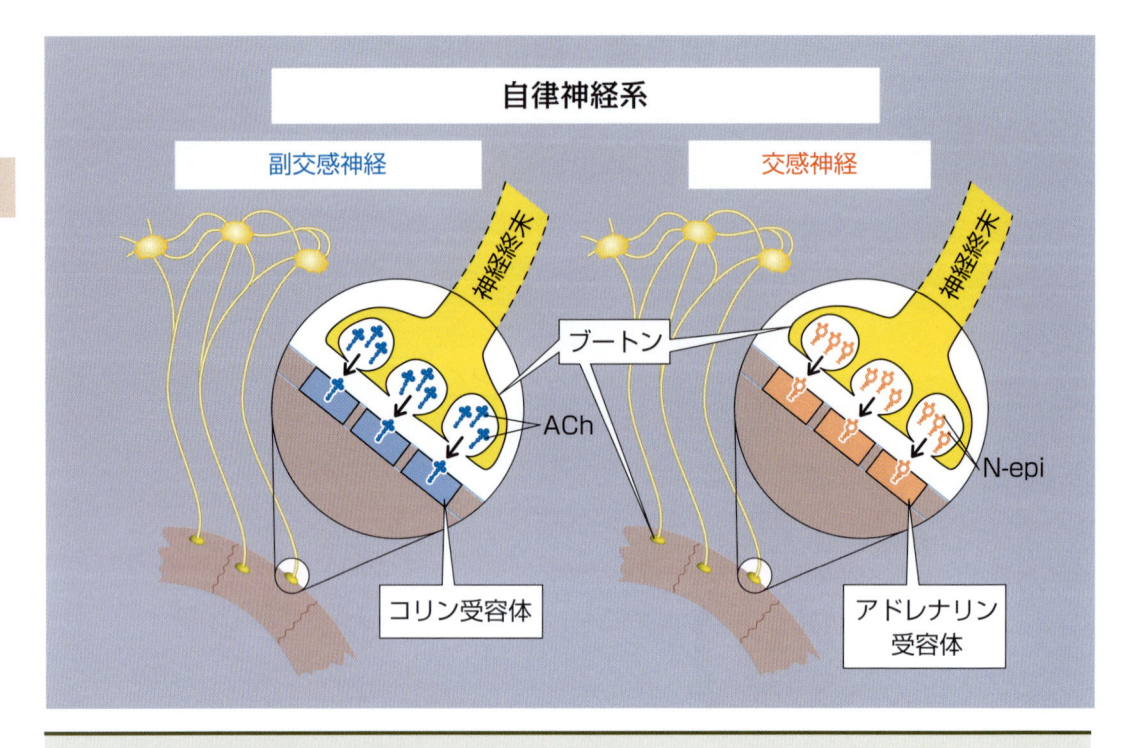

神経終末／ブートン／ACh／コリン受容体／N-epi／アドレナリン受容体

> 自律神経は**交感神経**とそれと拮抗する**副交感神経**で成り立っています．それぞれの末端からは細胞膜の受容体を活性化する神経伝達物質（neurotransmitter）が分泌されます．

- 交感神経の神経終末（軸索末端）からは**ノルエピネフリン**というアドレナリンに似た神経伝達物質が放出され，＿＿＿＿のアドレナリン作動性受容体という受容体を活性化します．

　細胞（細胞膜でもいいでしょう）

> **メモ**：心臓では交感神経と副交感神経は対立する関係にあります．しかし，互いに完全に独立しているわけではなく，こちらが亢進すればそれを打ち消すようにもう一方が亢進するというようなダイナミックな相互作用もみられます．面白いですね．

- 副交感神経の終末（軸索末端）は**アセチルコリン**という神経伝達物質を放出します．この物質はコリン作動性＿＿＿＿を活性化します．

　受容体

交感神経系

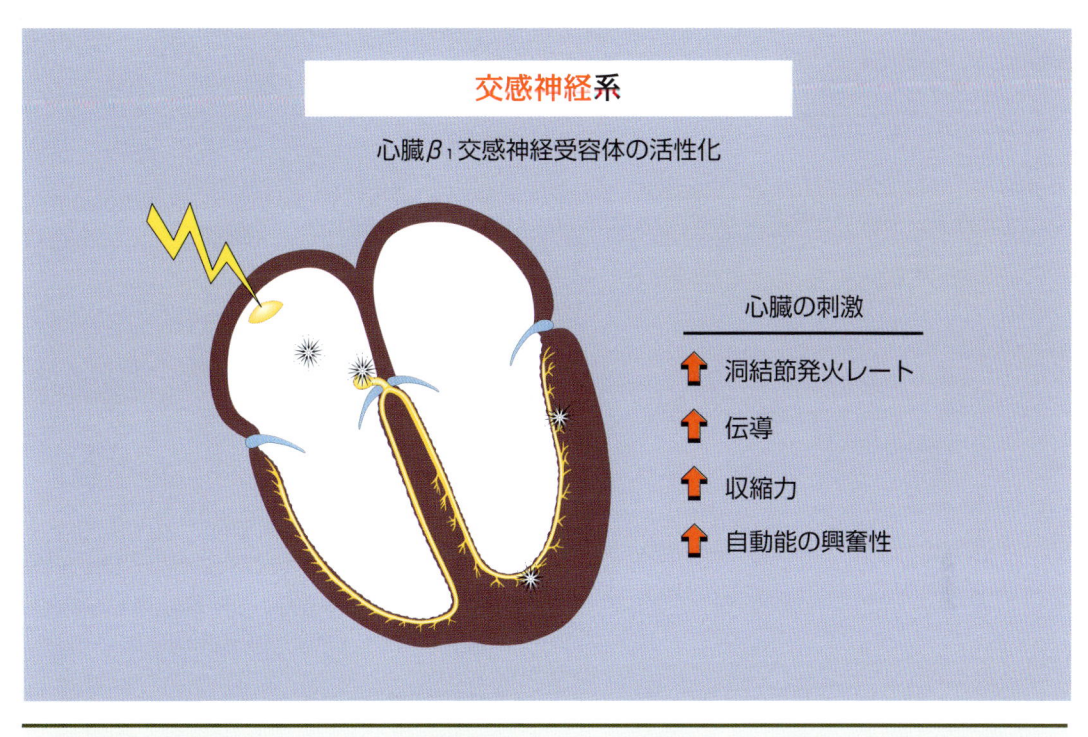

心臓β₁交感神経受容体の活性化

心臓の刺激

- ↑ 洞結節発火レート
- ↑ 伝導
- ↑ 収縮力
- ↑ 自動能の興奮性

交感神経は神経終末を介して心臓を刺激します．神経終末はβ₁（**アドレナリン作動性**）受容体に向かってノルエピネフリンを放出します．ノルエピネフリンはβ₁受容体*を活性化し，細胞に興奮性応答を引き起こします．

- 交感神経系の神経伝達物質はノルエピネフリンです．ノルエピネフリンは心臓のβ₁（アドレナリン作動性）受容体を活性化します．この活性化により洞結節の発火レートは＿＿＿＿（上昇？ 低下？）します． 　　　　上昇

- ノルエピネフリンは房室結節の伝導速度も上昇させます．また，心房と心室の＿＿＿＿伝導速度も高めます． 　　　　心筋

- ノルエピネフリンは心筋が＿＿＿＿する力を増加させます． 　　　　収縮

- ノルエピネフリンは心房や接合部（p.123）に存在する＿＿＿＿の興奮性を高めます．心室の自動能にはそれほど影響しません． 　　　　自動能

メモ：ノルエピネフリンと兄弟関係にある**エピネフリン**（アドレナリンともいいます）は副腎から血液中に分泌されます．エピネフリンは心臓のβ₁受容体をとても強く刺激します．

＊β₁受容体とはβ₁アドレナリン作動性受容体のことです．単にβ₁受容体というだけでもアドレナリン作動性という意味が含まれています．

副交感神経系

コリン受容体の活性化

迷走神経

刺激

抑制

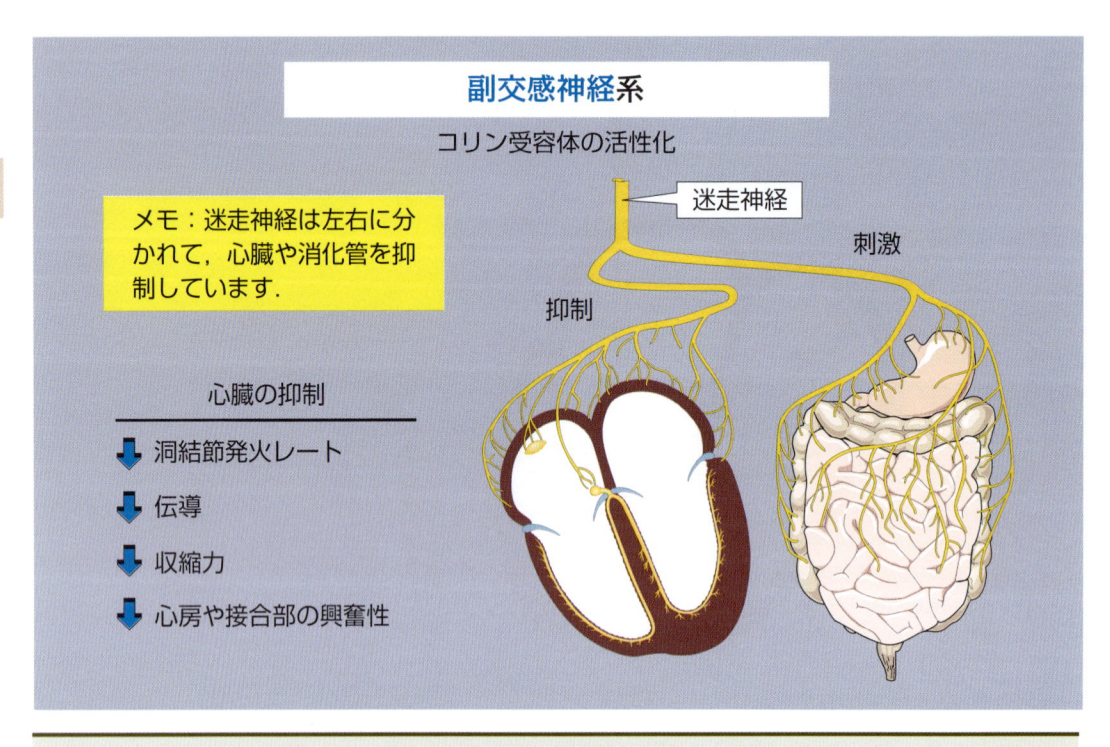

> メモ：迷走神経は左右に分かれて，心臓や消化管を抑制しています．

心臓の抑制
- ⬇ 洞結節発火レート
- ⬇ 伝導
- ⬇ 収縮力
- ⬇ 心房や接合部の興奮性

副交感神経はアセチルコリンという神経伝達物質を放出します．アセチルコリンは心房にたくさん存在するコリン作動性受容体を活性化して心臓を抑制します．ところが消化管の動きは副交感神経活動によって活発になりますから，心臓とは逆になっています．

● 副交感神経はアセチルコリンによってコリン作動性受容体を刺激します．この刺激で洞結節は抑制され，＿＿＿＿＿が下がります． — 心拍数

● 副交感神経は心筋伝導速度を低下させ，房室＿＿＿＿＿の伝導を抑えます． — 結節

● 副交感神経は心筋の＿＿＿＿＿力を低下させます． — 収縮

● 副交感神経は心房や接合部の＿＿＿＿＿（automaticity を日本語でいうと？）を抑えます． — 自動能

> **メモ**：迷走神経は副交感神経の代表というべきものです．迷走神経刺激といえばまさに副交感神経刺激のことです．心臓は抑制されます．

> **メモ**：心臓にとって副交感神経は抑制的に作用しますが，コリン作動性受容体を介して消化管には促進的に働きます．激しい嘔吐や下痢があるときどんな具合か想像すれば，過度の副交感神経活動が胃や腸にどう作用するか推測されます．

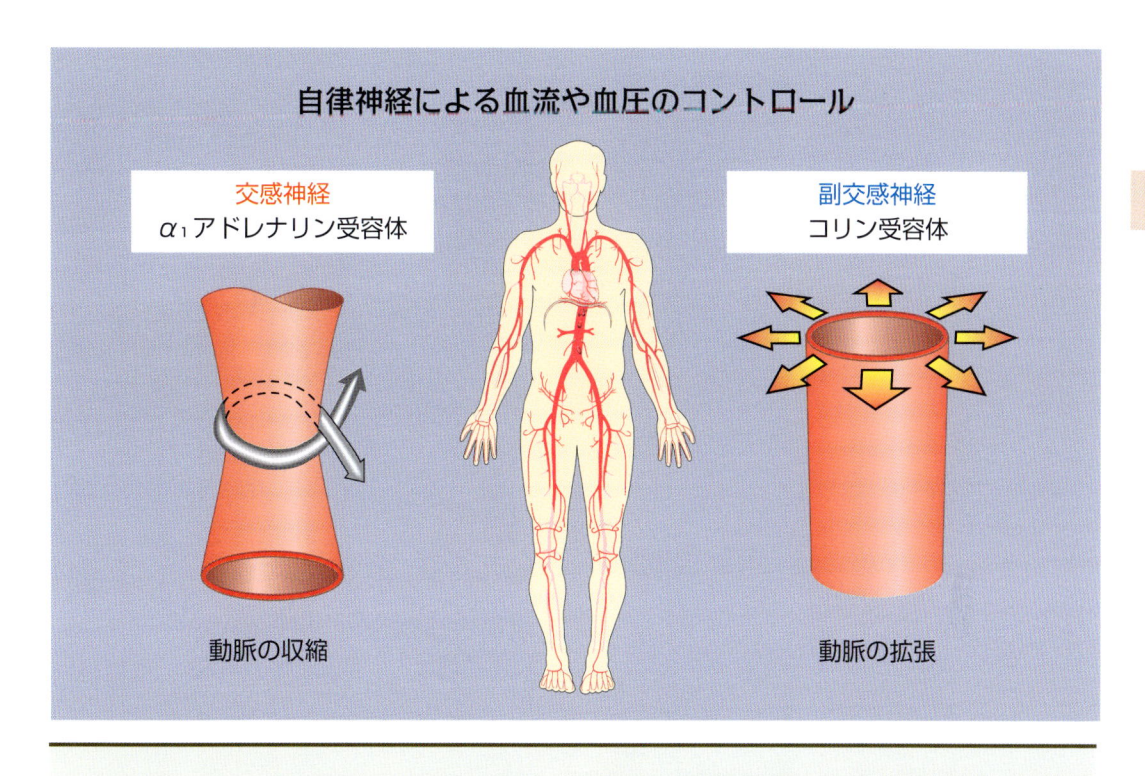

自律神経による血流や血圧のコントロール

交感神経
α₁アドレナリン受容体

動脈の収縮

副交感神経
コリン受容体

動脈の拡張

自律神経は洞結節の発火レートだけでなく，全身の動脈の収縮と拡張を調節して血液の流れや圧をコントロールしています．

- $α_1$（アドレナリン作動性）受容体に交感神経からの刺激が起これば体中の動脈が収縮し，血圧は_____し，血流量も変化します．$α_1$受容体は循環血漿中のエピネフリンよりも神経伝達物質であるノルエピネフリンに強く反応します． ｜ 上昇

    メモ：αというギリシャ文字を見てください．αという文字の両端をひっぱると真ん中の円が動脈を締め付けますね（図の左側を見てください．矢印の方向に引っ張るわけです）．αアドレナリン作動性交感神経刺激が全身の動脈をコントロールしていることを忘れないでください．

- 副交感神経による動脈のコントロールはそう簡単にはいい表せません．というのは副交感神経には動脈を拡張させる直接作用は乏しく，むしろ交感神経の修飾や内皮細胞からのNO（一酸化窒素＝生理的拡張物質）の放出を介する間接的な作用だからです．とはいえ，結果だけみれば副交感神経は動脈を拡張させ，血圧を_____させます．さらに血流量は低下する傾向にあります． ｜ 低下

    メモ：血流量は血管のサイズだけでなく，心拍数にも影響されます．交感神経刺激は洞結節の発火レートを上昇させますが，副交感神経はそれを低下させます．自律神経によって心拍数と血圧はとても細かく調節されています．両神経系のバランスは循環の**ホメオスタシス**（恒常性）の維持に大事です．

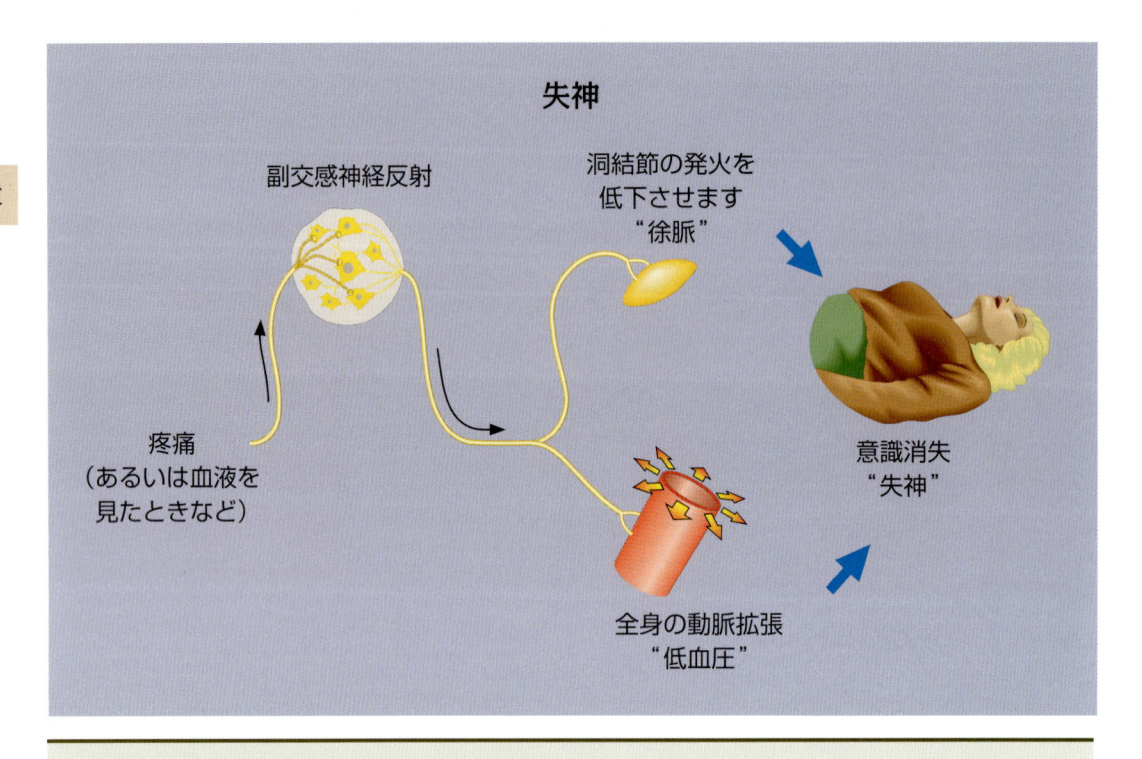

失神

副交感神経反射

洞結節の発火を低下させます
"徐脈"

疼痛
（あるいは血液を見たときなど）

全身の動脈拡張
"低血圧"

意識消失
"失神"

とても痛い目にあったり，怪我をして血が流れるのを見て反射的に副交感神経活動が亢進することがあります．**失神**に至るかもしれません*．

●時に強い痛みや血液が流れるのを見ることで副交感神経活動が高まります．洞結節の発火頻度が下がれば心拍数は低下します．心拍数が低いことを＿＿＿＿といいます．	徐脈
●反射的な副交感神経活動の亢進は動脈を拡張します．動脈の拡張により血圧は＿＿＿＿します．	低下

> **メモ**：大きな外傷による強烈な痛みや出血を眼にして副交感神経活動が亢進すれば，血圧低下と徐脈を認めます．この反射のために脳血流が低下すれば失神が生じます．
>
> **おまけ**：ちょっとした痛みがあったり採血されたときにクラッと意識をなくしてしまう，とても敏感な患者さんに出会ったことはありませんか．その程度はともあれ，"正常な"副交感神経活動によって生じた現象ですから，変な眼で見ないでください．

＊こうした副交感神経（迷走神経とよばれる神経がメインの仕事をしています）反射による失神のことを，"**血管迷走神経失神**（vaso-vagal syncope）"といいます．syncopeはシンコピーと読みます．

迷走神経刺激法

副交感神経反射

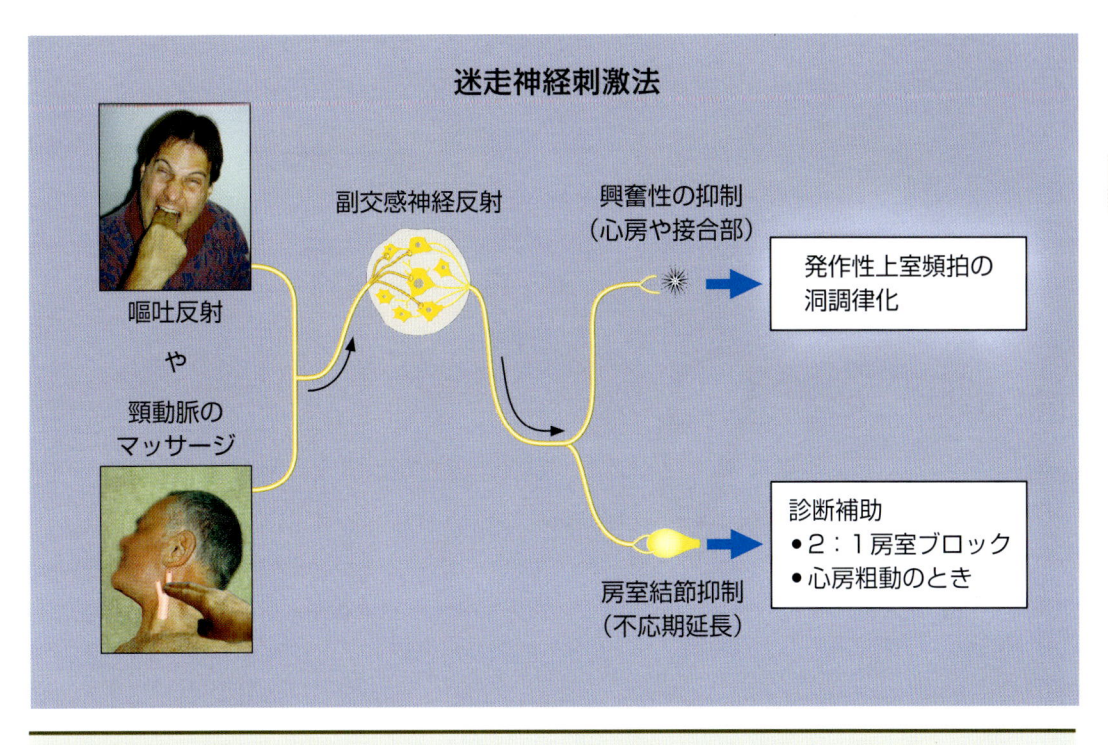

嘔吐反射 や 頸動脈のマッサージ

興奮性の抑制（心房や接合部）→ 発作性上室頻拍の洞調律化

房室結節抑制（不応期延長）→ 診断補助
- 2：1房室ブロック
- 心房粗動のとき

副交感神経の反射を中枢に伝える（求心性といいます）ための心血管系のセンサーがあり，交感神経の活動に対抗する働きをします．**迷走神経刺激法**とは診断や治療のために反射性の副交感神経活動の亢進を引き起こす手技のことです．

●消化器系の刺激（たとえばゲーっとやる嘔吐反射ですが）でも＿＿＿＿神経の応答を誘うことができます．	副交感
●頸動脈洞マッサージも＿＿＿＿神経の亢進を生じます．ただし，リスクがありますから，むやみに行うわけにはいきません＊．	副交感

メモ：副交感神経の応答は心房や房室接合部が不整脈の起源となっているときに，それを沈静する治療効果があります．房室結節の伝導抑制や不応期の延長を出現させて不整脈の診断に利用することもできます（詳しくはp.160とp.183をご参照ください）．

＊頸動脈洞マッサージにより頸動脈壁に付着した粥腫斑〔じゅくしゅはん（atheromatous plaque）〕が剥離してしまえば，脳梗塞を生じます．患者さんに後遺症が残れば大変ですから，適応は慎重に判断してください．

立位時の交感神経

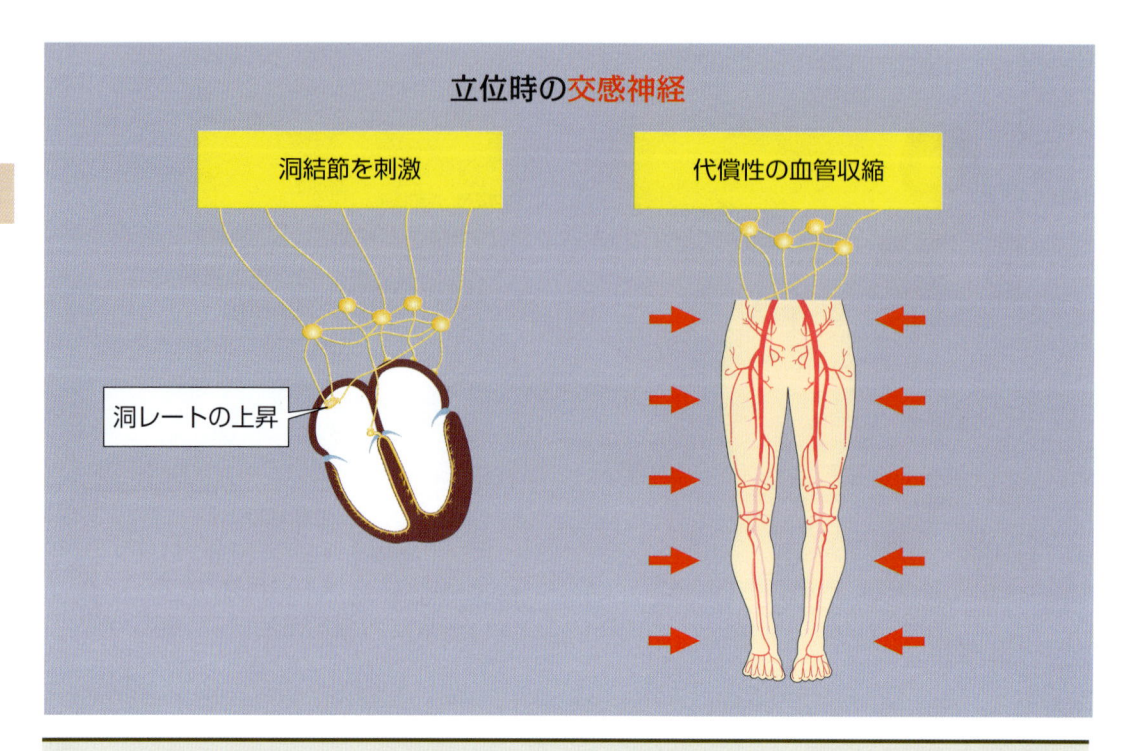

洞結節を刺激 / 洞レートの上昇

代償性の血管収縮

素直に考えれば，立った姿勢では引力により下肢に血液が集まってきそうに思えます．ところが立位になれば代償性の交感神経活動の亢進も生じますから，末梢動脈の収縮により下肢への血液貯留は回避できます．心拍数も上昇します．

> **メモ**：身体には"圧"受容体*があり，体位変換などによる血圧低下を敏感に感知します．圧受容体は交感神経活動を高め，末梢動脈を収縮させ，さらに心拍数もわずかに上昇させます．こうした複雑なコントロールにより脳血流が維持されるのです．

● 立位になれば交感神経は緊張します．この生理的反応が失われると脳への血流が維持できませんから，_____ が生じます． 　　**失神**

● **起立性低血圧**とは _____ に伴う代償性の交感神経活動が失われ急激に血圧が低下することです． 　　**立位**

＊こうした血圧の変化を検出する受容体は圧受容器（baroreceptor）とよばれ，心血管系のセンサーの1つです．ノルエピネフリンやアセチルコリンに対する細胞膜の受容体とは別なものです．

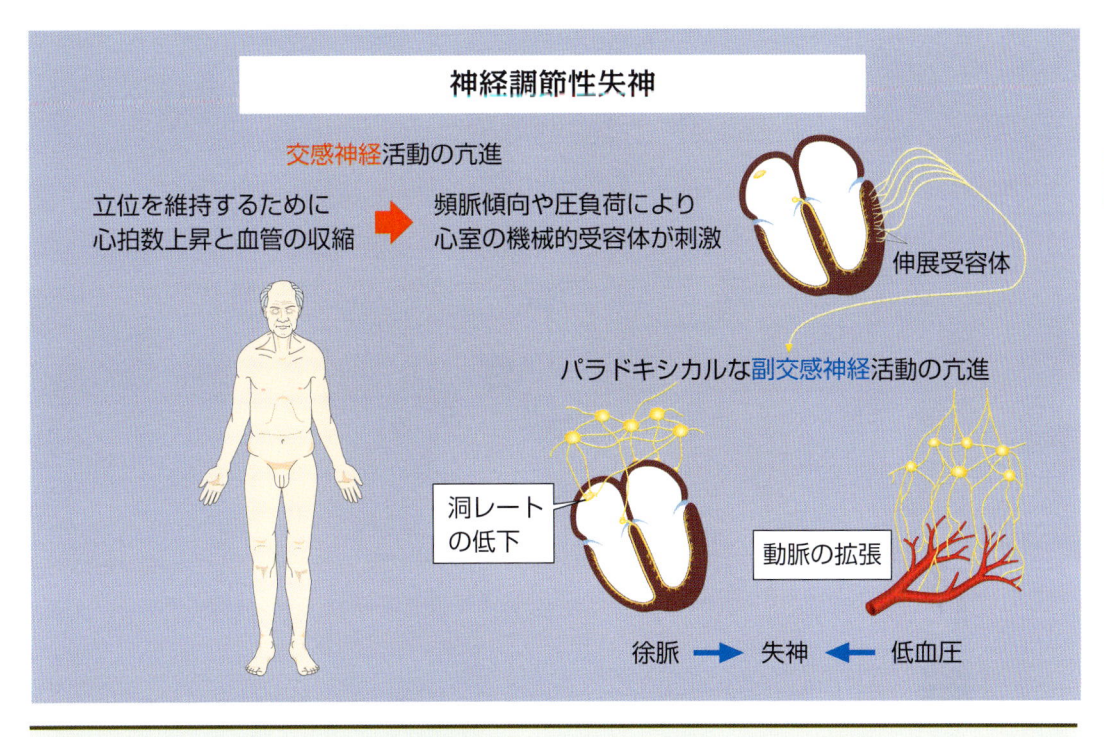

神経調節性失神

交感神経活動の亢進

立位を維持するために心拍数上昇と血管の収縮 → 頻脈傾向や圧負荷により心室の機械的受容体が刺激

伸展受容体

パラドキシカルな**副交感神経**活動の亢進

洞レートの低下

動脈の拡張

徐脈 → 失神 ← 低血圧

立位になっても交感神経による血管収縮反応によって循環は維持されます．ところが長く立っていると，交感神経に拮抗しようとする副交感神経のパワーが大きくなり，失神してしまう人がいます．バランスをとろうとする生理的なシステムがうまく機能しない例の1つです．

> **メモ**：立っていると下肢に血液が貯留し，頭への血液が足りなくなると思いませんか．こうした事態を避けるために反射性に交感神経活動を亢進させて，血圧も心拍数も必要なレベルに保つのです．しかし，一部の人では心拍数はそれなりに上昇しますが，血管収縮が十分ではありません．そこで心室は血圧を維持するために必死にがんばりますが，かえって左室壁の機械的受容体（mechanoreceptor）を経由して副交感神経を刺激してしまいます．この反射により洞結節の発火レートは低下し，血圧も低下してしまいます．さらに脳循環不全や失神という望ましくない結果が生じることもあります．こうした現象を**神経調節性失神**（neurally-mediated syncope）といいます（neurocardiogenic syncopeという用語もあります）．

● 神経調節性失神は立位におけるパラドキシカルな副交感神経反応のことです．これにより，血管拡張と心拍数低下が生じ，やがては_____消失発作，つまり失神が生じることもあります． | 意識

● ヘッドアップティルト（Head Up Tilt：HUT）検査は神経調節性_____の診断に用いられる検査です． | 失神

3章

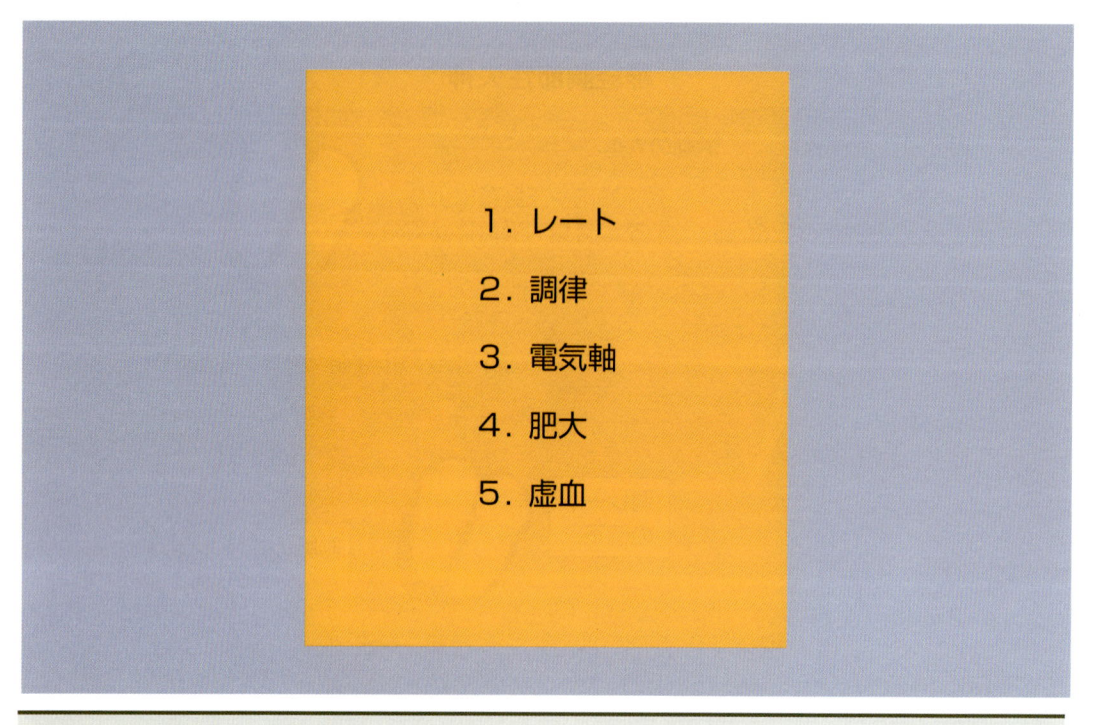

1. レート
2. 調律
3. 電気軸
4. 肥大
5. 虚血

これから ECG のもたらすさまざまな情報とその解釈を学びます．心臓の基本的構造や自律神経のことをしっかり理解してきましたから，たぶんむずかしくはないはずです．

● _____ の判読にはまずレート，調律，電気軸，肥大，心筋梗塞などについて学びます．どれもとても大事です．

ECG

メモ：ここで先をめくって p.332 ページを見てください．ECG 判読の手順が示してあります．

これからの各章をまとめたものが p.333 から p.343 に載っています．それぞれの章を読み始める前にちょっとのぞいていただけませんか．全体の流れがわかっていれば，すいすい読み進められるでしょうし，疑問をもって読むことで理解も深まります．簡単そうにみえる判読法のなかに，いかに多くの概念が盛り込まれているかわかってくるでしょう．ここで獲得した**知識**がずっと役にたてばいいですね．

準備は OK？　では始めましょう．

第4章　心拍数

> この章の要約はp.332とp.333にあります．先にそっちを見ていただいても結構です．

レート

ECGではなによりも心拍数がかぎになります．

メモ：図の中で誰かがボード（字を書いた板）を掲示しています．車の速度を示しているわけではありません．実はこの人はお医者さんです．ドライバーの心電図をチェックして，心拍数を掲示しています．わざわざそんなことしなくてもよさそうですが，ともあれこの心拍数からドライバーはちょっと興奮していることがわかります．

● ECGを判読するときは，まず_____をチェックします．　　　心拍数

● 心拍数は"1_____あたりいくつ"で表示します．　　　分

では正常な心臓の拍動はどこで，どうやって作られるのでしょうか．

洞調律

洞房結節あるいは"洞結節"

正常範囲は50〜100/分

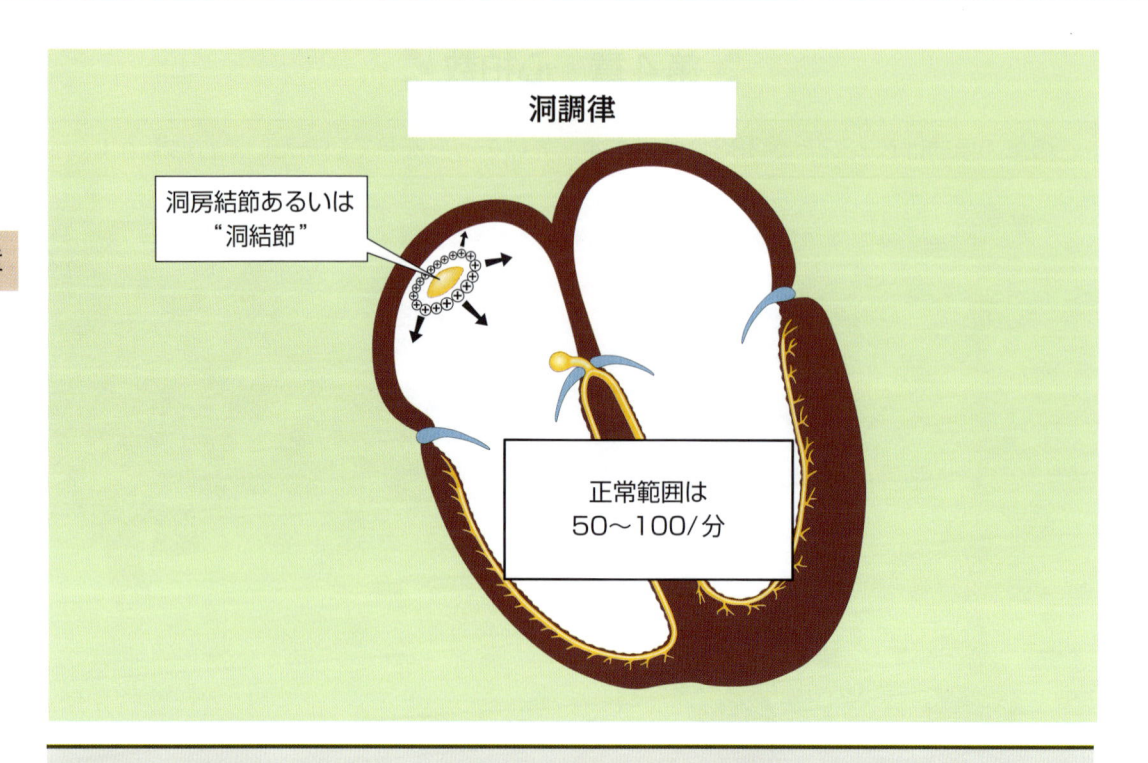

洞結節（洞房結節ともいいます）は興奮生成のフォーカスとして**洞調律**を形成します．洞結節は心臓の生理的なペースメーカーとして，およそ50〜100/分で心臓を動かします．

- 心臓本来のペースメーカーである_____は絶えず規則的な電気的刺激（これは**自動能**のことです）を心臓に送り出します． | 洞結節

- 洞結節は右_____上部のやや後ろにあります．洞結節に生じるペースメーカーとしての興奮（脱分極）はほぼ一定の周期をもち，持続的なものです． | 心房

メモ：洞結節（洞房結節）は自動能を有する組織の中でもっとも大事なところです．そこから一定間隔の興奮が周囲に送り出されます．洞結節が心臓の歩調を取るとき，そのリズムを洞調律とよびます．

- 静かにしているときの洞調律はだいたい50/分から_____/分です．この範囲にあれば正常な心拍数です． | 100

洞徐脈

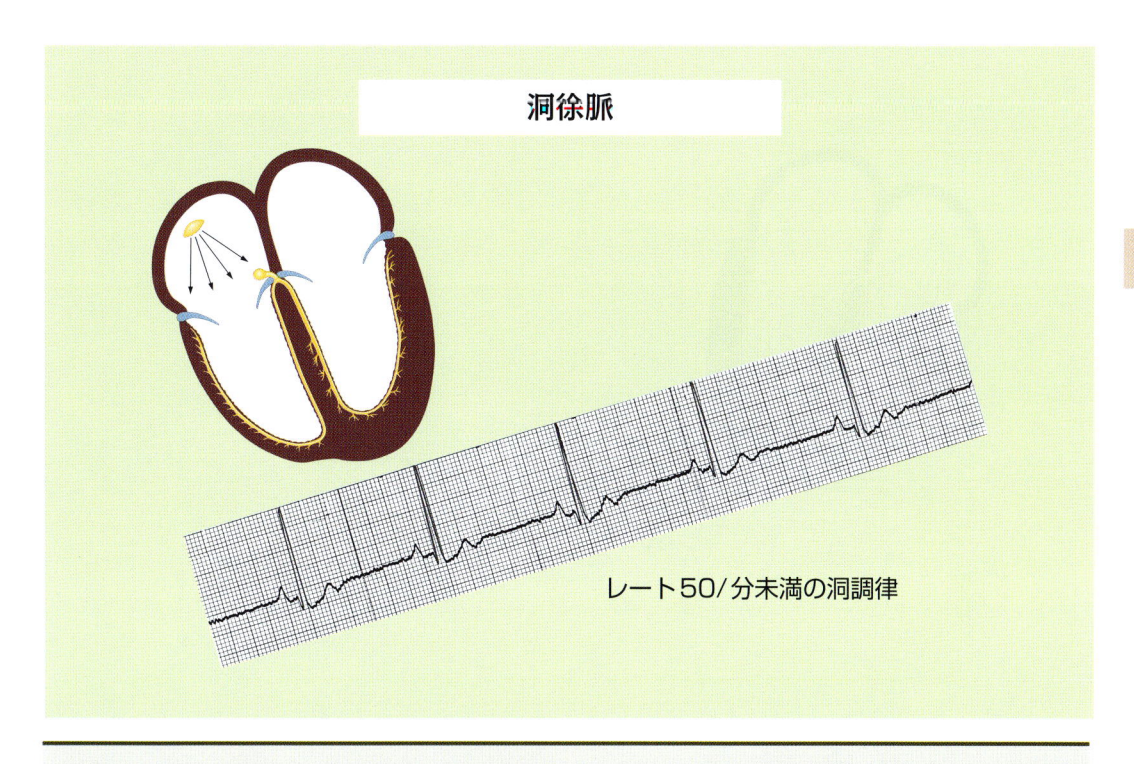

レート50/分未満の洞調律

洞調律のレートが50/分未満のとき**洞徐脈**といいます．40/分未満とか60/分未満という定義もありますが本書では真ん中をとって50/分未満としておきます．

メモ：英語で徐脈のことをbradycardiaといいます．bradyは"遅い"，cardiaは"心臓"のことです．

●正常のペースメーカーとは洞結節のことです．興奮レートが50/分未満のときは洞_____です． | 徐脈

メモ：副交感神経の活動が高まると洞徐脈になります．たとえば鍛錬したスポーツ選手ではありふれた所見です．こうした自律神経を背景とした洞徐脈はほとんど無害ですが，病的に心拍数が低下すると脳への血流が落ちて意識がなくなります．**失神**してしまうわけです．自律神経の復習にはp.60とp.63を見直してください．

●洞結節由来の心拍数が_____/分を下回るとき洞徐脈といいます．ただし，この定義はまちまちで，絶対的なものではありません． | 50

洞頻脈

レート100/分を超える洞調律

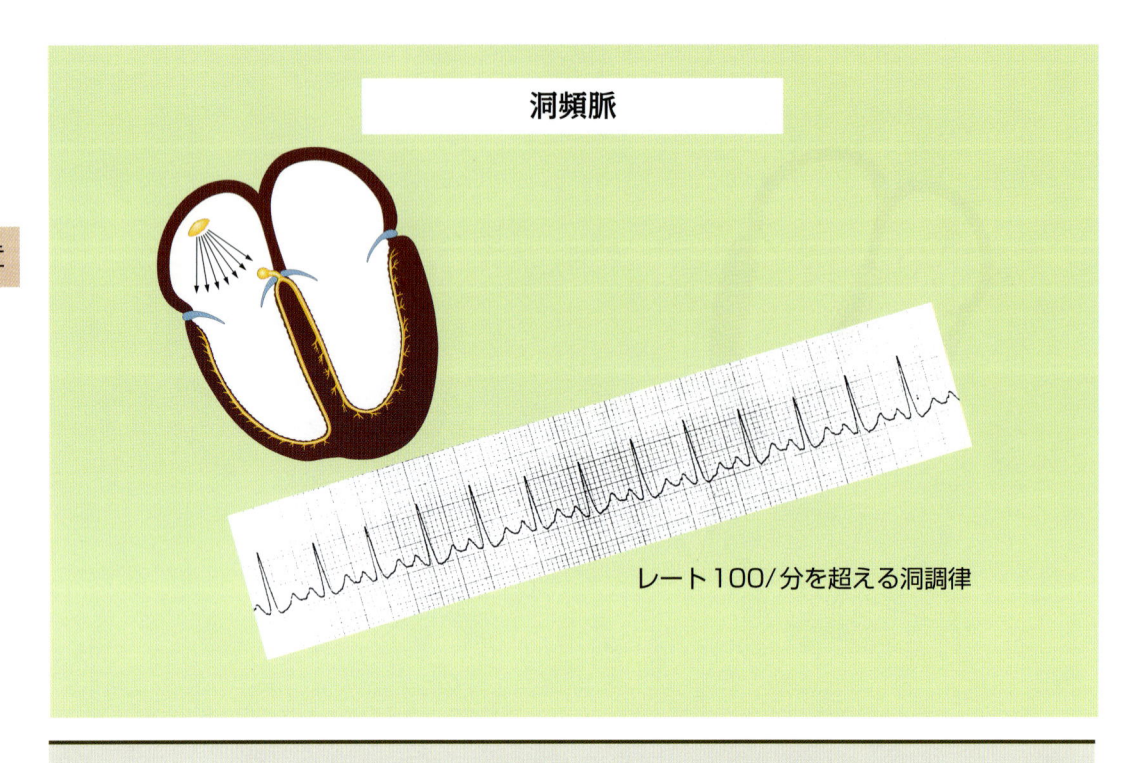

洞結節が100/分を超える速さで心臓を興奮させるとき洞頻脈とよびます．

メモ：tachycardiaとは英語で頻脈のことです．"tachy"は速い，"cardia"は心臓を意味しています．

●洞結節からの興奮が_____/分を超えれば洞頻脈です． 　　　100

●体を動かせば交感神経の活動が高まります．これが洞_____のもっともありふれた原因です． 　　　頻脈

メモ：心臓には洞結節以外にも**自動能**を有するところがあり，興奮を作り出すことができます．いざとなったら心臓を動かすことができますから，潜在的なペースメーカーともいえますが，洞結節がちゃんと働いていれば活躍する機会はありません（だからこそ"潜在的な"ペースメーカーというわけです）．

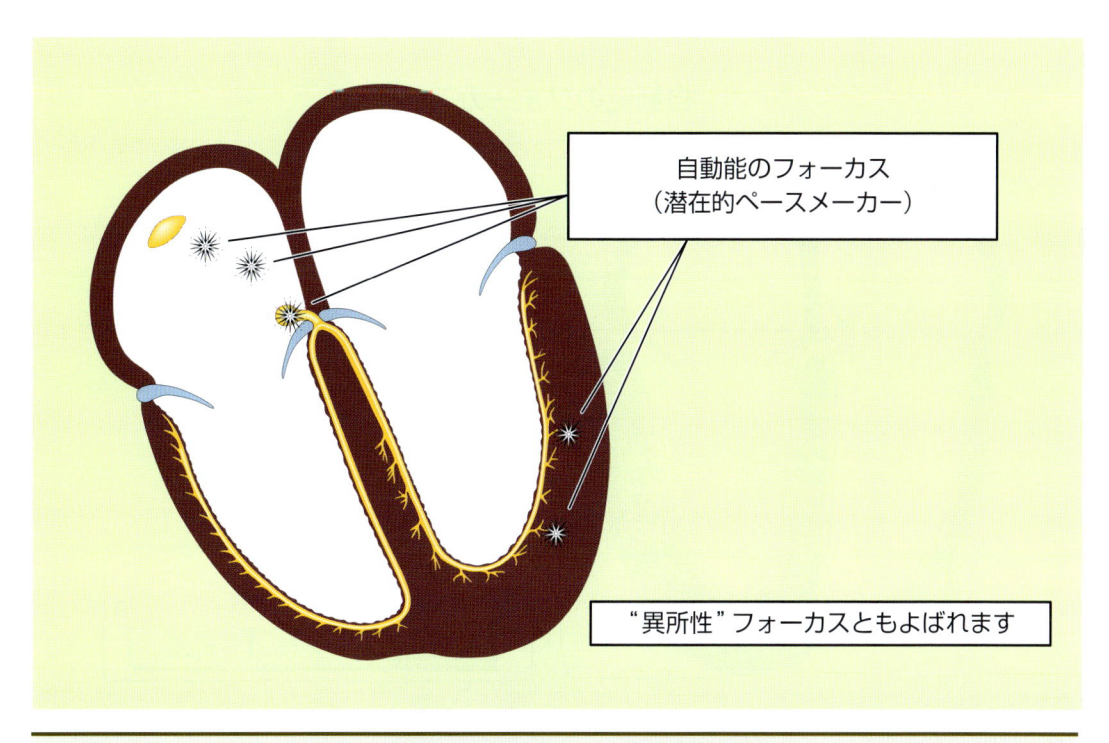

自動能のフォーカス
(潜在的ペースメーカー)

"異所性"フォーカスともよばれます

洞結節がペースメーカーとして機能しなくなったら，洞結節以外のペースメーカー（"異所性"フォーカスともいいます）が固有のレートで興奮を送りだします．洞結節以外のペースメーカーは心房，心室，あるいは房室接合部と広く分布しています．

● 洞結節が働かなくなったら，これまで抑えられていた自動能がペースメーカーとして姿を現します．こうした潜在的なペースメーカーはその部位に応じた固有の発火_____をもっていますが，その時その時で洞結節のかわりに活躍するのはどこか1ヵ所だけです． | レート

● 心房にも潜在的ペースメーカーになりうる自動能の_____があります．解剖学的にそれほど明解に定義されているわけではないのですが，心房の伝導系（p.101を見て下さい）に存在しているらしく，心房自動能とよばれます． | フォーカス

メモ：房室結節の近位部（上端側）には自動能のフォーカスは認めません．房室接合部を構成する房室結節の中央部と遠位部には自動能が存在し，接合部自動能とよばれます．

● プルキンエ線維も自動能を有します．つまりヒス束，伝導脚，および伝導脚の末梢には潜在的な_____があるのです．これらの自動能は心室自動能とよばれます． | ペースメーカー

自動能のフォーカス

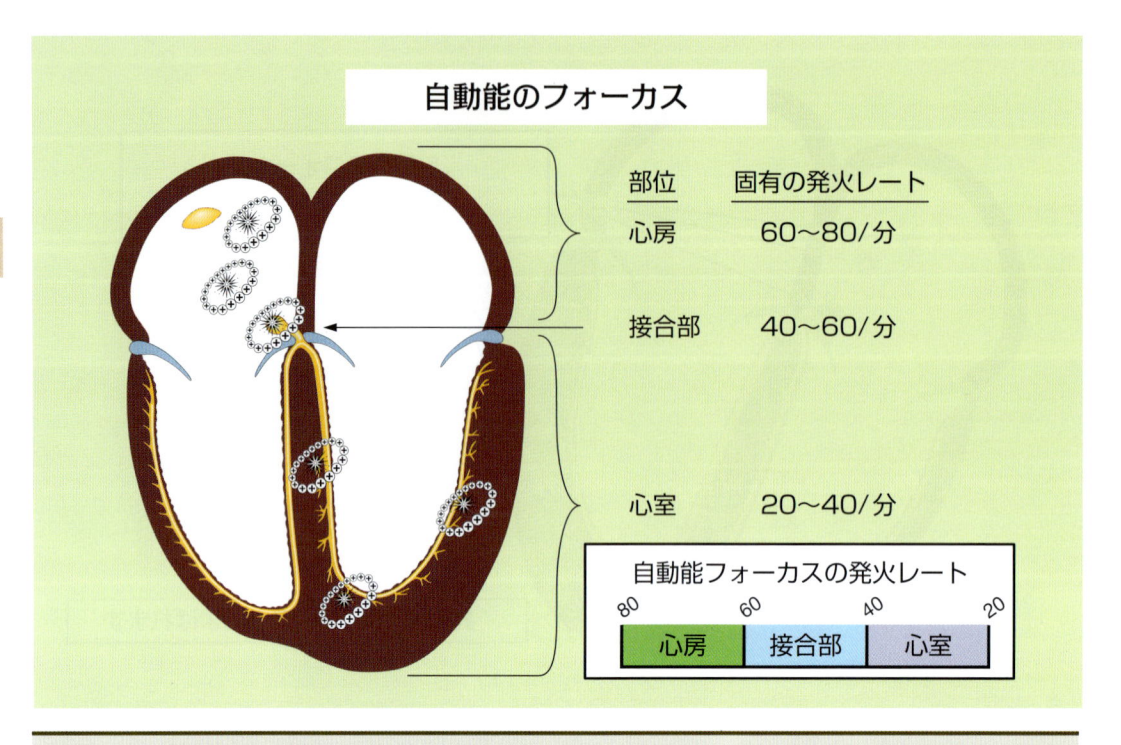

部位	固有の発火レート
心房	60〜80/分
接合部	40〜60/分
心室	20〜40/分

自動能フォーカスの発火レート
80　60　40　20
心房　接合部　心室

心房，房室接合部，そして心室にも自動能をもつフォーカスが隠れています．それぞれのフォーカスは固有の興奮レートをもっています．個人差はあっても，部位によりおおむね一定の範囲にあります．

●心房の自動能は固有のレートをもっています．だいたい，_____から80/分くらいでしょう．	60
●房室接合部の固有レートは_____から60/分ですが，個体ごとに微妙に違いがあります．	40
●心室の自動能は_____から40/分ですが，これもやっぱり個人差があるはずです．	20

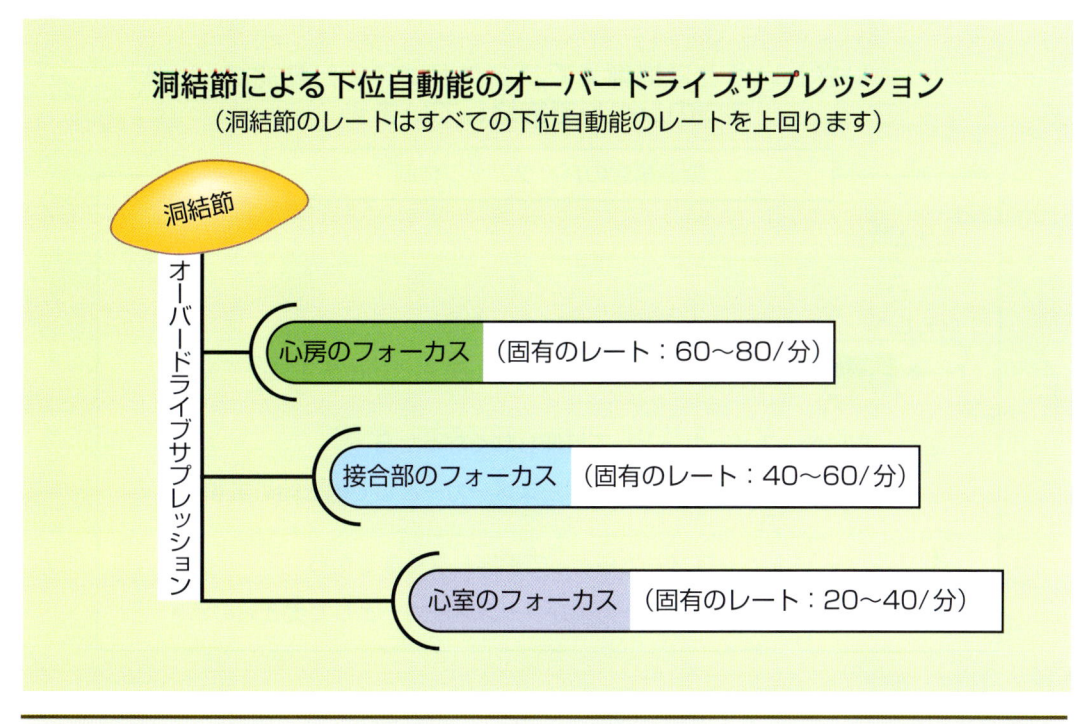

洞結節による下位自動能のオーバードライブサプレッション
（洞結節のレートはすべての下位自動能のレートを上回ります）

洞結節

オーバードライブサプレッション

- 心房のフォーカス　（固有のレート：60〜80/分）
- 接合部のフォーカス　（固有のレート：40〜60/分）
- 心室のフォーカス　（固有のレート：20〜40/分）

心臓にはたくさんの自動能が存在しますが，そのなかでもっとも高いレートをもつフォーカスがほかのフォーカスを抑制します．この現象を**オーバードライブサプレッション**（overdrive suppression）といいます．自動能をもつフォーカス同士の相互作用としてもっとも基本的なルールです．

> **メモ**：洞結節をも含むすべての自動能のフォーカスにおいてオーバードライブサプレッションという現象がみられます．発火レートが高いほうが，低いレートをもつフォーカスを抑えつけるのです．結果的にリーダーシップをとるフォーカスは1つだけです．

- 通常，洞結節はオーバードライブサプレッションにより下位の＿＿＿＿を抑制します．このため洞結節だけが独自のレートで発火を続けます．下位のフォーカスには出る幕はありません． 　　　　フォーカス

- 洞結節より下位のフォーカスがリーダーシップを取るようになったら（つまり洞結節の発火レートが低下したり，停止したとき），同じレベルに存在するフォーカスも下位のフォーカスもすべて＿＿＿＿（suppress を日本語でいうと？）されます． 　　　　抑制

…というふうにフォーカス同士が競合することはなく，基本的にどこか1つのフォーカスがペースメーカーの役割を果たします．よくできたシステムですね！

いざというときに備えてバックアップの自動能は3つのレベルで待機しています

緊急事態のバックアップ体制

洞結節
⇩
もしペースメーカーとして機能しなくなったら
→ 心房のフォーカス がペースメーカーとして働き始めます
⇩
もしペースメーカーとして機能しなくなったら
→ 接合部のフォーカス がペースメーカーとして働き始めます
⇩
もしペースメーカーとして機能しなくなったら
→ 心室のフォーカス がペースメーカーとして働き始めます

オーバードライブサプレッションという概念は，異なる自動能同士でどこがリーダーシップをとるかという点について説明するものです．心房，房室接合部，心室の3ヵ所の自動能が同時に存在していても，通常はそのうちもっとも興奮レートの高い心房の自動能が全体を引っ張っていきます．しかし，上位の自動能がしっかり機能しないときは下位の自動能が働かざるを得ません．

メモ：自動能はその固有のレートで興奮できますが，オーバードライブサプレッションとは自分より興奮レートの遅い自動能を抑制する現象のことです．

● 洞結節の発火レートが低くなると，バックアップするペースメーカー（下位の自動能）が抑制から解き放たれて自分がもっているレートで発火し始めます．そして，今度は自分より_____（上位？　下位？）にある自動能を，オーバードライブサプレッションによって抑える立場になります． … 下位

● 自動能は周囲からの_____サプレッションが解除されたときにだけ作動します．洞機能不全のとき下位のフォーカスがペースメーカーとなるのもその1例です． … オーバードライブ

上から規則的な刺激が届かなくなったら，下位の自動能が働きだします．とても巧くできていますね．

わからないところがあったら，もう一度ゆっくりおさらいしてください．

心房にある自動能のフォーカス
（潜在的ペースメーカー）

固有のレートは60〜80/分

心房には潜在的ペースメーカーが多数存在しており，本来のペースメーカー（洞結節のことです）がしっかり働かないときは60〜80/分の固有レートでかわりのペースメーカーになります．

●洞結節の興奮レートが落ちると，心房の自動能が60〜_____/分くらいのレートで働き始めます．このレートは洞結節とほとんど同じです．	80
洞結節がちゃんと機能しなくなると，かわって心房の自動能（たぶん潜在的な刺激伝導系から発生するのでしょう）がペースメーカー（dominant pacemaker）として働くのです．	
● 洞結節がだめなときには心房の自動能がバックアップしてくれるのですが，今度は心房の自動能が自分より下位の自動能をオーバードライブサプレッションで抑えつけてしまうのです．なぜなら下位自動能の_____レートは心房のそれより低いからです．	固有

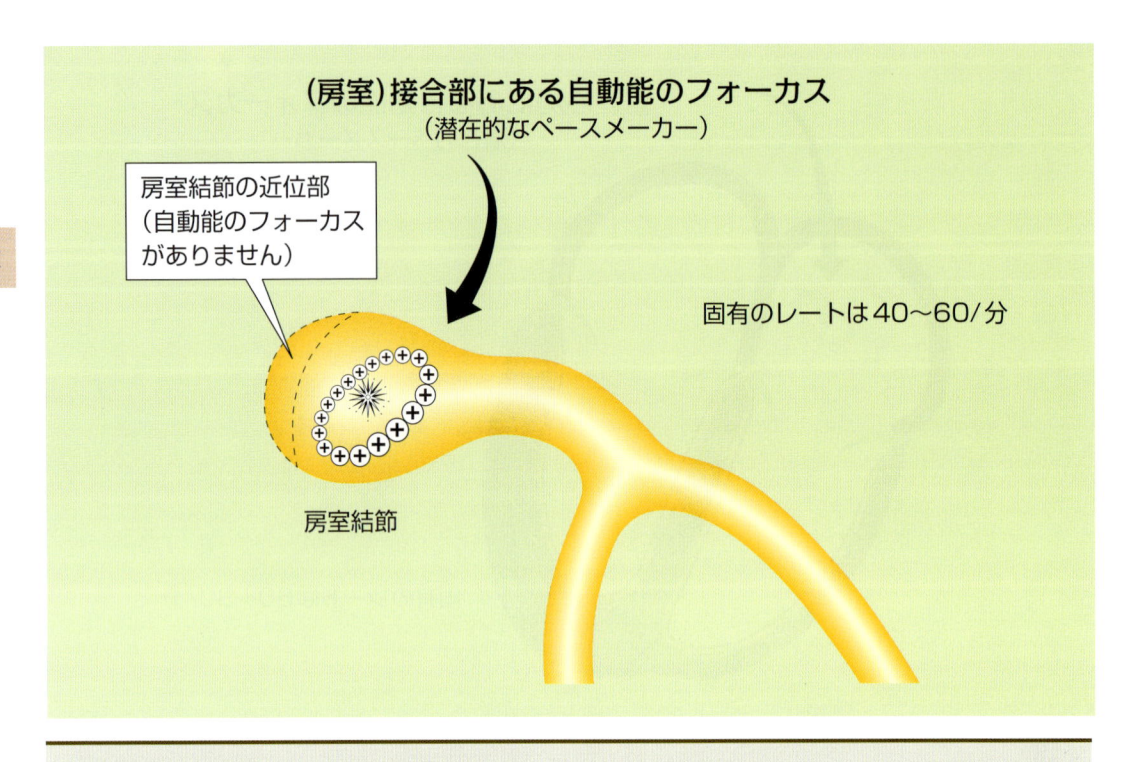

（房室）接合部にある自動能のフォーカス
（潜在的なペースメーカー）

房室結節の近位部
（自動能のフォーカス
がありません）

固有のレートは40〜60/分

房室結節

房室接合部も自動能をもっています（これも潜在的ペースメーカーです）．心房からある程度の頻度で興奮が届かないと，40〜60/分くらいの固有レートで興奮し始めます．

> **メモ**：房室接合部とは房室結節とヒス束をまとめたものですが，どっちも自動能をもっています．これらの自動能も興奮のフォーカスとなれます．なお，房室結節の近位側には自動能がありません．

- 房室接合部の自動能が活躍するのは心房からの興奮が届かなくなったか，レートがかなり低くなったときです．このとき心房からのオーバードライブサプレッションがなくなり，40〜60/分の固有_____で発火しはじめます．房室接合部からの興奮は発火レートの低い下位の自動能を抑えますから，メインのペースメーカーとして機能できるのです． 　　　**レート**

- 接合部中枢が_____から60/分の固有レートで心臓をペーシングしているとき，接合部固有調律（idio-junctional rhythm）*といいます． 　　　**40**

> **メモ**：接合部の自動能は上からのオーバードライブサプレッションがなくなったときに，働き始めます．上から興奮がこないということは，洞結節も心房も興奮を生じない状態が考えられます．しかし，ちょっと待ってください．これ以外に接合部に規則的な興奮が降りてこない状況はありませんか？ 次ページに話を続けましょう．

＊idioという接頭辞はギリシャ語で"固有の：one's own"という意味です．本来はハイフン抜きで idiojunctional と綴ります．

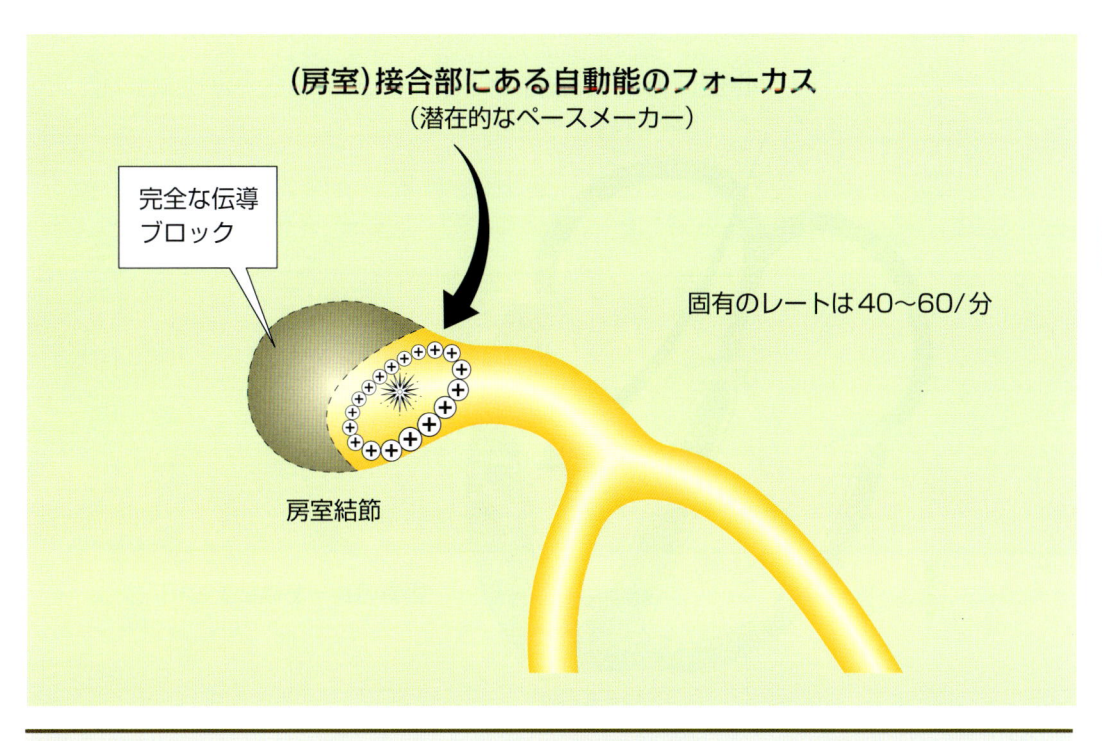

(房室)接合部にある自動能のフォーカス
（潜在的なペースメーカー）

完全な伝導ブロック

固有のレートは40〜60/分

房室結節

上位のフォーカスがペースメーカーとしての機能を維持していたとしても，伝導ブロックがあれば房室接合部にまで興奮は達することができません．この場合も房室接合部の自動能はペースメーカーとして働く機会を得るのです．

メモ：「房室結節は心房と心室の伝導系を結ぶただ1つの経路」ということを思い出してください．

● 房室結節に完全な伝導ブロックが生じると，ブロックより下方の自動能 ＿＿＿＿＿＿（焦点を英語でいうと？）には上方からの興奮はおりてきません． | フォーカス

● こうなると上からの抑制，つまりオーバードライブサプレッションは生じなくなりますから，接合部のフォーカスが心室のペースメーカーになります．接合部のフォーカスは固有レート，つまり＿＿＿＿＿＿から＿＿＿＿＿＿/分で心室を興奮させます．一方，固有レートが低い心室の自動能では相変わらずオーバードライブサプレッションが続いています． | 40，60

メモ：房室接合部の自動能より下のほうで完全ブロックを生じることもあります．このときは心室のプルキンエ線維しか心室を興奮させることはできません．この点について，もうちょっと話を続けましょう．

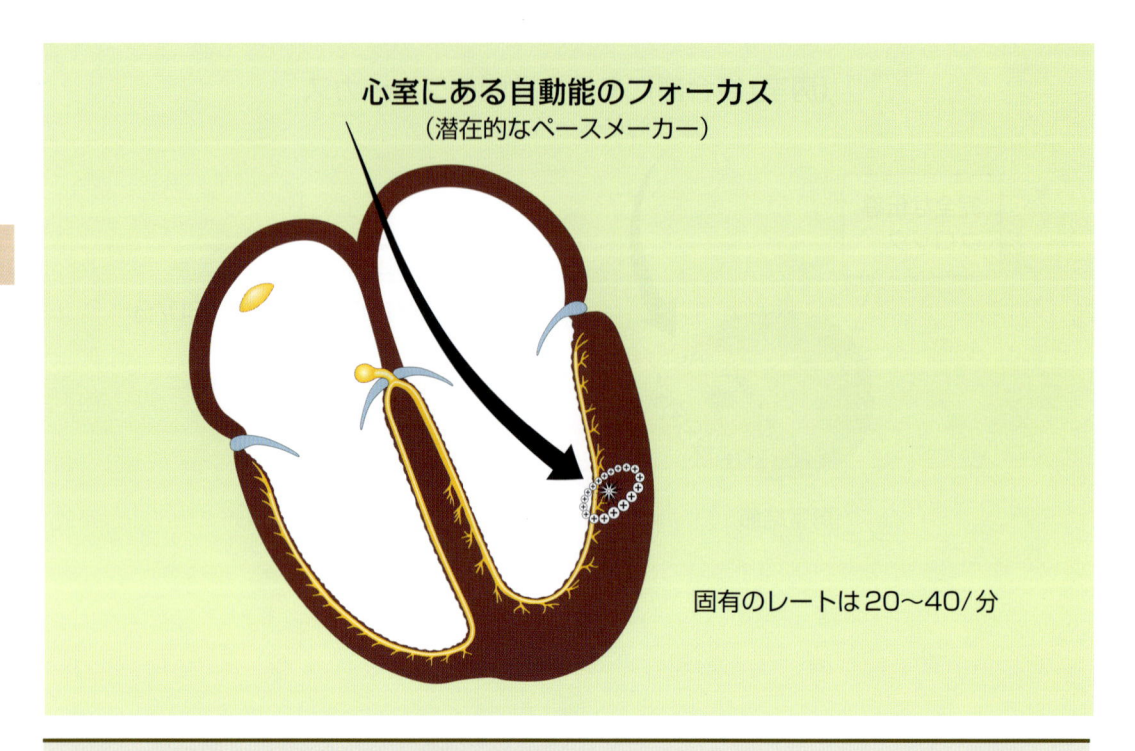

心室にある自動能のフォーカス
（潜在的なペースメーカー）

固有のレートは20〜40/分

心室にも自動能のフォーカス（潜在的ペースメーカーのことです）は存在します．興奮レートは20〜40/分です．上からのオーバードライブサプレッションがすべて途絶えたとき，やっと自動能を発揮するチャンスが与えられるのです．

● 上流からのオーバードライブサプレッションが消失すれば，心室の自動能は＿＿＿＿＿＿＿から40/分の固有レートで興奮を生じます．これは心室固有調律（idioventricular rhythm）とよばれます．

20

メモ：心室の自動能は上からのオーバードライブサプレッションが消失したときに表に出てきます．たとえば以下のような状況です．
- 心室より上位のペースメーカーが機能を果たせなくなったとき．
  あるいは
- 房室接合部より下のほうで完全房室ブロックが生じて，洞結節，心房，接合部のどこからも興奮が届かなくなったとき．

いざというときに備えてバックアップの自動能は3つのレベルで待機しています

緊急事態のバックアップ体制

洞結節
⇩
もしペースメーカーとして機能しなくなったら
→ **心房のフォーカス**がペースメーカーとして働き始めます
⇩
もしペースメーカーとして機能しなくなったら
→ **接合部のフォーカス**がペースメーカーとして働き始めます
⇩
もしペースメーカーとして機能しなくなったら
→ **心室のフォーカス**がペースメーカーとして働き始めます

自動能のフォーカスがもつ固有の発火レート

80　　　60　　　40　　　20
心房　　接合部　　心室

洞結節がペースメーカーとしての機能を喪失したら，心房，房室接合部，あるいは心室（この順番が優先順位です）がそれぞれの固有レートでペースメーカーになる可能性をもっています．バックアップとして3つの段階があることになります．

- 洞結節が興奮しなくなれば，心房が60〜80/分の固有レートでペースメーカーとして働きだします．心房がだめになれば次は房室接合部が_____としてがんばります．そのレートはだいたい40〜60/分です． | ペースメーカー

- 上流からの興奮が降りてこないときは，心室の自動能は_____レートの20〜40/分で興奮し始めます．こうした事態は上流のフォーカスがすべてだめになったり，伝導ブロックで興奮が心室まで到達しなくなったときです．自然というのは本当によくできています． | 固有

メモ：機能的あるいは器質的異常が原因となって，興奮性の高くなったフォーカスが急に高頻度の興奮を発生し始めることがあります．150〜250/分くらいですが，どのレベルでもおおむね似たようなレートです．

次はもっとシンプルな話です．

第4章 心拍数

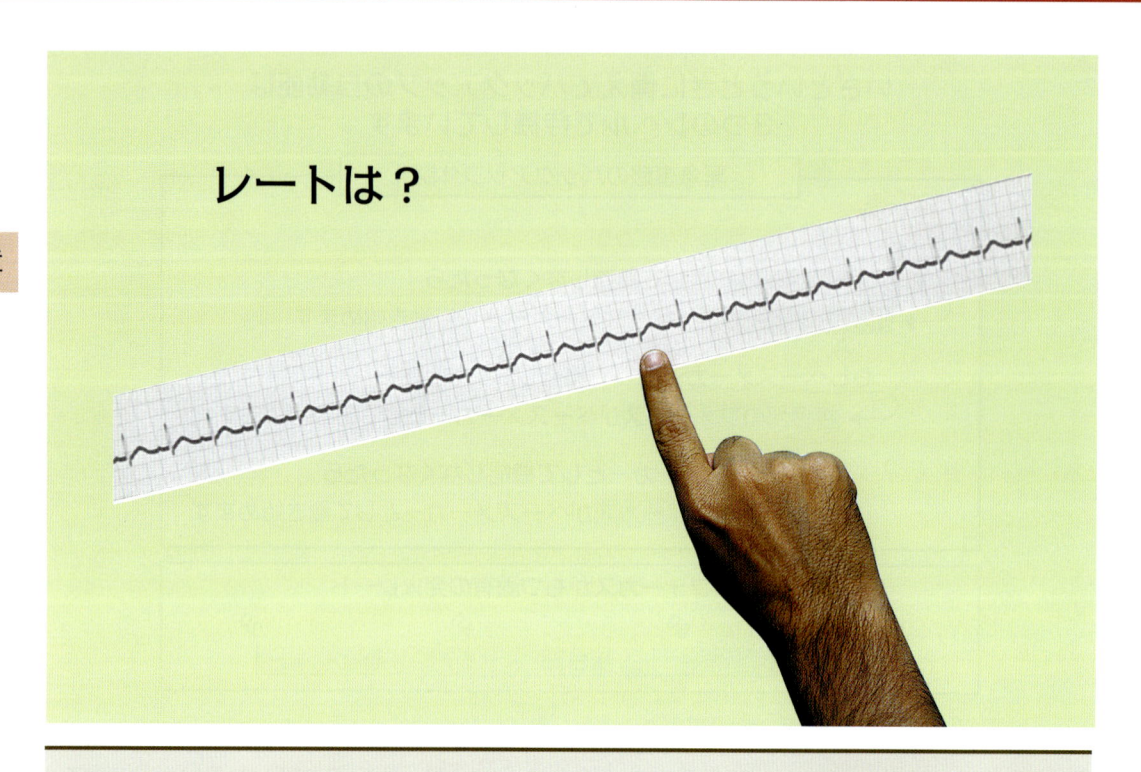

レートは？

ぱっと見ただけで心拍数がわかるようになりましょう．

●この章を終わるころには，見ただけで_____がわかるようになります．	レートあるいは心拍数
●特別な器具，電卓，定規，あるいはぐちゃぐちゃ計算しなくてもレートを_____（detemineを日本語で）することはできます．	決定
メモ：急いでいるときに細かい計算をしている余裕はありませんし，ましてや電卓をいじっている暇もないでしょう．	
●本当にぱっと見ただけで_____がわかるようになります．	レート

第4章　心拍数

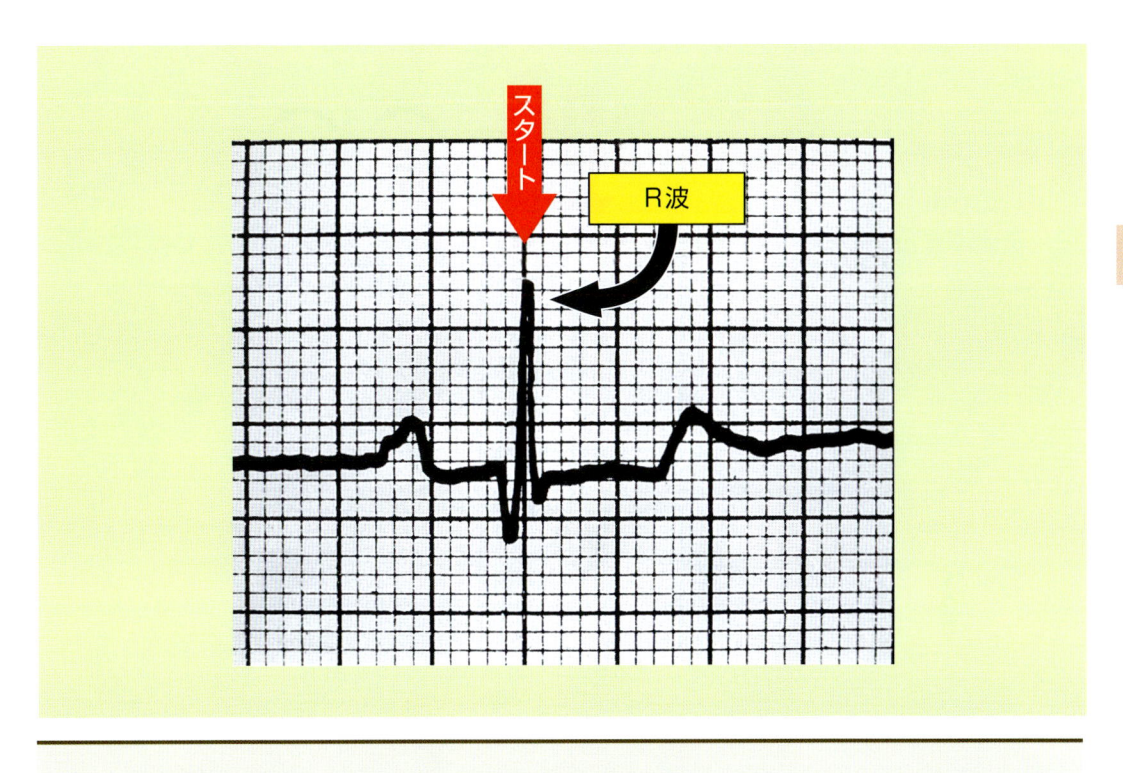

まず，太い縦線と重なっているR波を見つけます．そこをスタートラインにします．

- レートを知るには＿＿＿＿波に注目します．　　　　　　　R

- 太い線に重なっているR波はありませんか．そこが＿＿＿＿地点です．　　スタート

第4章　心拍数

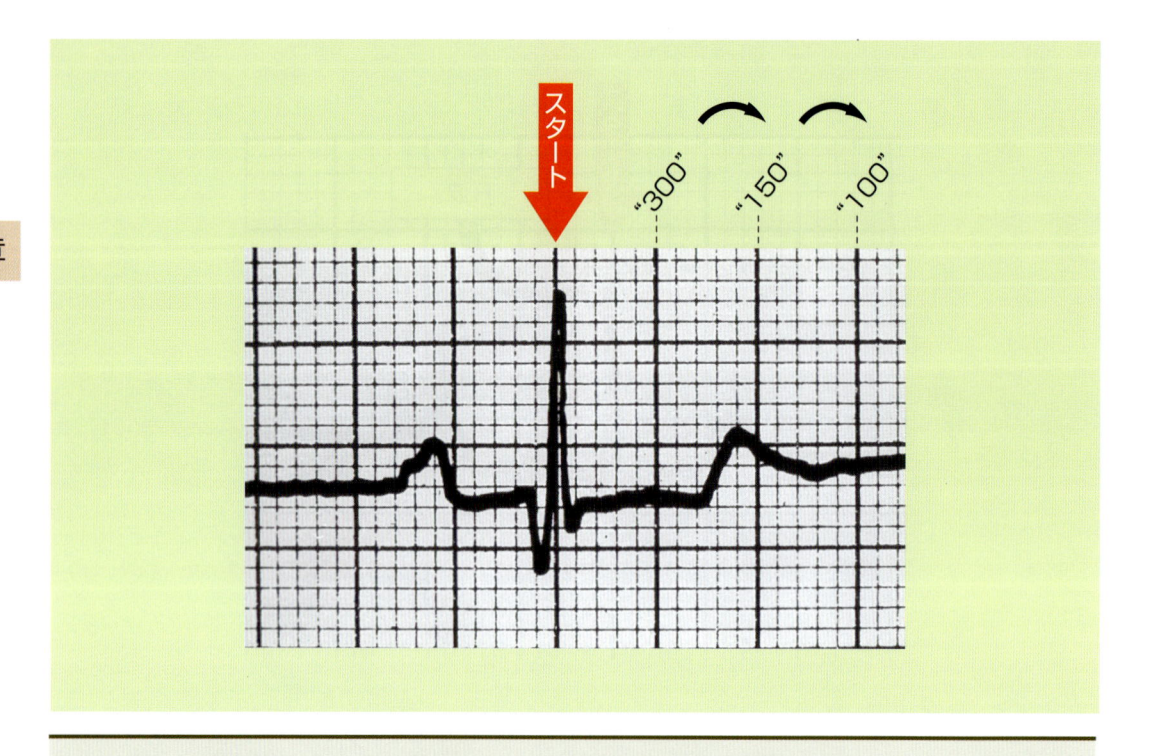

スタートとするR波を見つけます．次の太い線から順番に300，150，100となります．
この数字を覚えることがすべてです．

R波の先端が太い線と重なるところがスタート地点です．

● 次の太い線に"_____"という数字を与えます．そのあとの太い線は，　　　300
"_____"と"_____"になります．　　　　　　　　　　　　　　　　150，100

メモ：R波が重なった太い線がスタートです．そのあとの太い線に順次数値を割り当てます．

● スタートから3本の太い線にそれぞれ_____，_____，そして_____と　　300，150，
いう数値が対応しています．声に出してみてください．　　　　　　　　　100

意識しなくても，この数字が出てくるようになりましたか？

第4章 心拍数　81

4章

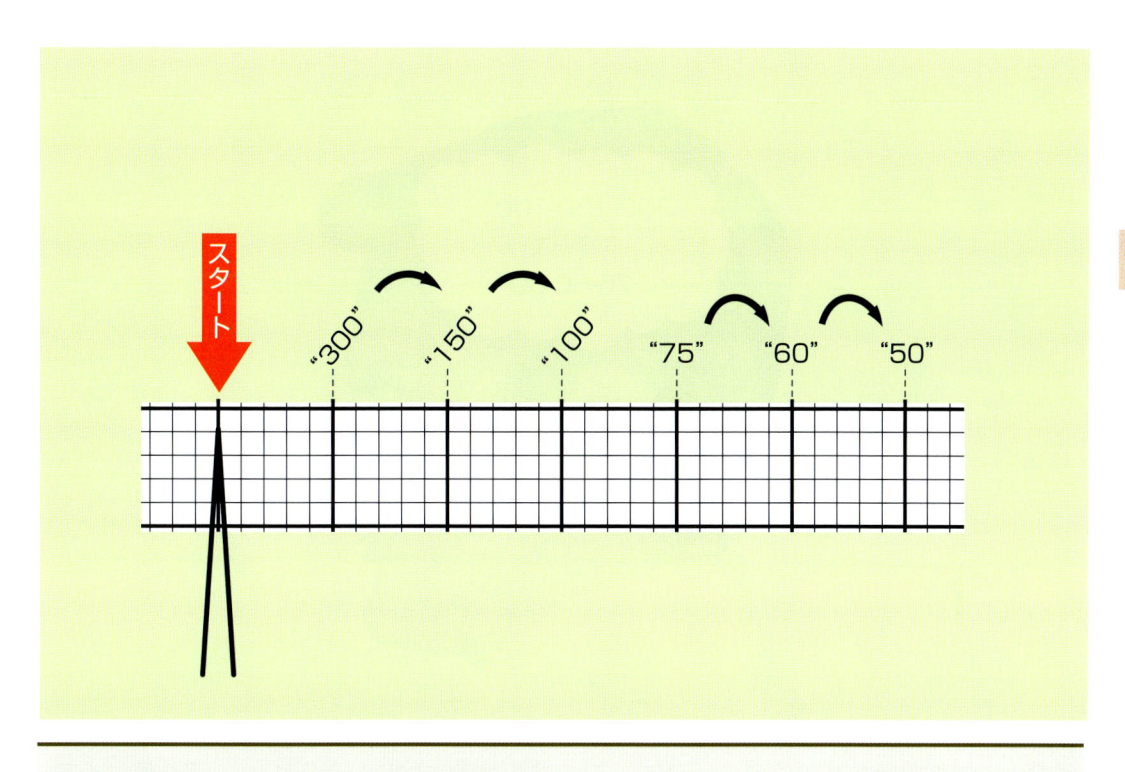

300，150，100のあとは75，60，50．

●300，150，100のうしろは_____，60，50と続きます．　　　　　75

●スタート地点から数えて4番目，5番目，6番目の太い線に対応する数値は
　_____，_____，_____です．　　　　　　　　　　　　　　75，60，50

もう一度，声に出してください．面倒くさがらずに．

はい，よくできました．

> 300-150-100
> …そして
> 75-60-50

頭の中に自然に浮かんでくるくらいに，これらの数字になじんで下さい．何も見なくても3つの数字がすらすら出るようにします．

● 300, 150, 100と75, 60, 50の数字のセットは_____しなければなりません．　　暗記

● R波の_____と重なる太い線がどれかわかりますね．そのあとに続く太い線にどの数値を割り当てられているか覚えてください．3つずつなら覚えやすいし，すぐに使えるようになります（本当にすぐ使いたくなります）．　　先端

● 太い線がスタート地点から何番目なのか数えるのではありません．_____ずつひとまとめにして太い線に順次数値を当てはめていくのです．　　3つ

第4章 心拍数

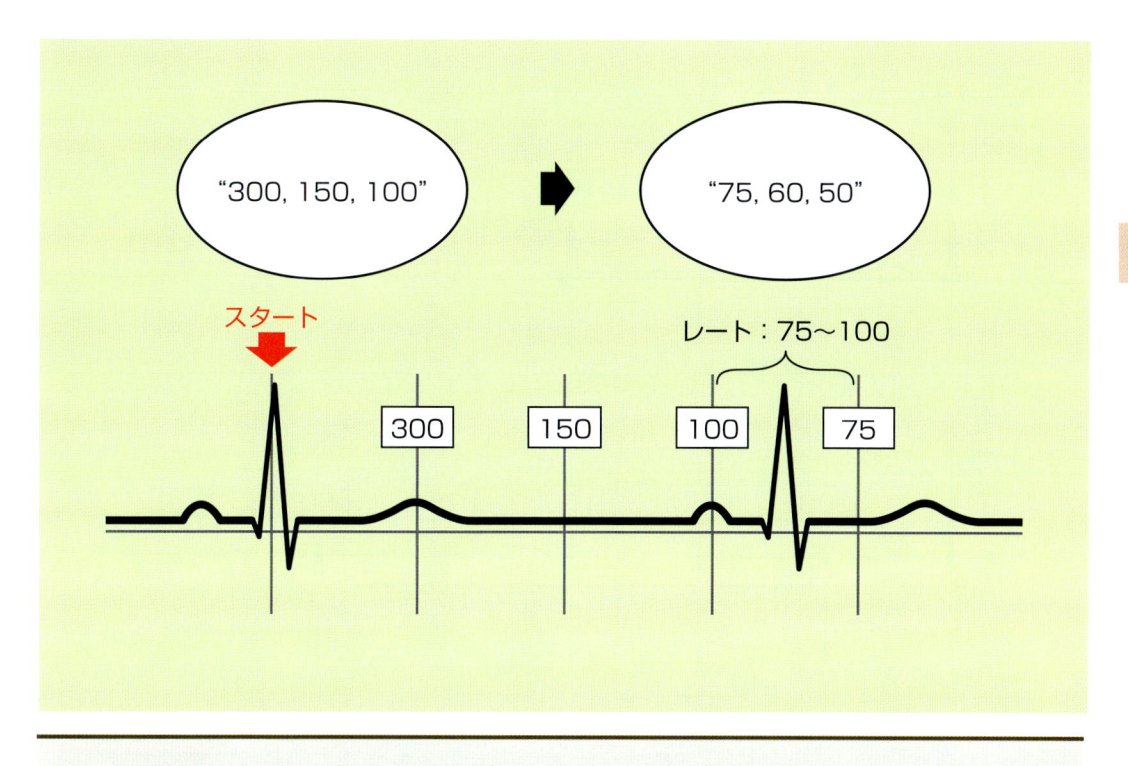

"300, 150, 100" ➡ "75, 60, 50"

スタート

レート：75〜100

300　150　100　75

次のR波がどこに位置しているかを見て，レートを決めます．ほんとうにそれだけです．

●R波の先端が太い線に重なったところを見つけ，その_____（前？ 次？）のR波がどこにあるか探します．	次
●次のR波の位置から_____を知ることができます．むつしい計算はいりません．	レート
●次のR波が"75"のところにあったら，レートは75_____です．	/分
メモ：上の図からレートが75〜100/分のあいだにあることがわかりますね．	

第4章 心拍数

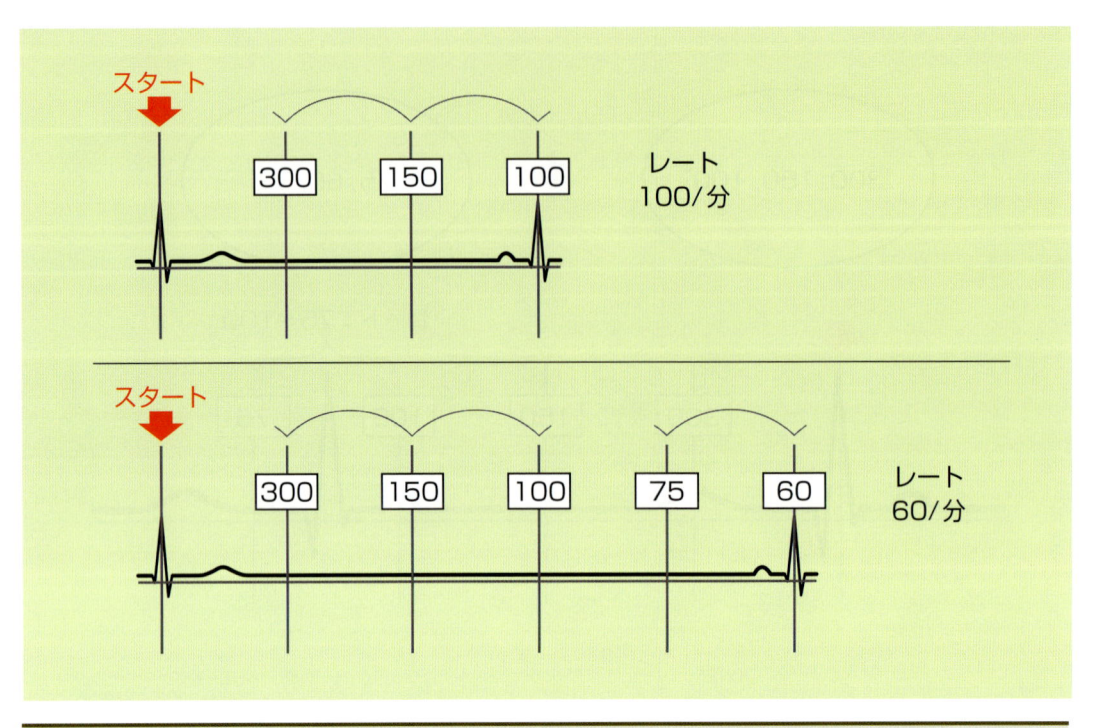

300, 150, 100と75, 60, 50の3つずつのセットを覚えていれば心電図をぱっとみただけで，だいたいのレートがわかります．

●3つずつのセットとは：まず"＿＿＿，＿＿＿，＿＿＿"	300, 150, 100
そのあとは"＿＿＿，＿＿＿，＿＿＿"です．	75, 60, 50
●スタートラインのあとの太い線に割り当てられた＿＿＿ずつの数字を思い出せば，レートはすぐにわかります．	3つ

第4章　心拍数

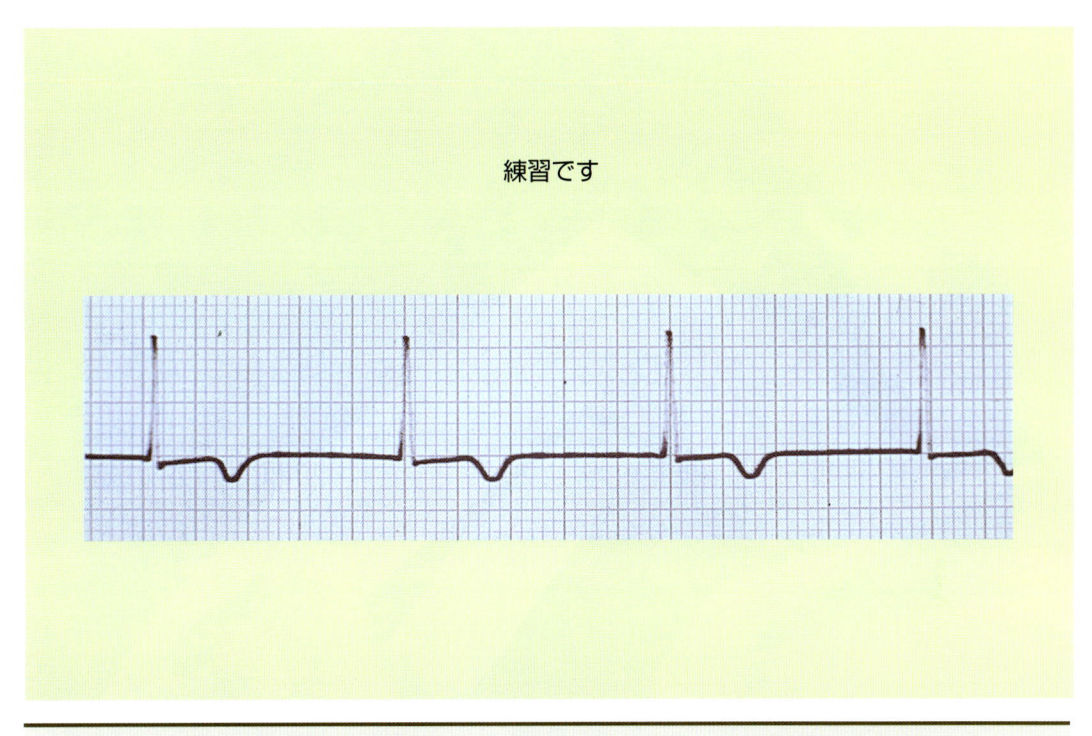

練習です

安静にしている患者さんの心電図です．洞調律としては，ごく普通の心拍数です．レートはいくつですか．

● 上の図のレートはだいたい_____/分です．　　　　　　　　　　　　60

● レートから見て，この調律は自動能によるものと思われますが，その自動能は_____にありそうです．　　　　　　　　　　　　房室接合部

メモ：この心電図は重い心疾患をもつ高齢の女性から記録されたものです．P波が見えませんから房室接合部調律のようです．洞結節の機能低下に加え，心房の自動能も姿を見せませんでしたが，さいわいなことに接合部の自動能が次に控えていたわけです．上位が危うくなれば，下位のフォーカスが支えるというバックアップシステムがたくみに機能したので大事には至りませんでした．

第4章　心拍数

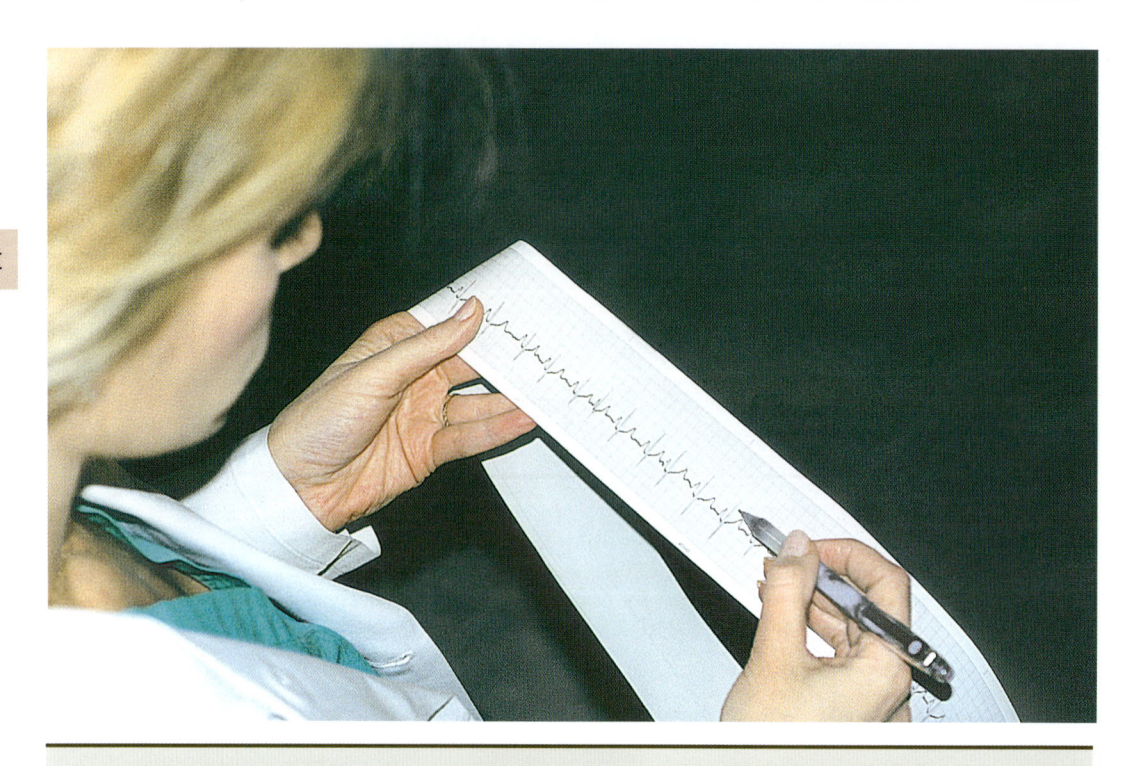

レートを知るには細かい計算はいりません．ただ，ぱっと眺めるだけでわかります．

● ＿＿＿＿＿＿（計算？　眺める？）だけで心電図のレートを速やかに知ることができます． 　　眺める

● ＿＿＿＿＿＿を知るには数学や電卓（いつも持って歩くわけにはいきませんね）は要りません． 　　レート

> **メモ**：いつだってあなたの頭脳はあなたと一緒です（ほかの人の脳と取り替えられません）．
> これまで繰り返してきた3個ずつの数字を口に出してみましょう．スタートラインの太い線の次から，"300，150，100" そのあとは "75，60，50"．
> もう，いやになるほど繰り返しましたね．ちょっと練習してみましょうか．

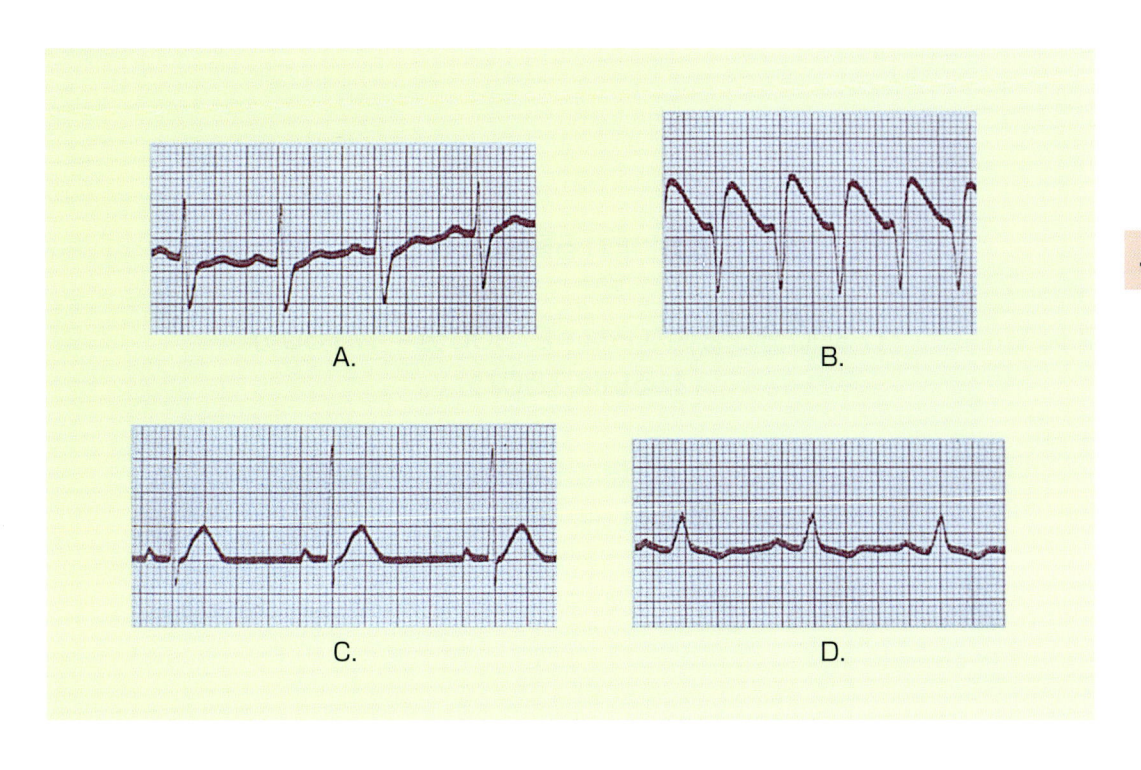

●これらの心電図のレートは？

A. _____   100

B. _____   150*

C. _____   60

D. _____   75

メモ：もうおわかりかもしれませんが，R波のかわりにS波（たとえば図のB）やQ波の間隔を見てレートを知ることできます．

＊これよりちょっと上ですが，大体でいいのです．

> 太い線ではさまれる間隔は 1/300 分
>
> 1/300 分が 2 個ならば＝2/300 分＝1/150 分
> （あるいは 150/分）
>
> そして 1/300 が 3 個なら＝3/300＝1/100 分
> （あるいは 100/分）

数字を 3 個ずつ並べてレートを求めるやり方がどうやってできているのか説明する式です．

メモ：隣り合う太い線同士の間隔は 0.2 秒．これは 1/300 分に相当します．

● 太い線で囲まれる四角を 1 つの単位として考えてみます．5 本の太い線が並んでいれば，このあいだに四角が_____個あります． | 4

● ですから，5 本の太い線が並んでいる間隔は 4/300 分となり，レートは_____/分になります． | 75

● つまり心臓が 1 分間に 75 回収縮するなら，隣あう_____のあいだには両端を含め太い線 5 本を認めます． | QRS

メモ：このページは理解しにくい内容を含んでいますから，いまいちマスターできなくてもかまいません．このページの中身は退屈ですし，著者自身きっちり覚えているわけではありません．できるだけシンプルにして，活用しやすい知識を得るよう心がけましょう．

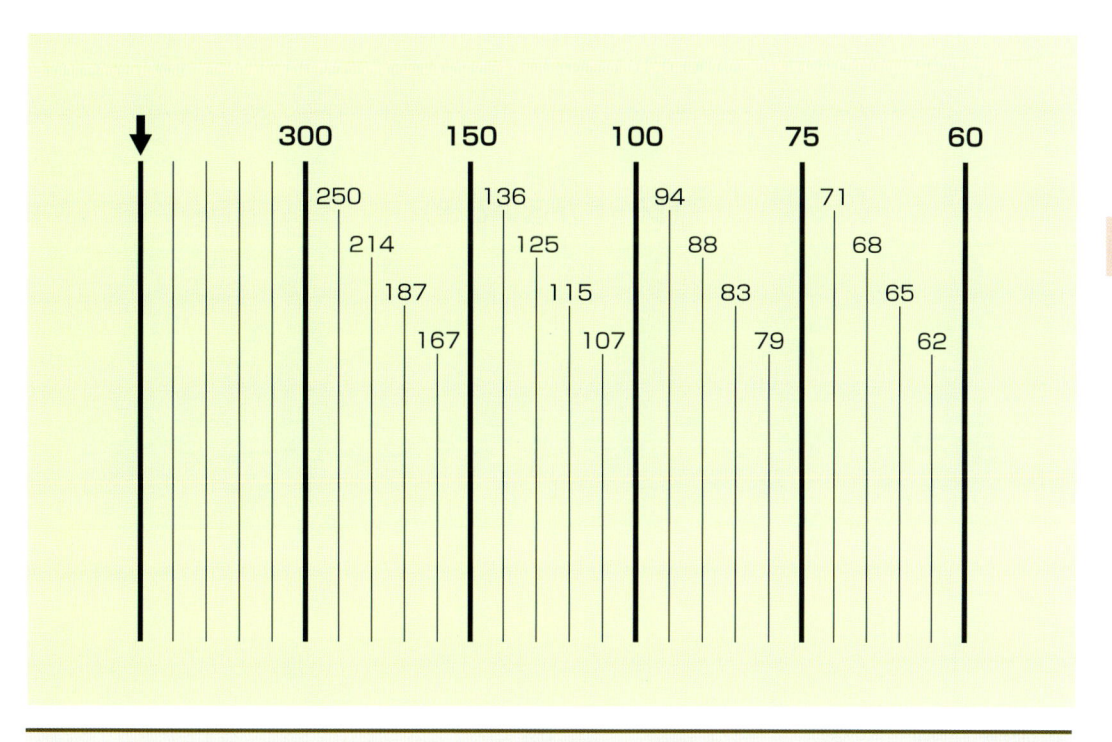

```
            300        150        100         75        60
                 250        136         94         71
                    214        125         88         68
                       187        115         83         65
                          167        107         79         62
```

細い縦線を使えば，もっと正確にレートを知ることができます．しかし，細かい数字を暗記するのは現実的ではなく，上のような表に頼らざるを得ません．ちなみに，実際使っている人を見たことはありません．

メモ：細い線がどういうレートに相当するかを記憶するのは大変です．必要に応じて p. 333 の表を使う手も考えられますが，通常はもっと簡単な数字を 3 個ずつ並べて覚えるだけで間に合います．

メモ：60/分未満の低いレートについては，これから考えましょう．

徐脈
（レートが低いとき）

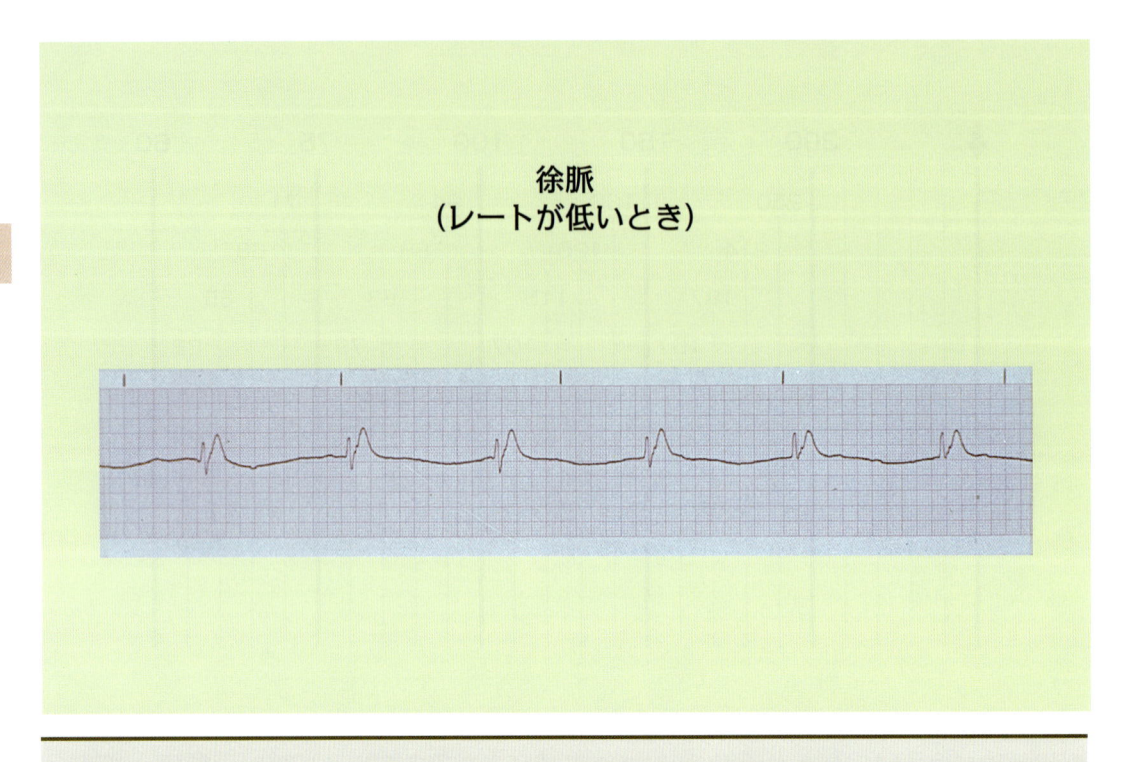

かなりゆっくりしたリズムでも，すぐにレートを知る方法があります．

●心拍数が低いことを＿＿＿＿といいます． | 徐脈

メモ：" 300，150，100" そして "75，60，50" と3個ずつ数字を覚える練習をしました．これで300/分から50/分までは大丈夫です．徐脈とは50/分未満のレートのことです．

●徐脈のときの＿＿＿＿を知るには，3個ずつの数字を覚える方法は使いません． | レート

"3秒"ごとのしるし

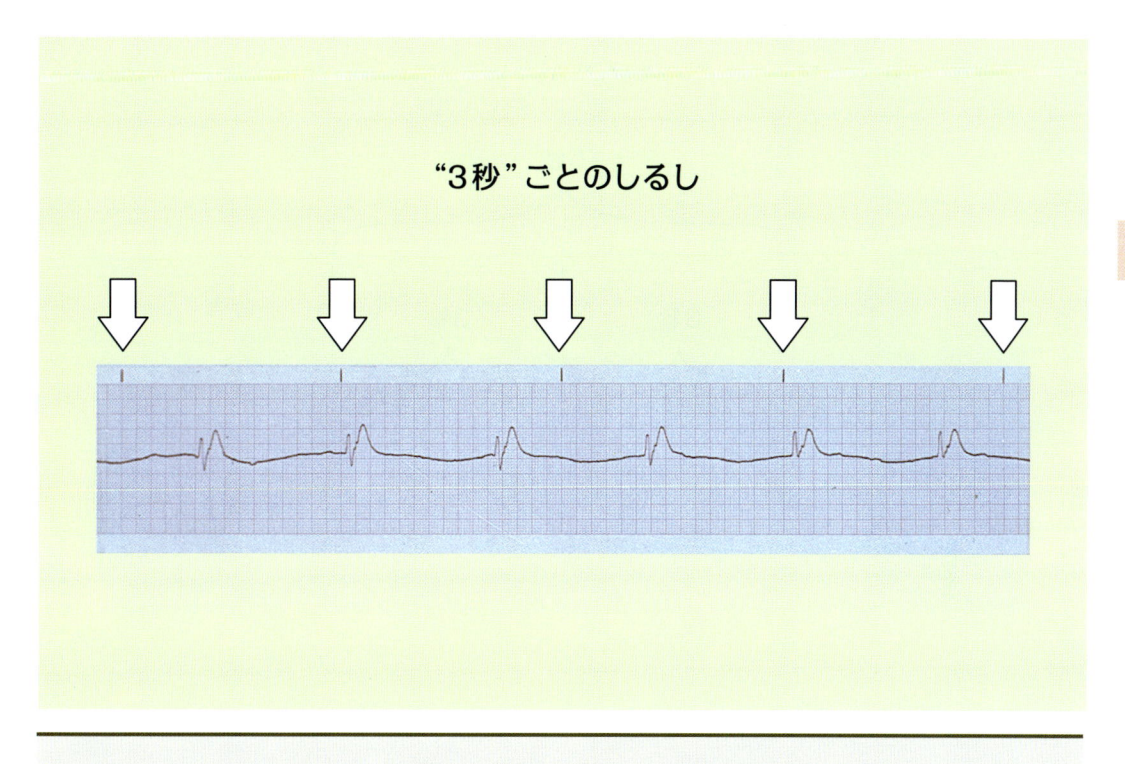

心電図の余白には3秒ごとに小さなマークがついています．

● _____ のグラフ格子が印刷されていないところに小さなマークを認めます．ECGの記録紙が手元にあったら見てください． | ECG

● 余白のマークは3秒 _____ で現れます． | 間隔

> **メモ**：ECG 記録に見られる3秒ごとのマークは点線だったり，丸印だったり，三角や，縦線などいろいろです．

プリントアウトされる記録紙には3秒ごとのマークが見られます．

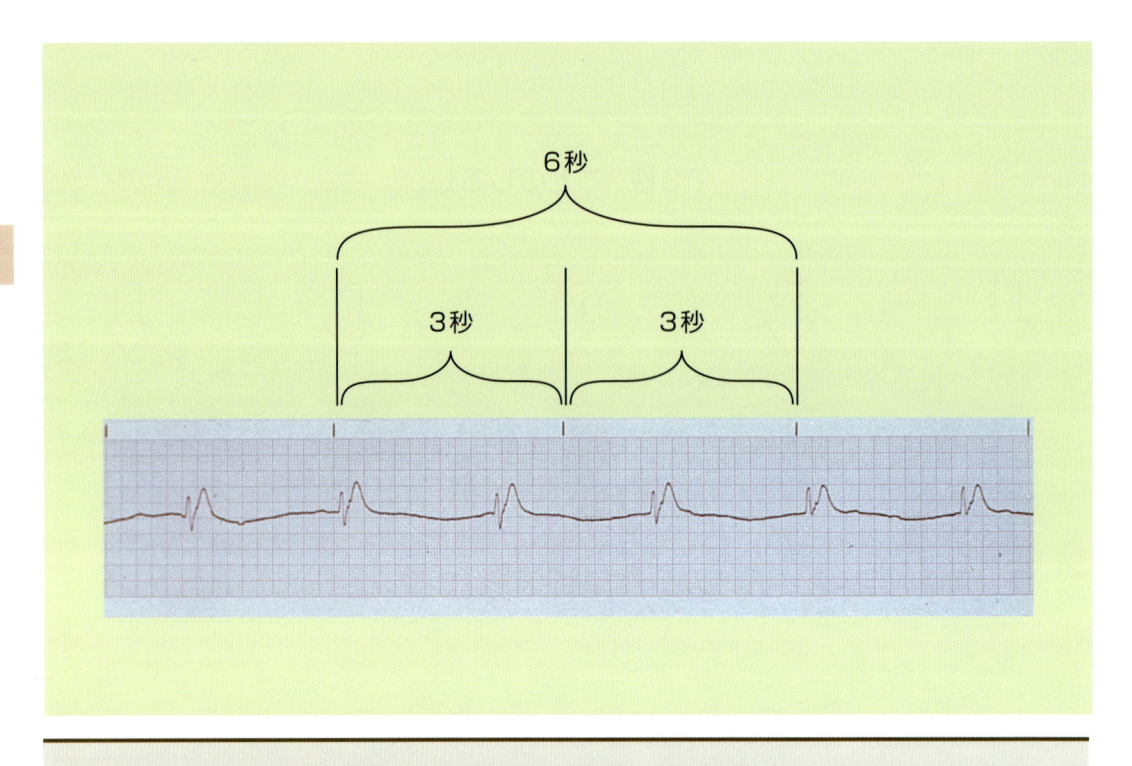

3秒ごとのマークではさまれる間隔が2つなら6秒になります．

> **メモ**：3秒という時間は，3秒ごとのマークにはさまれた間隔として把握できます．

●3秒ごとのマークではさまれた間隔が2個並んでいれば_____秒になります．	6

この6秒間は1/10分に当たります．

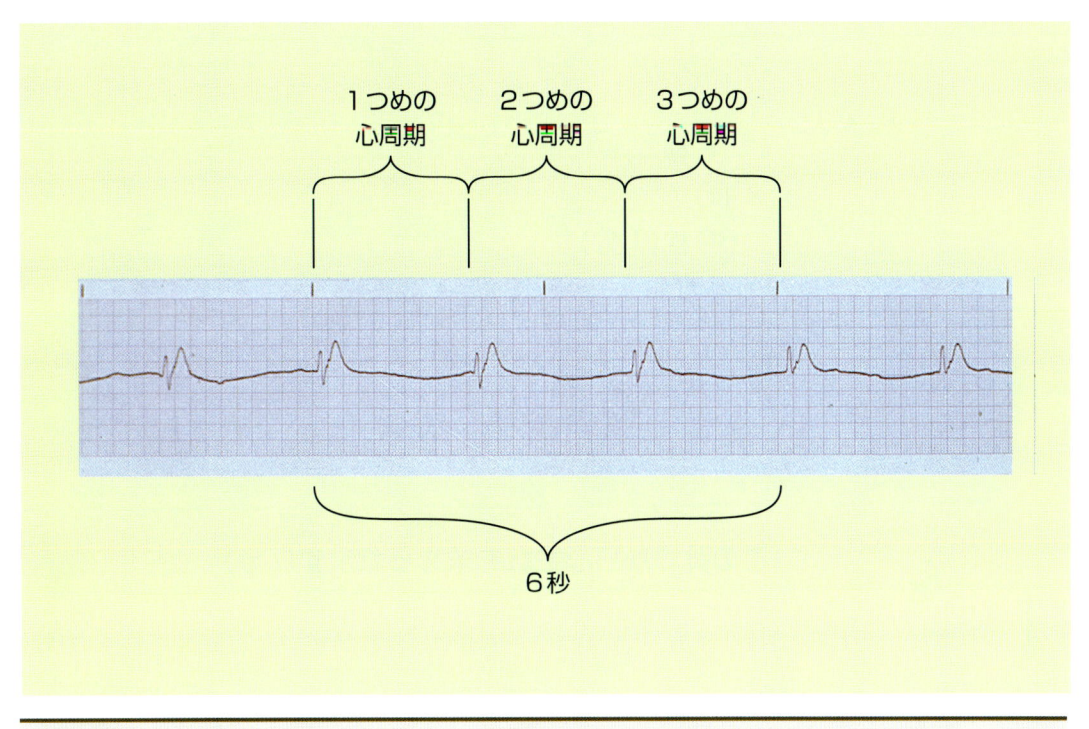

```
                1つめの    2つめの    3つめの
                心周期     心周期     心周期
```

[心電図記録：6秒間]

6秒間に心周期（2つのQRSではさまれた間隔）がいくつあるか数えてください．かなりの徐脈なら，6秒間にみられる心周期はほんの2，3個しかありません．

● 心_____は隣り合うR波同士にはさまれた間隔です．R波でなくてもかまいません．SS間隔でもQQ間隔でも，目印となるポイントが反復する時間は同じです．	周期
● R波と次の_____波までの間隔は1心周期になります．	R
● 6秒間の_____に心周期がいくつ含まれているか数えてください．	ECG記録

数えたあとでどうするかは次ページで…．

> 6秒
> ×10
> ─────
> 60秒(1分)
>
>
> そして：
> 心周期の数/6秒×10
>
>
> この計算から心拍数を求められます(/分)

6秒間に現れた心周期の数を10倍すれば心拍数になります．

●6秒間が10個あれば1_____です．	分
●1分あたりの心周期が何個かというのが，結局は_____のことです．	レートあるいは心拍数
●つまり，6秒間にいくつの心周期があるか数えて，それに_____をかけることでレートを求めます．簡単です．	10

6秒間に4個の心周期を認めたら…

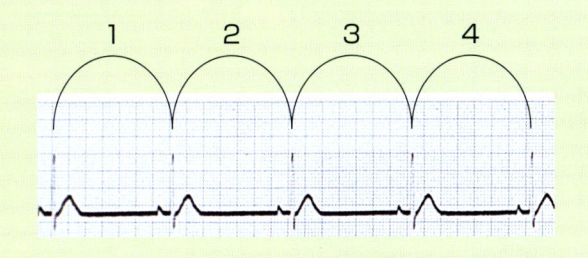

1　2　3　4

レートは40/分

6秒間に現れる心周期の個数はいくつですか．その数の右側にゼロをつければレートになります．ただし，両端のところを無視するので本当のレートよりも低めになります．あくまでおおよそのレートです．

●心拍数がかなり低いときは（つまり徐脈です），まず＿＿＿＿秒間の記録を手に入れてください．	6
●そして，＿＿＿＿がいくつあるか数えます．	心周期
●そして，その数を＿＿＿＿倍にしてレートを求めます．	10

メモ：10倍にするとは，6秒間に認められた心周期の数にゼロをくっつけるだけです．たとえば，心周期が5個あれば（6秒間にです）心拍数は50になります．

第4章　心拍数

4章

第4章　心拍数

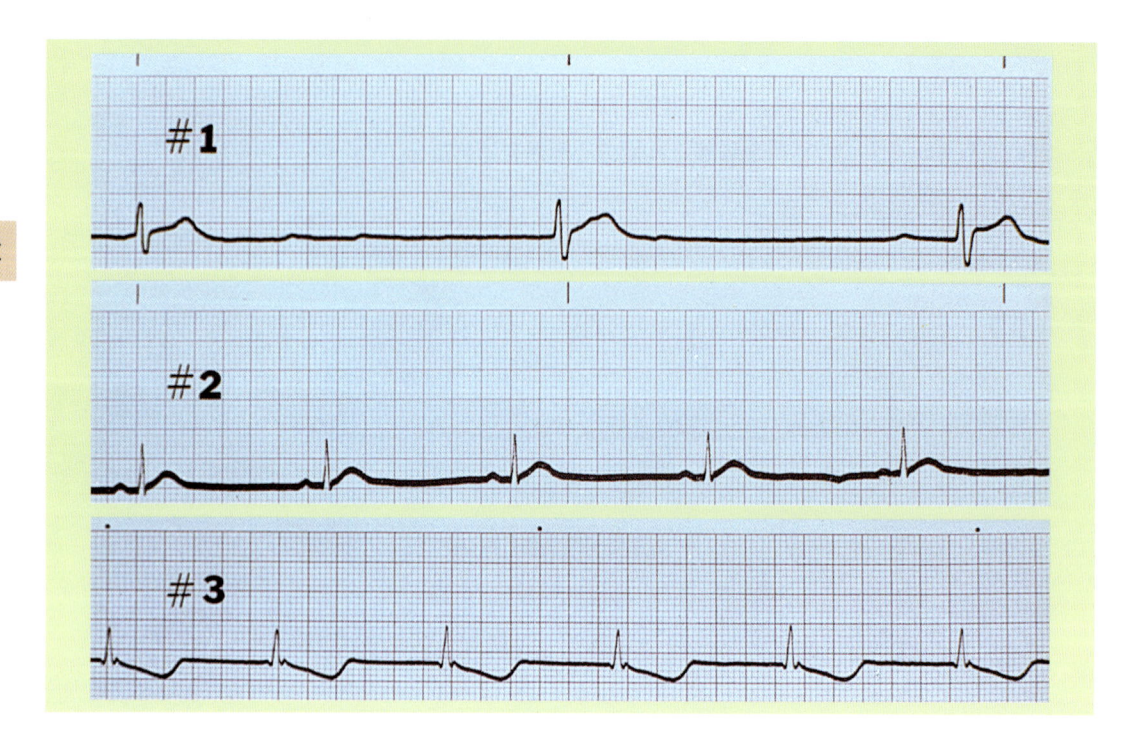

●この3つの心電図でだいたいの心拍数を求めてみましょう．

No. 1 _____ /分　　　　　　　　　　　　　　　　20

No. 2 _____ /分　　　　　　　　　　　　　　　　45*

No. 3 _____ /分　　　　　　　　　　　　　　　　50

メモ：RR間隔が不規則なときでもこのやりかたでおおよそのレートはわかります．

実際やってみてください．びっくりするくらい簡単に心拍数がわかります．

メモ：この章をマスターできたら，一番うしろの Personal Quick Reference Sheets を開いてください．p.332とp.333に心拍数の求め方についてまとめてあります．

＊4か5か微妙ですので，ちょっと加減してみました．

第5章　調律，パート1

この章の要約はp.332とp.334～336にあります．先にそっちを見ていただいても結構です．

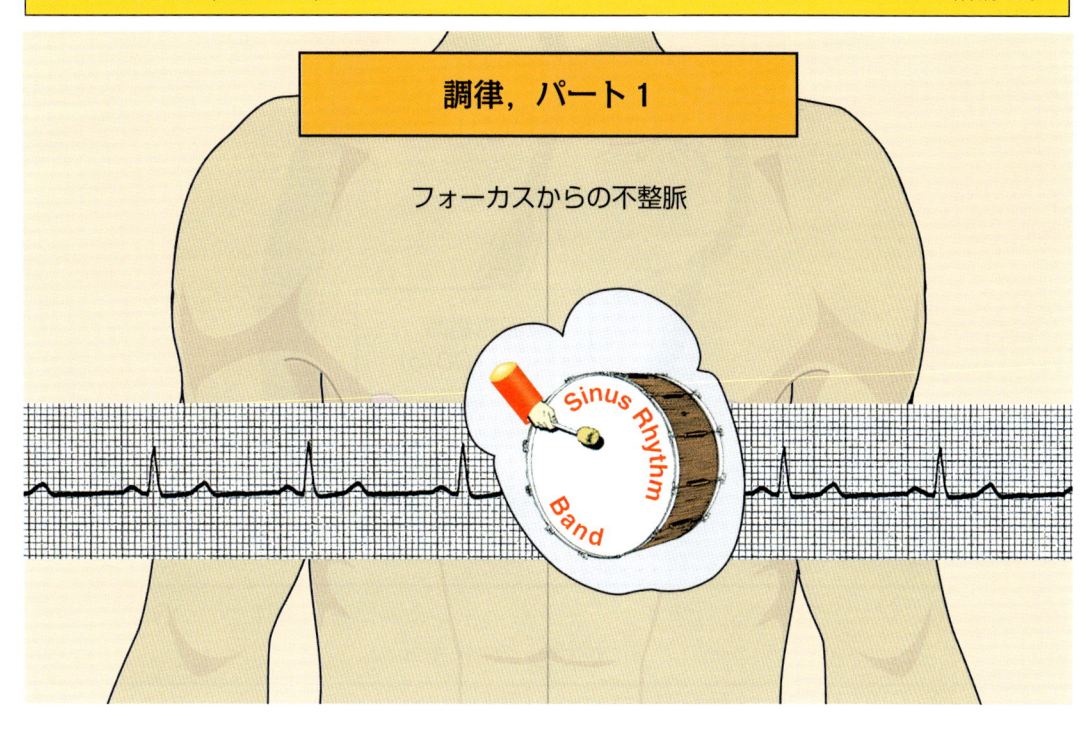

調律，パート1

フォーカスからの不整脈

調律のことならECGはかなり正確な情報をもたらします．電気生理学の基本をちゃんと理解していれば，不整脈の診断はそれほどむつかしくはありません．

- 英語で不整脈のことを"**arrhythmia**"といいます．アリズミアと読みます．単語の冒頭にある"a"は"無"という意味をもっていますから，arrhythmiaは＿＿＿＿＿＿がないという意味になります．しかし，不整脈とはリズムがないものだけでなく，リズムの乱れも含んでいます．ちなみに，arrhythmia以外にdysrhythmiaという用語もあります．arrhythmiaと同じ意味です．日本語ではどっちも"不整脈"になります． | リズム

- 心臓の電気現象は眼には見えませんし，手で触ることも，耳で聞くこともできません．ECGだからこそ，その電気現象をキャッチできます．ECGは＿＿＿＿＿＿の乱れを検出するのが得意なのです． | リズム

メモ：不整脈を学ぶには正常な心臓の電気生理学，たとえば刺激伝導系についての理解が大事です．

洞調律

洞房結節 "洞結節"

正常範囲
50～100/分

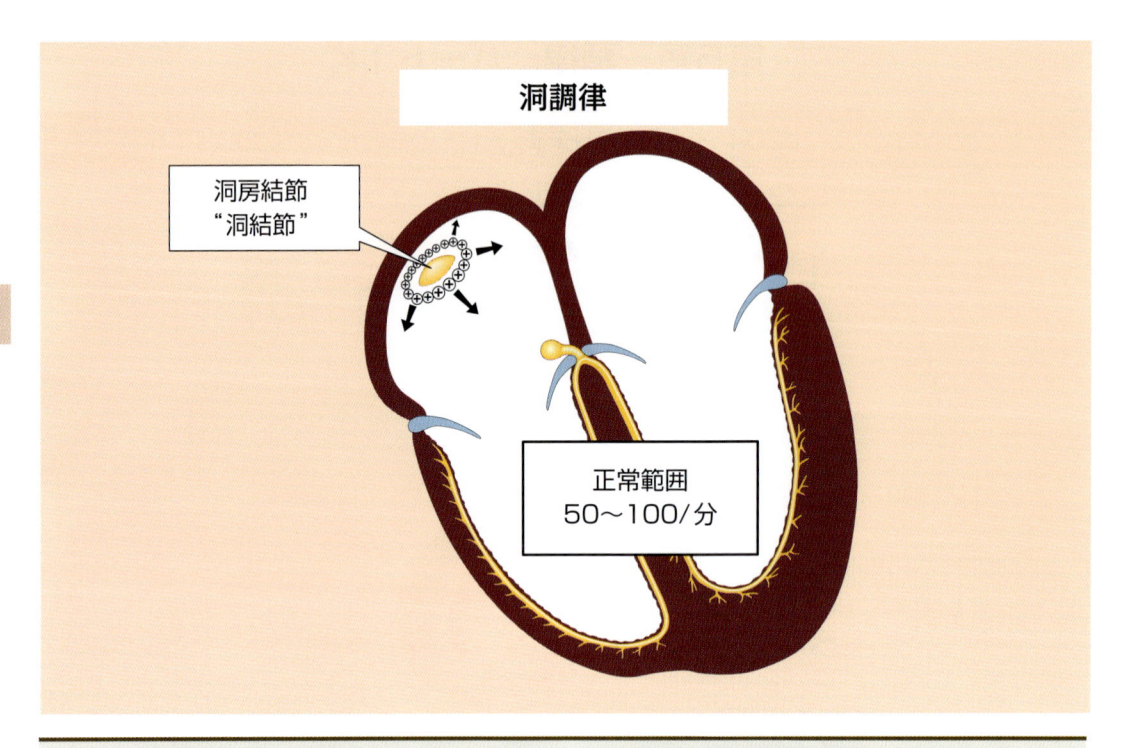

洞結節は規則的*に興奮を発生します．洞結節から生じる調律を**洞調律**といいます．洞結節からの興奮は左右の心房に波のように広がっていきます．

●洞結節（洞房結節ともいいます）が規則的な興奮を周囲に送り出せるのは，洞結節が_____をもっているからです．　　　　　　　　　　　　　　　　　自動能

●洞結節は 50～100/分の規則的な刺激を発生します．この刺激が周囲に広がって_____を興奮させます．　　　　　　　　　　　　　　　　　　　　　　心房

メモ：洞結節と洞房結節は同じ意味です．英語では sino-atrial node ですが，略して SA node となります．sinus は名詞で "洞"，sino は "洞の" という形容詞です．

＊"規則的な" とは英語では regular といいます．周期が一定という意味です．

第 5 章　調律，パート 1　　99

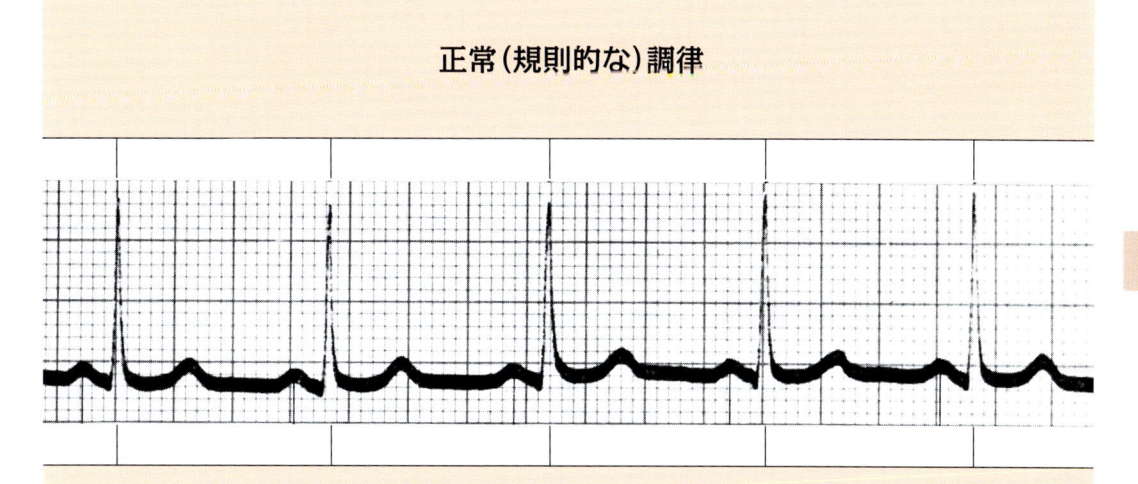

正常（規則的な）調律

PP 間隔も RR 間隔も一定です

洞結節の自動能は正確に一定周期の発火を続けます．規則的な調律なら P 波でも R 波でも一定間隔で現れます．

> **メモ**：**自動能**の発火には規則性があります．どんな自動能にとっても共通の性質です．

● 洞結節はいつも同じレート，いい換えれば同じ間隔で興奮を生成します．リズムが一定であることを_____な（英語なら regular）調律といいます．規則性を有するのは洞結節興奮の特徴のひとつです*．　　規則的

● 興奮に一定の周期があれば，波形のどの部分でも（尖がっているところでも，引っ込んでいるところでもいいですが）予想されたタイミングで出現します．このタイミングがわかっているので，_____の乱れはぱっと見ただけでわかります．　　リズム

> **メモ**：ざっと見ただけで，規則的リズムを意味する波形の繰り返しがあるかないかわかります．リズムを乱すもの，たとえば心休止（pause ＝ポーズと読みます．2〜数秒の短い心停止のことです）やタイミングが早すぎる（premature）収縮，あるいは突然の大幅なレートの変化などを見つけることはそれほど難しくはありません．

*ただし，正常な洞調律（normal sinus rhythm）は呼吸に伴って周期が増減します．ある程度の変動は生理的で正常なものとみなします．

洞性"不整脈"

洞房結節の興奮間隔は呼吸に応じてわずかに変動します

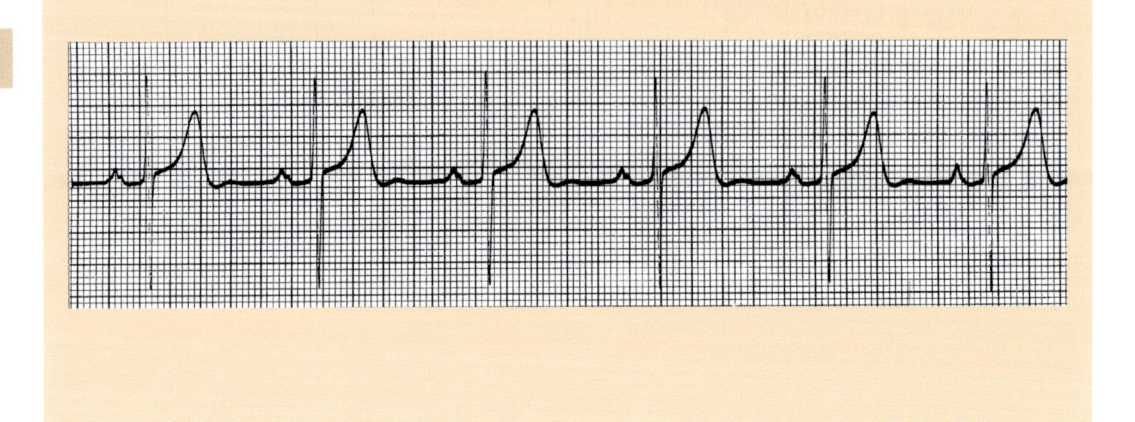

洞不整脈（洞性不整脈ともいいます）といえば病的なひびきはありますが（なにしろ"不整脈"とは異常なリズムのことですから），実は正常な生理的現象です．洞不整脈は人間なら誰でも認めます．呼吸に応じた自律神経活動の変化により若干レートが変動することをいいます．洞不整脈は病的な不整脈ではありません．

> **メモ**：心拍数は息を吸ったときに少し増え，息を吐いたときはちょっと減少します．これが洞不整脈です．

● 洞不整脈は病的ではありません．洞不整脈は_____に応じた洞レートの変動です．　　**呼吸**

> **メモ**：この現象は洞結節が自律神経によってコントロールされていることが背景となっています．吸気時には副交感神経による洞結節の抑制が弱まり，心拍数は少し上昇します．呼気時には副交感神経による洞結節の抑制により，心拍数はわずかに低下します．

> **メモ**：洞調律の周期が少しくらい変化するのはごく正常な所見です．逆に心拍数の変動がほとんどなくなったら，そっちのほうが病的です．とくに心筋梗塞後は呼吸性の心拍数変動が少ないほど死亡率が高いことが知られています．心拍変動（heart rate variability）というパラメータはさまざまな心疾患で予後予測因子になることがわかっています．

心房の伝導系

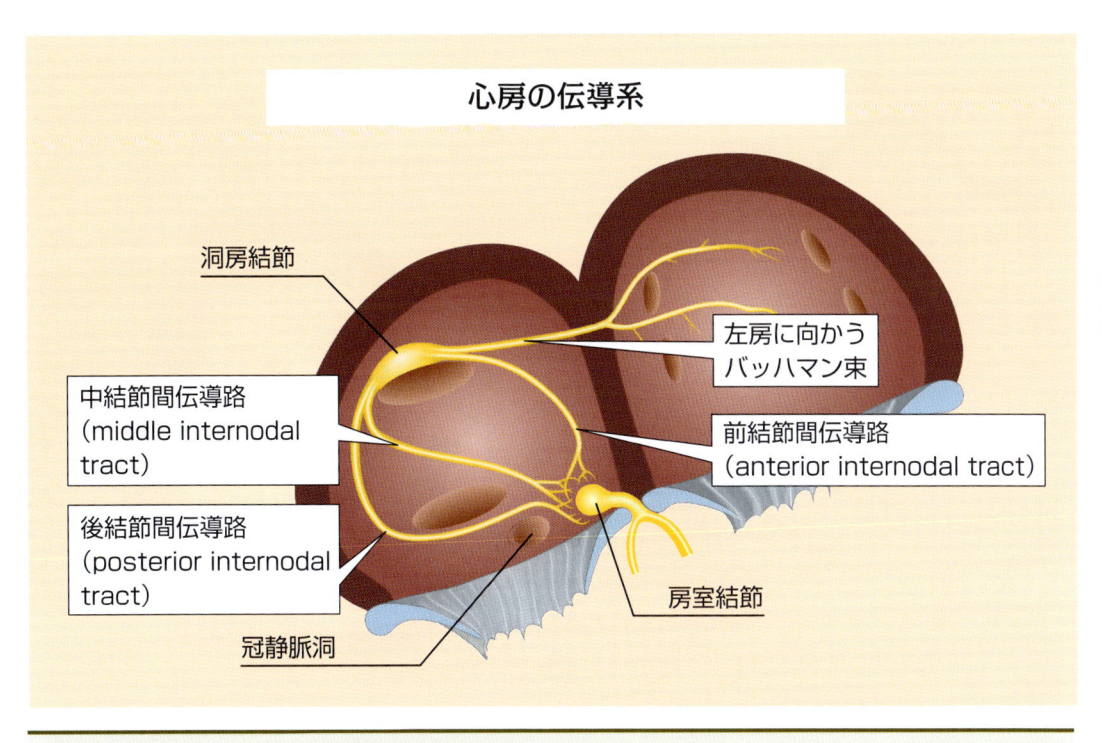

洞房結節
中結節間伝導路 (middle internodal tract)
後結節間伝導路 (posterior internodal tract)
冠静脈洞
左房に向かうバッハマン束
前結節間伝導路 (anterior internodal tract)
房室結節

心房の伝導系は右房にあります．房室結節と洞結節を結ぶ3本の特殊な結節間伝導路のことです（前，中央，後の3本です）．もう1つバッハマン束（Bachmann's bundle）とよばれる伝導路があり，これは右房と左房をつないでいます．

● 右房にある3本の伝導路は洞結節と房室結節をつないでいます（だから結節間伝導路といいます）．前方，中央，および_____の結節間伝導路です． | 後方

● バッハマン束は洞結節に始まり，興奮を右の心房から左の_____に伝えます． | 心房

● ECGには興奮が心房の伝導系を伝わっていく過程は反映されません．ECGの_____波は心房筋の興奮を表します． | P

> **メモ**：心室の自動能はプルキンエ線維に存在しています．同じように心房の特殊伝導系のなかにも自動能は存在します．心房の伝導系は冠静脈洞*近傍の房室結節に収束します．この付近は自動能をもつ細胞が豊富です．

＊心筋からの静脈血は冠静脈を通って右房に帰ってきます．この出口近くが冠静脈洞です．

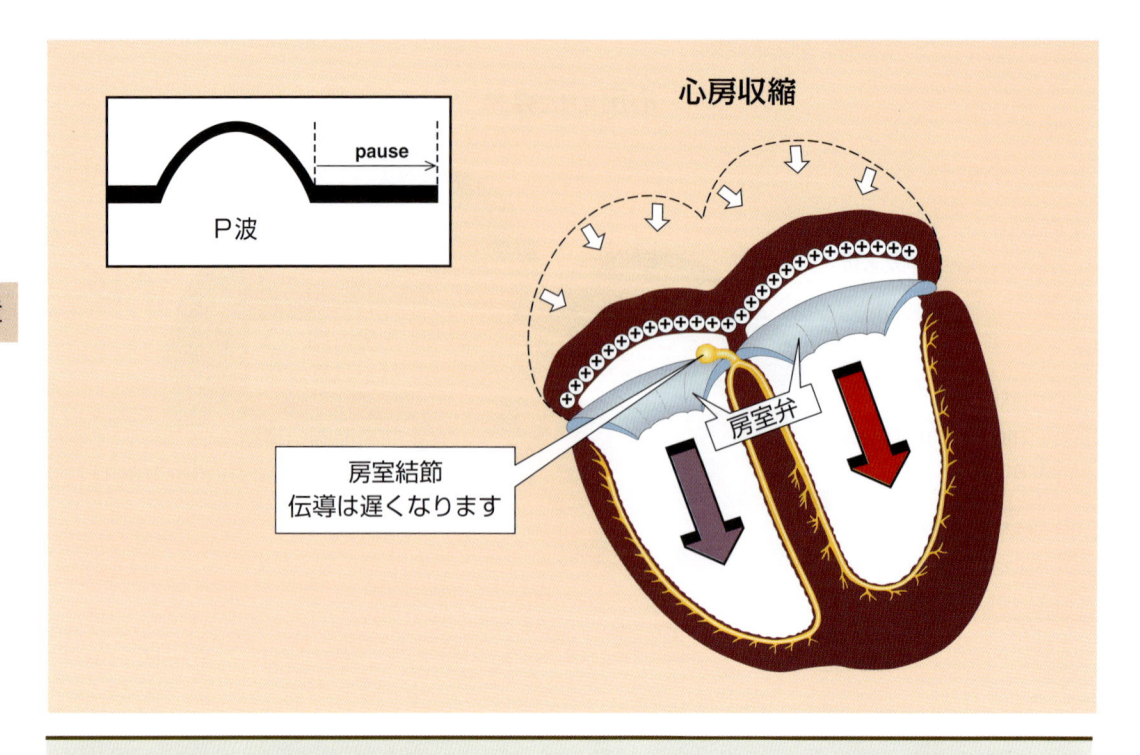

房室結節にくると興奮の伝導速度は低下します．ECG には心休止（pause ポーズとよみます）が生じます．

- 心房の興奮は房室結節の手前まではスイスイ到達しますが，房室結節に入ると伝導速度が低下します．ここでECGには_____がみられます． —— 心休止

- この心休止（このとき血液は心房から心室に移動します）はP波と_____にはさまれた等電位線のことです．心休止は心臓の興奮が見られない時間のことです．数秒におよぶものも心休止とよびます． —— QRS

メモ：心房（atrium：A）と心室（ventricle：V）のあいだにあるので房室結節（AV node）という名前がついています．房室結節の近位部，つまり心房側には自動能をもつ細胞はありませんが，それ以外のところは自動能をもっています．房室結節の自動能は上位（洞結節や心房のことです）のペースメーカーが働かなくなったときや，房室結節のどこかで完全な伝導ブロックが起きたときにバックアップする役割をもっています．

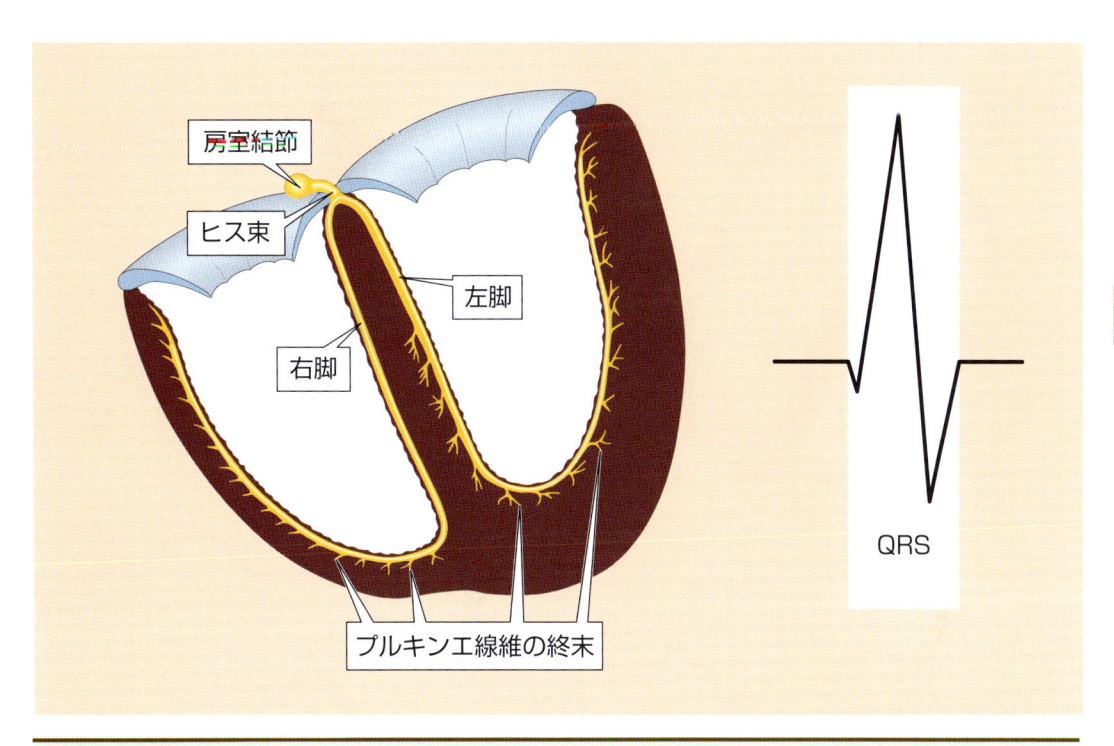

興奮は房室結節をゆっくりと通り抜けます．ところがヒス束に達した後はすごい速さで伝導します．伝導脚と末梢のプルキンエ線維でもその速さを失わずに心室にたどり着きます．心室の興奮はQRSで表現されます．

メモ：ヒス束（His bundle）と伝導脚（bundle branches）はどちらも伝導性の高いプルキンエ線維で構成されています．プルキンエ線維を興奮が通り抜けるときに発生する電気はとても微弱ですからECGには現れません．検出できないということは，潜在的な伝導といい換えることもできるでしょう．

- 房室結節をのろのろ降りてきた興奮ですが，その下のヒス＿＿＿＿ではギアチェンジして高速度で通り抜けます． | 束

- 興奮はさらに右脚と左脚，そして末梢のプルキンエ線維を経由して，速やかに＿＿＿＿の心内膜に達します． | 心室

- 心室筋が興奮するときECGには＿＿＿＿が現れます． | QRS

メモ：心室の刺激伝導系におけるプルキンエ線維には自動能（この用語は何回も出てきましたね）があります．

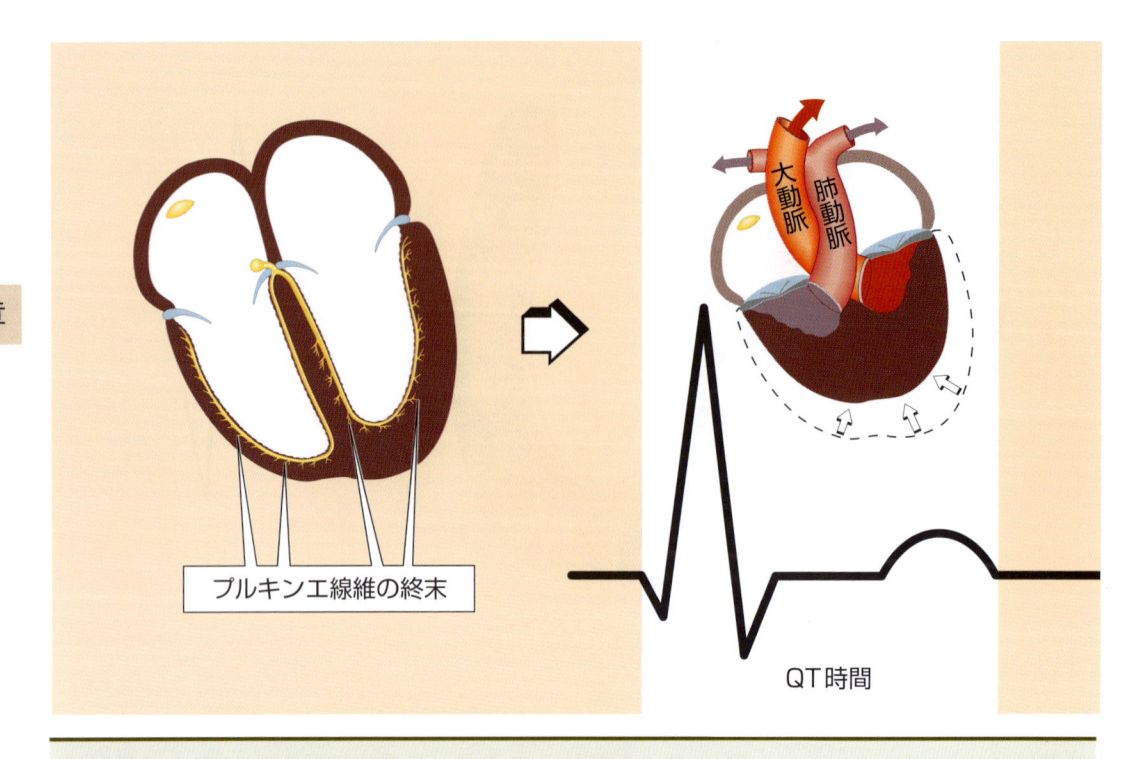

心室内の刺激伝導系は房室結節から心室内膜側まで興奮を高速で伝えます．心室の興奮はECGでQRSを生じます．

> **メモ**：心室の興奮は心室中隔の真ん中やや下寄りに始まりますが，このあたりには左脚の末梢線維（terminal filaments）が分布しています．右脚は心室中隔へ末梢線維を送り出してはいません（図を見てください）．こうした解剖学的な事情もあって心室では，まず中隔を左から右に向かう興奮の流れを認めます．

● 心室の興奮は心室の収縮を生じます．心室の収縮は脱分極（興奮のことです）と再分極の両方にまたがって，＿＿＿＿波の終末まで続きます． —— T

● 心室収縮の始まりから終わりまでは，おおよそ＿＿＿＿時間と一致しています． —— QT

> **メモ**：プルキンエ線維の再分極は心室筋の再分極よりも時間がかかります．心室筋の再分極はだいたいT波の終末までですが，プルキンエ線維の再分極は少し遅れてT波の後ろで完了します．プルキンエ線維の再分極によってU波が生じるという学説がありましたが，最近はこれ以外のメカニズムが提唱されています．

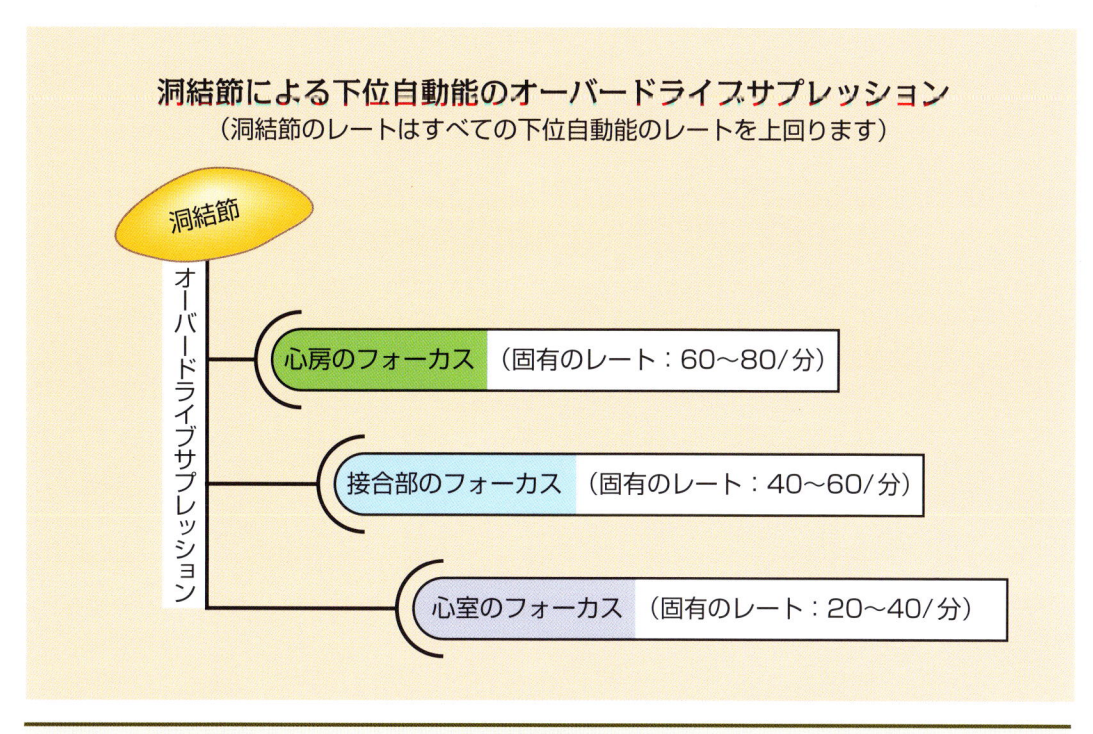

洞結節による下位自動能のオーバードライブサプレッション

（洞結節のレートはすべての下位自動能のレートを上回ります）

洞結節

オーバードライブサプレッション

- 心房のフォーカス　（固有のレート：60〜80/分）
- 接合部のフォーカス　（固有のレート：40〜60/分）
- 心室のフォーカス　（固有のレート：20〜40/分）

洞結節がペースメーカーとしてきちんと作動しないとき，バックアップのペースメーカーとしての役割を担えるのは心房，接合部，あるいは心室における自動能です．それぞれの部位ごとに自動能のレートはだいたい決まっています．洞結節から下方に向かうにつれて発火レートは低下します．バックアップとしての信頼性には序列があるわけです．

● 自動能はそれぞれのレベルごとに＿＿＿＿＿＿＿のレートがあります．　　　　　　　　　　　　　　固有

メモ：洞結節を含むすべての自動能は周囲心筋に規則的な興奮を送り出せます．

● オーバードライブサプレッションという用語がありました．自動能のうち，より＿＿＿＿＿＿＿（速い？　遅い？）レートで発火するフォーカスがペースメーカー　　速い
（dominat pacemaker）となることです．

● 上位のペースメーカーの機能が落ちてくると，次のレベルの自動能がオーバードライブサプレッションから解放され固有レートの発火を開始します．新しい自動能がリーダー（dominant pacemaker）となり，下位の＿＿＿＿＿＿＿をオーバー　　自動能
ドライブサプレッションによって抑制する立場になります．

メモ：病的に"興奮性の高い（irritable）"自動能が急に速いレートで発火し始めることがあります．

不整脈

- 不規則な調律　　　　　　　　　　　　　(p.107)

- 補充調律　　　　　　　　　　　　　　　(p.112)

- 期外収縮　　　　　　　　　　　　　　　(p.122)

- 頻拍　　　　　　　　　　　　　　　　　(p.146)

不整脈はメカニズムによっていくつかに分類されます．まめな読者は，それぞれの不整脈についての記述が始まるページに目印をつけておくのもいいでしょう．どのページかは上の図に示してあります．きっと役に立つと思います．

メモ：不整脈というのは英語ではarrhythmiaですから，語源的には"リズムがない"ということです．しかし，不整脈という用語は正常な洞調律以外のものは何でも含みます．リズムの異常はすべて不整脈です．そういう意味もあってarrhythmiaという用語より，dysrhythmiaを好む専門家もいますが，ここでは広く使われているarrhythmiaで話を進めましょう．

メモ：図はメカニズムに応じた不整脈の分類を示しています．その点ではわかりやすい分類です．

メモ：心臓がどう動いているのか，その基本的なメカニズムを知ることは興味深いものです．不整脈についても本質的なところがわかれば，今後何かと役にたつはずです．表面的にパターンを覚えることはお勧めしません．皆さんの知識があやふやだと患者さんの生命にかかわるかもしれません．実体のある知識はあくまでも十分な理解の上に成り立つものです．

不規則な調律

- 移動性ペースメーカー
- 多源性心房頻拍
- 心房細動

ここにあげた**不規則なリズム**は複数の自動能が存在するときに発生します．ただし，それ以外のメカニズムも考えられます．

● 興奮が不均等なインターバルで出現するとき，＿＿＿＿＿なリズム（irregular rhythm）といいます． | 不規則な

> **メモ**：最近はそれほど耳にしませんが，"不規則に不規則（irregularly irregular）"という言葉があります．規則性がなくなって次の収縮がいつ現れるのかまったく予想がつかない，無秩序な状態を意味しています．

> **メモ**：器質的心疾患や低酸素状態を背景にして自動能のフォーカスが進入ブロック（entrance block）の状態になっていることがあります．進入ブロックというのは周囲からの興奮は入りこめず，受動的な興奮が生じないことを指します．外部からの刺激に対し，プロテクトされているのです．このプロテクトは生理的で正常な状態とはいえません．外部からの興奮進入がないため自動能にはオーバードライブサプレッションは生じませんが，自動能の興奮は周囲に出ていくことができます．自動能のフォーカスが進入ブロックを伴っているとき，そのフォーカスは**副収縮**（parasystole）（興奮は生じますが，オーバードライブサプレッションを受けないフォーカスです）とよばれます．パラシストリーと読みます．

移動性ペースメーカー

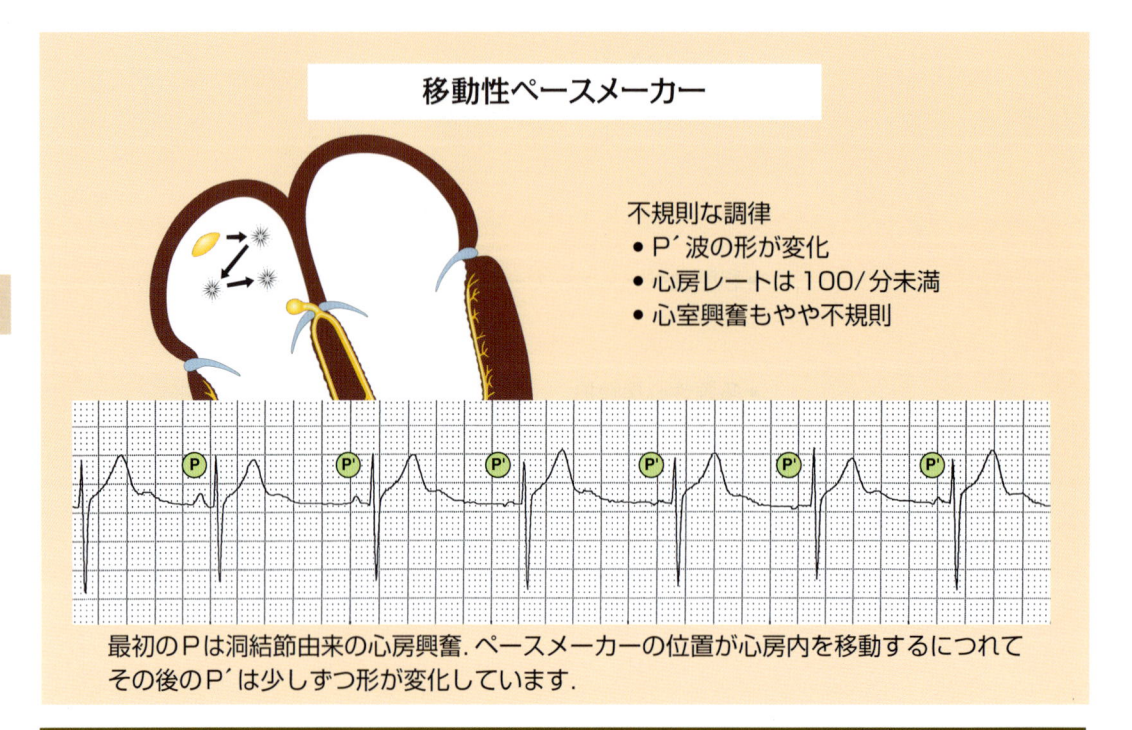

不規則な調律
- P′波の形が変化
- 心房レートは100/分未満
- 心室興奮もやや不規則

最初のPは洞結節由来の心房興奮．ペースメーカーの位置が心房内を移動するにつれてその後のP′は少しずつ形が変化しています．

移動性ペースメーカー（wandering pacemaker しばしば「ワンダリングペースメーカー」と英語のまま使われます）は洞結節および心房の自動能が順次ペースメーカーとして働く状態のことです．移動性ペースメーカーではP波の形が変化しますが，同時に興奮間隔にも少し変動が認められます．しかし，レートとしては正常範囲にとどまります．

> **メモ**：P′波（英語では"ピープライム（P prime）"と読みます．日本ではピーダッシュといいます）は洞結節以外の興奮起源による心房興奮を表しています．洞結節由来の心房興奮ではないことを，この「′」で表現しているのです．

> **メモ**：それぞれの自動能は固有の発火レートをもっています．また心電図の誘導ごとに，自動能がどこにあるかによって異なるP波の形をもっています．解剖学的な位置や興奮伝播がP′に反映されるのです．

● 移動性ペースメーカーは不規則なリズムを作りますが，レートは正常範囲です．洞結節と複数の_____の自動能が順次交代しながらペースメーカーとしての役割を受けもちます． 　　　　　　　　　　　　　　　心房

● フォーカスの位置が移動しますから興奮間隔はいくぶん変動し，_____波の形も少しずつ変わります． 　　　　　　　　　　　　　　　P′

> **メモ**：心拍数が頻拍のゾーン（>100/分）に達すれば，多源性心房頻拍〔multifocal atrial tachycardia（MAT）〕とよばれます．次のページでお話しましょう．

多源性心房頻拍

不規則な調律
- P′波の形が変化
- 心房レートは100/分以上
- 不規則な心室興奮

5章

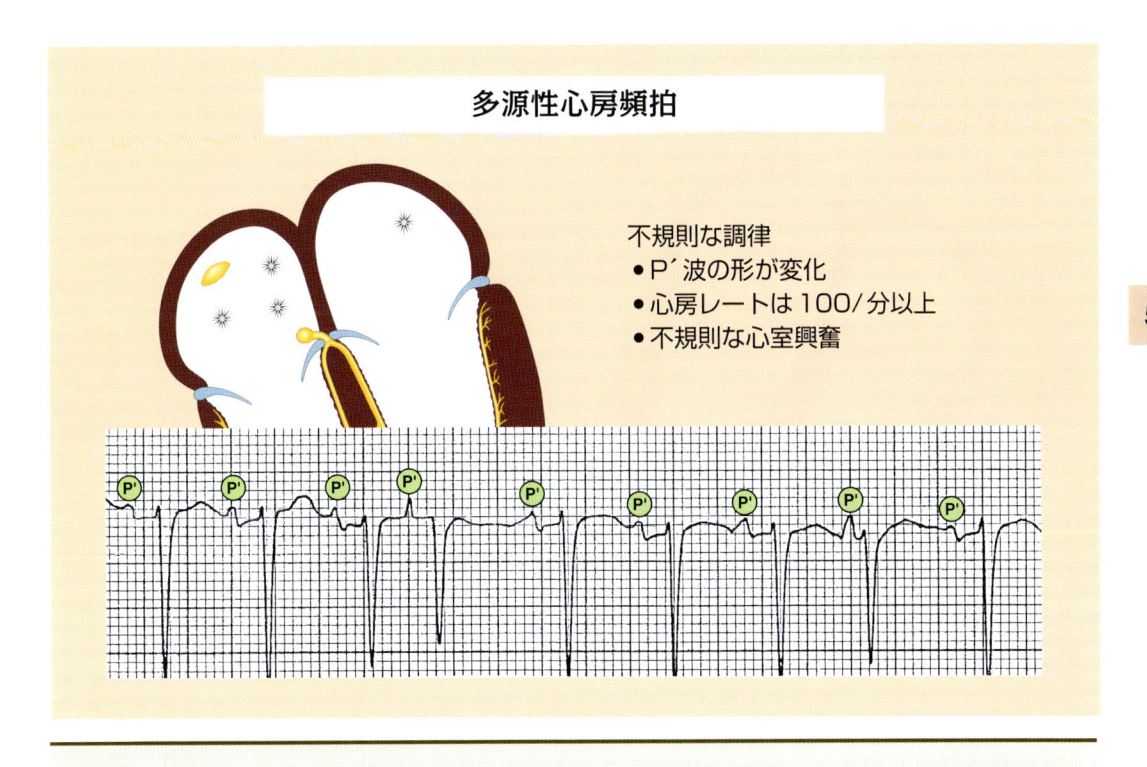

多源性心房頻拍（MAT）は慢性閉塞性肺疾患（COPD）の患者さんによくみられます．心拍数は100/分を超え，P′波の形も3種類以上認めます．

- 多源性心房頻拍ではP′波は_____のどこから生じたかによって形が異なります．発生しているところが同じなら，P′波は同じ形に見えるでしょう． | 心房

メモ：多源性心房頻拍はCOPDが進行した患者さんでよく認める不整脈です*．オーバードライブサプレッションを受けない心房自動能なら，副収縮の特徴（進入ブロック）を認めます．どの自動能も継続してリーダーシップをとることは難しく，複数のペースメーカーが混在することになります．

- 多源性心房頻拍では複数のフォーカスが共存します．それぞれのフォーカスが固有の_____で興奮します．お互いにオーバードライブサプレッションが生じないのでレートの高い不規則なリズムになります． | レート

- それぞれのフォーカスの解剖学的な位置や興奮の広がり方に応じて_____の形が異なります（同じ形のP′波なら，同じフォーカスから発生している可能性が高いはずです）． | P′波

＊多源性心房頻拍はジギタリス中毒のときにも生じます．

心房細動

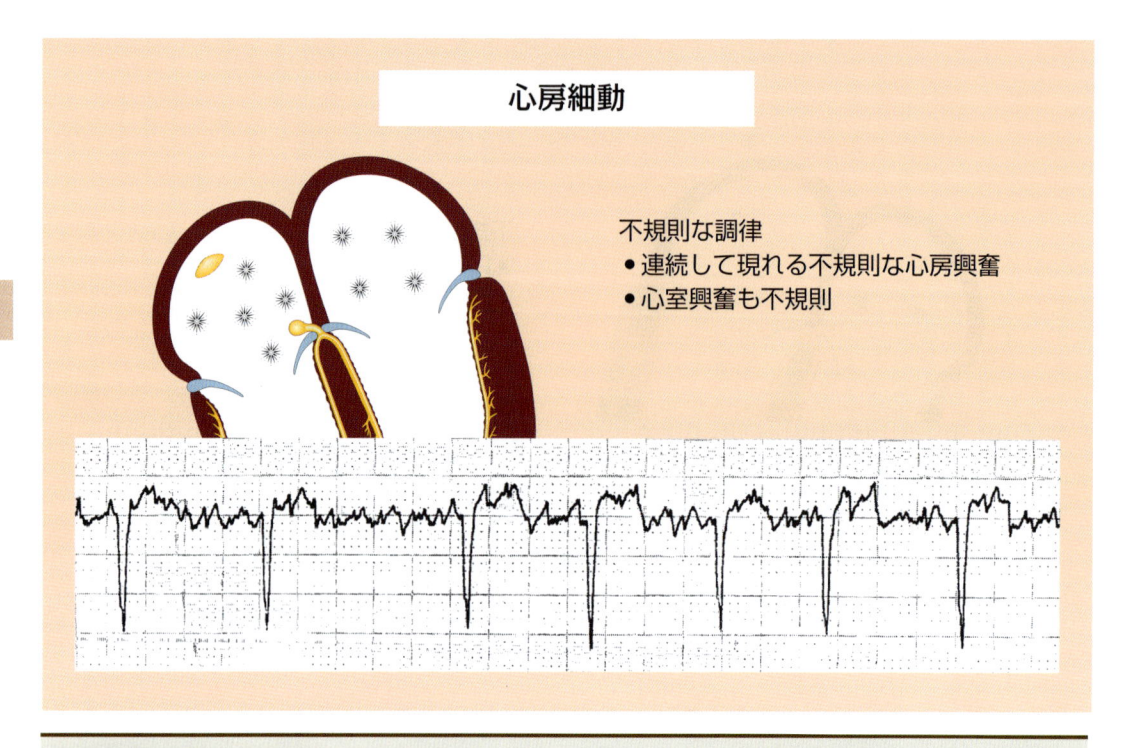

不規則な調律
- 連続して現れる不規則な心房興奮
- 心室興奮も不規則

心房細動は複数の興奮波によって生じます．興奮波のうち偶然房室結節にたどりついた興奮が心室に向かいます．心房細動では心室興奮は不規則になりますから，RR間隔は一定ではありません．

> **メモ**：心房細動は健康な若者にはごく稀です．心房細動では複数の心房興奮波が同時に存在しています．最近，心房細動の発生や維持に肺静脈起源の興奮がかぎとなっていることがわかってきました．肺静脈起源の興奮と心房内の興奮波が互いに刺激しあう現象も観察されています．"心房細動の発生メカニズムはこれだ"とシンプルに表現することは難しいのです．

● 心房細動のときは，1つのフォーカスだけで両方の_____を興奮させることはできません．はっきりしたP波は見えませんし，形もばらばらな小さな振れが続いています． 　　心房

● たまたま房室結節を通り抜けることができた興奮によって，心室興奮を表す_____が形成されます．心室の興奮はランダムに出現します．レートは高いことも低いこともありますが，RR間隔が不規則なことが原則です． 　　QRS

> **メモ**：心房細動のRR間隔は変動しますから，心室レートは一定の時間に現れるQRSの数から求めます（6秒間のQRSの個数を数えて，それを10倍にしてください）．

練習です

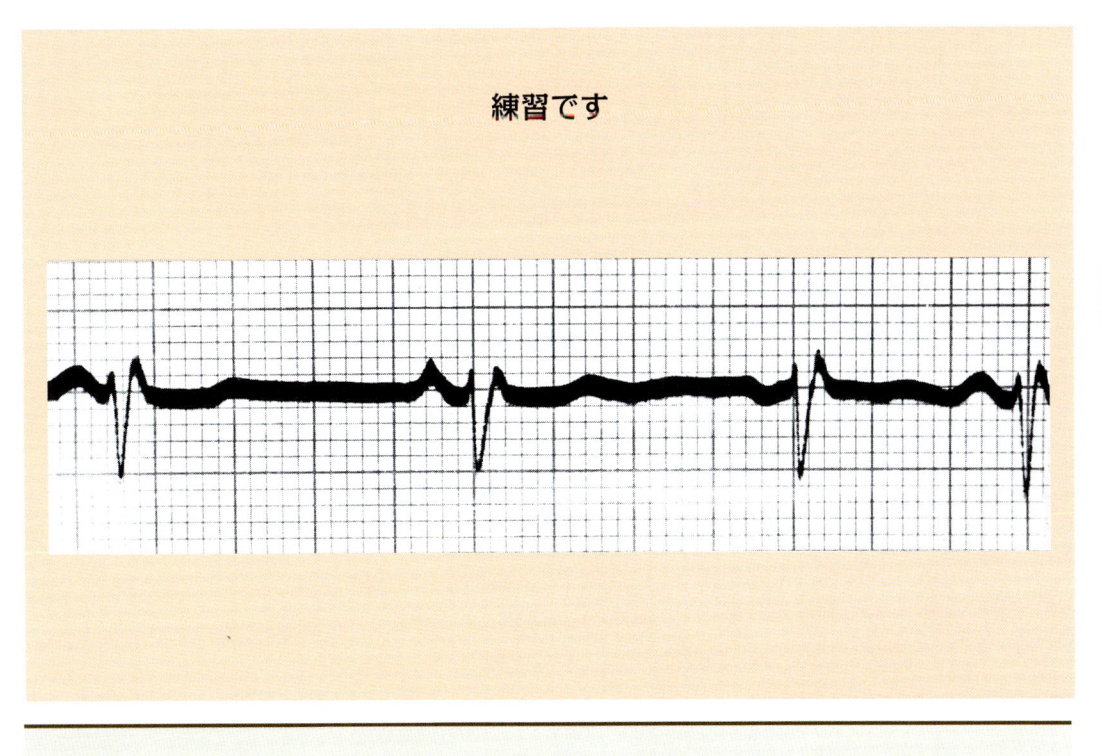

脈の不整を訴える患者さんの心電図です．

●上の図を見てください．一応はっきりした_____波が見えますから心房細動ではありません．	P
●P波の形は1つではありません．RR間隔の変化も大きく，_____不整脈（sinus arrhythmia）でもなさそうです．	洞
●レートは100/分未満です（多源性心房頻拍は否定的です）．リズムは不規則で，P´波は洞調律のP波とは異なっています．この心電図からは_____ペースメーカー（wandering pacemaker）の可能性も考えられます．	移動性

簡単ですね．

メモ：不規則なリズムについての知識を整理するには，p. 334のまとめと心電図も参考にしてください．

補充調律と補充収縮

補充調律—上位のペースメーカーが停止あるいは遅くなったときにオーバードライブサプレッションを抜け出した自動能のフォーカスが固有のレートでペースメーカーとして働きだします：

- 心房補充調律
- 接合部補充調律
- 心室補充調律

補充収縮—上位のペースメーカーが停止あるいは遅くなったときにオーバードライブサプレッションを抜け出した自動能のフォーカスが1回だけ顔を出します：

- 心房補充収縮
- 接合部補充収縮
- 心室補充収縮

"**補充**(escape)"とは心臓が長い時間停止することがないように，どこかの自動能がバックアップとして機能することです．

●洞結節はオーバードライブサプレッションによって他の自動能を抑えつけます．洞結節が休止すると，自動能をもつ_____（焦点を英語でいうと？）がオーバードライブサプレッションから解放されます．	フォーカス
●もし洞結節が完全に休止したら，下位自動能が固有_____で発火します．これが補充調律です．よく観察すれば，補充調律が心房，接合部，あるいは心室のどこから出ているかもわかります．	レート
●心休止がせいぜい1拍分の長さなら，自動能のフォーカスも1度だけ顔を出せば間に合うでしょう．これは_____収縮です．その発生場所が心房，接合部，心室のいずれなのかはだいたい推測可能です．	補充

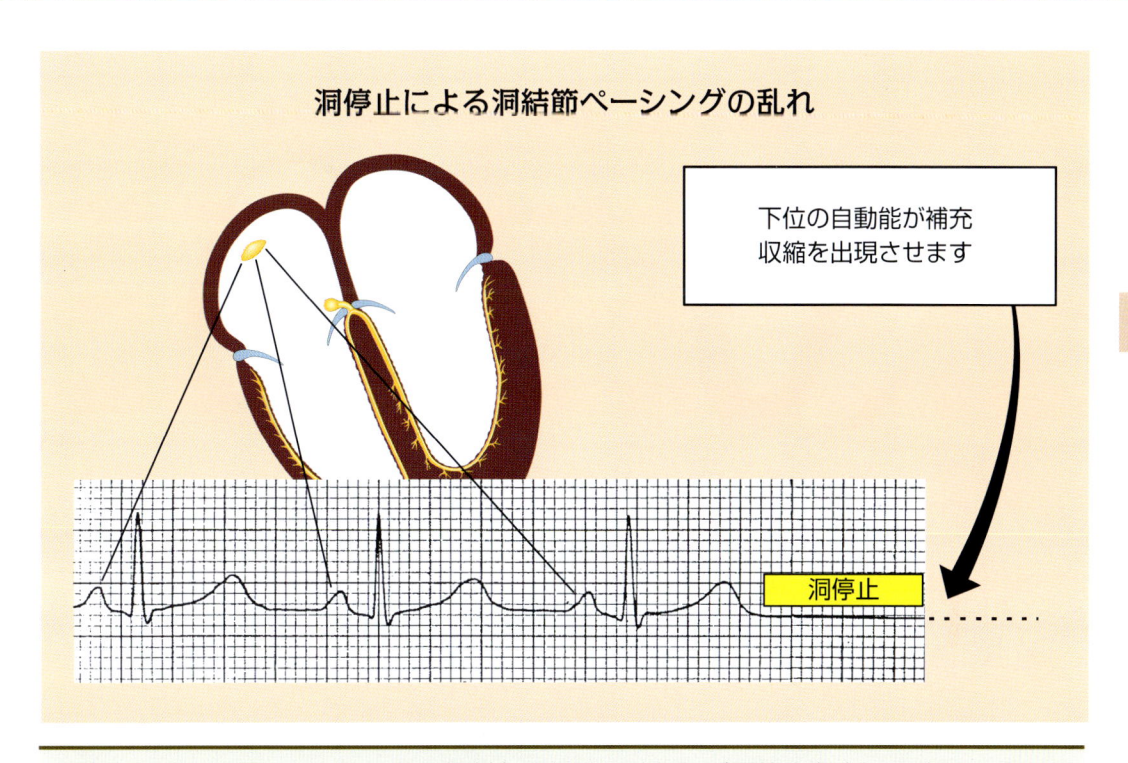

洞停止による洞結節ペーシングの乱れ

下位の自動能が補充収縮を出現させます

洞停止

洞結節がペースメーカーとしての役割を果たせなくなれば**洞停止**を生じます．しかし，心臓というのはホントウによくできています．セーフティーネット（空中ブランコで失敗しても下に網が張ってあれば大丈夫です）として3段階の自動能が準備されています．神様に感謝．

メモ：洞停止が起こりました．洞結節はペースメーカーとして機能していません．洞結節によるオーバードライブサプレッションが消失しますから，下位の自動能ががんばりだします．そのときに一番発火レートが高い自動能がリーダーシップをとり，それ以外の自動能にはオーバードライブサプレッションが生じます．

メモ：どんなに自動能としての能力があっても自分より発火レートの高いフォーカスがあればオーバードライブサプレッションが生じます．しかし，発火レートの高いフォーカスが存在しなくなれば下位のフォーカスにも活躍するチャンスがでてきます．

メモ：それぞれのフォーカスの発火レートは異なります．しかし，そのレベルに応じてだいたいのレートの範囲は決まっています．接合部なら接合部なりにある範囲のレートにおさまります．

メモ：洞停止では洞結節はペースメーカーとして働きません．オーバードライブサプレッションがなくなって，下位のどこかが補充調律として自動能があるところをみせてくれます．しかし，洞房ブロックのような短い心休止では下位自動能は補充収縮を1つだけ生じることになります．本当は下位の自動能はいくらでもがんばれるのでしょうが，立ち直った洞結節からの興奮がオーバードライブサプレッションによりそのチャンスを奪ってしまうのです．

洞調律

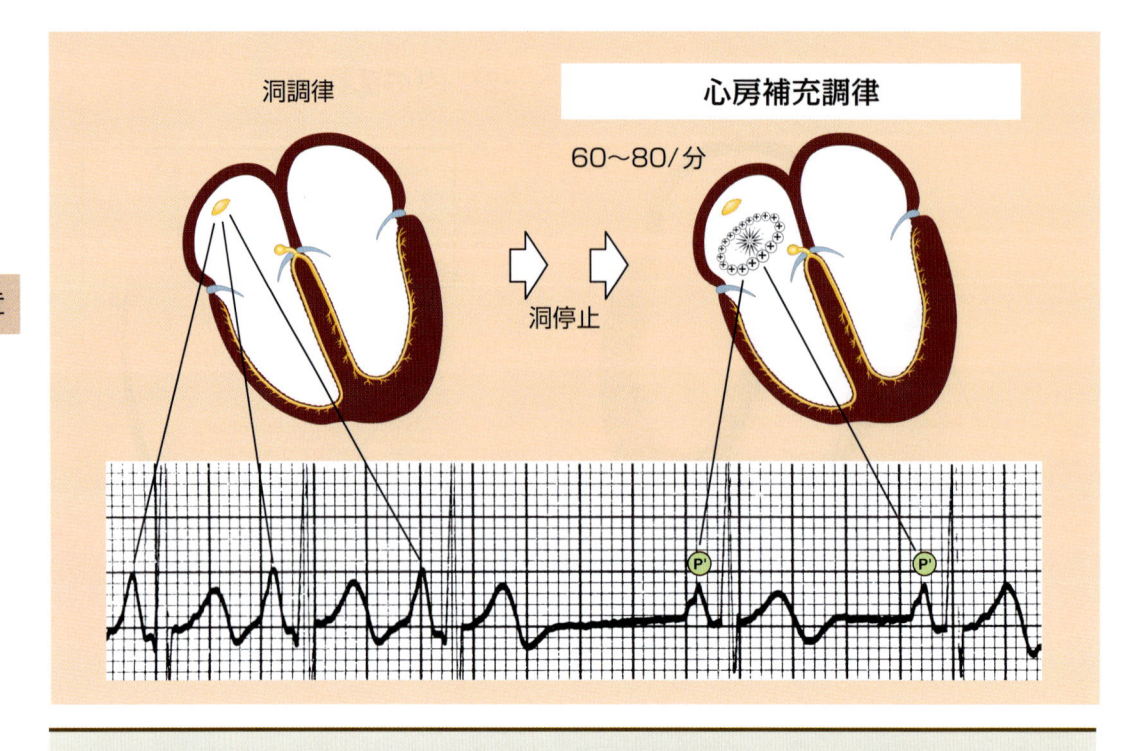

心房補充調律
60〜80/分

洞停止

- ●洞停止に残った自動能のうち，もっとも発火レートが高いフォーカスがペースメーカーになります．元のP波とは形が異なりますから，P´波となります．もとのP波とは_____の興奮によってできたものです（図を見て下さい）． 　　洞結節

> **メモ**：心房の自動能がペースメーカーになれば，それより下位の自動能はオーバードライブサプレッションで抑制されます．洞結節にかわってペースメーカーとなる自動能は固有レートで発火しますが，このレートは洞結節レートより低いものです（図を見て下さい）．

- ●洞結節の働きが落ちてくると心房の自動能が身代わりとなります．心房_____調律といいます． 　　補充

[訳者注]：このページのECGのうしろ2拍が心房補充収縮かどうかは断定することはできません．最初の3拍がレート100/分をわずかに超えていますので，心房頻拍が停止したあとに洞収縮が現れているという解釈もなりたちます．

第5章 調律, パート1　115

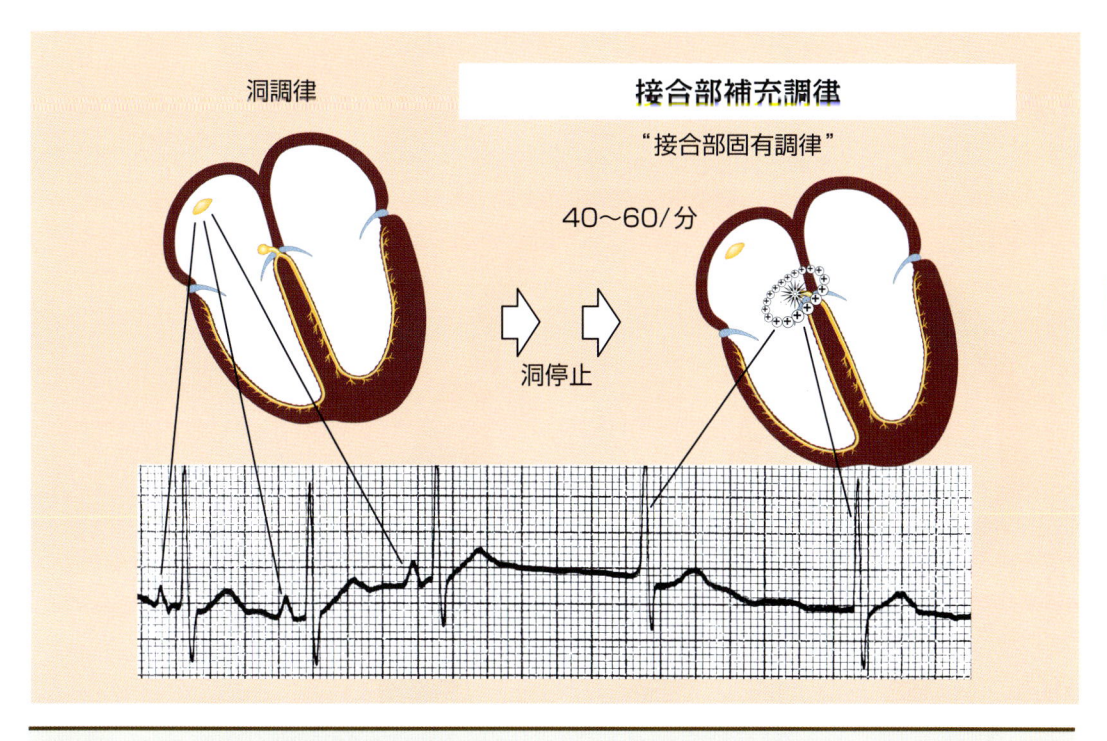

洞調律　　　　　接合部補充調律
　　　　　　　　"接合部固有調律"
　　　　　　　　　40〜60/分
　　　　　　　⇒⇒
　　　　　　　洞停止

上のほうから規則的刺激が降りてこなくなると、接合部自動能もオーバードライブサプレッションから解放されてペースメーカーとなります。このペースメーカーは**接合部補充調律**とよばれ、レートは40〜60/分です。

> **メモ**：洞停止に際して心房が十分なバックアップを果たせないときは、接合部へのオーバードライブサプレッションが解除されます。

房室結節のなかでも比較的上の位置で完全房室ブロックが生じれば、接合部自動能はオーバードライブサプレッションを受けません。このタイプの房室ブロックでもあるいは洞停止でも、いずれにしても接合部には上位からの規則的刺激は届きません。

● 接合部自動能にオーバードライブサプレッションが生じないと、接合部に起源をもつ補充調律が現れます。心室の興奮レートは40から_____/分〔接合部固有調律（idiojunctional rhythm）といいます*〕の範囲です。　　60

● 接合部補充調律により心室が興奮するときも、心電図には_____が現れます。ただし、例外もあります。次ページをご覧下さい。　　QRS

＊ときに接合部の興奮レートが高めのことがあります。促進性接合部固有調律（accelerated idiojunctional rhythm）といいます。

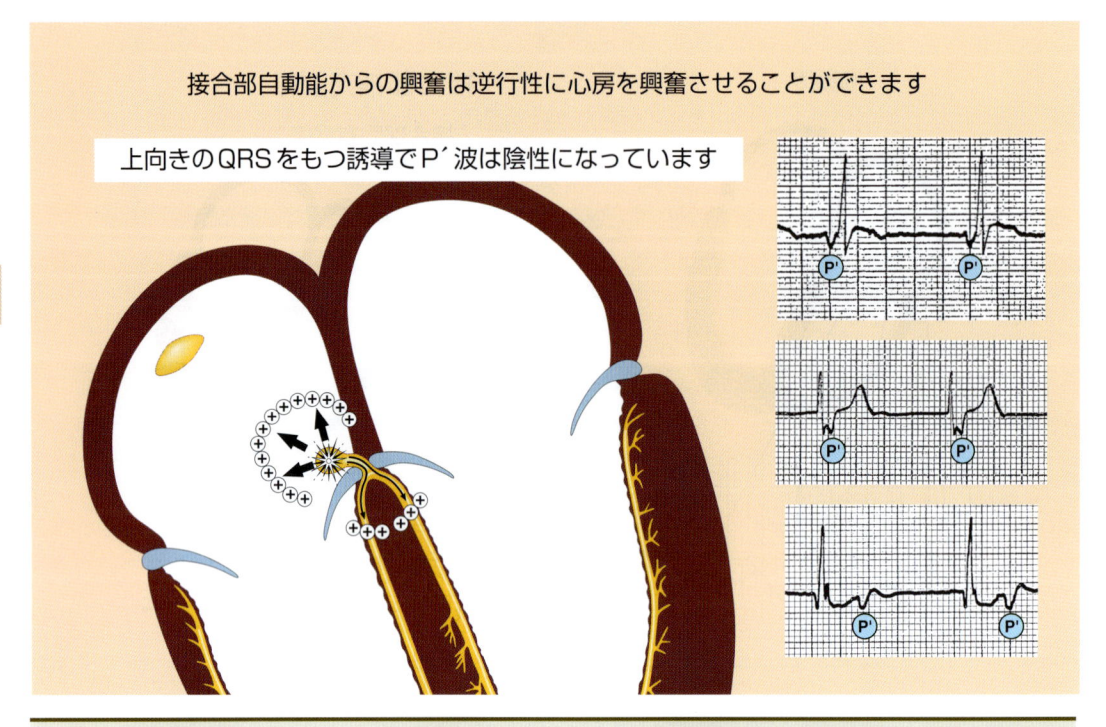

接合部自動能からの興奮は逆行性に心房を興奮させることができます

上向きのQRSをもつ誘導でP′波は陰性になっています

接合部の自動能は房室結節のなかに存在します．そこから発生した興奮は心室に下って行きますが，心房は逆方向（下から上）に伝わります．ECGには上向きのQRSと下向きのP′（inverted P′）を認めます．

メモ：図は接合部からの興奮が心房を下から上に，心室を上から下に進んでいることを示しています．右側のECGには上向きのQRSがみられます．

● 接合部補充調律による興奮は心室だけでなく心房にも到達します．心房は下から上に興奮が進みますから，上向きのQRSに加えて＿＿＿＿向きのP′がみられます． | 下

メモ：房室結節はもともと伝導性が低い組織です．接合部から心室への伝導でも，あるいは接合部から心房への逆行性伝導（もしあれば）でも余計に時間がかかることがあります．

その結果，逆行性の心房興奮を示す陰性P波の位置にはいろいろなパターンがあります．
- QRSのすぐ前に逆行性（下向きの）P′波
- QRSの後ろに逆行性（下向きの）P′波
- QRSと重なって見えにくくなった逆行性（下向きの）P′波

心室の補充調律

"心室固有調律"

20～40/分

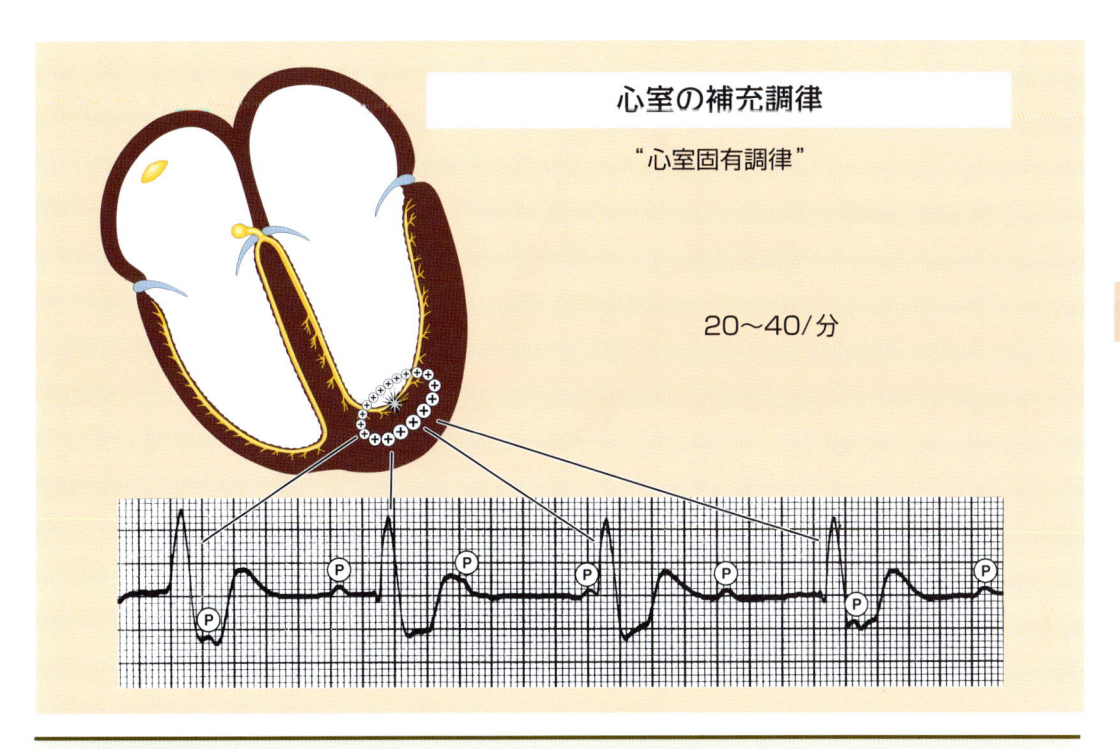

心室補充調律は心室の自動能がオーバードライブサプレッションから解放されたときに出現します．心室補充調律は固有レート20～40/分のペースメーカーとして働きます*．この調律は心室固有調律（idioventricular rhythm）とよばれます．QRSが大きいことにご注目．

> **メモ**：心室補充調律は次の2つのメカニズムのいずれかによって生じます．
> - 心室の刺激伝導系のうち上位（それでも房室結節よりは下位ですが）で完全房室ブロックになると，心房興奮は心室にたどり着きません（図のP波を見て下さい）．そこで心室のフォーカスが固有レートで心室を刺激します．
> - 洞結節を含む心室より上の自動能がすべて停止することは稀ですが，とても重大な事態です．"ペースメーカーの下方移動（downward displacement of the pacemaker）"といいます．この状況で何とか生きていくには心室のフォーカスにがんばってもらうしかありません．うまくいくかどうかは別ですが．

> **メモ**：心室自動能の発火レートはかなり低く，ときには意識レベルの低下や失神を招きかねません．調律異常（不整脈のことです）で失神が生じる病態を**Adams-Stokes症候群**といいます．調律への治療に加え，気道の確保も心がけて下さい．

＊レートが高めの心室調律を促進性心室固有調律（accelerated idioventricular rhythm）とよびます．

洞調律
（洞房結節の興奮）

洞房ブロック

自動能のフォーカス

pause

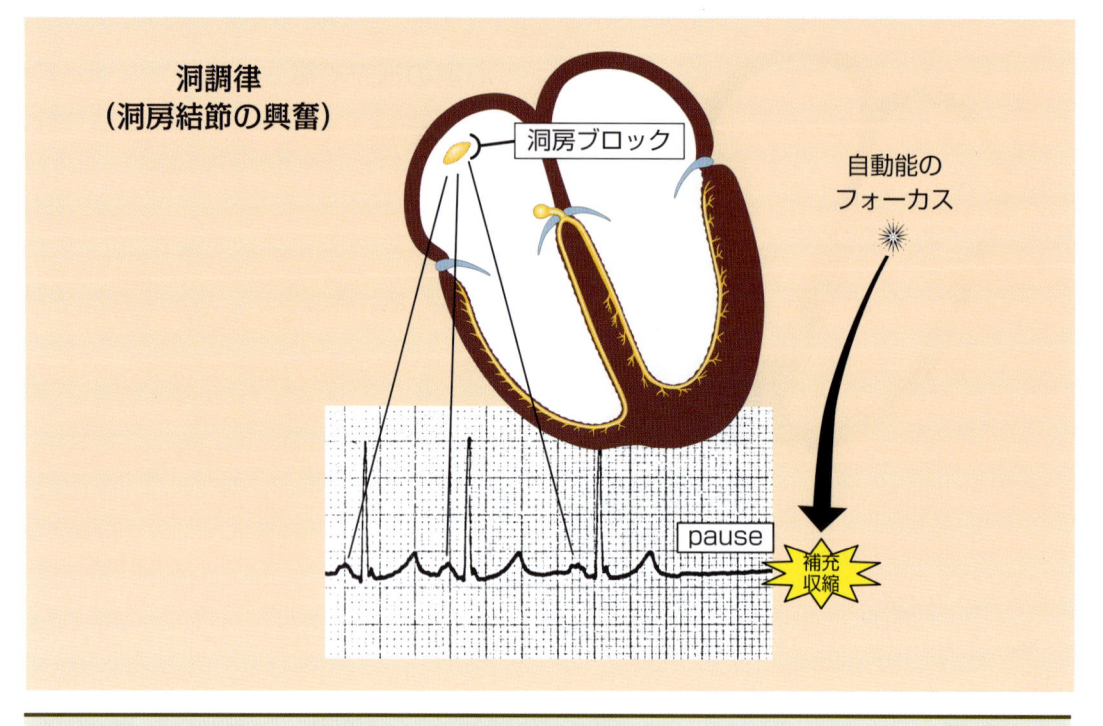

補充収縮

洞房ブロックが生じれば洞結節からの興奮は心房に届きません．ECGでは心休止を認めます．心休止は2, 3秒のこともあれば，10秒以上のこともあります．あまり長く心休止が続けば危険ですから，通常はオーバードライブサプレッションから解放された自動能が**補充収縮**を送り出します．

● 洞房ブロックにより心房への刺激が1つ抜けると，＿＿＿＿＿＿（pauseのことです）を認めます．心臓は短時間ですが電気的に静止します． … 心休止

● 心休止が長く続けば，どこかの自動能が＿＿＿＿＿＿サプレッションを脱して発火を始めます（次のメモを参照）． … オーバードライブ

メモ：十分な長さの心休止，正確にいえば自動能の発火周期より長い心休止が生じると，そのフォーカスは洞結節からのオーバードライブサプレッションから抜け出して刺激を送り出すようになります*．

● 洞結節からの興奮が1個だけ抜けても，通常はすぐにペースメーカーとしての仕事に復帰します．下位の＿＿＿＿＿＿（自動能をもつ組織のことです）に対するオーバードライブサプレッションもすぐに再開します． … フォーカス

＊このメモが何をいっているのかピンとこなくても心配いりません．補充収縮と補充調律のメカニズムがわかれば大丈夫です．

心房補充収縮

洞調律 → 洞房ブロック

pause

P′

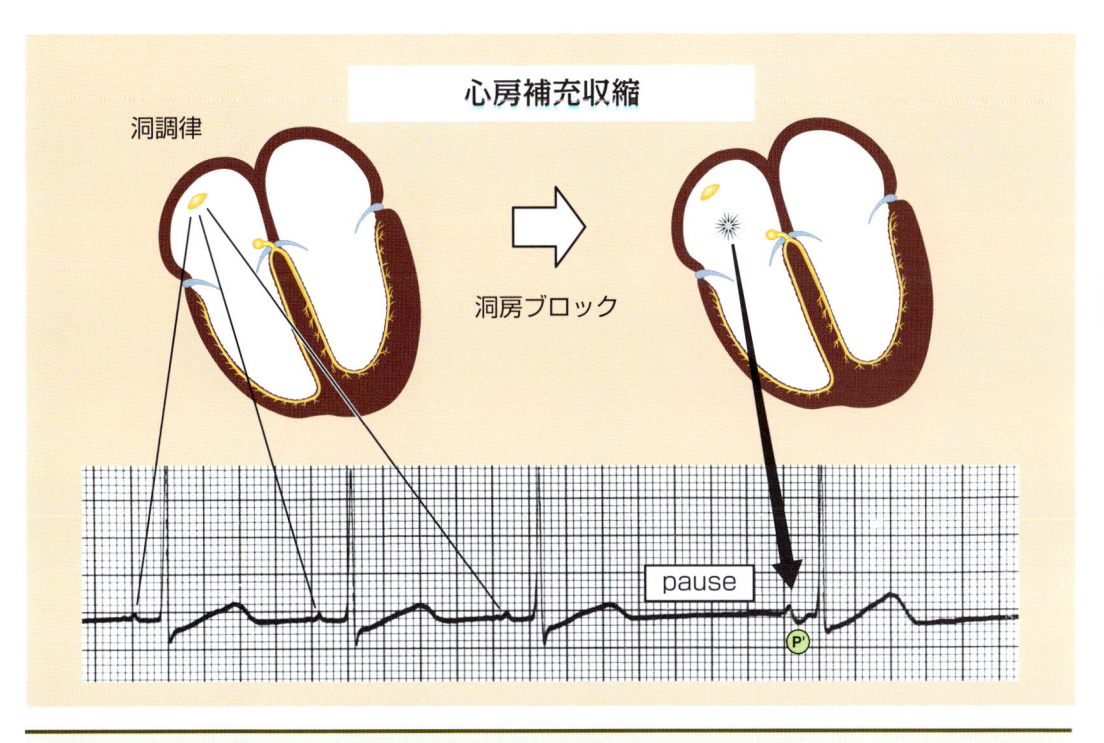

洞結節興奮が1回だけ欠落する心休止でも，オーバードライブサプレッションを脱した心房フォーカスにとっては**補充収縮**を送り出すチャンスはあります．P′波が洞結節由来のP波と異なっていることに気づきましたか．

●洞房ブロックが起こると＿＿＿＿からの興奮は心房に達しません．そのため一時的に電気的静止状態になります．	洞結節
●洞結節興奮が1回お休みする程度の心休止でも，心房の＿＿＿＿（日本語なら焦点という意味です）はオーバードライブサプレッションを脱するかもしれません．	フォーカス
●セーフティーネットとなる興奮が心房由来なら心房補充収縮といいます．洞結節のP波とは形が異なるP′波を認めます．多くの場合，洞結節はすぐにペースメーカーとして働きを取り戻しますから，心房のフォーカスは＿＿＿＿サプレッションによって抑制されます．	オーバードライブ

（房室）接合部補充収縮

洞調律

洞房ブロック

pause

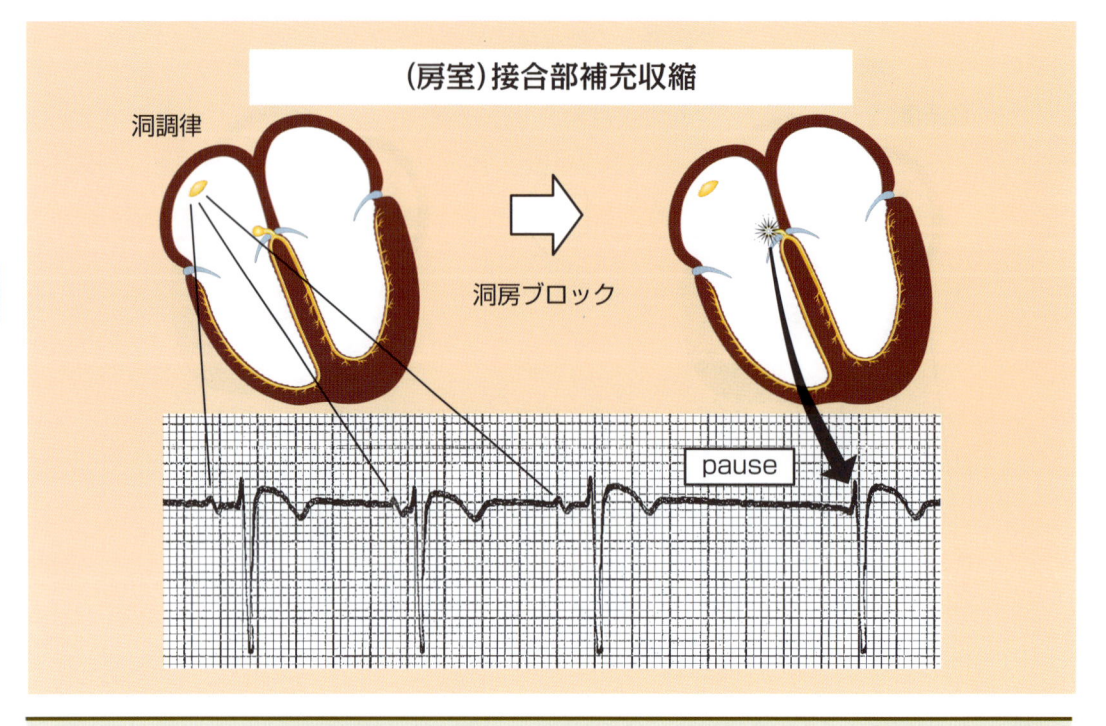

一過性の洞房ブロックが生じると少なくとも1心周期が失われます．これにより心休止が生じ，オーバードライブサプレッションから解放された接合部の自動能は**接合部補充収縮**を発生します．

●洞房ブロックが起こると，＿＿＿＿＿＿＿（pauseのことです）を認めます．	心休止
●心房からのバックアップがなければ，接合部の自動能がオーバードライブ＿＿＿＿＿＿＿を脱して接合部補充収縮を出します．	サプレッション
●接合部からの興奮は刺激＿＿＿＿＿＿＿系を下降して心室に達します．刺激伝導系がちゃんと機能していれば正常なQRSを形成します．やがて洞結節が働き出せば，オーバードライブサプレッションにより接合部の自動能は再び沈黙することになります．	伝導

> **メモ**：接合部補充収縮は心房を逆行性に興奮させます．陰性のP´波とQRSの位置関係はまちまちです．

心室補充収縮

洞調律

洞房ブロック

pause

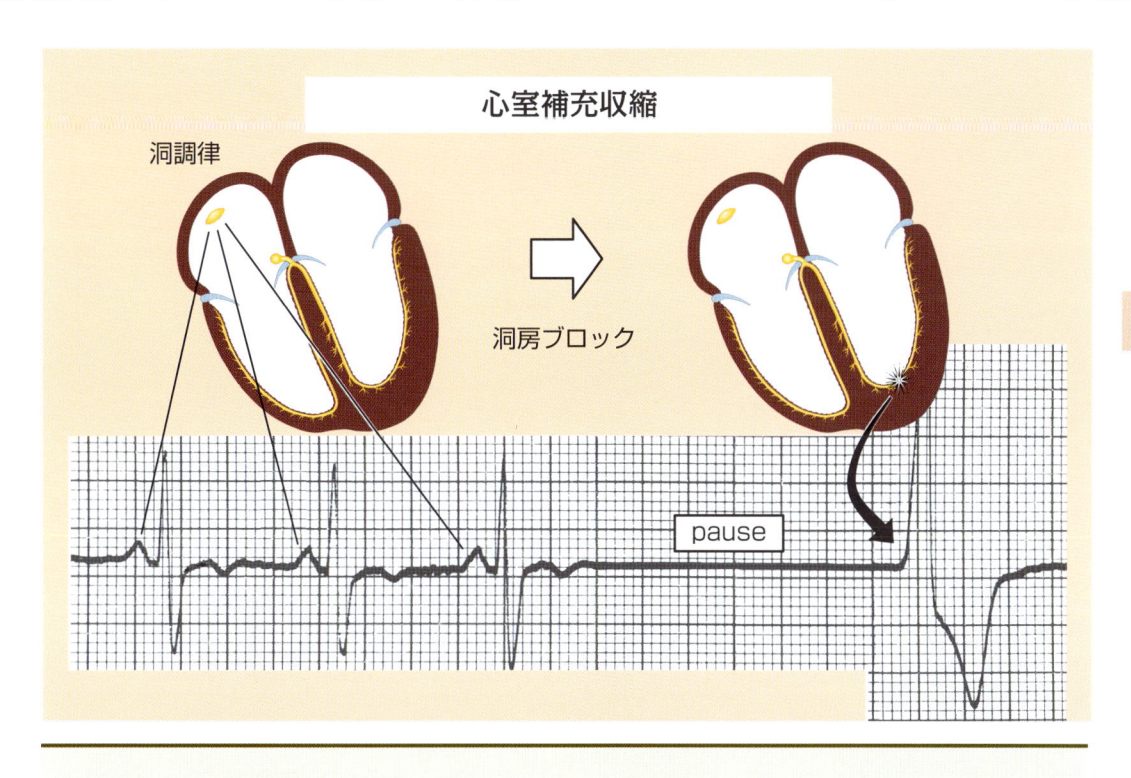

心室補充収縮は心室より上位からのオーバードライブサプレッションを脱したときに認められます．心室起源の心室興奮は大きなQRSを形成します．

- 上からのオーバードライブサプレッションが少なくとも1心周期，多くは2心周期ほど消失したら心室の_____（焦点のことです）がペースメーカーとして働きだします． | フォーカス

- 洞結節，心房，および接合部の_____がすべて機能しなくなることは，めったにありません．ですから，心室補充収縮というのは比較的稀です． | フォーカス

メモ：副交感神経は洞結節，心房，および接合部のフォーカス（p.58の図を見て下さい）を抑制しますが，心室のフォーカスへの影響はほとんどありません．副交感神経活動が亢進すると洞結節は抑制されて心休止を生じます．さらに心房と接合部のフォーカスも抑えられますので，心室の自動能だけが残ります．オーバードライブサプレッションから解き放たれた心室の自動能は大きなQRSを形成します．副交感神経活動の亢進は一過性のものですから，ちょっと時間が経てば洞結節は再びペースメーカーとしての役割を取り戻します．

メモ：p.335ページに補充収縮と補充調律についてのまとめが載っています．

期外収縮

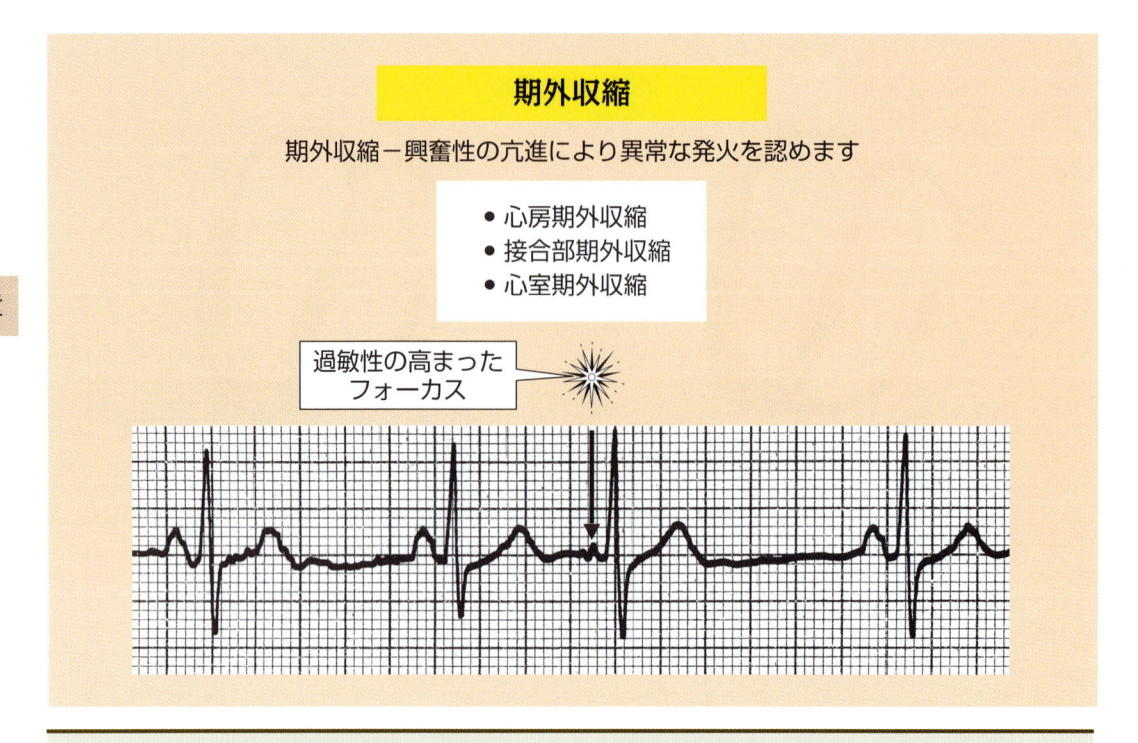

期外収縮 — 興奮性の亢進により異常な発火を認めます

- 心房期外収縮
- 接合部期外収縮
- 心室期外収縮

過敏性の高まったフォーカス

期外収縮は予定されたタイミングより早期に出現する収縮（これはECGに現れた心筋の脱分極のこと）です．興奮性の亢進した（irritable）自動能により発生します．

メモ：興奮しやすくなるのは人間だけではありません．心房や接合部のフォーカスにも興奮性の亢進がみられます．次ページをちょっとのぞいてみてください．

● 期外収縮は未熟児と同じです．＿＿＿＿＿＿＿日より早く姿をみせます． 　　　予定

● 期外収縮を認めたら興奮性の亢進した＿＿＿＿＿＿＿（日本語では焦点です）が存在　　フォーカス
していることになります．心房，接合部，あるいは心室のうち，どこが起源か
考えましょう．

メモ：**心室**の自動能は酸素濃度にとても敏感に反応します．低酸素血症では心室筋の興奮性は高まります．

メモ：期外収縮は調律を乱します．ときには重篤な伝導障害があるかのような錯覚を招きます．期外収縮のほとんどは病的意義はありませんが，稀に危険な徴候となります．詳しくはあとで述べますが，どれが危険な期外収縮なのか見分けられるようになりたいものです．あなたの判断は患者さんの命を左右します．基本をわかっていないと本当の答えは得られません．きちんとした理解は診断能力の向上に欠かせません．

心房や接合部のフォーカスの被刺激性の亢進が生じる原因は：

- アドレナリン（エピネフリン）の分泌
- 交感神経活動の亢進＊
- カフェイン，アンフェタミン，コカイン，そのほかβ₁受容体刺激物質の服用
- ジギタリス中毒，一部の毒性物質，アルコール摂取
- 甲状腺機能亢進症（甲状腺ホルモンの直接作用や心臓の感受性の亢進による）
- 伸展
  ….ときに低酸素血症

＊ 副交感神経活動の低下も同時に認めるでしょう

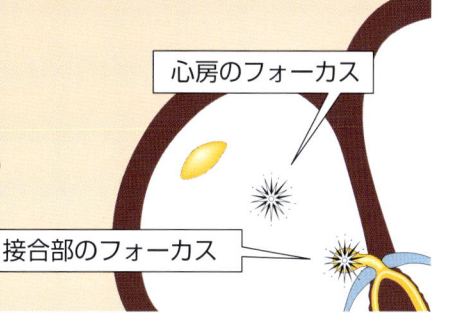

心房のフォーカス

接合部のフォーカス

心房や接合部の自動能は興奮性が高くなることがあります．被刺激性が亢進したり，急に高いレートで興奮し始めるかもしれません．心房や接合部における興奮性の亢進にはしばしばアドレナリンが関与しています（p.57参照）．

- 心房や接合部の自動能に興奮性の亢進＊が起これば，自発的な発火が生じて周囲の心筋を興奮させます．＿＿＿＿＿＿＿（心電図を略語でいうと？）では期外収縮と診断されます． | ECG

- しかし，＿＿＿＿＿＿＿がさらに亢進すれば心房や接合部のフォーカスが続けて発火し，周囲の自動能に対してはオーバードライブサプレッションをもたらすのです． | 興奮性

メモ：心房や接合部の興奮性亢進の背景となるのは以下のような状況です：
- アドレナリン受容体に作用するエピネフリンやノルエピネフリンが過剰なとき．
- アドレナリン作動性物質によりエピネフリンやノルエピネフリンの過剰に近似した状態になったとき．
- エピネフリンやノルエピネフリンの放出を促す病態．

＊興奮しやすくて急に怒鳴りだす人がいます（アドレナリンが多すぎたり，コーヒーをがぶがぶ飲んでいませんか）．同じように心臓だってピリピリしたフォーカスが興奮をまき散らすことがあります．

心房期外収縮

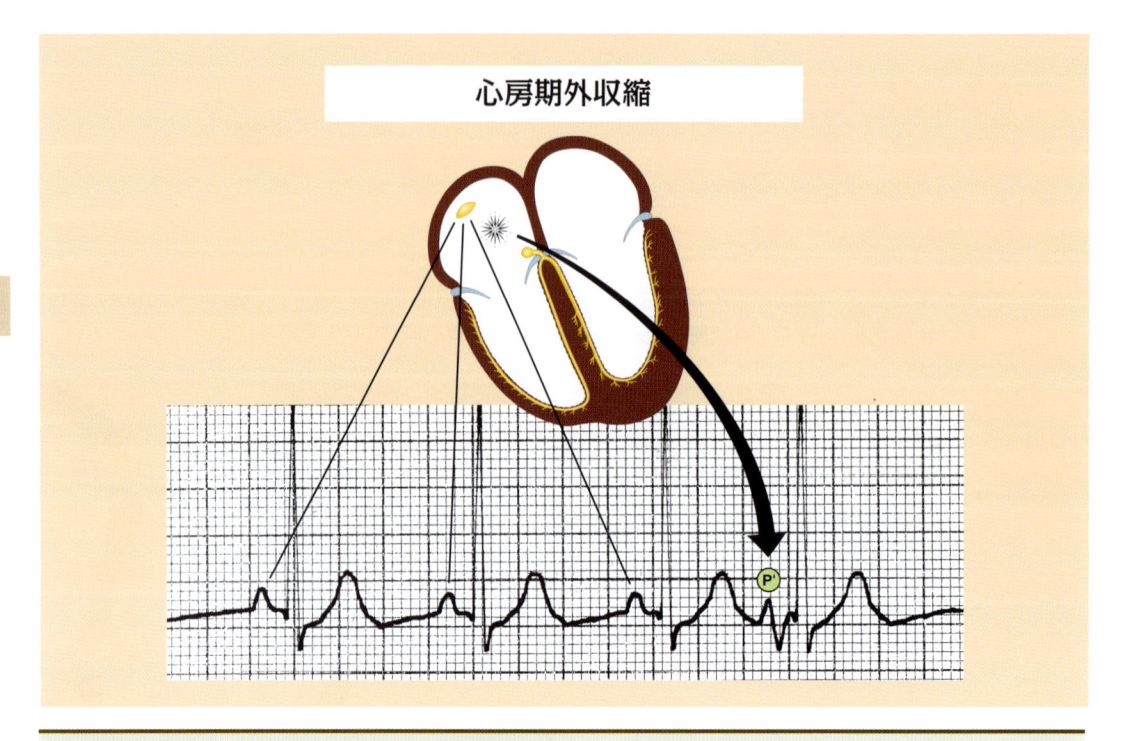

興奮性の高まった心房自動能から**心房期外収縮**（premature atrial contraction: PAC）が発生します．心房期外収縮は予想されたタイミングより早期にP′波を生じます．多くの場合，P′波は自動能による心房興奮を意味します．

● 心房期外収縮（PAC）は興奮性の亢進した心房自動能に由来し，洞結節の＿＿＿＿＿波より早期に出現します．
P

● 心房期外収縮の興奮は洞結節とは別なところに発生しますから，P′波*は正常洞調律のP＿＿＿＿＿とはタイミングも形も異なっています．
波

メモ：PACはP′波を形成します．P′波がT波のうえに重なれば見落としかねません．T波がちょっと高めになったり，すこし変形していればP′波が重なっているかもしれません．

メモ：それぞれのPACは洞結節にも伝播します．その結果どういうことになるでしょうか．次ページをごらん下さい．

*洞結節に近いところから発生したPACは上向きのP′波になります．心房の下位から生じたPACでは心房は逆行性に興奮しますから，陰性P波を認める誘導が多くなります．

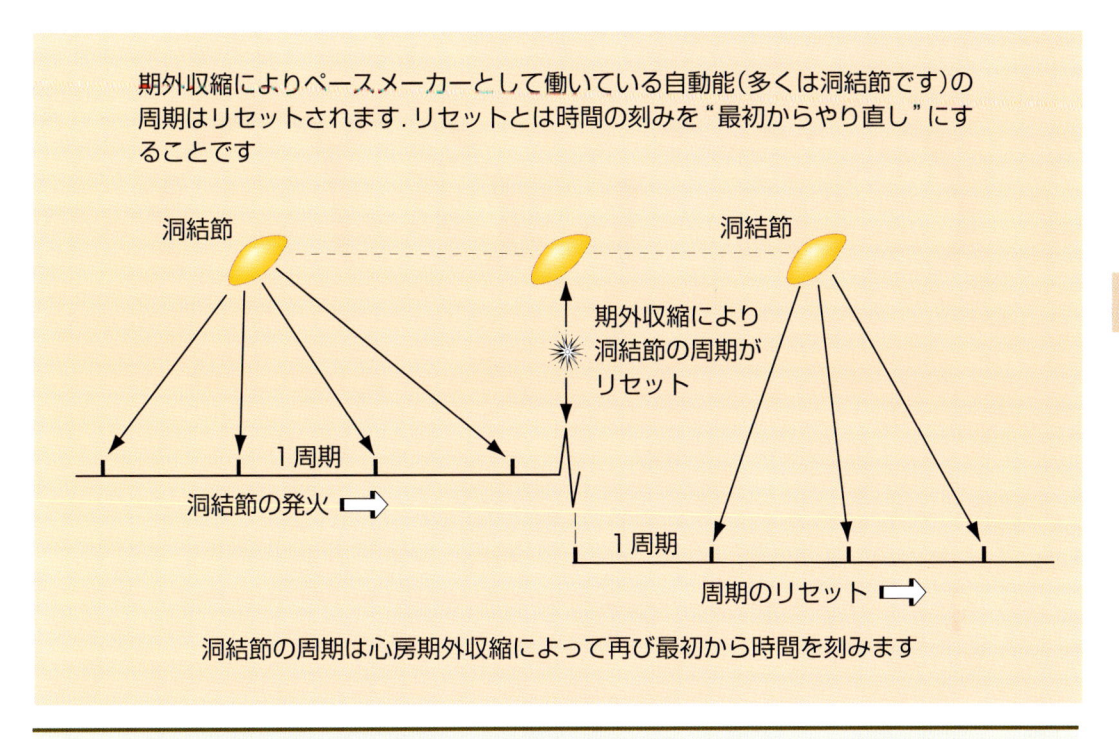

期外収縮によりペースメーカーとして働いている自動能（多くは洞結節です）の周期はリセットされます．リセットとは時間の刻みを"最初からやり直し"にすることです

洞結節　　　　　　　　　　洞結節

　　　　　　　　　　　　　期外収縮により
　　　　　　　　　　　　　洞結節の周期が
　　　　　　　　　　　　　リセット

　　　　１周期
洞結節の発火 ⇨

　　　　　　　　　　　　　　　１周期
　　　　　　　　　　　　　　　　　　周期のリセット ⇨

洞結節の周期は心房期外収縮によって再び最初から時間を刻みます

リセットはどの自動能にも生じます．これは自動能本来の性質で，早期に外部からの興奮が進入してくると興奮周期がリセットされます．期外収縮によって自動能の時計がゼロに戻されるのです．図を左から右に眺めてください．どういうことかわかるでしょう．

●もともとの自動能（普通は洞結節のことです）が，＿＿＿＿収縮によって受動的に興奮すればリセットが生じます．そして…	期外
●メインの自動能の発火周期は期外＿＿＿＿によってリセットされます．リセットされたときから，ちょうど１回分の心周期に相当する時間が過ぎると自動能が発火します．	収縮
●洞結節が＿＿＿＿収縮によって興奮させられると，洞結節の発火周期はリセットされますから１心周期を経過したのちに興奮を送り出します．	期外

メモ：リセットという現象が生じるにはメインの自動能が期外収縮からの興奮を受け入れることが必要です．期外収縮であってもメインの自動能に達しなければリセットは起きません．

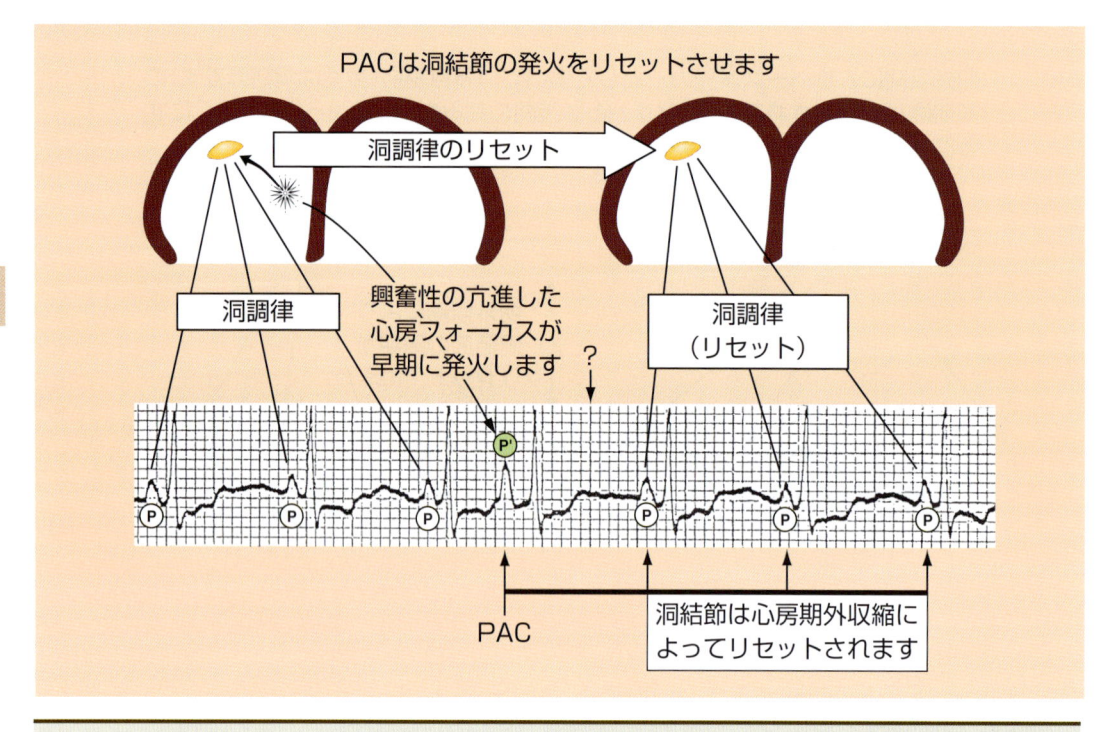

PACは洞結節の発火をリセットさせます

洞調律のリセット

洞調律 ← 興奮性の亢進した心房フォーカスが早期に発火します → 洞調律（リセット）

PAC　　洞結節は心房期外収縮によってリセットされます

心房期外収縮の興奮は周囲の心房を興奮させるだけでなく，洞結節にも侵入できます．心房期外収縮（P′）によって洞結節にリセットが生じます．

メモ：P′波は洞結節以外の自動能による心房興奮を表します．P′波は洞結節に由来するP波とは形が異なっていますが，そのあとに続くQRSの形は同じです．

●洞＿＿＿＿＿の規則的なリズムが心房期外収縮（心房の自動能をもったフォーカスから出てきます）によって乱されるとき，洞結節は期外収縮の興奮によって受動的に興奮しています．　　　　　　　　　　　　　　　　　　　　　結節

●これが洞結節のリセットという現象ですが，リセット後の＿＿＿＿＿＿（rhythmをそのままカタカナで書くと？）はP′波を始点にしてその周期をきざみます．図の"?"は本来P波が現れるはずのタイミングを示しています．洞結節にリセットが起きなかったら周期は乱されることなく，ここにP波がみられます．　　リズム

メモ：リセット後の洞結節周期は期外収縮によって乱される前と同じ長さです．ただし，P′から新たな周期が始まっています．洞結節の興奮レートは期外収縮の前後で変化しません．

メモ：厳密にいいますと心房期外収縮のあとの心周期は自律神経の影響で若干長めになっているかもしれませんが，だんだんもとの長さに戻ります．このあたりのメカニズムについて詳しい知識は必要ありません．

変行伝導を伴う心房期外収縮

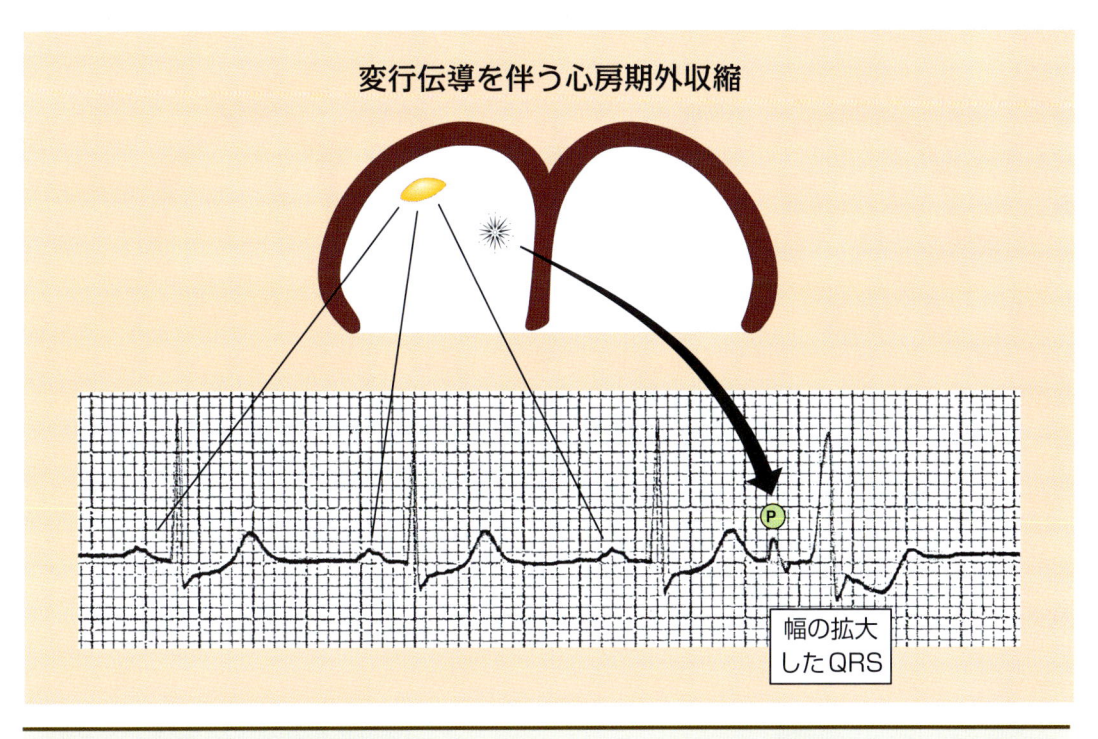

幅の拡大したQRS

心房期外収縮が心室の刺激伝導系にたどり着いたとき，片方の伝導脚は受け入れOKなのにもう一方は再分極を完了していないことがあります．どちらかの伝導脚に少し不応期が残っている状態です．この現象は"**変行伝導**（aberrant conduction）"とよばれ，期外収縮のQRS幅を拡大させます．

メモ：心房期外収縮（P'）が心室に届くなら，心室は予定より早期に興奮することになります．	
●心房期外収縮は心室において変行伝導を生じることがあります．この現象は片側の伝導脚が_____を終了していないために，脱分極を受け入れることができないからです．	再分極
●興奮は一方の伝導脚を速やかに通り抜けて心室に達しますが，もう一方の伝導脚に依存する領域の興奮は_____（"早く"あるいは"遅く"？）なります．	遅く
●P'波のあとで変行伝導が生じるなら心室興奮には部分的な遅れが生じ，QRSは_____します．リズムが元に戻れば心室興奮も正常になります．	拡大

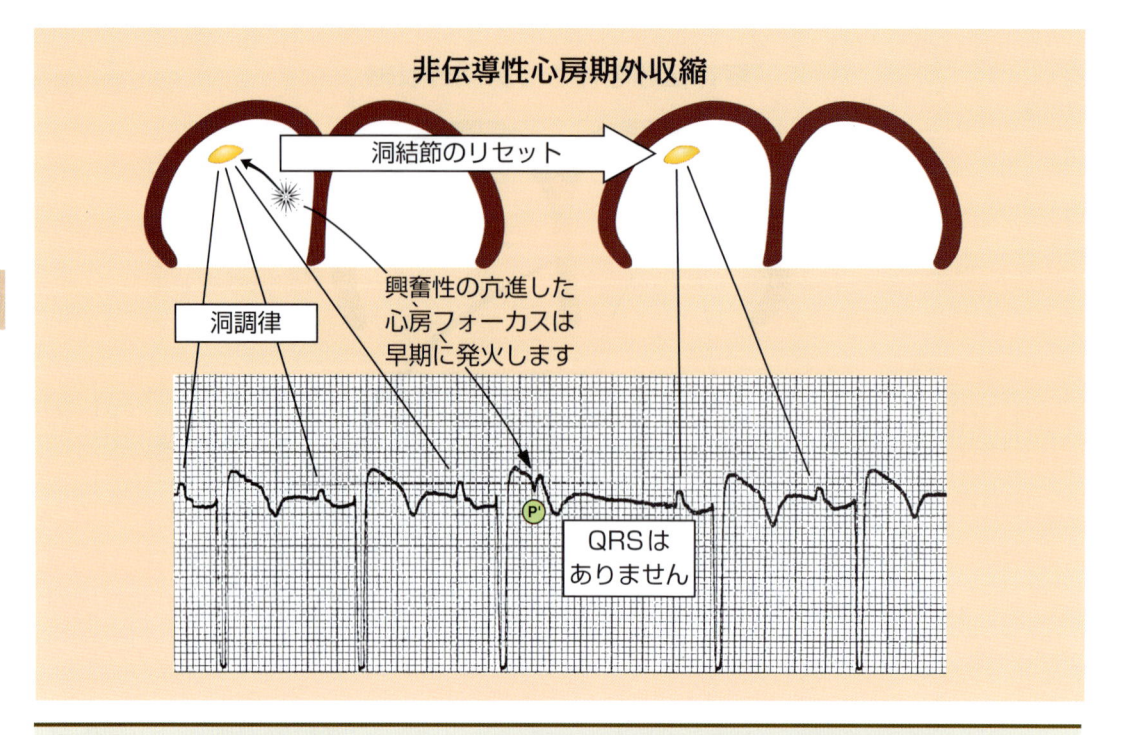

非伝導性心房期外収縮

洞結節のリセット

洞調律

興奮性の亢進した心房フォーカスは早期に発火します

P′

QRSはありません

心房期外収縮の興奮があまりに早く房室結節に達すると，房室結節を通り抜けることができません．房室結節の再分極が不十分で，そこに不応期が残っています．心室にたどりつけない心房期外収縮を"**非伝導性**"心房期外収縮（non-conducted PAC）といいます．

● 房室結節が十分に再分極していないときは，心房期外収縮は房室結節の_____にぶつかります． 　　　　　　　　　　　不応期

● ECGではかなり早い時期に_____波を認めますが，心室の電気活動を示す振れ（QRS-T）はみられません． 　　　　　　　　　　　P′

注意!：non-conducted PAC（QRSを伴わないP′波）は心室を興奮させることはありませんが，洞結節へは進入できます．洞結節の周期にはリセットが生じます．メインのペースメーカーである洞結節にリセットが生じてもQRS-Tはみられず，しばらく水平の基線が長めに続きます．それほどのリスクはありませんが，ちょっと間のびしてみえます．ブロックと勘違いされることもありますが，ちゃんとわかってくればブロックじゃないことを確信できるはずです．

心房二段脈

group beating

心房三段脈

group beating

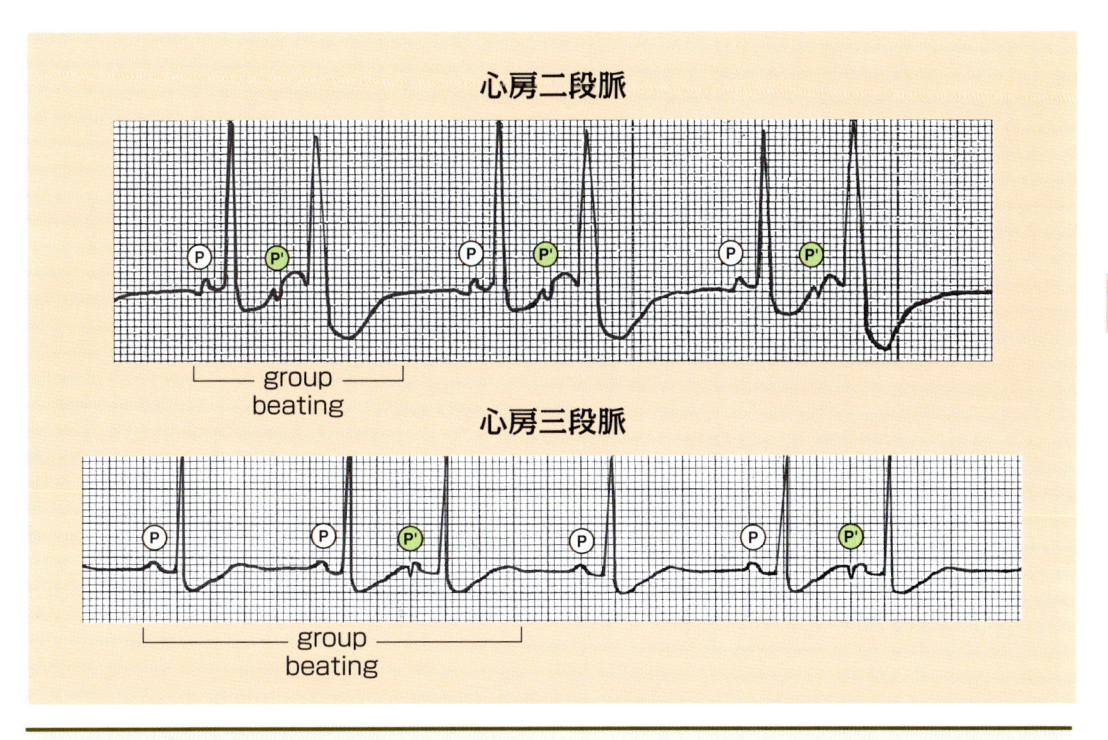

洞調律のあとに興奮性の亢進した自動能による心房期外収縮が反復して出現することがあります．洞収縮と心房期外収縮が交互に現れるときには心房の**二段脈**（atrial bigeminy）といいます．

- PACが洞収縮と1個ずつセットになって出現するとき＿＿＿＿＿の二段脈*といいます． | 心房

- 2個の洞収縮の後ろに1個のPACが続けば，＿＿＿＿＿個のQRSがひとまとまりになります．これを心房の**三段脈**（atrial trigeminy）といいます． | 3

メモ：二段脈でも三段脈でもPACによって洞結節のリセットが生じれば，まっすぐな基線が認められます．心房の二段脈なら2個のQRSが，三段脈なら3個のQRSが規則性をもって反復します．QRSがひとまとまりに見えることを group beating（このまま英語で使われます）といいます．group beatingを見たらP′波がないか注意してください．といいますのは後で出てくる房室ブロック（p.180）でも group beatingを認めることがあり，その鑑別に必要だからです．なお group beating という用語を覚える必要はありません．

＊上の図ではP′のあとのQRSは幅が拡大しています．心房期外収縮（接合部の期外収縮でもですが）は心室の変行伝導が伴うことがあります．

練習です

A.

B.

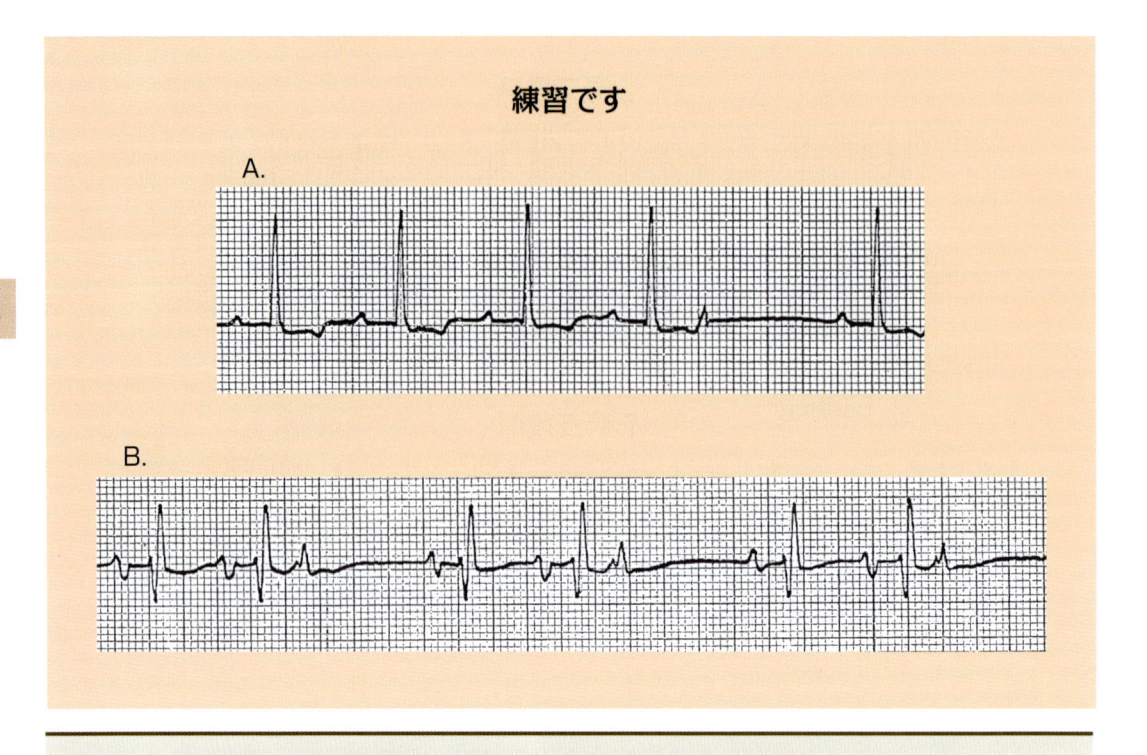

なにが起きているかわかりますか？

■ 記録A：
ある医学生が夜遅くまで勉強しようとコーヒーを2，3杯飲んだときに記録されたECGです．脈の乱れを自覚した彼女は救急室にやってきました．当直のインターンはこのECGを間欠性の完全房室ブロックと診断し，緊急ペーシングについて指導医と相談するつもりです．午前4時のことでした．読者のみなさんなら，もうこのECGを判読できます．インターンが指導医に電話する前に，期外収縮について教えてあげてください．

■ 記録B：
麻薬中毒患者が大量のアンフェタミンを摂取しました．救急搬送中に記録されたECGです．救急隊のスタッフは"winky bok block（こんな用語はありません．発音が似ている不整脈ならあります）"といいながらこの心電図を転送しました．皆さんがこれまで得た知識を駆使すれば，どういう不整脈かわかるはずです．2種類のP波を認めます．QRSの前のP波は同じ形をしていますが，それとは違う形のP´波はありませんか．

メモ：注意深く見て，そこにあるかすかな所見について知恵を絞ってください．パッとわからなくても大丈夫．だんだんわかってくるはずです．

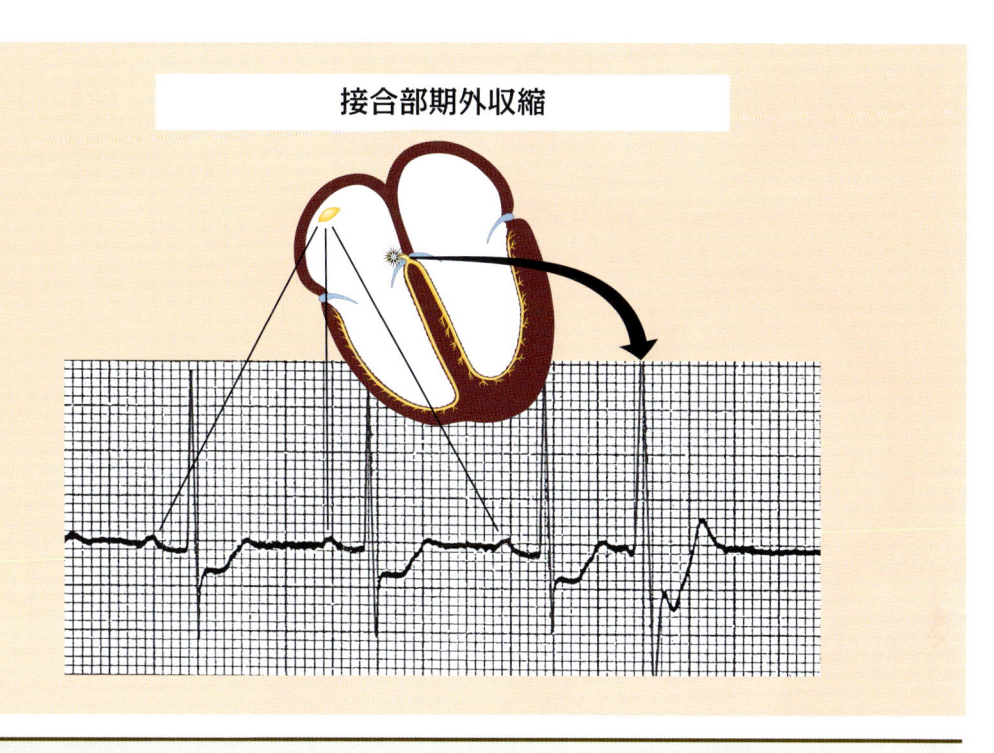

接合部期外収縮

接合部期外収縮（premature junctional beat：PJB）は接合部の興奮性が高まったときに出現します．接合部から発生した早期興奮は心室を脱分極させ，逆行性に心房を興奮させることもあります．

● 接合部の興奮性が高まれば，＿＿＿＿＿＿期外収縮が生じます． 　　　接合部

> **メモ**：脱分極のあとは再分極が始まります．再分極中は刺激（早期刺激）に応答できません．左右伝導脚の再分極には少しタイミングのズレがあります．心房や接合部の期外収縮は再分極している伝導脚は通り抜けられますが，再分極がすんでいない伝導脚では伝導遅延や伝導途絶を認めます．伝導しにくいのは右脚のことが多いようです．大雑把にいえば，右室の興奮と左室の興奮の進行にばらつきが生じてしまいます．これを変行伝導といいますが，QRS幅は広くなります．

● 期外収縮のQRSがちょっと幅が広ければ，その接合部期外収縮あるいは心房期外収縮は＿＿＿＿＿＿伝導を伴っている可能性があります． 　　　変行

前のページの答え　A：non-conducted PAC，B：non-conducted PACによる三段脈

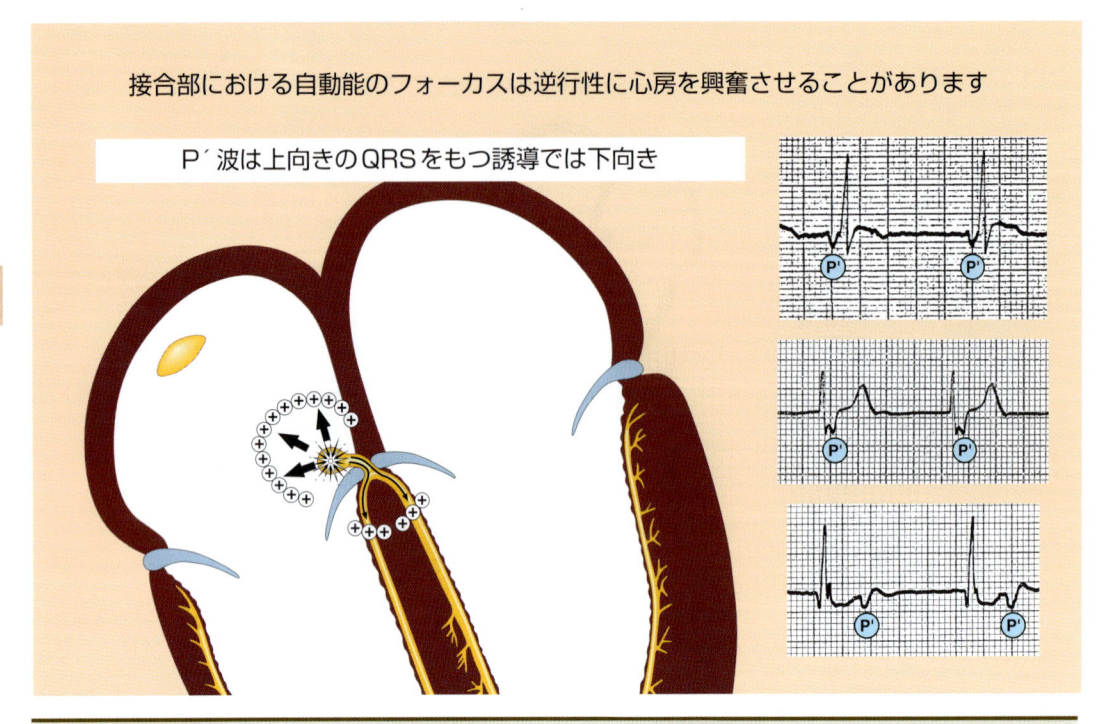

接合部における自動能のフォーカスは逆行性に心房を興奮させることがあります

P′波は上向きのQRSをもつ誘導では下向き

接合部期外収縮は房室結節の興奮性が亢進したときに発生します．期外収縮は心室に伝導するだけでなく，逆行性に心房を下から上に向かって興奮させることもできます．このとき陰性P′波が記録されます．QRSはほとんどの誘導で上向きで，いつもと同じです．

- 接合部にフォーカスがあれば心房と心室での興奮進行方向は反対です．期外収縮のP′波は_____で，QRSとは逆向きになっています．　　　陰性

- PJBにより逆行性の心房興奮があれば，_____の前に陰性のP′波を認めます．　　　QRS

- ときにはPJB〔接合部期外収縮（premature junctional beat）〕の_____波がQRSの後ろに現れることもあります．あるいは心房と心室が同じタイミングで興奮すれば，QRSとP′は重なってしまいます（図には示してありませんが）．　　　P′

メモ：PJBからの逆行性の心房興奮は洞結節にも進入できます．洞結節のリセットが起きます．

(房室）接合部二段脈

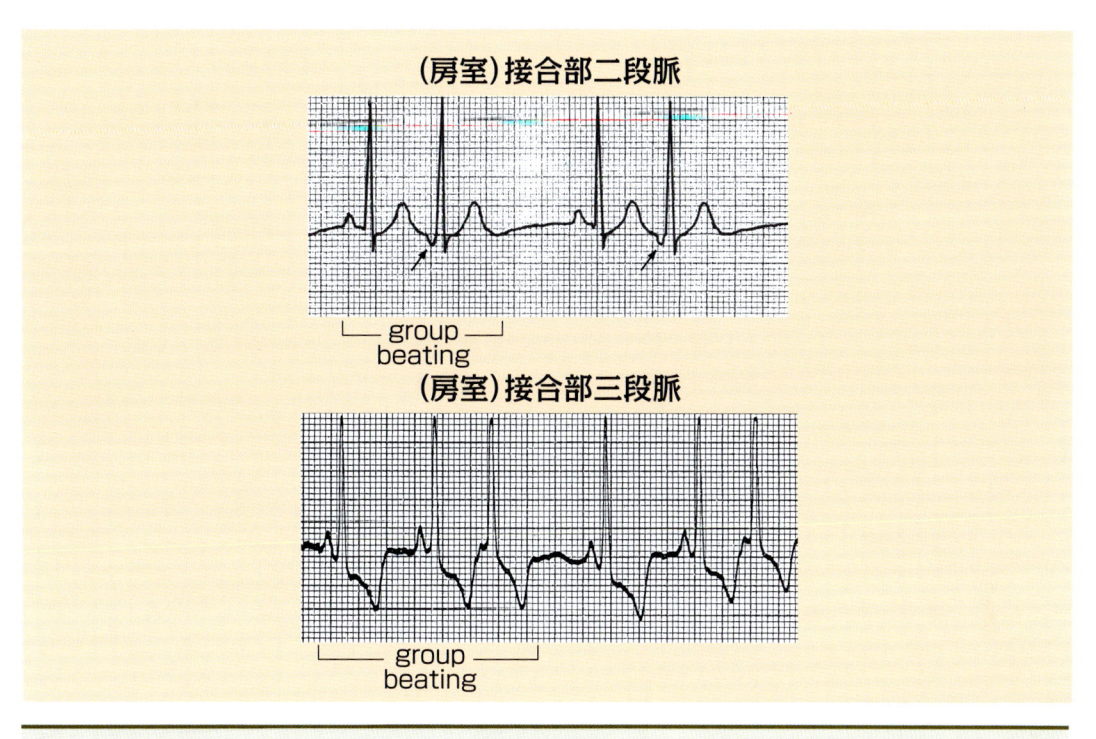

group beating

(房室）接合部三段脈

group beating

接合部期外収縮（PJB）と洞収縮が交互に出現することがあります．接合部の**二段脈**（junctional bigeminy）です．PJBの前に2つの洞収縮があれば，接合部の**三段脈**（junctional trigeminy）になります．

● 接合部で興奮性が亢進して，洞収縮と期外収縮が交互に1個ずつみられるとき接合部の_____といいます． — 二段脈

● 洞収縮2個のあとに接合部からの期外収縮が続くかたちもあります．この繰り返しを接合部の_____といいます． — 三段脈

メモ：二段脈でも三段脈でもPJBでは逆行性の陰性P'波を認めることがあります（上図の矢印）．逆行性の心房興奮は房室結節の周期にリセットを生じることもあります．長めの基線を認めますが，とくに危険はありません．

心室のフォーカスの興奮性を高めるのは：

低酸素	気道閉塞 酸素供給の低下（溺水や窒息） 酸素分圧の低い空気 肺における酸素化障害（肺塞栓や気胸など） 心拍出量の低下（循環血漿量減少性ショックや心源性ショック） 冠動脈灌流障害（狭心症や心筋梗塞）
低カリウム血症	血清中のカリウムイオンの低下
各種心疾患	僧帽弁逸脱，伸展，心筋炎 etc.

…あるいは，エピネフリン様の物質（β_1アドレナリン刺激作用のある薬剤など）

低酸素状態（低酸素血症のことを hypoxia といいます）は心室の興奮性を亢進させる傾向があります．低カリウム血症，QT延長を招く薬剤，僧帽弁逸脱症，心筋変性，あるいは心室壁の伸展（stretch）も心筋の興奮性に影響します．

● 酸素供給の低下（低酸素血症）が心室＿＿＿＿＿（automaticity）の興奮性を高めれば，心室期外収縮が発生します． 　　自動能

● 低酸素血症や虚血（心筋への血液供給減少のことです）により心室の興奮性が著しく高まれば連続して発火することもあります．心室興奮が逆行性に心房に伝われば本来のペースメーカーである＿＿＿＿＿にオーバードライブサプレッションが起きます．洞結節だけでなく，心室以外の自動能が抑えられ，心室のフォーカスがメインのペースメーカーとなります． 　　洞結節

メモ：図からおわかりのように心室自動能への酸素供給が減少するメカニズムはさまざまです．重症な心室頻拍の大半は心筋梗塞など冠動脈疾患が関係しています．上の図に心室の興奮性亢進を招く原因をリストアップしました．

心室期外収縮(PVC)

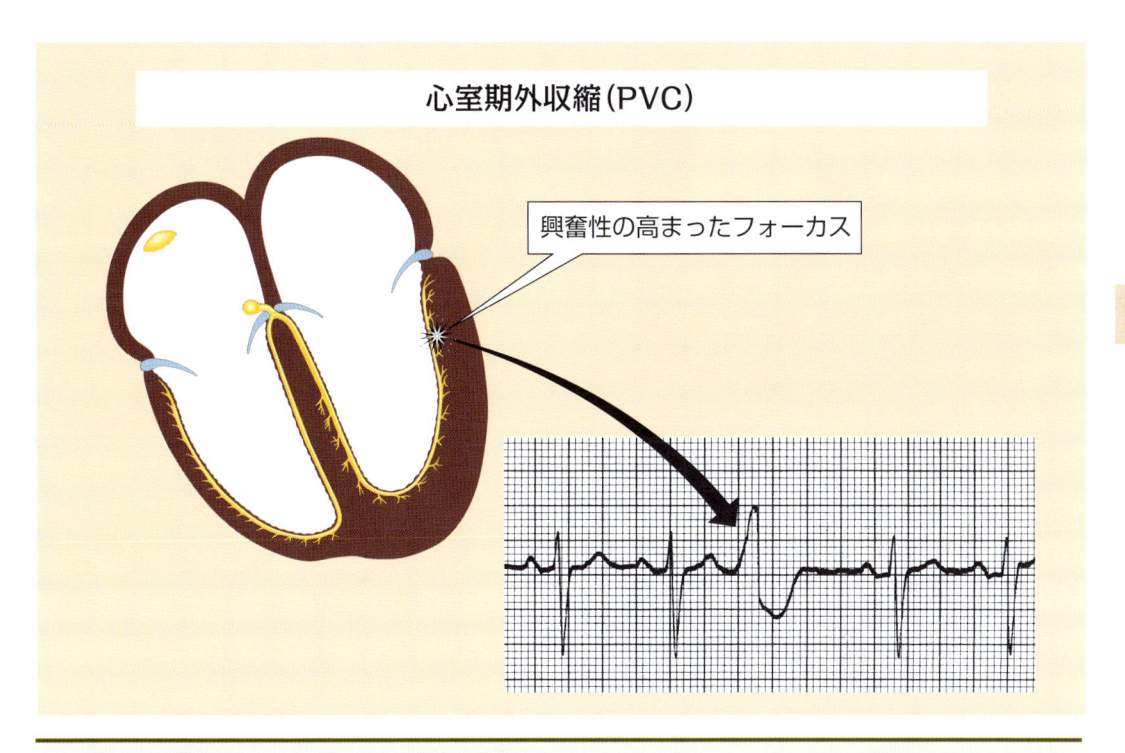

興奮性の高まったフォーカス

心室に早期興奮が生じれば**心室期外収縮**(premature ventricular contraction*：PVC)を生じます．自動能の亢進は発生機序の1つです．QRSの幅が広く，洞収縮とはかなり異なった形をしています．

●心室の興奮性が高まれば心室_____収縮(PVC)が発生します． | 期外

メモ：PVCは基本調律のタイミングより早期に現れます．PVCはQRSの幅が広く，高さや形も洞収縮とは違いますから，すぐわかります．洞収縮のQRSとは向きが反対のことも珍しくありません．洞収縮のQRSが上向きなのに，PVCのQRSが下向きというぐあいです．

●心室の興奮性が亢進する原因の1つとして動脈血の_____濃度の低下(hypoxia)があります．心室壁の伸展や虚血など他にもいろいろな原因があります． | 酸素

メモ：PVCのCは収縮(contraction)のことです．PVCは"早期の心室収縮"であり，ある程度の収縮はしていますが正常の収縮より効率は落ちます．心室の血液充満は不十分になります．

＊PVCはpremature ventricular contractionでもpremature ventricular complexでもかまいません．どっちも使います．

正常QRS　　　　　　　　　PVC

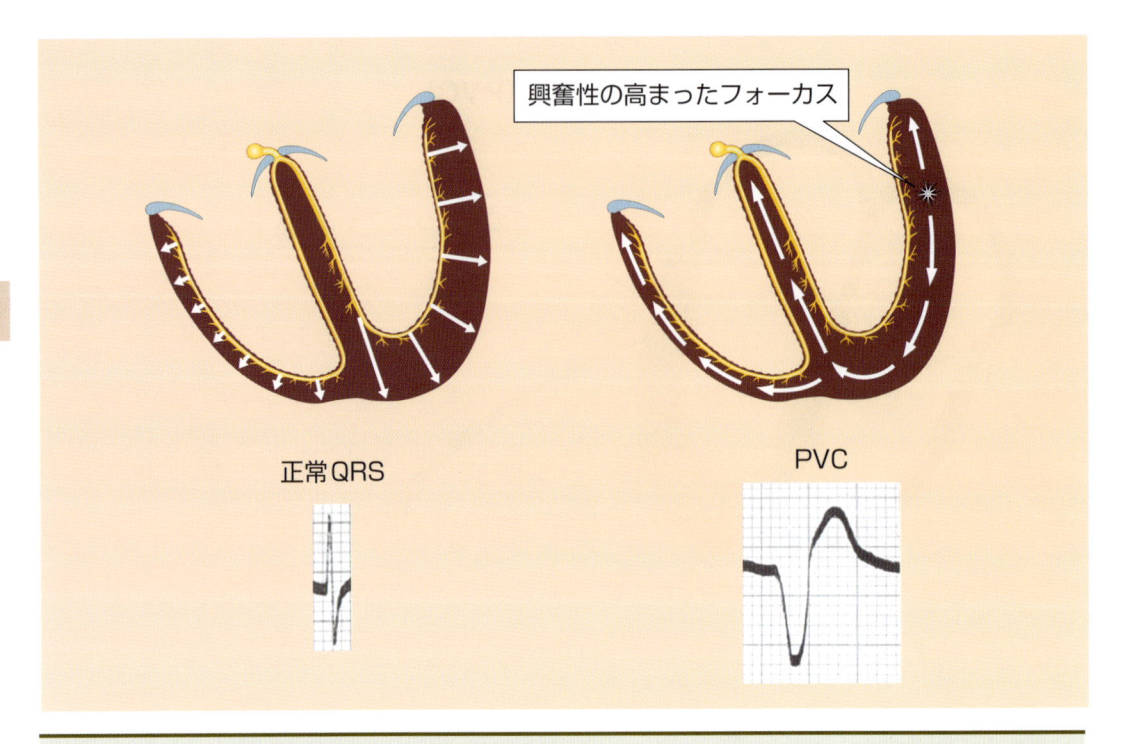

PVC のもとになる自動能はしばしば心室の刺激伝導系に存在します．例外もあるかもしれませんが，ほかの部分より早期に興奮を開始するところが PVC のフォーカスと考えてよいでしょう．

メモ：通常，洞結節からの興奮は房室結節を過ぎて，両心室の内膜側に速やかに伝導します．わずかな時間で心室全体に興奮が広がるので QRS はほっそりとしています．つまり QRS の幅は正常範囲に収まります．

メモ：PVC のフォーカスとなる心筋は残りの心室に先行して収縮します．フォーカスからの興奮は比較的低い速度で拡散していきます．興奮伝播に時間がかかることは QRS 幅の拡大に反映されています．

メモ：正常なら心室の興奮伝播は一気に完了します．単純にいえば，左室の興奮は左方向に進行し，右室側の伝導は右方向に進みますから互いにバランスが取れています．このことは電気的な打ち消しあいを引き起こし，QRS の高さを低くします．PVC のフォーカスが刺激伝導系を利用しにくい心室壁に存在すれば，伝導速度は低く，左右上下にわたる電気的な打ち消しあいも限られてきます．このため QRS の振れは洞収縮の QRS よりも大きくなりがちです．

第5章 調律，パート1

代償性休止期

PVC

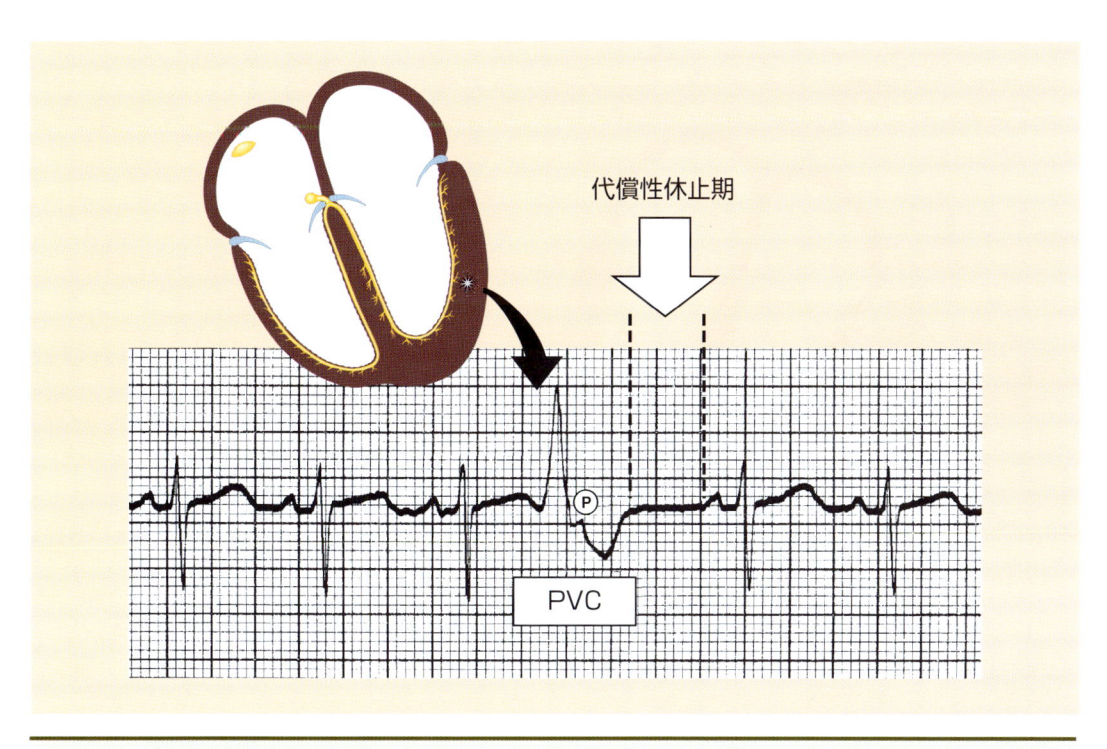

PVCのQRSは幅が広く，高さや深さも洞収縮のQRSとは異なっています．PVCがみられた後には短い心休止（pause）がみられます．この心休止は必ずしも洞結節のリセットによるものではありません．P波が出現しても，すでに心室はPVCによって脱分極していますから，心房興奮は途中でブロックされ心室に達することができません．この図のように洞調律のP波はPVCのQRSと重なって見えることもあります．

- PVCのQRSは拡大しています．PVCは心室の自動能が_____（高酸素血症か低酸素血症？）によって興奮しやすくなっているときに生じることもあります． | 低酸素血症

- 通常，PVCの興奮は_____内に留まり，洞結節の発火は影響を受けません．PP間隔から予想される位置にP波らしい振れを認めませんか． | 心室

- PVCのあと，心室の_____が完了していなければ，P波が降りてこようとしても心室の不応期にぶつかってしまいます． | 再分極

- となると，心室再分極が終わっても，そのうしろに_____（pause）を認めることになります．この時間を経て，心室はようやく次の洞収縮を受け入れる準備ができるのです． | 心休止*

メモ：間入性（interpolated）PVCとは洞収縮にサンドイッチのようにはさまれているPVCのことです．心休止はありませんし，PVC以外にベースラインの調律に乱れはありません．

＊PVCのあとの心休止を，代償性休止期（compensatory pause）とよびます．別に何かを代償しているというほどでもありませんが．

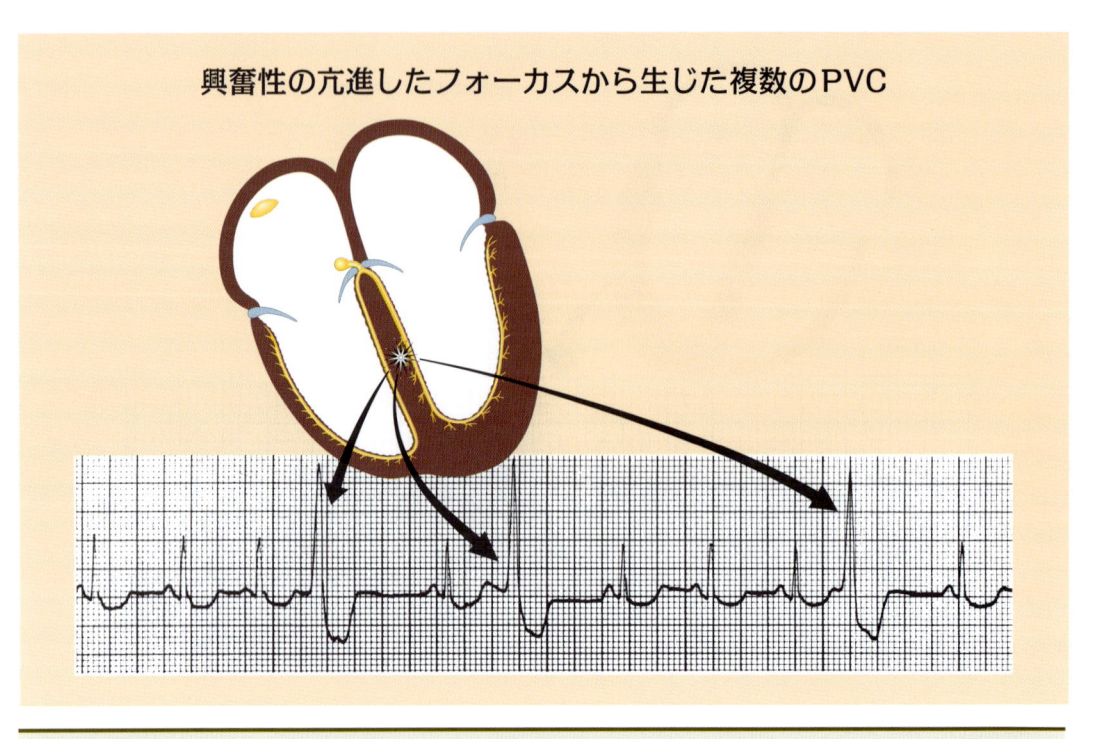

興奮性の亢進したフォーカスから生じた複数のPVC

PVCが頻発することがあります．心室の興奮性がとても高まっているのかもしれません．低酸素血症などの原因が推定できることもあれば，原因が皆目わからないこともあります．1分間に6個以上のPVCを病的とみなすことがあります．ただし，健常者でも頻発することがありますから，あくまで一つのめやすと考えてください．

- ●ときに同じ形のPVCがくりかえし現れていることに気づきます．QRSのかたちが同じということは，たぶん_____のフォーカスは共通しているのでしょう．単源性 (unifocal) PVCといいます． 　　　　心室

- ●どこかのフォーカスが低酸素血症により興奮しやすくなっているのかもしれません．ただし，PVCは健康な人にも頻発することがあり，必ずしも病的な背景を伴うわけではありません．とりあえず，1分間に_____個くらいのPVCがあれば病気の可能性を考慮して，なにか原因がないか検討しましょう． 　　　　6

> **メモ**：冠動脈の血流が維持されていても酸素濃度が不十分なことはあります（たとえば溺水，気胸，肺塞栓，あるいは気管閉塞のときです）．PVCの増加から心筋の被刺激性亢進が示唆されるときは，なんらかの手を打つ必要があります．低カリウム血症やある種の薬剤もPVCを増やします．またエピネフリンのようにアドレナリン作動性の刺激もPVCの出現を促します．

心室の二段脈

心室の三段脈

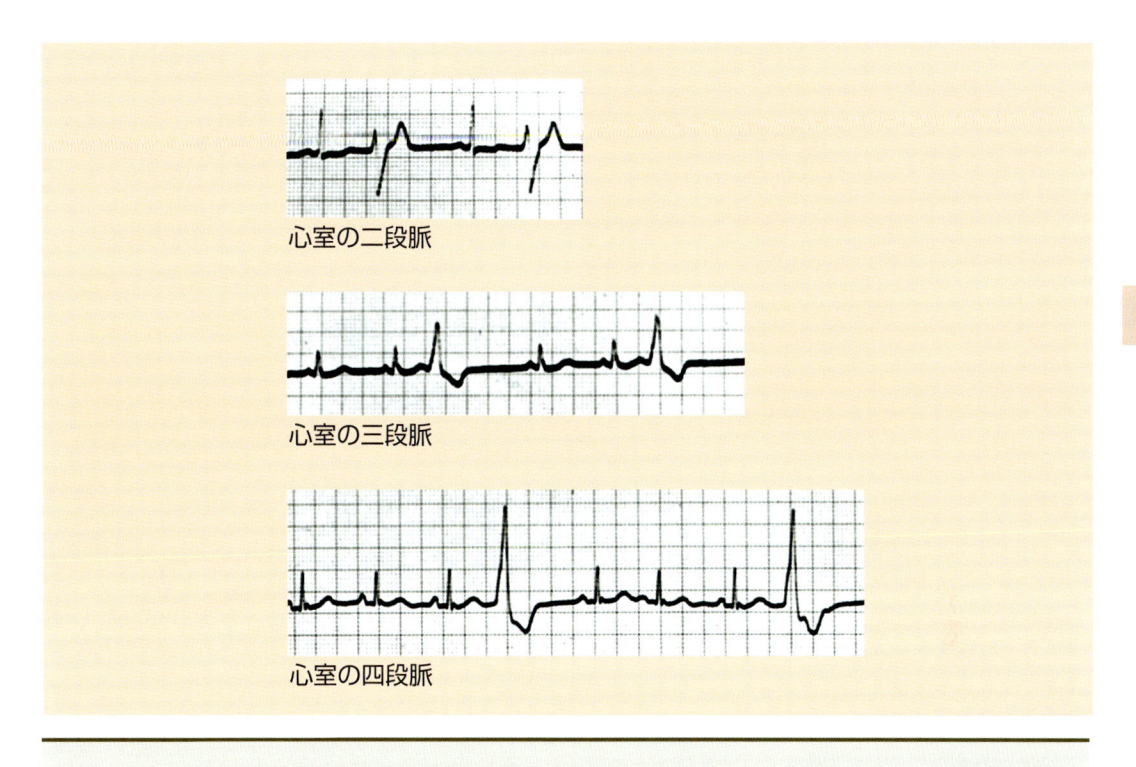

心室の四段脈

PVCと洞収縮が1個ずつ交互に現れるとき心室の**二段脈**といいます．2つの洞収縮と1個のPVCが反復して認められれば心室の**三段脈**です．

メモ：それほど客観的な根拠はありませんが，便宜的に6個/分のPVCは病的と考えます．図に示したような group beating がみられるときは，この基準を軽く越えてしまいます．低酸素血症など，何らかの誘因がないか探ってみましょう．ほとんどは大丈夫ですが．

● PVCが1個の洞収縮をはさんで反復して出現するなら，心室の_____とよばれます． | 二段脈

● PVCとPVCのあいだに2個の洞収縮をはさむパターンが何回も出現すれば，心室の_____といいます． | 三段脈

メモ：ときにはPVCが心筋の低酸素状態を教えてくれることもあります．なにか処置が必要です．

心室の副収縮

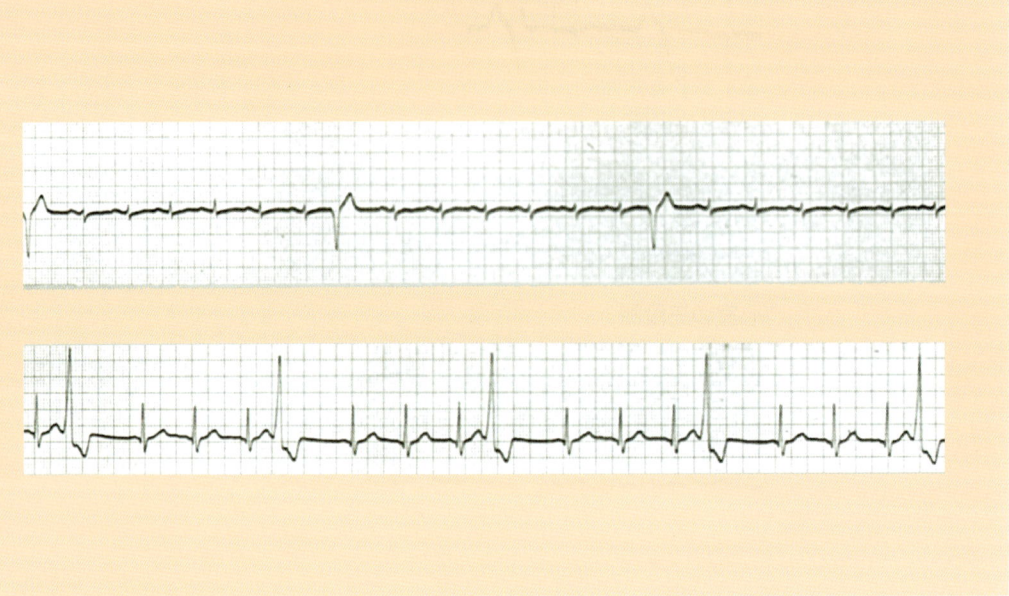

心室副収縮は心室の自動能によるPVCですが，それほど興奮性は高くありません．進入ブロックを伴い，外部の興奮はそのフォーカスに入り込めません．副収縮のフォーカスはオーバードライブサプレッションを受けず，固有のレートを維持します．洞収縮の合間にちょこちょこ顔を出します．

> **メモ**：進入ブロックを有する心室のフォーカスにより副収縮が生じます．副収縮の進入ブロックは，いい換えればオーバードライブサプレッションがなく，独自の興奮レートを維持しているということです．

> **メモ**：副収縮性の心室フォーカスは進入ブロックを伴い，周囲の刺激は入り込めません．オーバードライブサプレッションがなければ，それぞれのフォーカスがもっている発火周期は維持されます．このことは洞調律と心室フォーカスの調律が共存していることを意味します．

● PVCとPVCのあいだに一定の数の洞収縮が存在しているとき，心室の_____の可能性があります．　　　　　　　　　　　　　　　　　　　　　　　　　副収縮

> **メモ**：PVC同士の間隔と洞収縮の間隔がお互い別個であり独立した調律（2つの異なるペースメーカーによるものです）なら，洞収縮のQRSと幅の広いQRSとの間隔は固定しないはずです．また，PVCがでるタイミングが洞収縮による心室の不応期に重なればECGには現れません．

> [訳者注]：厳密な意味での副収縮なら連結期（ここでは洞収縮とPVCとのインターバルのことです）は変動するのが自然です．ですから，上の図は古典的な概念では副収縮とはいえません．しかし，外部からのリセットを受けない副収縮であっても別なメカニズムで若干は周期が変動することが明らかとなってきました．そのため連結期が固定して見える副収縮性PVCもあることがわかってきました．

興奮性がいちじるしく高まると連続したPVCも生じます

単発のPVC

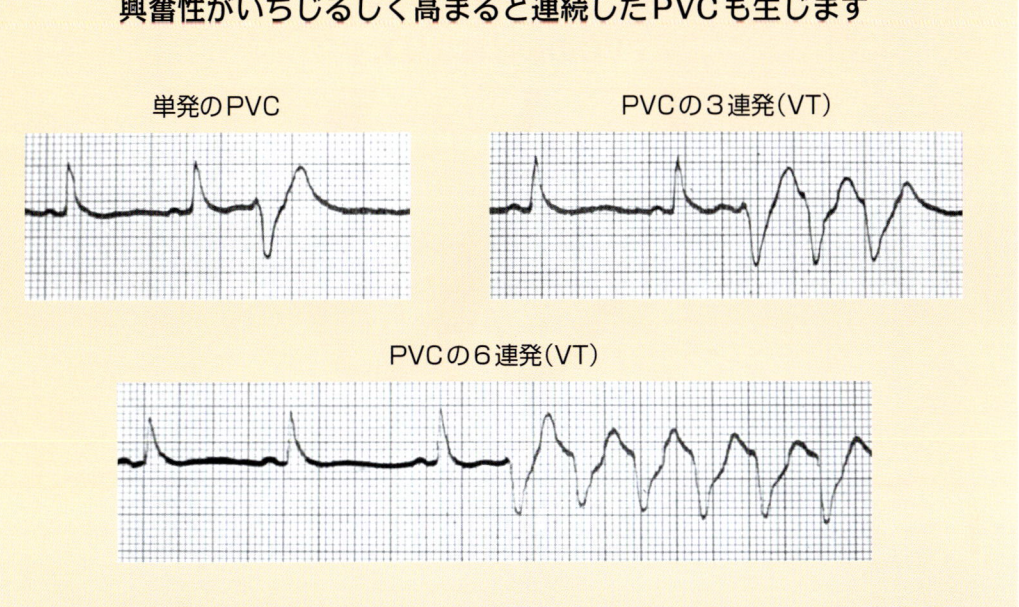

PVCの3連発(VT)

PVCの6連発(VT)

心室の興奮性亢進は単発のPVCを発生することもあれば，連続したPVC（a run of PVCs）を出現させることもあります．後者は高度の低酸素などを背景によほど被刺激性が高まっているのかもしれません．

- 心室のフォーカスは1回だけ発火することもあれば，連続して発火することもあります．低酸素などが原因となって，かなり_____（"高い"あるいは"低い"のどちら？）レートで発火することがあります． 　　高い

- とくに急性心筋梗塞のときにいえることですが，_____性の亢進によるPVCの連発はPVC単発よりも病的意義が高くなります． 　　興奮

メモ：PVCが3個以上続けば**心室頻拍**（ventricular tachycardia：VT）といいます．もし30秒以上続けば持続性VT（sustained VT）といいます．

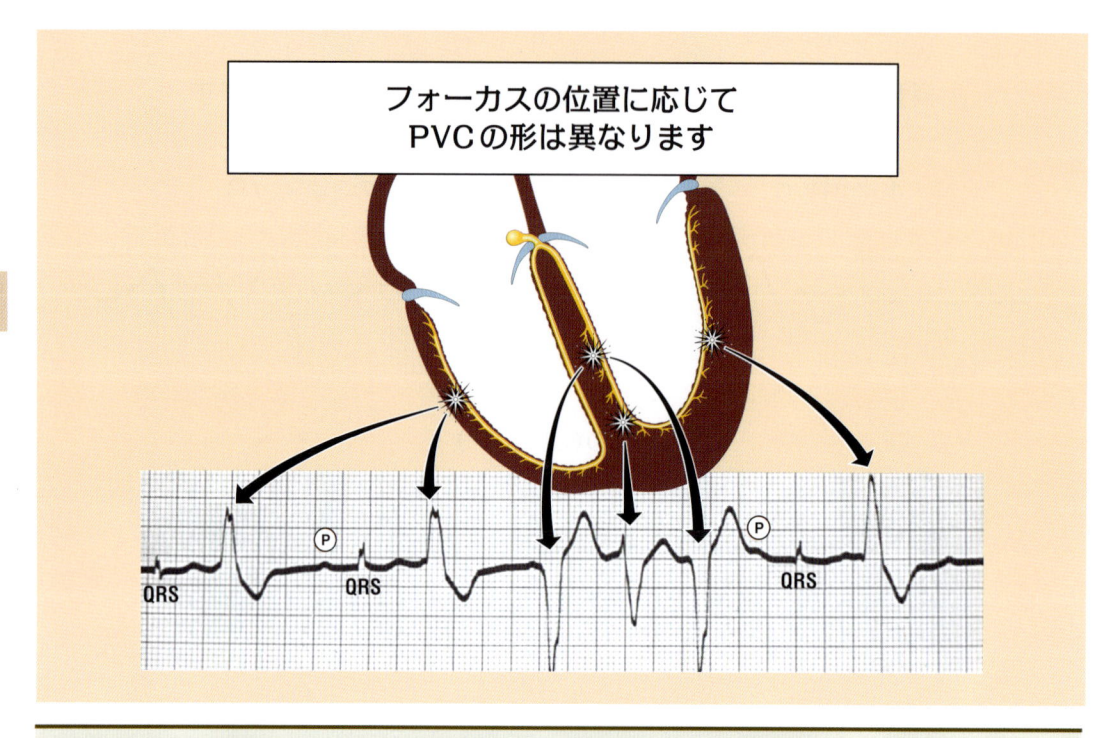

フォーカスの位置に応じて PVC の形は異なります

はなはだしい低酸素状態などが原因となって**多源性**（multifocal）PVC がみられることがあります．心室の複数のフォーカスで興奮が高まっている可能性があります．それぞれのフォーカスごとに形の異なる QRS が出現します．例外はあるかもしれませんが，1つのフォーカスから生じた PVC の形はほぼ同じと考えてよいでしょう．健常者でも多源性 PVC は稀ではありませんが，病的意義は低くなります．

● 同じフォーカスから発生した PVC なら ECG 上の形は＿＿＿＿（"同じです"か"異なります"のどちら？）．

同じです

メモ：重篤な低酸素状態は多源性 PVC 頻発を招くことがあります．緊急事態かもしれません．フォーカスは1つでも急に高いレートの発火が続けば危険な頻拍（たとえば心室頻拍ですが）が生じます．多源性の PVC がたくさん認められたら，複数のフォーカスが存在しているはずです．ときに対処を急ぎます．たとえば急性心筋梗塞の患者さんでは，多源性 PVC 頻発は危険な不整脈，致死的な不整脈（たとえば心室細動）の出現を警告しています．

僧帽弁逸脱症

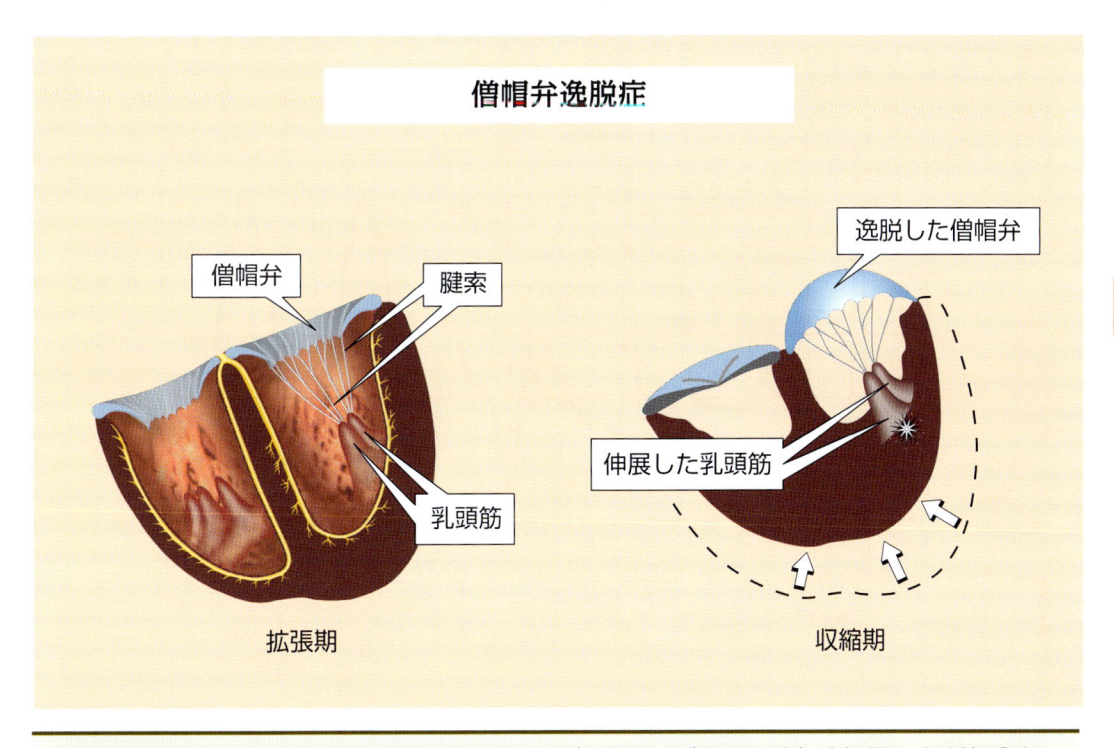

拡張期 / 収縮期

逸脱した僧帽弁
伸展した乳頭筋
僧帽弁
腱索
乳頭筋

僧帽弁逸脱症（mitral valve prolapse：MVP）があればPVCが多くなることが知られています．VTや多源性PVCもみられますが，大したリスクにはなりません．僧帽弁逸脱症では僧帽弁が脆弱（floppy）になり，心室が収縮するとき左房に入り込んでしまいます．

メモ：僧帽弁逸脱症は1968年にJ.B. Barlow博士が報告しました．MVPはBarlow症候群といういい方もありますが，本邦では使われません．頻度として女性では6〜17%，男性では1.5%という数字がありますが，定義によってこの値は異なります．女性のMVPは胸郭変形のある痩せ型に多いようです．ときにめまいや不安を訴えることもありますが，血行動態的に問題となることは稀です．自覚症状があるにしても20歳を過ぎてからが一般的です．

●心室収縮時に僧帽弁の一部が左房側にめくれ込んで腱索を引っ張ることがあります．腱索とは左室にある乳頭筋という組織に僧帽弁をつなぎとめている紐のようなものです．著者自身の推測ですが，乳頭筋を強く引っぱることで局所的なストレッチや虚血が心室の_____を刺激しているのかもしれません．

自動能

メモ：MVPの患者さんでは減衰性雑音を伴う収縮中期クリック（mid-systolic click）が特徴的です．

もしPVCがT波の真上に生じると

受攻期 ↓　　**PVC** ↓

注意深い観察が必要です

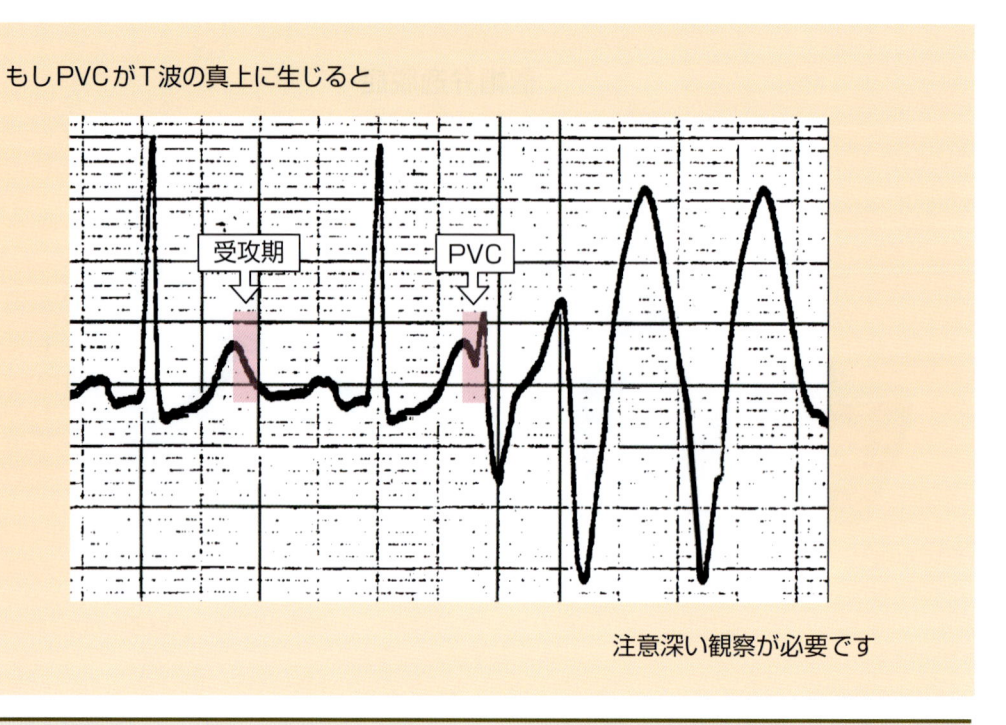

PVCがT波の上に重なるとき（"R on T"），ちょうど受攻期にあたりますから重症な不整脈を生じやすくなります．ことに低酸素血症や低カリウム血症があるときは危険です．この図ではPVCが2拍目のT波に重なっています．ちょうど受攻期にぶつかりました．そのあと何が起きていますか？

　PVCとは予定より早く出現する収縮ですが，多くの場合は先行する洞収縮（必ずしも洞収縮でなくても構いませんが）のT波の終末かそれ以降に出現します．

●PVCがT波の頂上かその近くに生じれば，心室の受攻期に重なります．局所の_____（冠動脈狭窄に伴う虚血が原因となります）あるいは低カリウム血症があるとき，このような現象が起こりやすくなります．

低酸素

> **メモ**：プルキンエ線維の再分極は（受攻期についても同じことがいえますが）T波の終末よりも後ろで完了します．ですからT波が終わってから生じたPVCであっても，心室の受攻期は残っている可能性があります．虚血があればプルキンエ線維の再分極はなおさら遷延するかもしれません．

> **メモ**：R on Tは重症不整脈の予兆ですが，しばしばイベントが起きるまで気づかないこともあります．注意していれば何か手を打てるのですが．

第 5 章　調律，パート 1　145

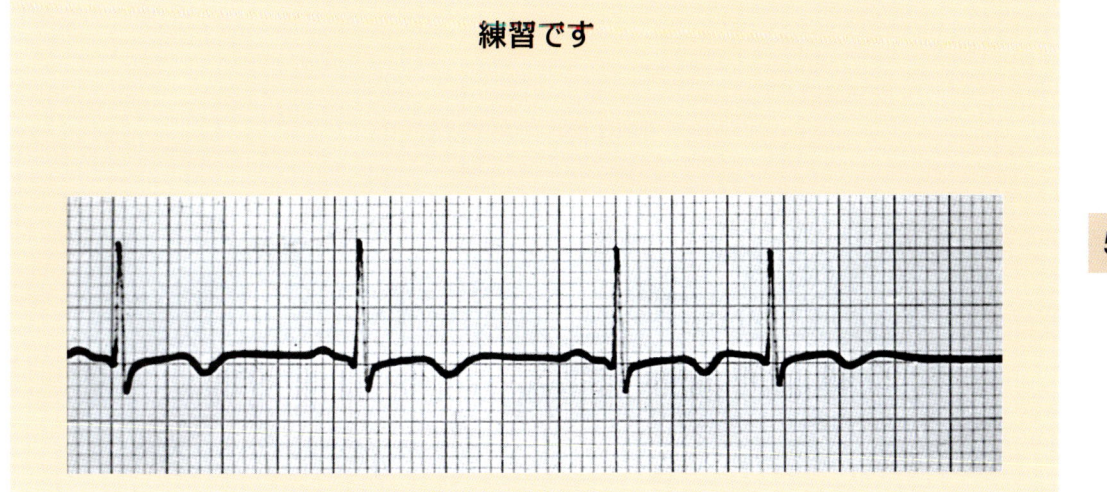

練習です

CCU のナースはモニター心電図の期外収縮を目ざとく見つけました．どこから発生した期外収縮だかわかりますか．

● 一番最後の QRS はベースラインの周期より早期に出現していることと，＿＿＿＿＿＿＿波が先行していないことが特徴です．	P
● 最後の QRS は先行する洞調律の QRS と同じ形をしています．このことは心室への伝導が正常の刺激伝導系を経由していることを意味します．つまり，この期外収縮が＿＿＿＿＿＿＿から発生しているものでは<u>ない</u>ことがわかります．	心室
● ECG をよく見ても最後の QRS の前に P′波はみつかりません．ということは心房からの期外収縮らしくありません．すなわち，この QRS のフォーカスは房室＿＿＿＿＿＿＿に存在する可能性が高くなります．	接合部

メモ：ピンとこなかったら前のページをおさらいしてください．あるいは p.335 のまとめもご覧ください．それがすんだら，もう一度このページから始めましょう．

頻拍

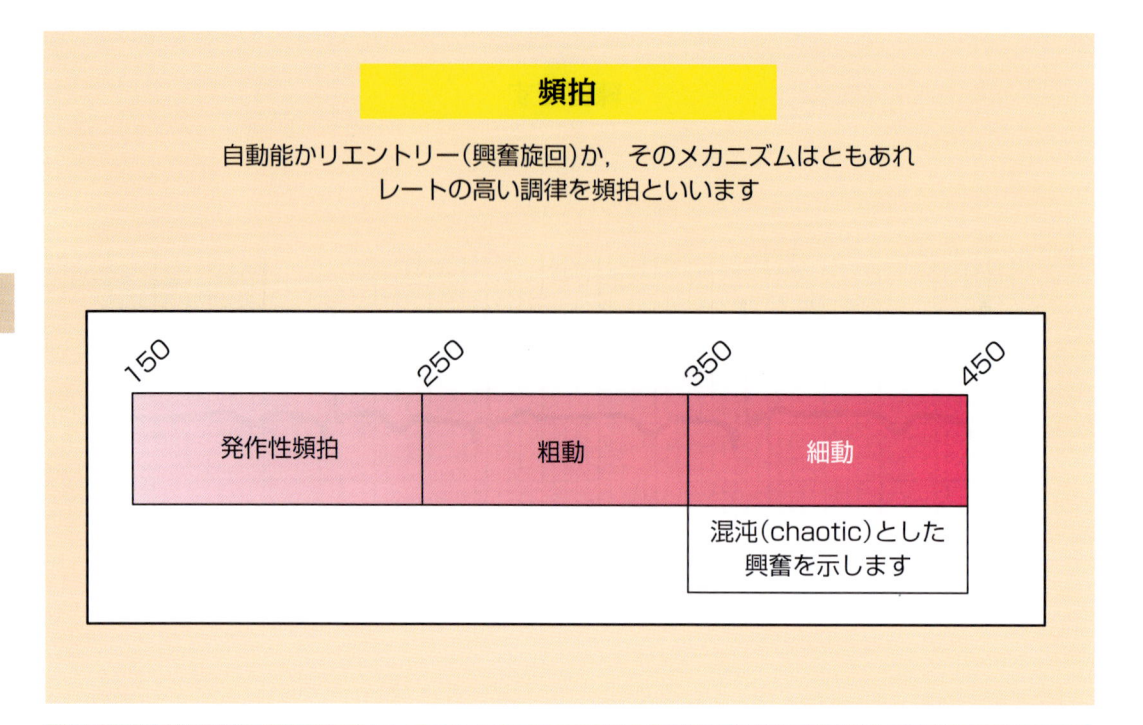

自動能かリエントリー（興奮旋回）か，そのメカニズムはともあれ
レートの高い調律を頻拍といいます

150	250	350	450
発作性頻拍	粗動	細動	

細動: 混沌(chaotic)とした興奮を示します

興奮性が高まったフォーカスが続けざまに興奮を発生させれば，"頻拍(tachy-arrhythmia，正式な綴りではハイフンは不要)"が生じます．自動能以外のメカニズムもあります．時には複数のフォーカスが存在している可能性もあります．

メモ：頻拍はtachy-arrhythmia (rapid arrhythmia) といいます．わざわざハイフンを入れたのは語源をよくわかって欲しいからです．これからあとはハイフンなしでいきます．

● 頻拍のレートにはそれなりのゾーンがあります．だいたいのめやすです．

発作性頻拍……＿＿＿＿から＿＿＿＿／分　　　　　　150から250
粗動……………＿＿＿＿から＿＿＿＿／分　　　　　　250から350
細動……………＿＿＿＿から＿＿＿＿／分　　　　　　350から450

メモ：レートがどうかだけで頻拍の診断はできますが，どのタイプの頻拍かは発生部位やメカニズムを推測する必要があります．つまり興奮性が心房，接合部，あるいは心室のうちどこで高まっているのか判断しなければなりません．皆さんはすでに正常な刺激伝導系について基本を理解＊していますから，被刺激性の高まった自動能がどういう動きをとるか，あるいはECGにどういう特徴があるかどんどん学んでいきましょう．

＊余談ですがカール・セーガンの言葉に"理解することはひとつのエクスタシーである"というのがあります（サイエンスアドベンチャーより）．

発作性頻拍

自動能の著しい高まりやリエントリーなどがメカニズムとなります：

- 発作性心房頻拍
- 発作性接合部頻拍
- 発作性心室頻拍

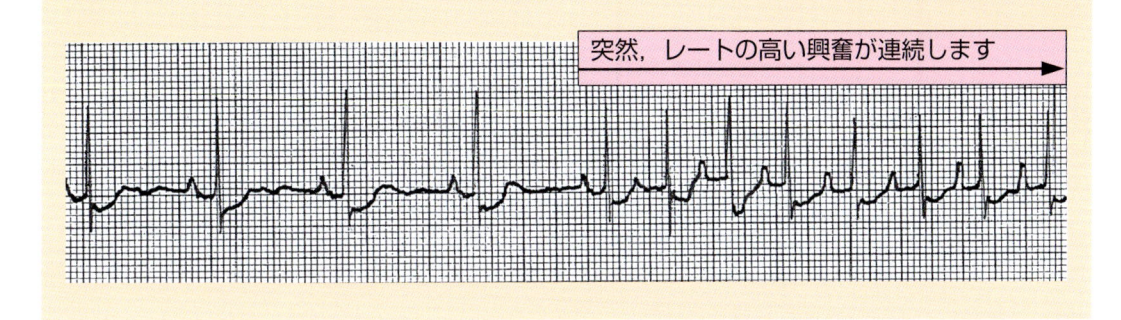

突然，レートの高い興奮が連続します →

発作性頻拍（paroxysmal=sudden, tachycardia=rapid heart rate）は高頻度の収縮のことです．レートは150〜250/分ですが，そのメカニズムの1つは著しく興奮性の高まった自動能です．発作性頻拍に遭遇したら，そのフォーカスが心房，接合部，もしくは心室のうちのどこかを見極める必要があります．リエントリーなど他のメカニズムのこともあります．

● 心拍数が高いことを医学用語として＿＿＿＿＿＿（tachycardia）といいます． | 頻拍

● 発作性 paroxysmal とは＿＿＿＿＿＿（sudden を日本語で）ということです． | 突然，あるいは急に

メモ：とても興奮性の高まったフォーカスがあれば急に発作性頻拍が生じるかもしれません．一般論ですが，エピネフリンのような刺激作用のある物質は解剖学的に高い位置にあるフォーカスの興奮性を高めますが，低酸素血症（あるいは低カリウム血症）は心室の興奮性を上昇させます．もちろん，こんなふうにすっきり決まっているわけではなく，そういう傾向があるというぐらいにご理解ください．さらに，期外収縮が興奮旋回路に入り込んでリエントリー性の発作性頻拍を誘発することもあります．

● 洞結節のレートが運動や情動に応じて徐々に高まっていくものを洞頻脈といいます．洞結節のレートはかなりのところまで上昇できますが，急に上昇したり，病的な自動能によるものではありません．つまり，定義の上からも洞頻脈は＿＿＿＿＿＿頻拍ではありません． | 発作性

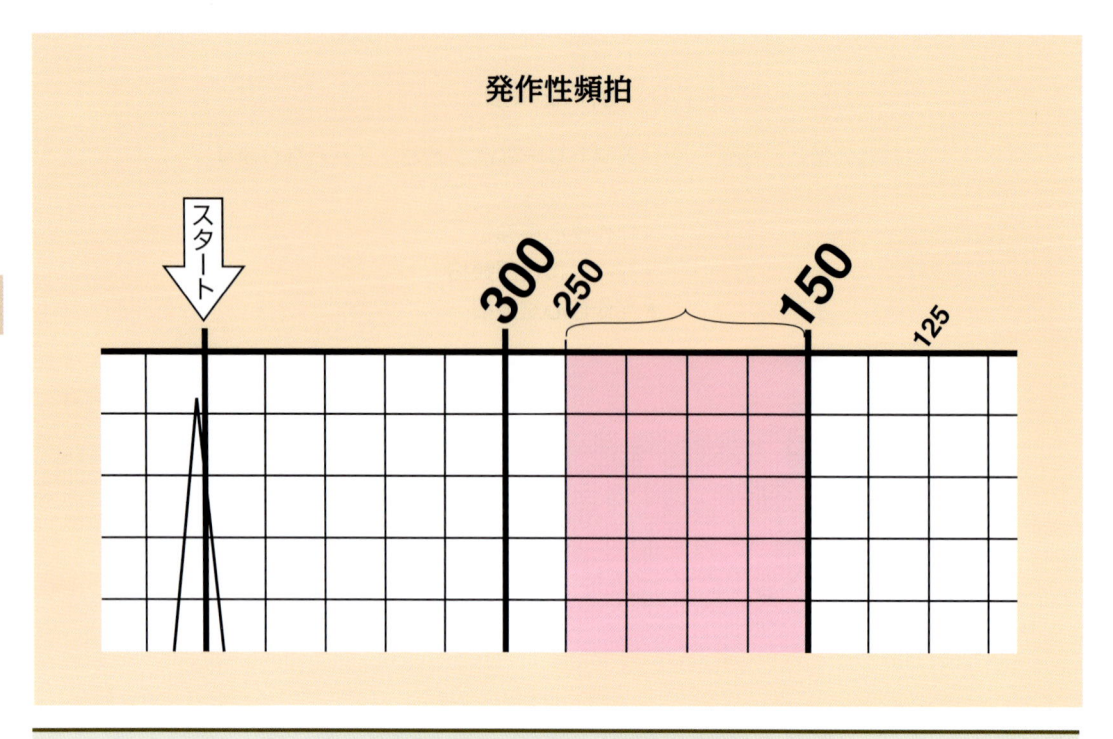

発作性頻拍

発作性頻拍のレートは 150*〜 250/ 分の範囲にあります．ですから診断はそれほど難しくはありません．さらに，心房，接合部，あるいは心室のどこから生じたかわかれば診断がほぼ確定します．

● レートを知るには，太い線と重なるR波を探します．そこをスタートにして，つぎの太い線から順に"300，150，_____"となります． | 100

● "300"に対応する太線のすぐ右となりの細い線は"250"にあたります．つまり，発作性_____ではR波が起点となる太線上にあれば（図を見て下さい），次のR波はピンク色のゾーンに認められるはずです．レートの範囲は厳密なルールではなく大体のめやすと考えてください． | 頻拍

● レートが_____から 250/ 分であれば，とりあえず発作性頻拍と考えます．次に，その頻拍がどの部位から発生しているのかを推測します．別に難しくはありません． | 150

*頻拍は 100/ 分以上のものと定義されることが一般的です．よくみられる発作性頻拍は 150/ 分以上が多いと理解してください．人によっては 125/ 分以上というかもしれません．細かい数値にこだわらないでください．

発作性心房頻拍

150〜250/分

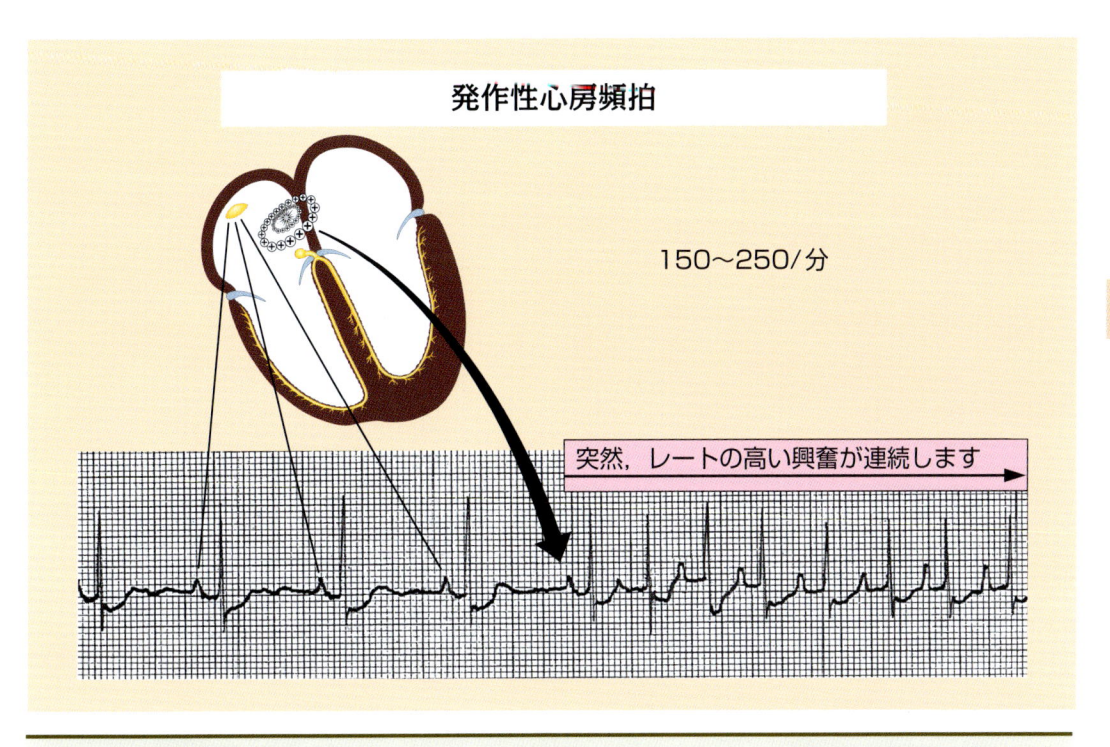

突然，レートの高い興奮が連続します

発作性心房頻拍（paroxysmal atrial tachycardia：PAT）は心房の興奮性が著しく高まったときに突然開始します*．その始まりをリアルタイムで目撃することは稀ですが，心電図でどんな姿をしているか慣れていたほうがいいでしょう．

● 発作性心房頻拍は_____の自動能が亢進して，高いレートの興奮が続きます．レートの範囲は150から250/分です．洞結節も含め，周囲の自動能はすべてオーバードライブサプレッションによって抑えつけられます． 　　心房

● この頻脈性不整脈は被刺激性の高い心房のフォーカスを起源としています．PATの心房興奮にあたる_____波は洞性P波とは形が異なっています． 　　P´

● 発火頻度の高いピリピリした心房のフォーカスから生まれる脱分極は_____を興奮させ，心室内の刺激伝導系を通って心室筋に到着します．このためにQRSやT波は基本調律のものと同じなのです． 　　心房

メモ：PATの途中によそから早期興奮が入ってくれば，リセットが生じます．

＊p.123をちょっとのぞいてください．

PAT with block

- 高い心房レート
- 2：1，3：1あるいはそれ以下の房室伝導比

ジギタリス中毒が示唆されます

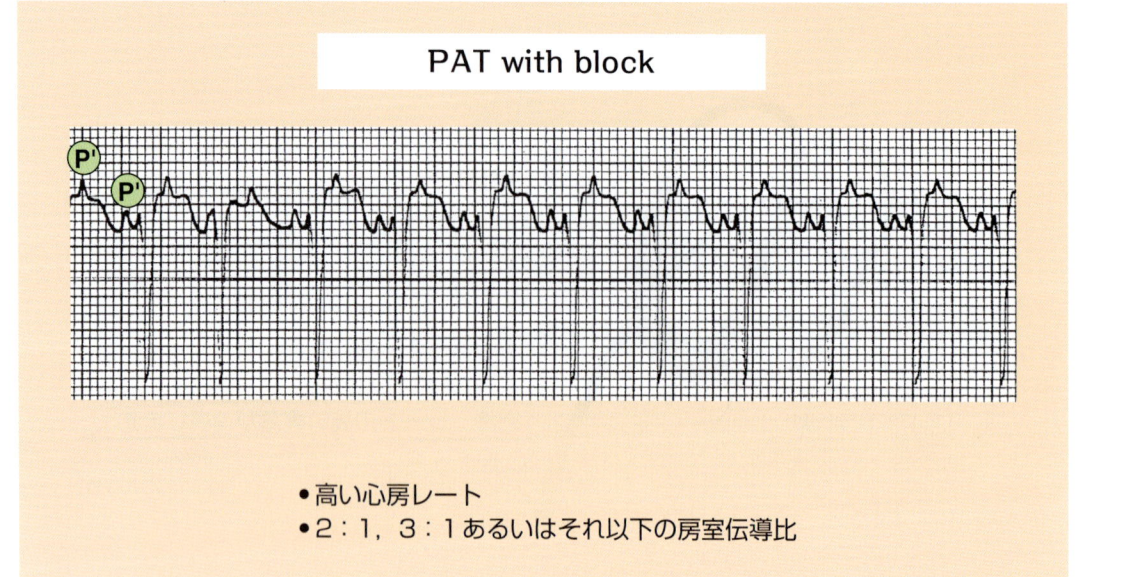

房室ブロックを伴う発作性心房頻拍（paroxysmal atrial tachycardia with AV block）はP′波の数がQRSの数を上回っています．ジギタリス中毒を疑わせる所見です．ジギタリスは心房の被刺激性を高めます．

> **メモ**：ジギタリスの過剰投与は心房の興奮性を高め，持続的な発火を招きかねません．ジギタリスはまた，房室伝導を抑制しますから，心房興奮のうち半分だけが心室に降りてきています．残る半分は房室結節の途中でブロックされてしまったのです．

- PAT with block* では房室ブロックの程度はさまざまです．たとえば，＿＿＿＿ブロックにより心房興奮のうち2つに1つだけ心室に伝わるなら，2個のP′波に対し1つのQRSを認めます． ： 房室

- PAT with block は＿＿＿＿中毒に特徴的な所見として有名です．とくに低カリウム血症があれば，そのリスクは高まります．経静脈的なカリウム補給も考慮されます．ジギタリスに対する抗体も特異的治療として開発されましたが，いまのところ日本では未発売です． ： ジギタリス

*AVブロックといわなくても，ブロックというだけで房室ブロックを意味することがあります．

発作性接合部頻拍

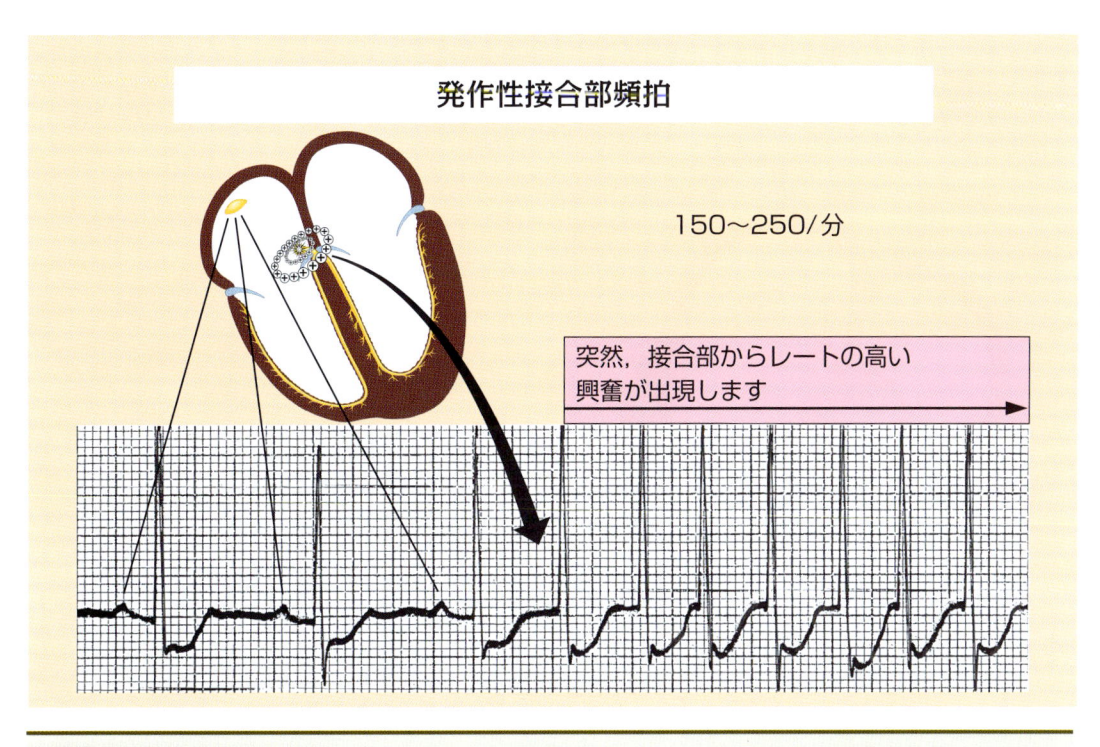

150～250/分

突然，接合部からレートの高い興奮が出現します

発作性接合部頻拍 (paroxysmal junctional tachycardia：PJT) は房室接合部の興奮性が著しく高まったときに出現します．自動能以外のメカニズムもありますが，何らかの外部からの刺激や期外収縮により誘発されることもあります．

● 房室接合部の被刺激性上昇は発作性接合部頻拍が発生するメカニズムの１つです*．レートはだいたい＿＿＿＿から250/分です．

150

メモ：接合部の速い発火は心房に達しないこともありますが，ときに逆行性に心房を興奮させます．もし心房に到達すれば：
- QRSの前にP′波を認めるか，
- QRSの後ろにP′波を認めるか，あるいは
- QRSとP′波が重なって見極めにくくなることがあります (p.132を見て下さい)．

メモ：接合部の発火レートが高いとき，左脚は再分極を終えているのに，右脚の再分極が不十分ということがあります（左脚は不応期を脱しているのに，右脚の不応期だけ残っています）．その結果，左脚のみが脱分極して右脚の伝導は遅延あるいは途絶しますから，いわゆる変行伝導が生じます．変行伝導はQRS幅の拡大を招きます．ときには左脚に不応期が残っていれば左脚ブロック型になりますが，これも変行伝導です．

＊p.123をご覧ください．しつこいですが，これが最後です．

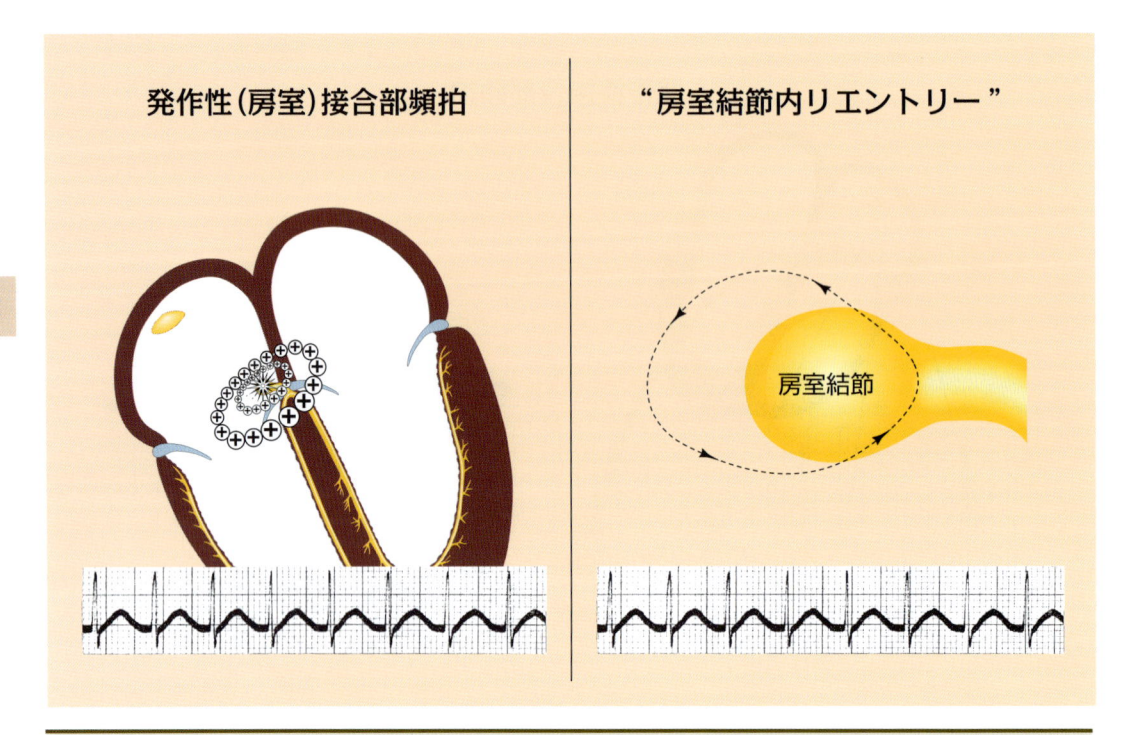

発作性(房室)接合部頻拍　　　　"房室結節内リエントリー"

接合部頻拍の1つに房室結節リエントリー性頻拍(AV nodal reentrant tachycardia：AVNRT)とよばれるものがあります．この興奮旋回(リエントリーのことです)路は主に房室結節にあり，興奮はくるくる回転しつつ心房と心室に興奮を送り続けます．

メモ：興奮は房室接合部の旋回路をまわり続けながら，心房と心室へ脱分極の波を送ります．これが回転性リエントリー(circus reentry)です．みかけは自動能によるPJTと同じです．

メモ：AVNRTでは冠静脈洞開口部から前に向かう領域で最初の電位を記録します．このあたりがリエントリー回路に近接しているからです．リエントリー回路は房室結節の内部とその近傍を含みますが，カテーテル・アブレーションはある特定の部位を高周波で焼灼して頻拍を根治します．自動能によるPJTも1点を焼灼して消失させられるので，カテーテル・アブレーションの効果からはメカニズムを断定するには限界があります．

発作性上室頻拍

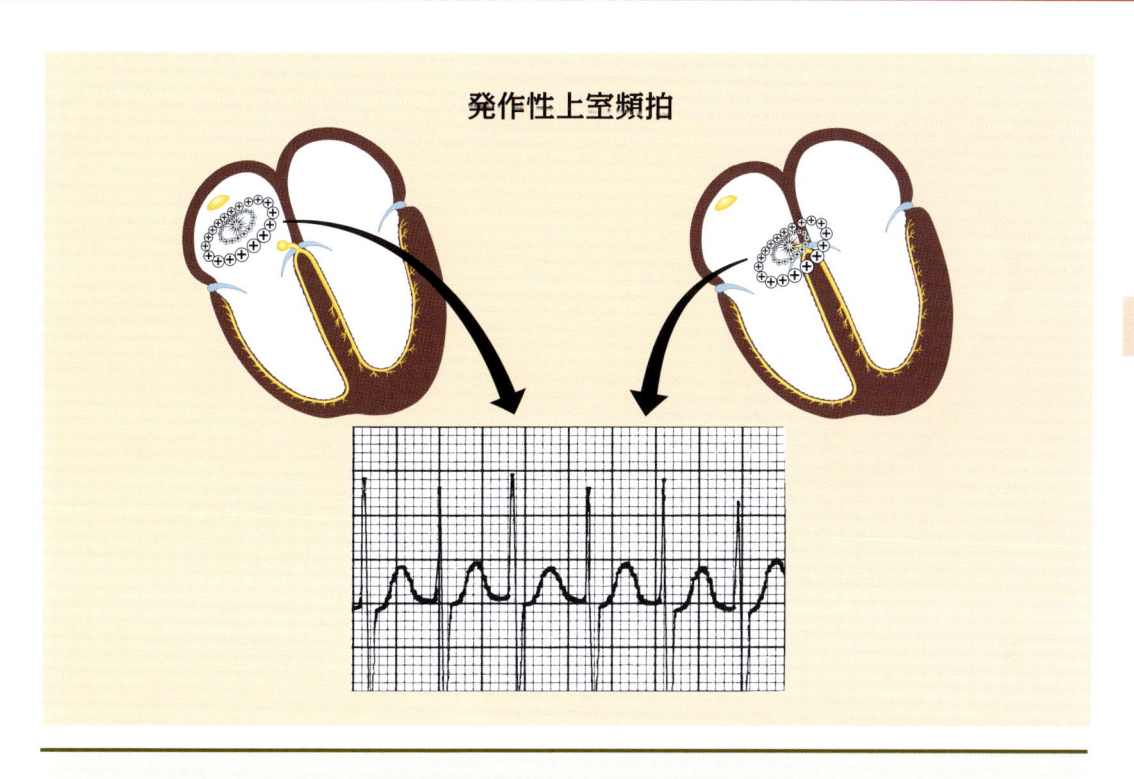

自動能の亢進*は発作性心房頻拍あるいは発作性接合部頻拍の発生機序の1つです．どちらも心室よりも上位に生じた頻拍ですから，広義の**発作性上室頻拍**に含まれます．

● 発作性上室頻拍はいろいろなタイプの不整脈をまとめたもので，PATや＿＿＿＿＿＿（発作性接合部頻拍を略語で）も含まれます．

PJT

● 心房のフォーカスも接合部のフォーカスも＿＿＿＿＿＿より上にありますから，"上室"という表現が使われます．

心室

メモ：発作性心房頻拍のP'波が先行するT波に重なって見えにくいことがあります．こうなるとPATとPJTの区別はよけい難しくなります．それでも，どっちの治療も似たようなものですからまとめて上室頻拍（supraventricular tachycardia：SVT）といってすますこともできます．SVTのQRS幅が拡大すれば，心室頻拍と似てきます（次ページを見て下さい）．

＊心房でも接合部でもアドレナリン様刺激は興奮性を高めます．リエントリーによるものなら期外収縮によって誘発されます．

発作性心室頻拍

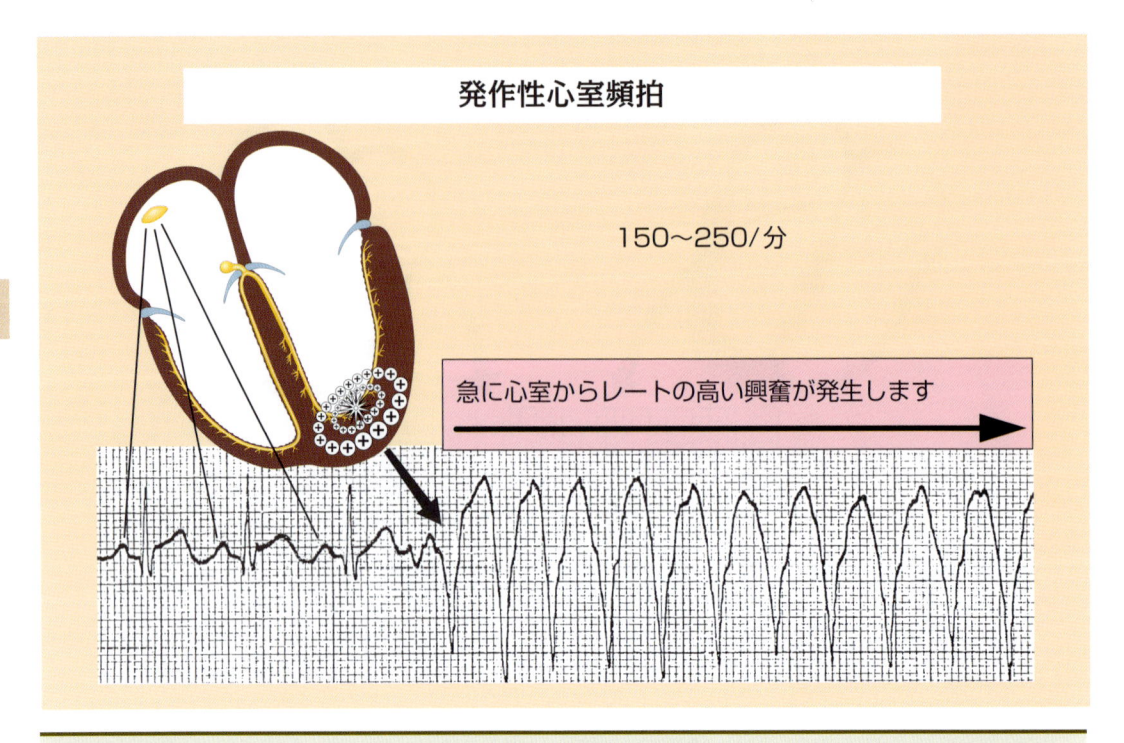

150～250/分

急に心室からレートの高い興奮が発生します

発作性心室頻拍(paroxysmal ventricular tachycardia：PVTあるいはVT*)は心室のフォーカスが150から250/分あたりで興奮を発生することです．PVCと同じく幅の広いQRSですが，連続して出現します．p.134をもう一度見て下さい．

● 心室頻拍は_____の亢進した心室のフォーカスから発生します．リエントリーによっても心室頻拍は生じます．レートは150から250/分あたりが多いですが，これより低いレートも高いレートもありえます．
　　興奮性 irritability**

● 心室頻拍のQRSは_____のQRSと同じですが，連続して出現する点が異なっています．
　　PVC

> **メモ**：心室頻拍が生じているときにも洞結節の発火は続いています．しかし，幅の広いQRSやST部分と重なるので，P波があったとしても見えにくくなります．P波とQRSはそれぞれ独自の周期をもって出現します．心房と心室の興奮が互いに独立しているとき"房室解離"といいます．

＊しばしば発作性という文字は省略され，心室頻拍かVTですませます．
＊＊被刺激性といってもよいでしょう．

第5章 調律，パート1　155

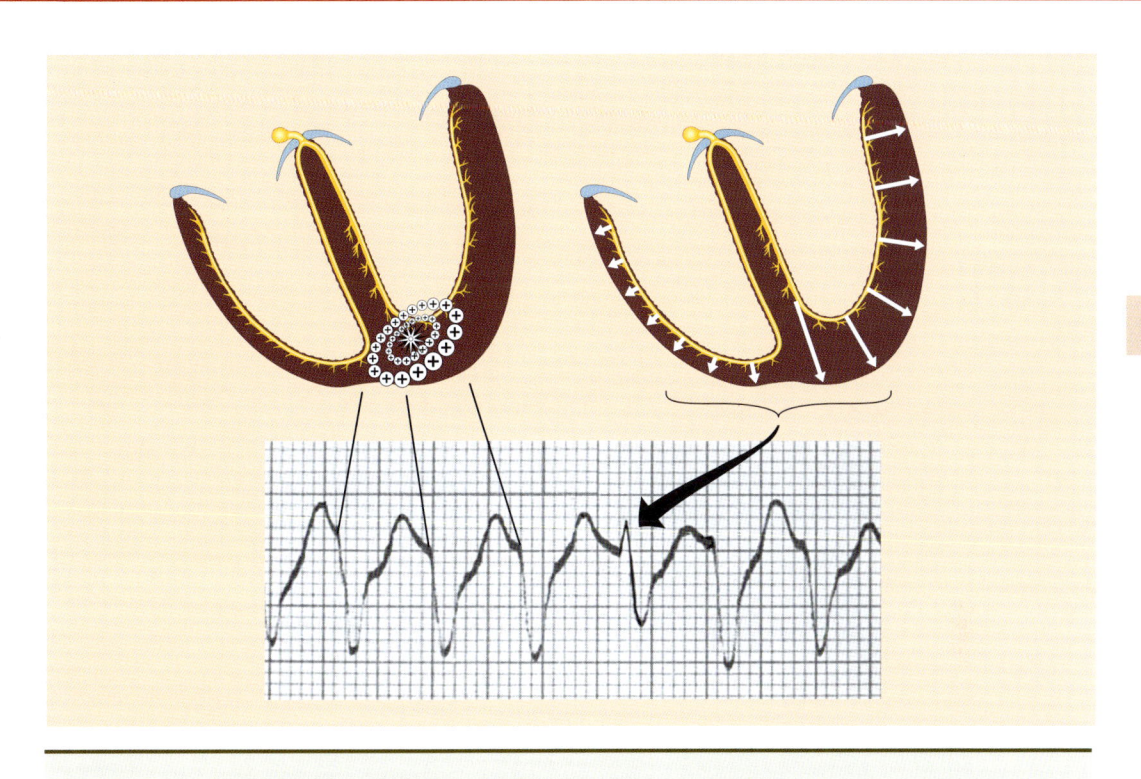

心室頻拍のときも洞結節は規則的に発火し続けます（房室解離）．ときに，微妙なタイミングで降りてきた心房興奮が心室を興奮させるという現象もみられます．

- VTの途中でも洞結節起源の心房興奮が房室_____を脱分極（興奮）させることがあります． 　　　　　　　　　　　結節

- 房室結節を通り抜けた興奮は心室内の刺激_____系を通過して心室を興奮させます． 　　　　　　　　　　　伝導

メモ：VTが続いているときでも，たまたま房室結節と心室の刺激伝導系が不応期を脱しているわずかな間隙に心房興奮が遭遇することがあります．このとき形成されるQRS（捕捉収縮：capture beat）は洞調律のものと近くなり，心室頻拍の途中に形の違うQRSが混じることになります．心房興奮が心室にたどり着いたとき，心室頻拍の興奮も始まっていることが多いので，2つの方向からの興奮が混ざり合うことになります．これを融合収縮（fusion beat）といいます．上室由来の興奮による心室捕捉や融合収縮は上室頻拍ではみられませんから，心室頻拍の診断に有力な情報になります．

非持続性心室頻拍

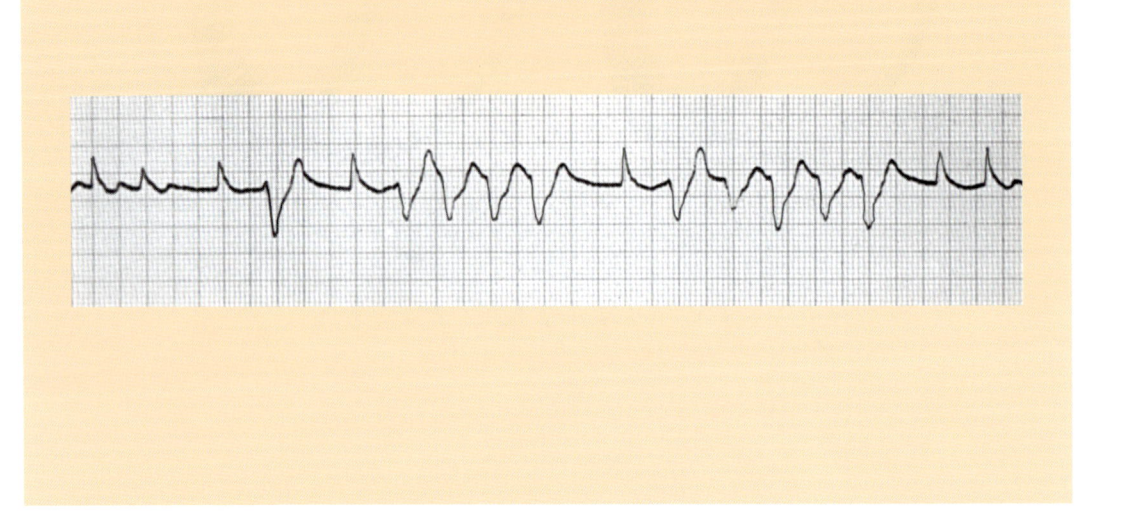

冠動脈疾患による心筋虚血は自動能を亢進させます．心室頻拍の発生が原因は何であれ心筋の低酸素状態を示唆することがあります．

- ●心室頻拍はいわば_____が連続して現れるものです．　　　　　　　　　PVC

- ●心室頻拍はしばしば_____疾患を背景としています．心筋虚血による低酸素や生化学的な刺激は心室の興奮性亢進に作用します．心筋の低酸素状態は冠動脈疾患以外の原因もあります．p.134をご覧ください．　　　　　　　　　　　冠動脈

  メモ：たとえば低酸素が原因となって心室の興奮性が高まれば高頻度の発火を生じます．レートが高いことは心室の収縮と拡張運動を悪化させます．とくに高齢者で冠動脈不全があれば，心室頻拍による作業効率の低下は命取りになります．心筋梗塞患者の心室頻拍には慎重かつ速やかな対処が必要です．

  注意!：レートが高くて上室頻拍（心房頻拍や接合部頻拍を含みます）に変行伝導が生じれば，心室頻拍に似たQRS幅の拡大を認めます．もともと脚ブロックがあれば，同じように幅の広いQRSになりますからSVTでも心室頻拍と判別しにくくなります．SVTとVTを混同すると適切な治療は望めません．

幅の広いQRSをもつ上室頻拍と心室頻拍との鑑別

手がかり	幅の広いQRSの上室頻拍	心室頻拍
冠動脈疾患	関連なし	頻度高い
QRS幅	しばしば<0.14秒	しばしば>0.14秒
房室解離，心室捕捉，融合収縮	なし	あれば確実
高度の軸偏位	稀	しばしば認める

Wide QRSのSVT（つまり変行伝導が生じたSVT）とVTとを区別するポイントはいくつかあります．12誘導ECGの判読にはアナムネも参考にしてください．

- VTは冠動脈疾患により_____への血流が損なわれている高齢者によくみられます． | 心室

- 房室解離の所見（たとえば融合収縮や心室捕捉）あるいは高度の右軸偏位（−90°から−180°）は_____に特徴的です． | VT

メモ：QRS幅が拡大していたとしても，変行伝導を伴うSVTの多くはQRS幅が0.14秒以下です．一方，VTのQRSはしばしば0.14秒以上です．VTと変行伝導を伴うSVTを区別するためのクライテリアはいろいろあります．

[文献] Brugada, et al : The differential diagnosis of a regular tachycardia with a wide QRS complex on the 12 lead ECG. PACE 1994 ; **17** : 1515-1524.

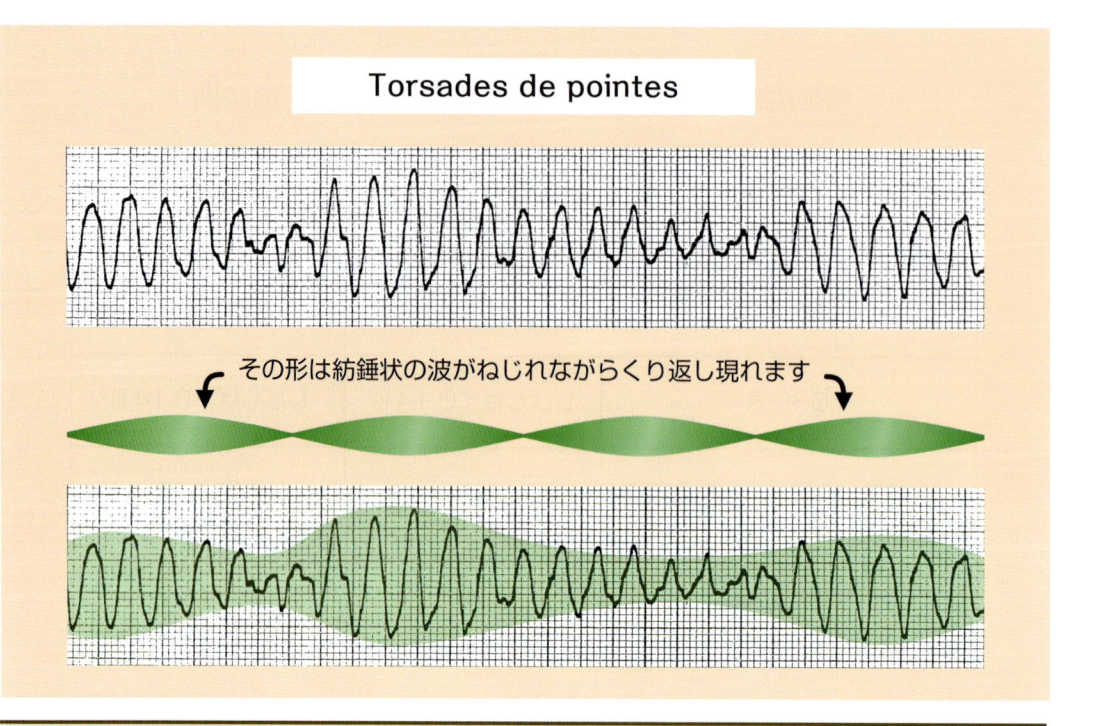

Torsades de pointes

その形は紡錘状の波がねじれながらくり返し現れます

Torsades de pointesは特徴的な形をしたレートの高い心室不整脈です．低カリウム血症，カリウム電流遮断作用のある薬剤，あるいは遺伝性の再分極異常（QT延長症候群）などでQT時間が延長したときに認められる不整脈です．レートは250～350/分．多くは非持続性です．

> **メモ**：Torsades de pointes* という用語は "尖端のねじれ" という意味があり，QRSが繰り返し上下にひねるように変化していきます．1966年にデサーティンDessertenne博士がこの不整脈について報告しました．博士は心室に2つのフォーカスが現れて，この不整脈が生じると考えました．ありそうな話ですが，この説はあまり支持されていません．

●Torsades de pointesのレートはだいたい250から_____/分です．この不整脈は通常非持続性ですが，このレートですから長く続けば血行動態は破綻します． | 350

> **メモ**：Torsades de pointesのQRSは徐々に大きくなったり，小さくなったりします．全体として見ると紡錘形がいくつかつながっています．パーティーの飾りリボンがねじれているように見えます．速やかに対処しないと致死的な事態になります．

*Torsades de pointesの綴りは間違いやすいものです．トルザーデドゥポワンと読みます．Torsadesの最後のsは発音しません．

心房粗動

250〜350/分

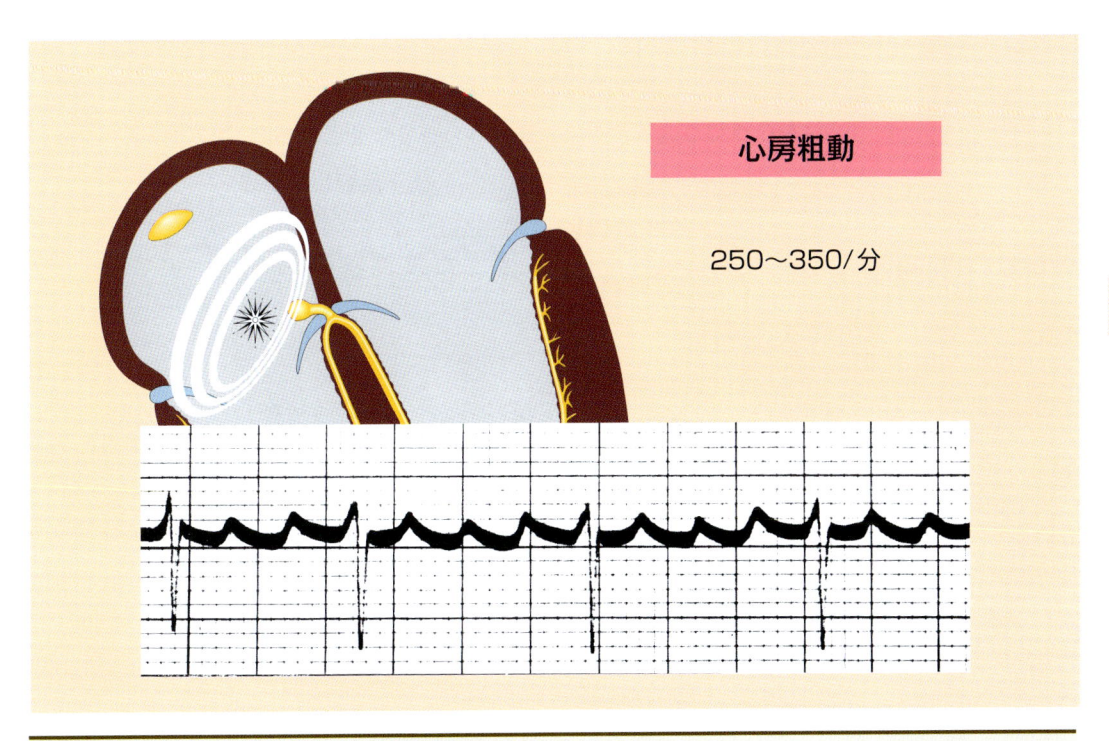

心房粗動は心房不整脈の1つです．心房の脱分極が途切れることはなく，"粗動波"という振れが形成されます．リエントリーによる頻拍であることが知られています（次ページの最後のパラグラフを見て下さい）．

●心房粗動は心房内のリエントリーによって生じます．だいたい250〜350/分くらいの＿＿＿＿興奮を認めます．

心房

> **メモ**：心房粗動は"粗動波"という振れが絶え間なく繰り返される頻拍です．のこぎりの歯に似ていることから，"鋸歯状波"とよばれます．PAT with blockとどこが違うかわかりますか？

> **メモ**：房室結節の不応期は比較的長く，粗動波の一部しか心室にたどり着けません．心房レートは高くても，心室は同じレートで興奮しているわけではありません．心房と心室の興奮頻度の比としては2：1か4：1がよくみられます．

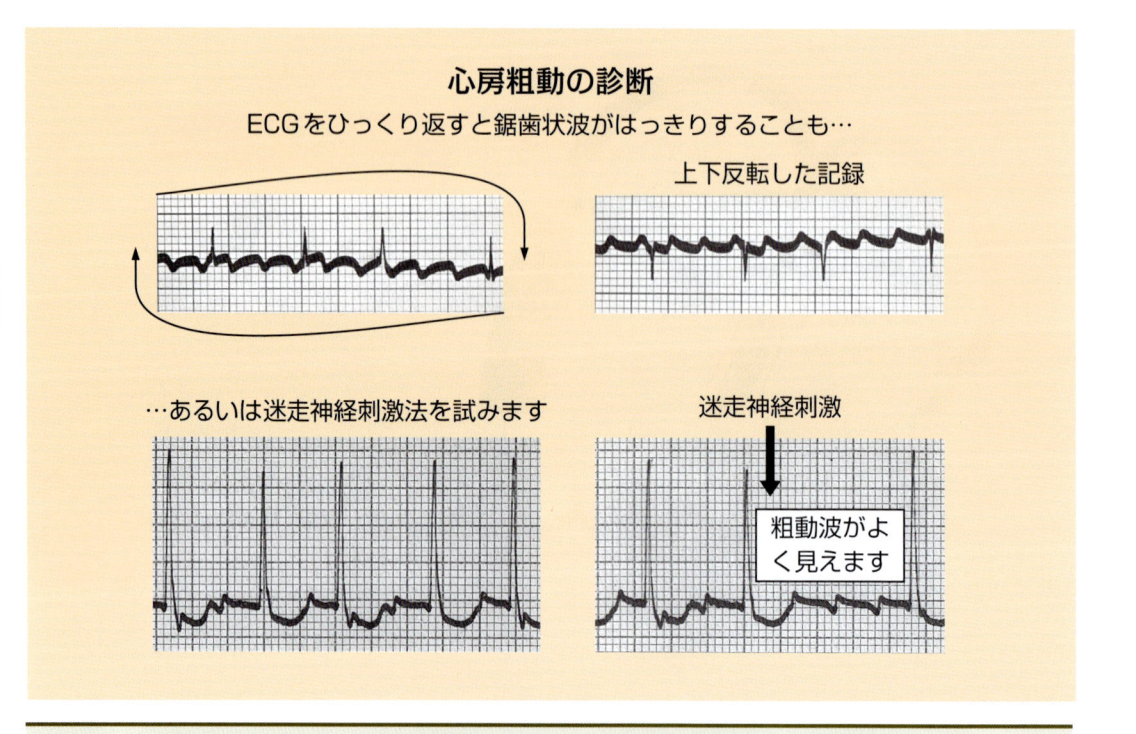

心房粗動の診断
ECGをひっくり返すと鋸歯状波がはっきりすることも…

上下反転した記録

…あるいは迷走神経刺激法を試みます

迷走神経刺激

粗動波がよく見えます

心電図をひっくり返してみると鋸歯状波がはっきり見えることもあります．あるいは迷走神経刺激を行えば診断が容易になります（p.61参照）．

● 心房粗動かどうかピンとこないときは，ためしに_____をひっくり返してみて下さい．鋸歯状波がくっきり見えてくるかもしれません．

ECG

メモ：心室レートの高い心房粗動なら房室伝導の比率は2：1が考えられます．粗動波の数はQRSの個数の2倍です．房室伝導が2：1のときは粗動波がはっきり見えなくなります．迷走神経刺激は房室結節の不応期を延ばしますから，心室にたどり着く興奮は少なくなります．するとQRSの邪魔がなくなって，粗動波の存在がはっきり見えてきます．

メモ："Maze"手術は心房を小さな区画に分けて，迷路のような回路を作ります（mazeはメイズと読みます．迷路のことです）．洞結節から房室結節への伝導は維持しますが，リエントリー回路が形成されにくくなることを目的とした手術です．主に心房細動という不整脈に対する治療法ですが，47％の患者さんで術後に心房粗動を認めるという報告があります．この結果から心房粗動は大きなリエントリー以外のメカニズムもありうることが示唆されます．

心室粗動

250〜350/分

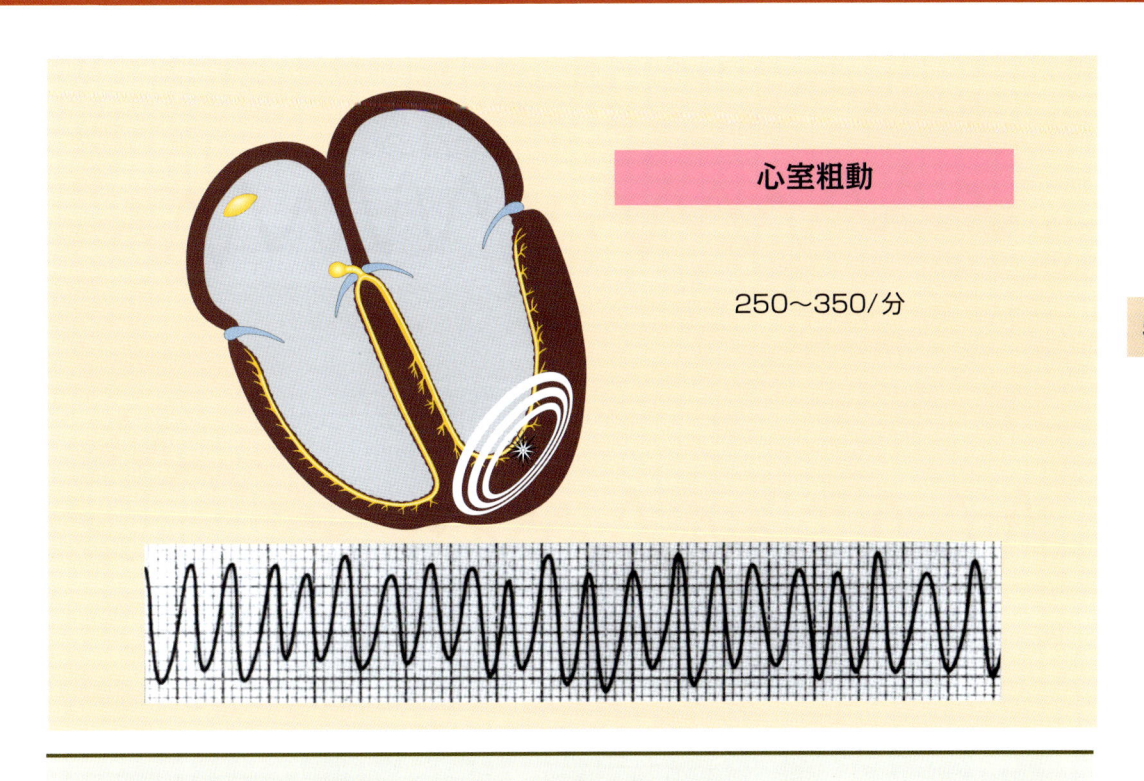

心室粗動は比較的一定の QRS が連続して現れる不整脈の1つです．レートはだいたい 250〜350/分です．振幅がほぼ同じサインカーブを特徴とします．

●心室粗動は心室に高頻度の興奮生成が行われるときにみられる頻拍ですが，そのレートはだいたい_____から_____/分です．	250　350
●心室粗動のときのレートはかなり高く，_____が充満する時間が十分ではありません．心室粗動はすぐに致死的な状態に移行します．	心室
●心室粗動は特徴のある形をしています．_____カーブに似ています．	サイン

メモ：心室粗動のサインカーブはほぼ同じ大きさで繰り返されます．Torsades de pointes の振れは大きくなったり小さくなったりで，紡錘形になります (p.158)．心室粗動は自然停止しにくく，多くは致死的です．

心室粗動

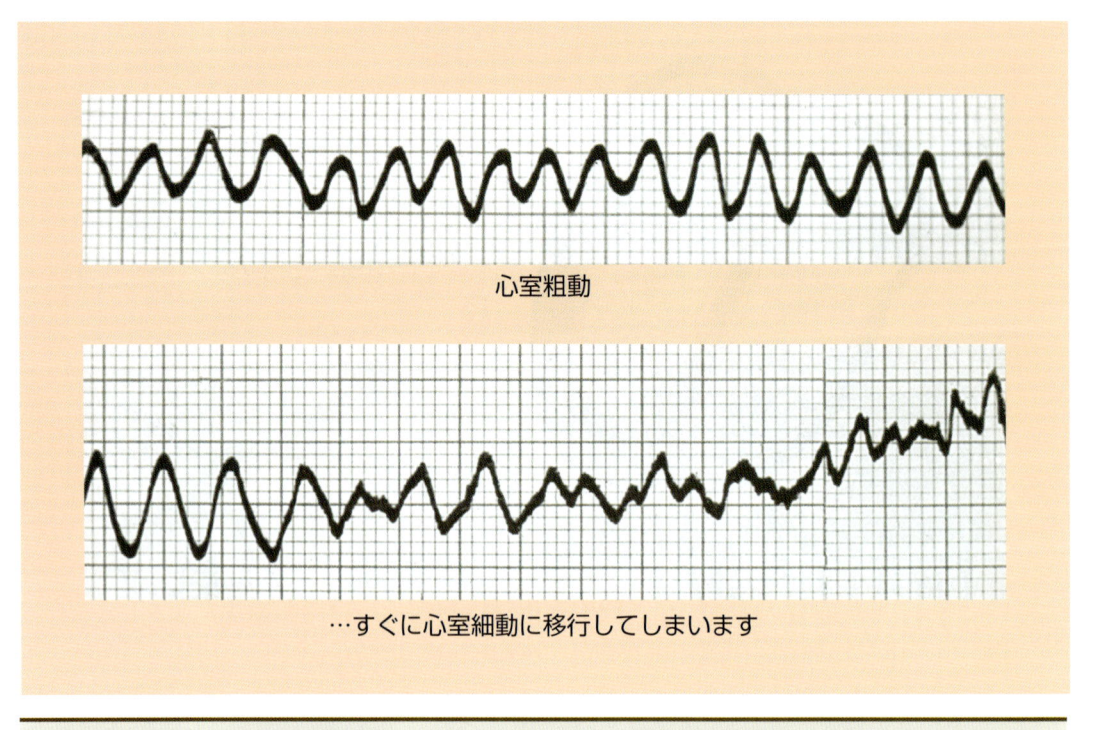

…すぐに心室細動に移行してしまいます

心室粗動はすぐに心室細動になってしまいます．速やかな心肺蘇生を要します．直流通電が必要です．

メモ：心室粗動のレートはかなり高いものです．上の図は連続記録です．レートが300/分ということは1秒間に5回も収縮することになります．血液はいくぶん粘稠な液体ですから，こんなにあわただしいレートで心室に流入することは物理的に不可能です．というわけで，このレートでは心臓のポンプ活動はうまく機能しません．心拍出量が低下すると冠血流も不十分となり，心臓への血液灌流は損なわれます．やがて心室細動になると心室の動きは調和を失い，ポンプとしての働きはなくなります．

練習しましょう

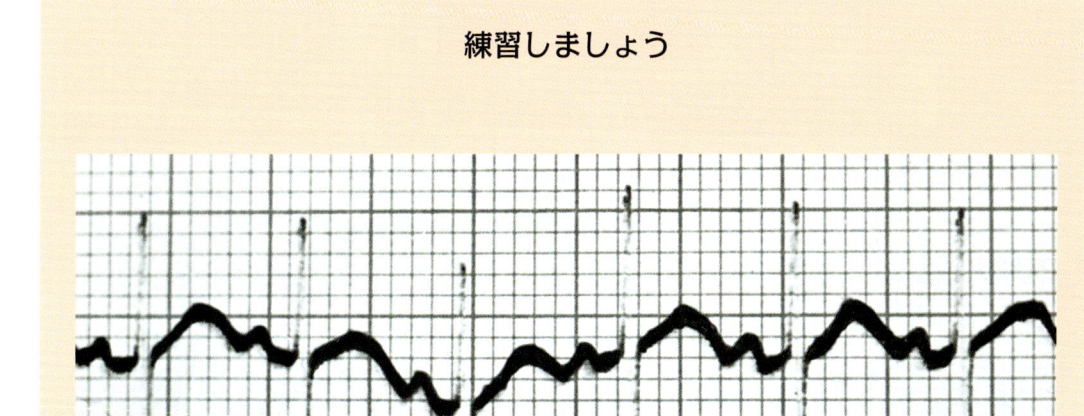

動悸を訴える患者さんのモニター心電図です．

●アナムネとレート（ECGをみればすぐわかりますね）から，発作性の＿＿＿＿＿と診断されます．次に誘因やメカニズムを考えます．	頻拍
●この発作性頻拍のQRSは幅が狭い正常な形をしていますので，＿＿＿＿＿から発生している可能性は低いと思われます．上室頻拍とみて，まず間違いないでしょう．	心室
●P′波が見えますから，まず＿＿＿＿＿の自動能の亢進を考えます．接合部頻拍の可能性は低そうです．陰性P′波がないことは，逆行性の心房興奮がないことを意味しますし，接合部頻拍ならP′波はおおむねQRSにくっついています．	心房

メモ：これは発作性心房頻拍（paroxysmal atrial tachycardia：PAT）です．P′波のあとには常にQRSがみられますから，PAT with blockではありません．発作性頻拍と心房粗動について，もう一度図を見ておさらいをしてください．

細動

ECGでは，まるでたくさんのフォーカスが同時に発火しているように見えます．実際は複数の興奮波が心房内を旋回をしています

350〜450/分
（発射）

or

"細動"はまったく混沌としたリズムです．心房細動も心室細動もいろいろなところから興奮が発生しているようにみえます．

> **メモ**：細動は複数のフォーカスが一気に興奮しているようにみえます．実際，そんなにたくさんの自動能が存在しているわけではなく，リエントリーが関与する部分が大きいと考えられます．心房なら**心房細動**（atrial fibrillation），心室は**心室細動**（ventricular fibrillation）といいます．どっちも病的な不整脈です．一度に複数の興奮波が統一されずに存在していますから，ECGの振れも規則性はなく混乱しています．レートも厳密には決められません．心臓そのものは細かく震えるような動きを見せます．

> **メモ**：350から450/分のレートといっても，複数の興奮波が現れたり消えたりしていますから，あくまでもECGの振れを表面的に数えているに過ぎません．心臓のポンプ機能が失われた調律ですから，大雑把なレートというより見かけのレートと理解してください．

心房細動

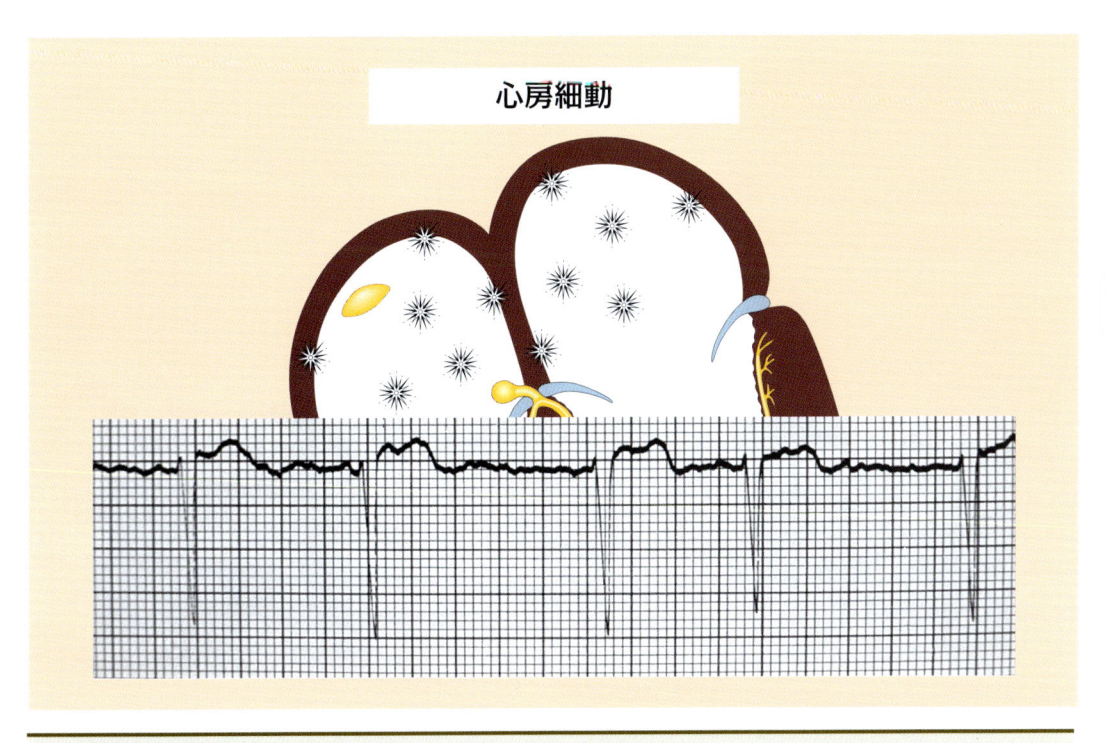

心房細動では心房に複数の興奮波が存在しています．見かけ上の心房レートはかなり高く，350から450/分にもなります．これよりずっと高いレートにみえることも稀ではありません．心室の興奮間隔が一定でないことにも注意してください．

● 心房細動は心房に複雑な興奮が入り乱れている状態です．どういうルールで心房が興奮しているのか混沌としていてよくわかりません*．ECGには_____（細かな？ あるいは大きな？ で答えてください）振れが持続的に認められます．

細かな

メモ：心房細動では心房に複数の興奮が同時に出現しますから，1つの興奮波が長時間存在し続けることは難しくなります．それぞれの興奮波はある限られた領域のみを興奮させることができます．興奮波の一部は房室結節に入り込んで心室に達しますが，心室の興奮は<u>ランダム</u>に生じます．p.349にも心房細動を提示しています．

メモ：正常洞調律（normal sinus rhythm）では洞結節興奮は同心円状に心房を広がっていきます．池にポチャンと小石を投げ込んだときのさざなみの広がりに似ています．一方，心房細動のときの心房はどしゃ降りの雨が水面をたたくときのように，いっぺんにたくさんの波があっちにもこっちにも現れています．

＊最近の研究で，左房に流れ込む肺静脈において自動能か撃発活動により高頻度の刺激が生じて心房細動が発生することがわかってきました．ただし，このメカニズムで全部の心房細動を説明できるわけではありません．

心房細動

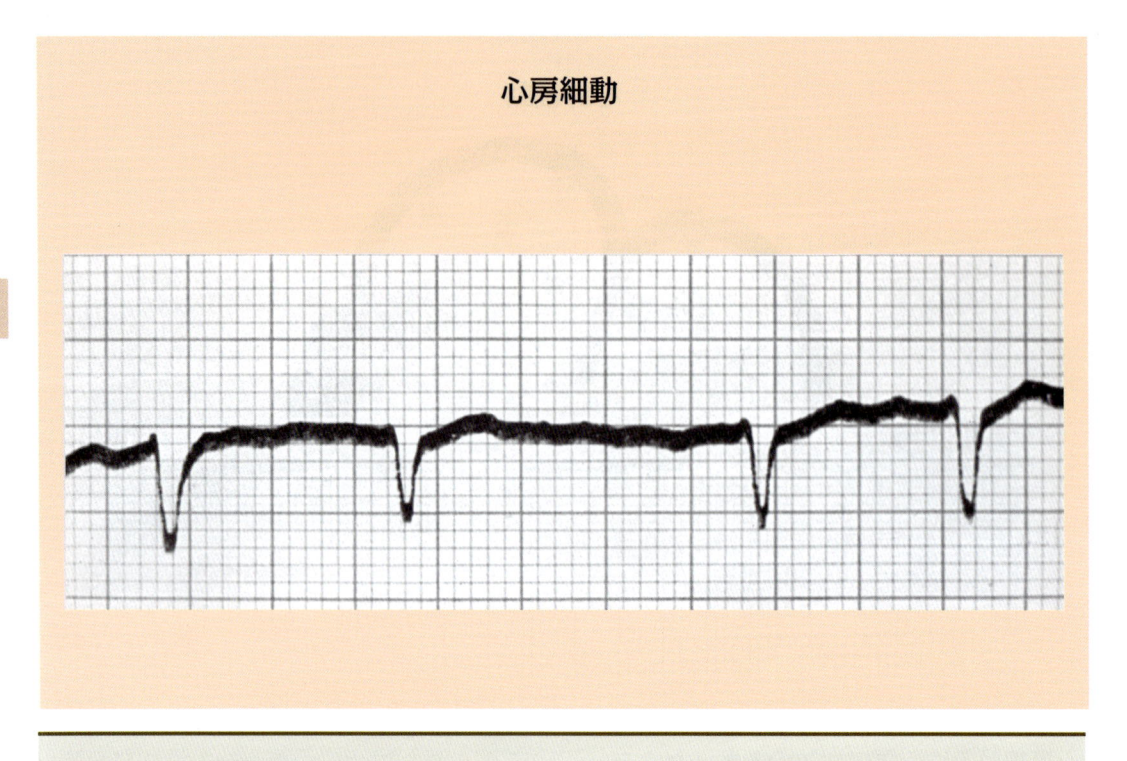

心房細動ではECGにP波やP´波が見られないかわりに，細かな揺れが見えます．QRSははっきりした周期性はなく，ランダムに現れます．

●心房細動の波とは不規則な細かい振れです．＿＿＿＿波のかわりに小さな波が続いています．もちろん心房期外収縮にあたるP´波も認めません．	P
メモ：房室結節にたどり着ける心房興奮も限られています．さらに，房室結節に到達した興奮のうち一部のみ心室に達します．	
●心房細動では心房興奮が房室結節を通過できるかどうか，まったく行き当たりばったりです．＿＿＿＿の興奮にはっきりした周期はありません．RR間隔は不定で，脈も不整になるわけです．	心室
メモ：心房細動の心室レートは房室結節の不応期に依存します．心室興奮のレートが許容できる範囲にあっても，その間隔は原則として不規則です．心室レートはかなり高くなることがあり，薬物によるレートの抑制が必要です．心房細動のときは心室レート（6秒間のQRSを数えて，それを10倍にしてください）に注意してください．レートが高すぎても，低すぎても何らかの対処が必要です．	

心室細動

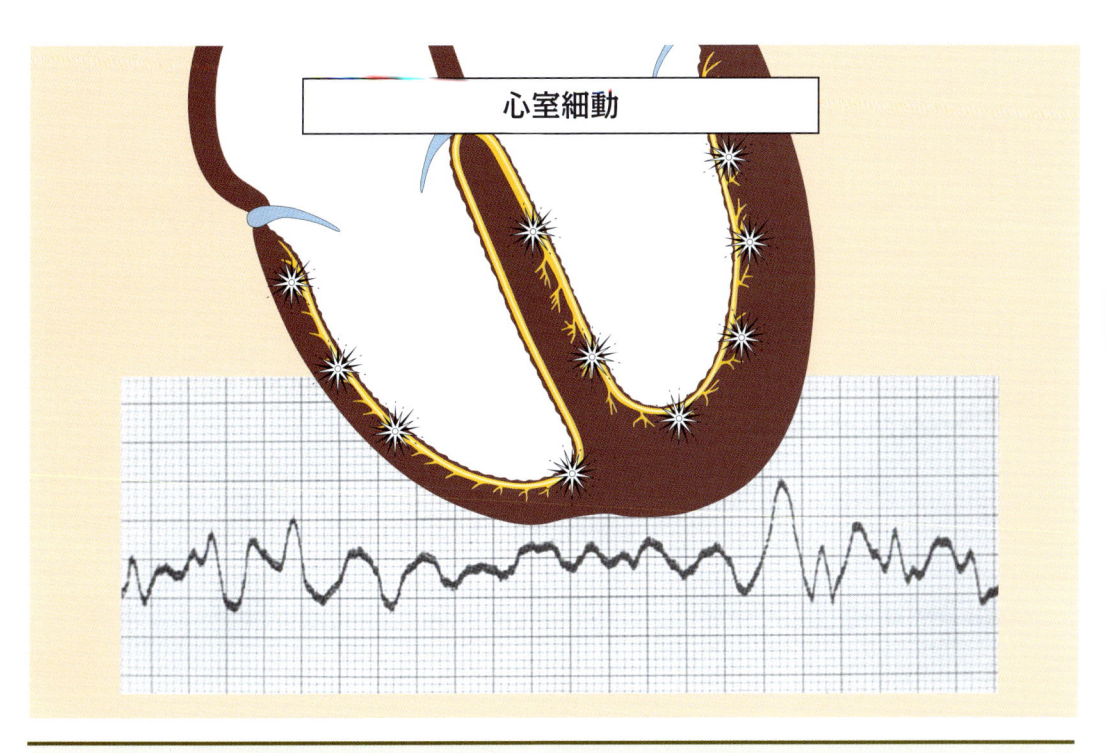

心室細動では心室に複数の興奮波が入り乱れています．心室の収縮は調和を失って，ポンプ機能として機能できません．厳密な意味での"レート"は定義できませんが，ECGには350〜450/分の大小不ぞろいの振れを認めます．

●心室細動では同時に複数の_____波が現れます．どこに進むのか見当がつきません．心室壁の動きに統一性がなく，無意味に揺れ動くだけです．	興奮
●心室細動の興奮波は一度に複数出現するので，1つの興奮波が移動する領域は_____（"限局して"，あるいは"全体に行き渡って"のどちら？）います．収縮と弛緩が高い頻度で脈絡なく存在しているので，心室はぶるぶる震えています．	限局して
●VFの心室は細かく震えています．ECGの揺れは不規則でめちゃくちゃです．揺れの大きさも行き当たりばったりですし，どこからどこまでが1個の_____なのかわからなくなります．ポンプとしての役割も果たせません．ともかく緊急事態です．	QRS

168 | 第5章 調律, パート1

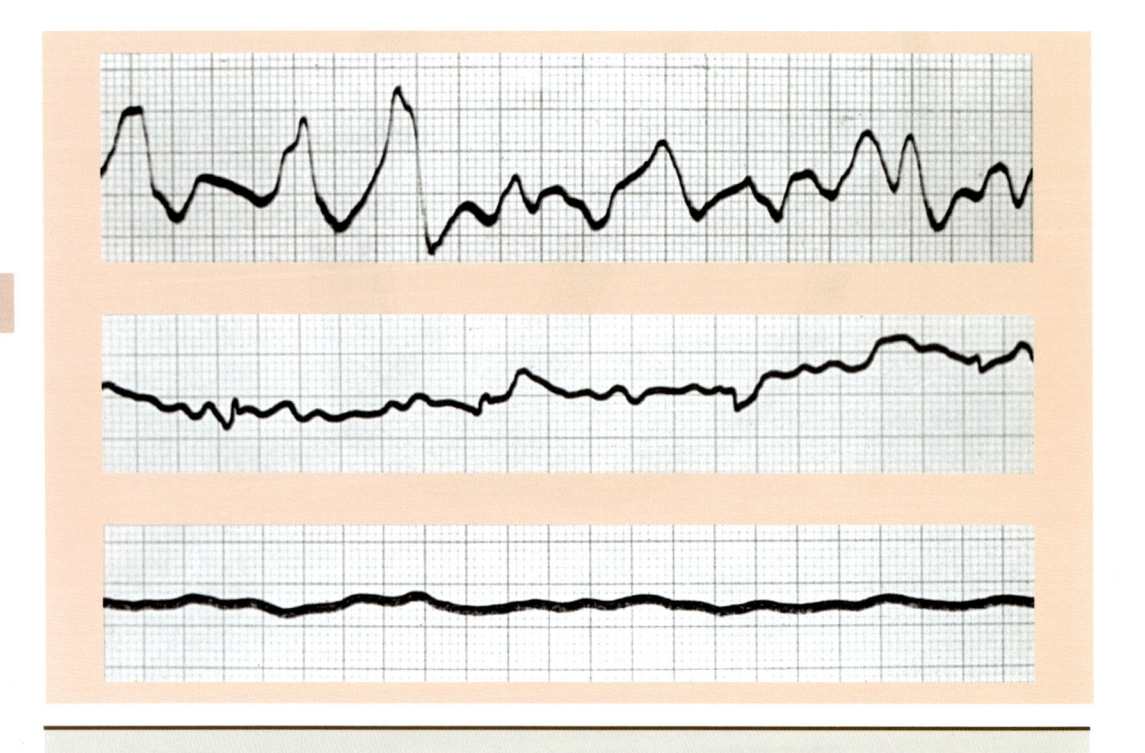

周期性を完全に失った揺れをみたら，すぐに心室細動とわかります．

メモ：図は心室細動の時間経過を示したものです．振れがだんだん小さくなっています．生命の危険が迫っています．

● 心室細動では周期性や振れの大きさに統一性が失われています．診断は容易です．たとえ大きな揺れを認めても，_____のある波は見えません． | 周期性

● _____細動では規則的な揺れはみられません．その揺れは常に変化しています．あまりめちゃくちゃな姿をしていますから診断は簡単です． | 心室

もし同じ形の波が規則的に繰り返し現れるならVFは否定的です．

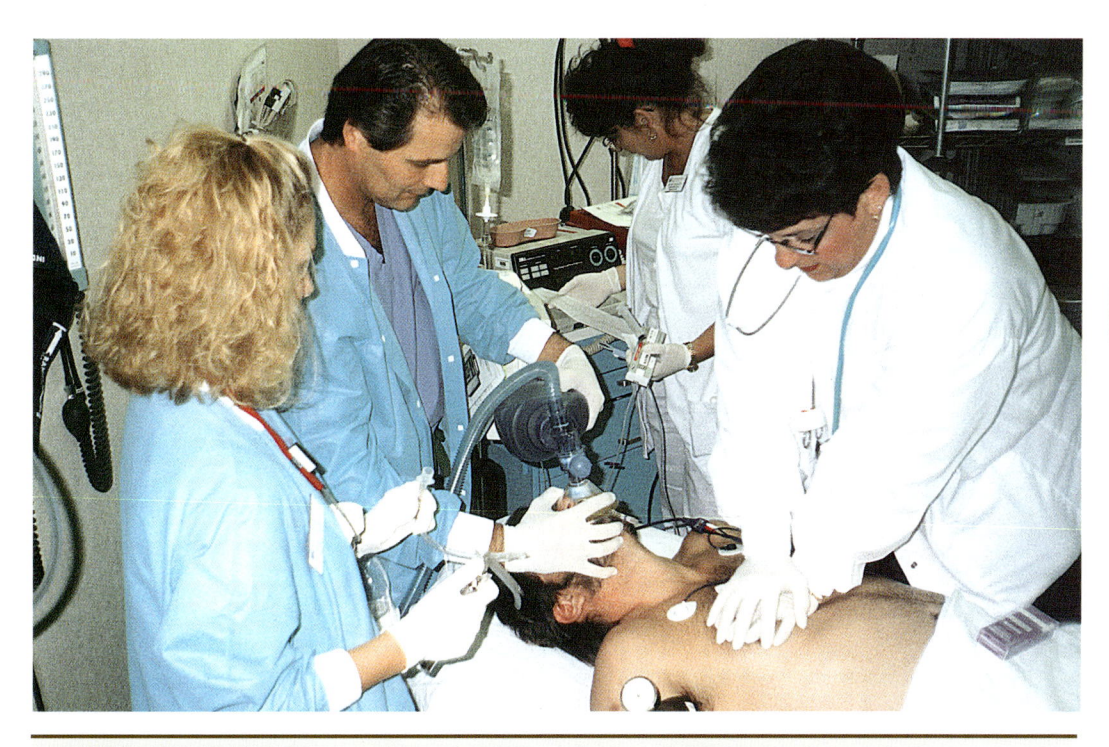

心室細動は心停止を意味します．心室細動になると心臓はポンプとして機能できなくなり，ともかく緊急事態です．VFをみたらすぐにCPRを始めてください．除細動器があったらすぐに通電します．

● 心室細動は心_____の1つです．心室の収縮には統一性がなく，有効な拍出は得られません．末梢への循環も途絶えます．

停止

> **メモ**：心停止はともかく何かしなければなりません．<u>VFならただちに除細動を試みます</u>．Cardio-Pulmonary-Resuscitation：CPR/心肺蘇生法は心臓マッサージと補助呼吸によって構成され，酸素化された血液を体外からの機械的圧迫によってからだの隅々まで送り込むことが基本です．CPRはこれまで病院職員や救急スタッフにだけ教育されてきましたが，現在では一般の人にも普及しつつあります．多くの人がCPRをマスターすれば，いつでもどこでも心停止に対して速やかな対処が期待できます．

> **メモ**：心停止にはVF以外のものもあります．心静止〔cardiac standstill（収縮停止 asystoleは心静止と心室細動のいずれも含まれます）〕はECGにまったく電気的活動を認めない状態です．洞結節だけでなく補充調律となりそうなフォーカスがすべて活動を停止することはかなり稀です．Pulseless electrical activity：PEA（無脈性電気活動と訳されていますが，耳にしたことはありません）という用語もあります．死戦期にみられる微弱な電気活動を指し，心臓はすでに機械的活動は失いつつあります．ですから脈は触れなくなります．

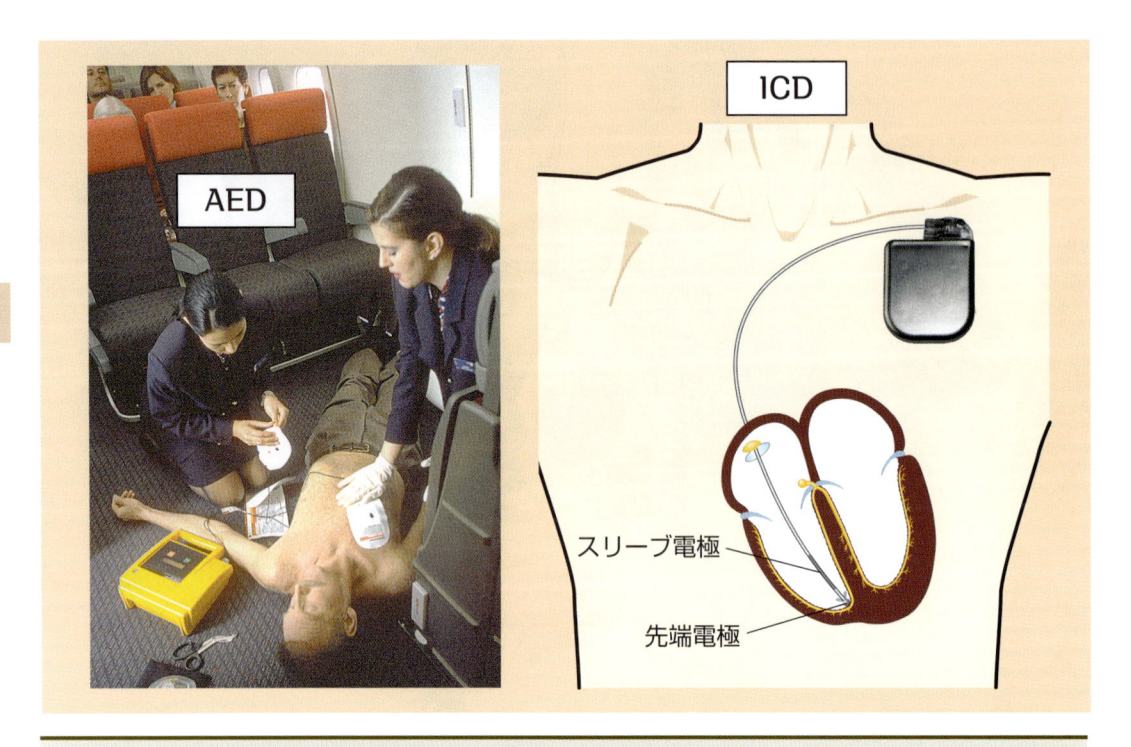

コンピュータで心室細動を検出して，速やかに除細動通電を行う除細動器が市販されています．AED は一般市民用のポータブル除細動器です．ICD は前胸部の皮下に植え込まれ，必要に応じ自動通電します．

- **メモ**：Automated external defibrillator：AED（自動体外式除細動器）は小さなポータブル型除細動器です．意識を失った患者の胸部に電極をおくと，自動的に VF を検出して除細動ショックを送り出します．

- **メモ**：Implantable cardioverter defibrillator：ICD（植え込み型除細動器）は心室細動を生じる可能性が高い患者さんの胸壁皮下に植え込まれます．ICD のリードは心腔内におかれ，心室細動の感知と除細動通電に用いられます．ICD は心室細動以外の不整脈も見分けることができ，頻拍のタイプに応じて電気刺激を放出します．徐脈に際してはペーシングのパルスを発生することもできます．なかなかすごい機械です．

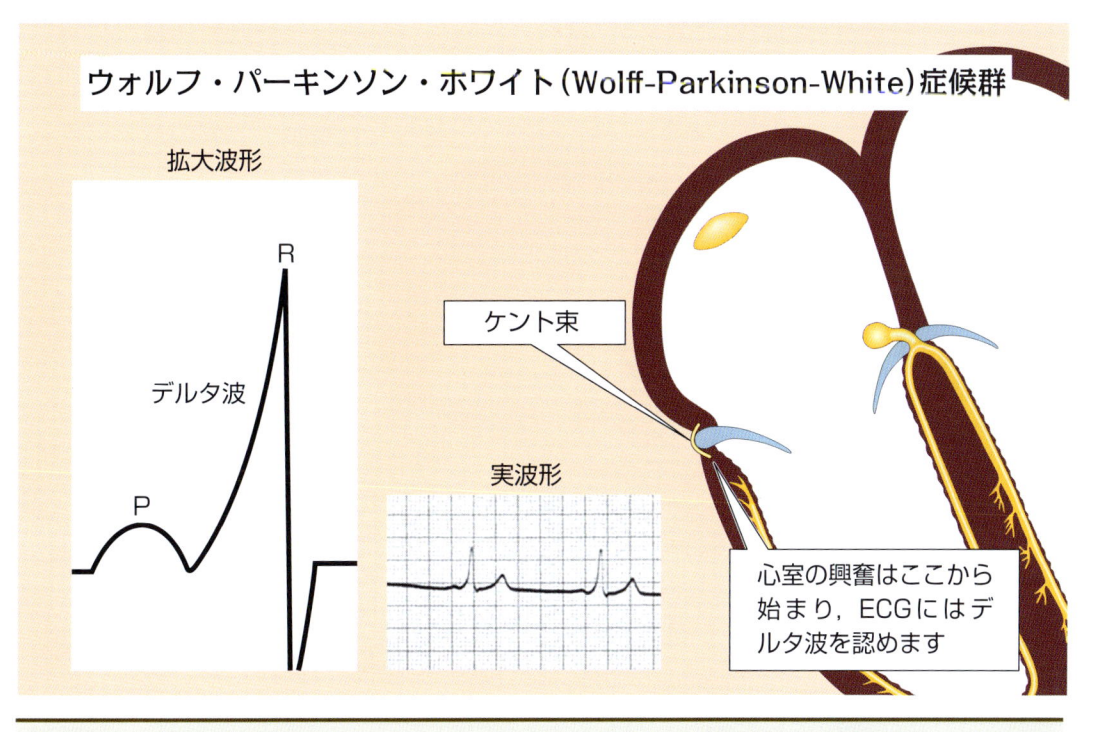

ウォルフ・パーキンソン・ホワイト（Wolff-Parkinson-White）症候群

拡大波形：P、デルタ波、R

ケント束

実波形

心室の興奮はここから始まり、ECGにはデルタ波を認めます

心房と心室は通常は房室結節のみで連絡しています．人によっては房室結節以外のバイパスをもつことがあり，副伝導路とよばれます．副伝導路にはいろいろなタイプがありますが，ケント束（bundle of Kent）がもっともありふれたものです．副伝導路経由の興奮が房室結節経由の興奮よりも早く心室に到達するとき，心室の早期興奮を招きます．デルタ波とよばれる緩徐な立ち上がりを認め，QRSは正常よりも幅が広くなります．

● <u>Wolff-Parkinson-White</u>：WPW症候群は＿＿＿＿束とよばれる副伝導路によって生じ，心室の早期興奮がみられます． ケント

● デルタ波があればPR時間は短縮し，QRSは拡大します．デルタ波は＿＿＿＿の早期興奮を反映しています． 心室

メモ：WPW症候群は副伝導路が関与するとても重要な疾患です．というのは発作性の頻拍を生じやすいからです．
- 房室伝導の亢進－上室頻拍（心房粗動や心房細動など，心房や接合部がかかわる頻拍の総称です）が生じたとき，副伝導路経由の興奮により心室レートは著しく上昇します．
- リエントリー－心室興奮は副伝導路を通って速やかに心房に達します．心房興奮は房室結節を下って心室に達します．こうしてリエントリー回路が形成されます．

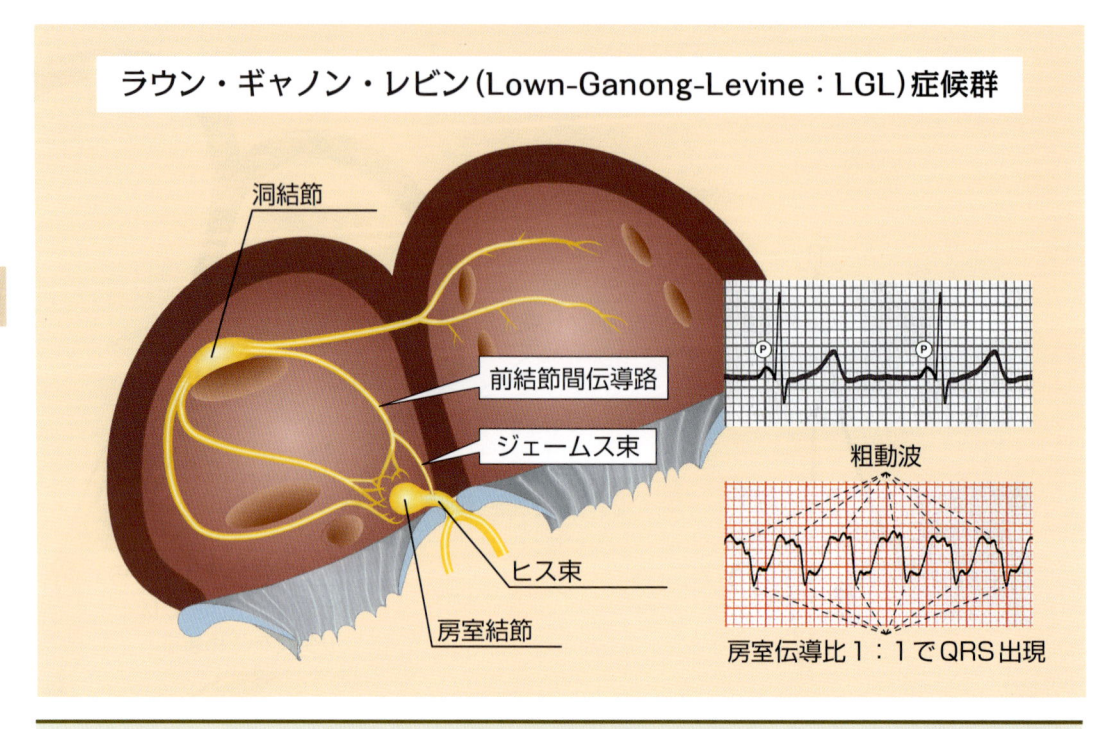

ラウン・ギャノン・レビン（Lown-Ganong-Levine：LGL）症候群

洞結節
前結節間伝導路
ジェームス束
ヒス束
房室結節

粗動波

房室伝導比1：1でQRS出現

> LGL症候群という疾患があります．心房と心室への刺激伝導系がJames束とよばれる副伝導路で直接つながっています．房室結節の迂回路があるわけです．ゆっくりした房室結節のかわりにスピードの速い副伝導路を使うので，心房興奮とヒス束興奮のあいだに時間的な遅れが少なくなります．こうした短絡路があることは，心房粗動のときのように心房レートが高まれば心室レートも上昇しやすくなり，血行動態的に不安定になりかねません．

●生理的な状態では心房レートが高くなっても房室結節においてフィルターがかかり，＿＿＿＿の興奮レートは許容できる範囲に落ちつきます．	心室
●副伝導路は房室結節のようなフィルター機能は乏しく，LGL症候群では心房興奮がそのままのレートでヒス束に達することがあります．すると，心室レートは著しく＿＿＿＿（"高く"あるいは"低く"のどちらですか）なります．	高く
●LGL症候群においては房室結節はJames束によってバイパスされます．PR時間は短縮し，＿＿＿＿はQRSとかなりくっついてしまいます．	P波

メモ：これで調律，パート1が終わります．復習にはp.334からp.336にかけてのPersonal Quick Reference Sheetsを参考にしてください．そのあとでp.332の"シンプルなやり方"もご利用ください．

第6章　調律，パート2

この章の要約はp.332とp.337にあります．先にそっちを見ていただいても結構です．

調律，パート2

ブロック

- 洞停止あるいは洞房ブロック

- 房室ブロック

- 脚ブロック

- ヘミブロック
  （第9章，p.295から始まります）

ブロックとは興奮の伝導が妨げられることです．洞結節や房室結節あるいは心室の刺激伝導系など，ブロックはいろいろなところで生じます．しばしば，heart blockという言葉も使われます．

● ブロックはさまざまな組織で発生します．洞＿＿＿＿，房室結節，ヒス束，伝導脚，あるいは左脚束枝（ヘミブロックといいます）のどこにでもブロックは起こります． | 結節

● ブロックというのは＿＿＿＿の伝導が途絶えたり，遅延することをいいます． | 興奮

メモ：心電図診断を判読するとき，ブロックにはいろいろな形があることに気をつけてください．1人の患者さんに複数のタイプのブロックが同時に認められることもあります．

洞停止あるいは洞房ブロック

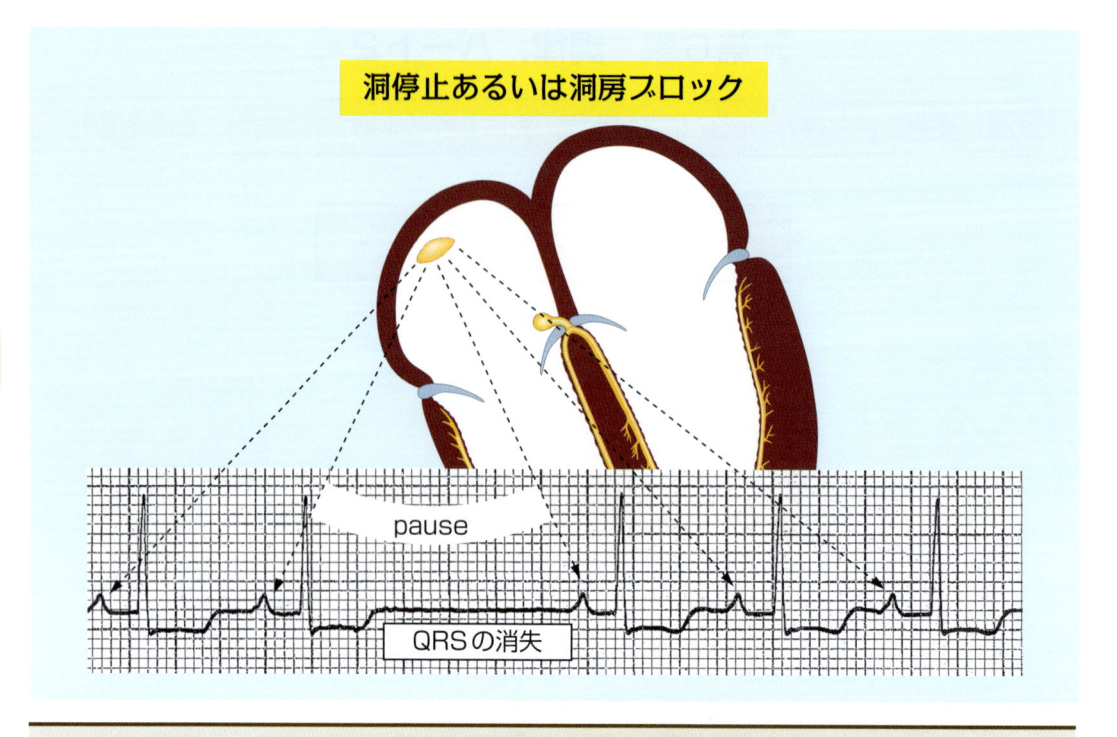

pause
QRSの消失

洞結節に障害があれば，1拍，もしくは複数の洞結節興奮が脱落し，これを<u>洞停止</u>といいます．洞結節から心房への伝導が途絶えることを<u>洞房ブロック</u>といいます．心房興奮がなければP波はみられません．P波から洞結節の興奮を推測できます．

- ●洞停止や洞房ブロックは洞結節が少なくとも1拍〔＝1心周期 (cardiac cycle)〕消失*することです．これらは_____の現象です（"一過性"ですか，"持続的"ですか）． | 一過性

- ●洞停止や洞房ブロックによる心休止が生じても，そのあと洞結節はいつものレートで興奮を再開します．もし，<u>心休止</u>が遷延すれば，下位の_____による補充収縮を認めることが予想されます． | 自動能

> **メモ**：洞調律であるかぎり，心休止の前後でP波の形は変わりません．発火のレートも変化はありません．ただし，心休止が長く続けば，洞結節以外の自動能から補充収縮が生じます (p.119～121を見て下さい)．

＊洞停止といえば洞結節が発火しなくなったという意味ですが，ほんとうは発火しているのに洞結節内の発火が心房にたどり着く前にブロックされているという説もあります．つまり，洞停止のほとんどは洞結節からの流出ブロック（"exit" block）というわけです．早い話が，ECGで洞停止とか洞房ブロックとかいっても，本質には差はないという考え方です．

洞不全症候群

徐脈頻脈症候群

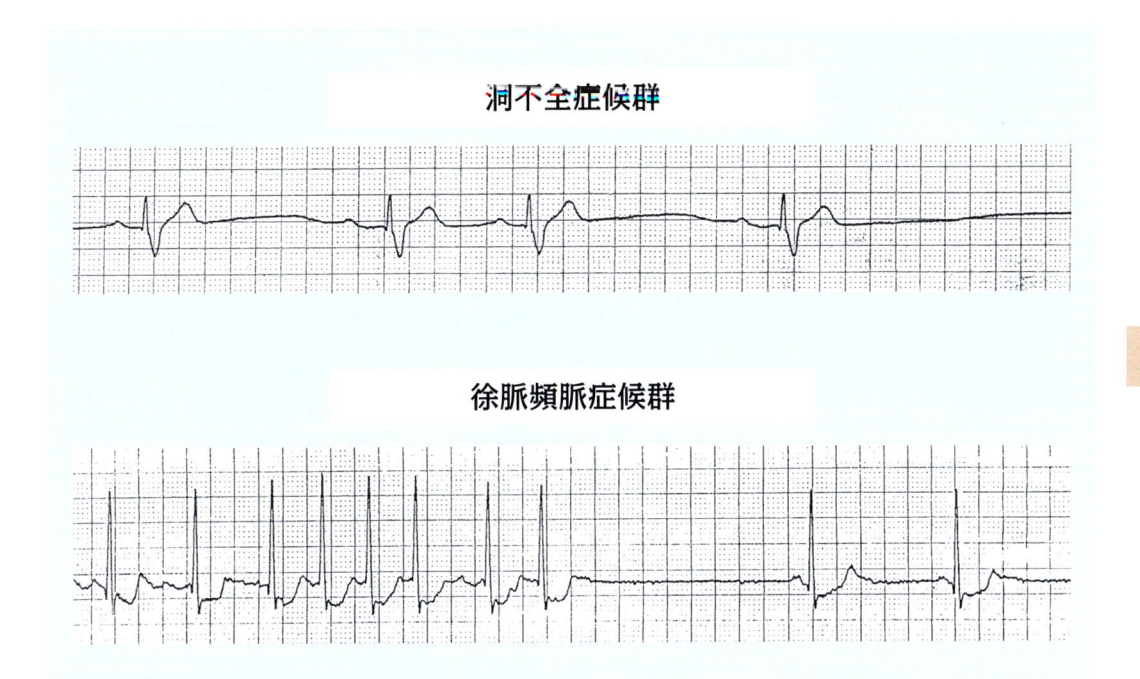

洞不全症候群（Sick Sinus Syndrome：SSS）は洞結節がペースメーカーとしてきちんと働けないだけでなく，心房や接合部の自動能がバックアップの補充収縮を送り出せない状態です．

> **メモ**：洞不全症候群は高齢者によくみられます．洞停止や洞房ブロックが生じても心房や接合部からの補充収縮がなかなか現れず，心休止や顕著な洞徐脈を認めます．

> **メモ**：洞結節には副交感神経の線維がたくさん分布しています．洞結節以外の上室性フォーカス（心房と接合部をまとめて上室とよびます）でも副交感神経は大きな役割をもっています．副交感神経の活動が高まれば心房や接合部の自動能は抑制されます．たとえば，健康な若年者，とくに鍛錬した長距離選手では副交感神経機能が高く，SSSと見間違うほどの徐脈を認めます．こんな用語があるわけではありませんが，偽性洞不全症候群 "pseudo" Sick Sinus Syndromeというわけです．

> **メモ**：SSSの患者さんは，徐脈だけでなくしばしば心房粗動や心房細動も認めます．徐脈と頻脈の両方があれば**徐脈頻脈症候群**（Bradycardia-Tachycardia Syndrome）とよばれます．

房室ブロック

I度AVブロック

II度AVブロック

III度AVブロック

房室ブロック (atrioventricular block：AV block) とは心房から心室への伝導が途絶するか，遅延することです．

● 軽症のAVブロックでは心房興奮と心室_____との間隔が少し延長するだけです． — 興奮

● AVブロックが進行すると上室からの興奮の一部 (もしくは全部) が_____に到達できなくなります． — 心室

メモ：AVブロックを分類すると：
- I度AVブロック：心房興奮と心室興奮との間隔が長くなります．
- II度AVブロック：ウェンケバッハ型もしくはモービッツ型
- III度AVブロック：心房あるいは接合部からの興奮がまったく心室に届きません．

メモ：I度AVブロックのI度は1°とも書きます．II度は2°で，III度は3°と書けます．また，AVブロックのAVを省いて，単にブロックということもあります．

I度AVブロック

（房室結節伝導が遅延します）

0.2秒

PR

PR時間＞0.2秒ならI度AVブロック

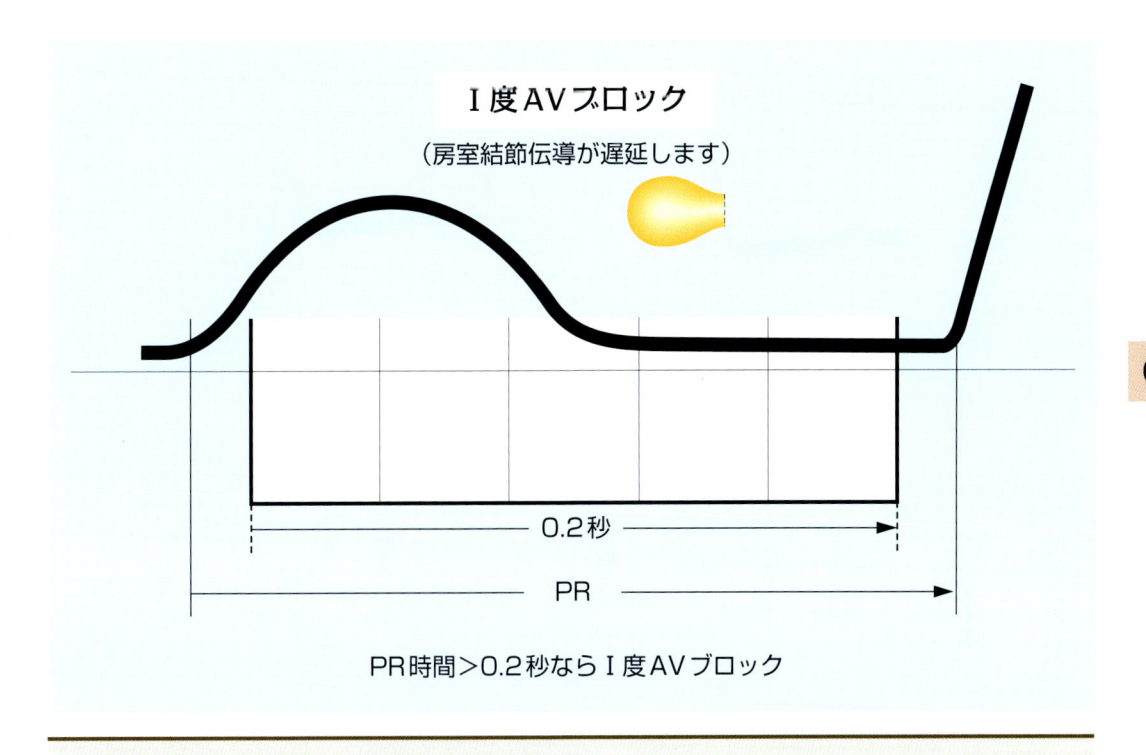

I度AVブロックでは房室結節の伝導は維持されますが，その速度が低下します．PR時間が大きな四角1個分（0.2秒）を超えます．

> **メモ**：Segment（部分）とは原則として基線上の一区分を指します．Interval（間隔あるいは時間と訳されます）とはP，QRS，あるいはTを含んだものです．何をいっているのかちょっとわかりにくいかもしれませんが，たとえばPR時間（PR interval）はP波の開始点からはじまり，QRSの開始までの基線部分を含みます．このコンポーネントはP波という振れを含んでいますから，segmentとよばずにintervalに該当します．これに対し，ST segment（ST部分）はQRSの終わりからT波の始まりまでですから，P，QRS，Tを含んでいません．ST部分は上下にシフトしても，やっぱりST部分といいます．

● I度AVブロックは_____時間の延長を認めます． | PR

● 正常のPR時間は大きな四角の一辺と同じかそれより短く，_____秒以下です． | 0.2

> **メモ**：PR時間はECGの基本的パラメータです．PR時間が大きな四角の一辺よりも長くなればAVブロックにはいります．

I度AVブロック

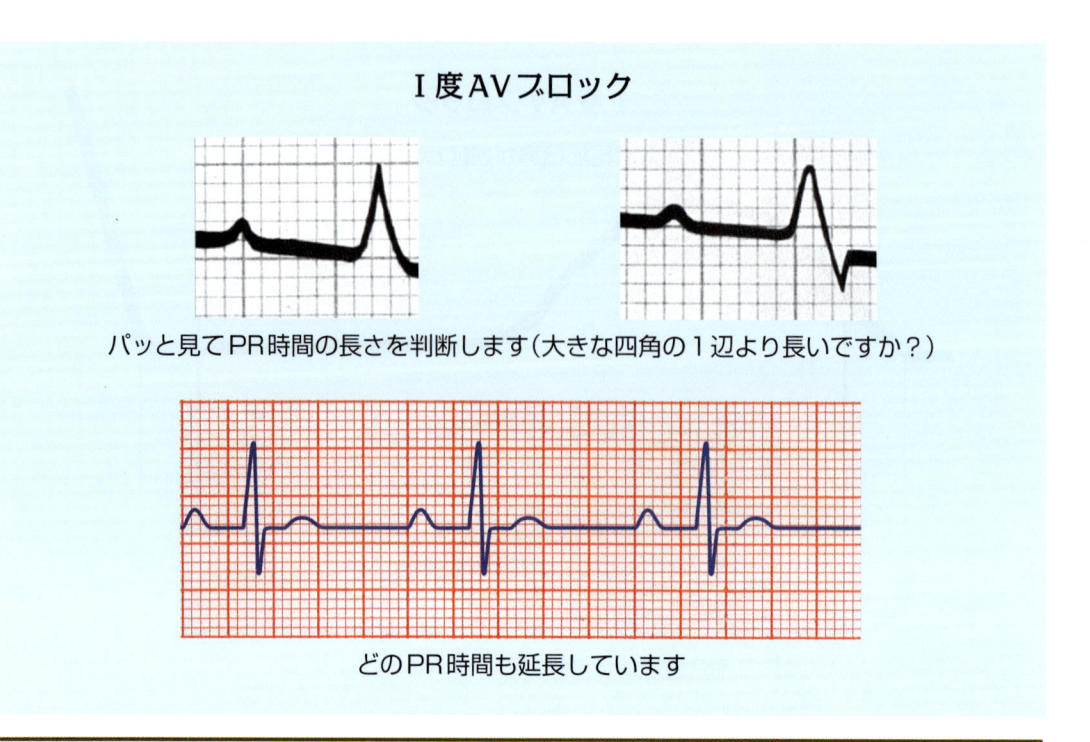

パッと見てPR時間の長さを判断します（大きな四角の1辺より長いですか？）

どのPR時間も延長しています

PR時間が連続して0.2秒（大きな四角の一辺）を超えていれば，I度AVブロックといいます．どのくらい連続してPR延長を認めればI度AVブロックとよぶのか，厳密に定義されているわけではありません．

●PR＿＿＿＿の延長に気づいたら，次にどのタイプのAVブロックなのかを考えます．	時間あるいは間隔
●AVブロックではPR時間が＿＿＿＿秒を超えます．	0.2
●P-QRS-Tが正しい順番に並んでいて，PR時間も（"少なくとも1回"と"連続して"のどちら）0.2秒を超えていたら，I度AVブロック*と診断します．	連続して

*I度AVブロックをI度ブロックと短くしていうこともあります．

II度AVブロック

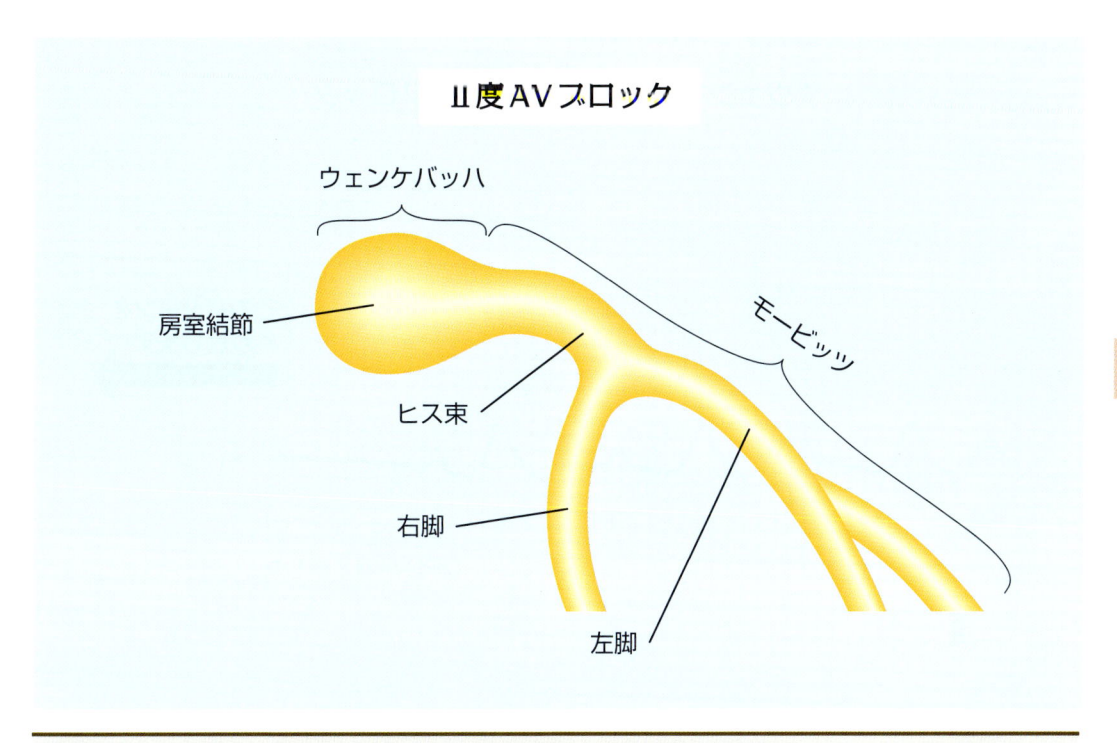

ウェンケバッハ
房室結節
ヒス束
モービッツ
右脚
左脚

II度AVブロックでは心室（QRS）に伝導する心房興奮（P波）もあれば，心室に到達しない心房興奮もあります．一部のP波のうしろにQRSがみられません．II度AVブロックには2つの型があります．1つはブロックが房室結節の中で生じ，もう1つは房室結節より下方にブロックが生じます．

> **メモ**：II度AVブロックの2つのタイプ
> - 房室結節の内部で生じるのは"**ウェンケバッハ（Wenckebach）型**"といいます（かつてはI型といいました）．房室結節の伝導が次第に低下し，ついに房室結節内部で伝導が途絶えてしまいます．P波のうしろにQRSが続かなくなります．ウェンケバッハ型ブロックではP波3個に1回だけQRSが消失するもの，P波4個に1回QRSが消失するもの，あるいはP波5個に1回QRSが消失するものなどがあります．P波の個数とQRSの個数の比率は3：2，4：3，あるいは5：4となります．それぞれのグループで1個だけQRSが少なくなります．
> - ヒス束や伝導脚におけるII度AVブロックは**モービッツ（Mobitz）型**（以前はII型とよばれていました）です．同じ形や間隔がしばらく続いた後，急に房室間で伝導途絶が生じてQRSが欠落します．いくつかP波がまとまって現れた後にQRSが抜けます．P波の数とQRSの数の比率は3：1，4：1，あるいは5：1などです．

> **メモ**：これらの記述はわかりにくく感じるかもしれませんが，実際のECGは簡単です．

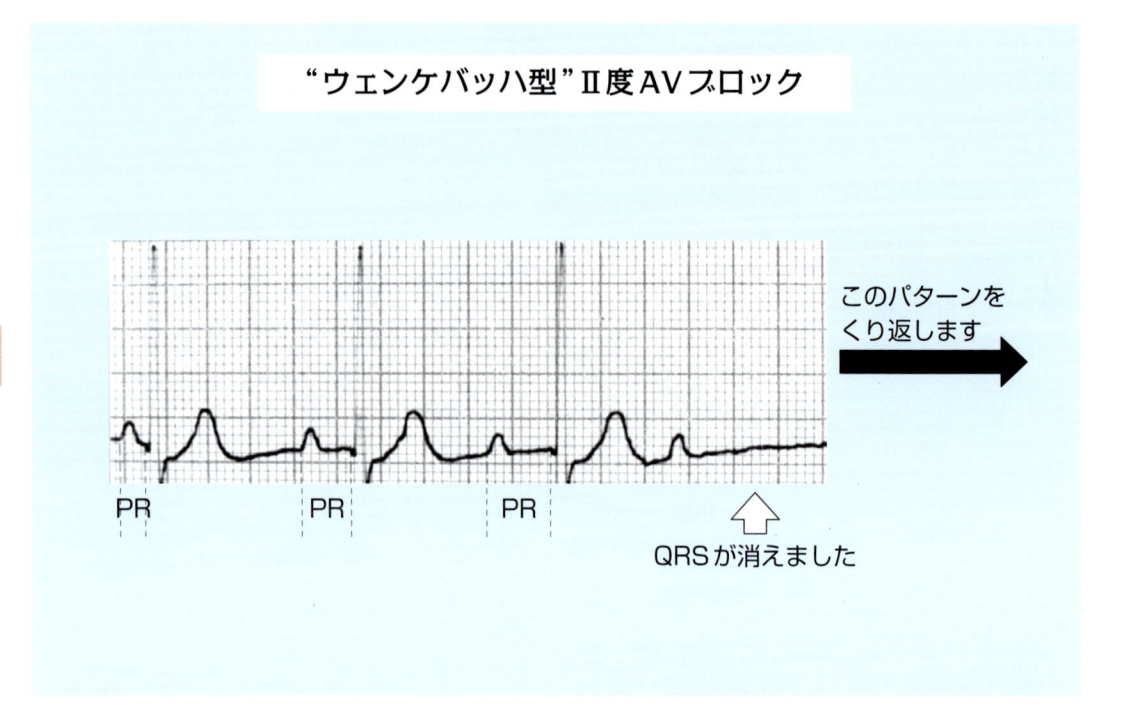

"ウェンケバッハ型" Ⅱ度AVブロック

PR　PR　PR　QRSが消えました

このパターンをくり返します

ウェンケバッハ型Ⅱ度AVブロックの伝導途絶は房室結節の中で生じます．PR時間は次第に長くなり，やがて心室興奮がみられなくなります（P波のあとのQRSが脱落します）．しばしば，同じパターンを繰り返します．

●ウェンケバッハ型ブロック（Ⅱ度AVブロックの1つです）ではPR時間は徐々に延長します．やがてくP波のうしろの＿＿＿＿が消えてしまいます（QRSの脱落です）． | QRS

●P波とQRSとの間隔が次第に延長してきます．そのうち心房からの興奮は房室結節のなかでブロックされ，QRSのないP波が出現します．ウェンケバッハ型のパターンは少なくとも3個のP波がセットになっています．たとえば3個のP波でPR時間が徐々に延長し，4個目のP波の後ろのQRSが欠けるのなら，＿＿＿＿個のP波と3個のQRSが1セットになります．いくつのP波がひとまとめになるかは，いろいろです． | 4

メモ：ウェンケバッハ型ブロックは通常は房室結節に生じます．副交感神経活動の亢進は房室結節の伝導を抑制し，ウェンケバッハ型ブロックを引き起こします．PR時間が徐々にのびて，やがてQRSが脱落するパターン（p.329を見て下さい）に注意してください．ウェンケバッハ型ブロックを繰り返せば，いわゆる"group beating"がみられます．期外収縮の連発に見えることもありますから，勘違いしないでください．

"モービッツ型" II度AVブロック

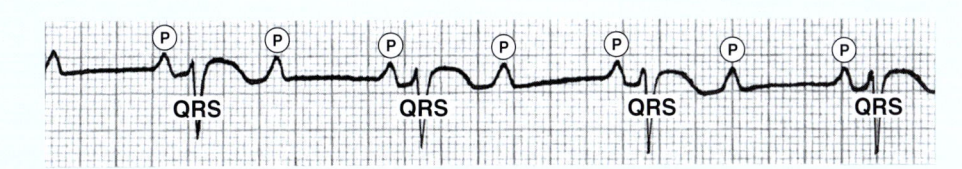

2：1モービッツ型AVブロック

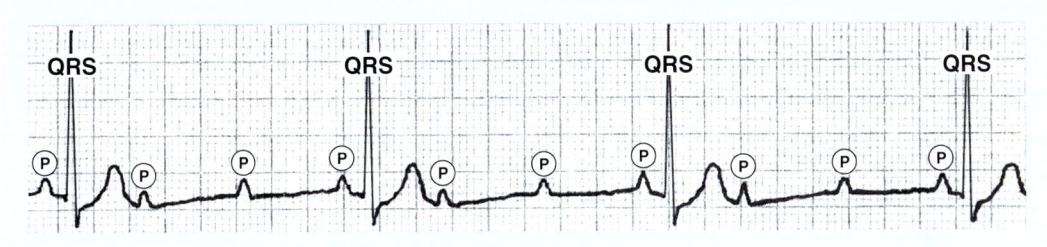

3：1モービッツ型AVブロック

PR時間の段階的な延長なしに突然QRSが脱落するブロックのことを**モービッツ型II度AVブロック***といいます．モービッツ型II度AVブロックでは連続してQRSを欠くことがあります．房室伝導比（P波とQRSの比率です）は2：1，3：1，あるいはそれ以上にP波のほうが多くなります．このパターンは繰り返し現れます．モービッツ型AVブロックは重篤な病態であり，心室レートはかなり低下します．ときには意識レベルが低下（失神）します．

● 洞レートは正常でも，モービッツ型II度AVブロックでは2個のP波に対し1個の_____しか現れないということもあります．"2：1AVブロック（単に2：1ブロックとよぶこともあります）"です．なお，ウェンケバッハ型ブロックでも2：1AVブロックになることはあります． | QRS

メモ：モービッツ型ブロックが進んで，3個のP波に対して1個しかQRSが認められないこともあります．3個の心房興奮のうち，1個だけが心室に到達しています．このときは，"3：1AVブロック"とか"3：1ブロック"といいます．3：1だけでなく，4：1や5：1の伝導比もありますが房室伝導はかなり低下しており，"高度（advanced）"モービッツ型ブロックということもあります．モービッツ型と限らず，ウェンケバッハ型ブロックでも伝導比が2：1か，それ以下なら高度（advanced）なブロックです．

注意!：モービッツ型ではQRSが後ろに続かないP波であっても，そのタイミングに変化はありません．あくまでP波であって，P'波（p.108のメモを見て下さい）ではありません．期外収縮なのかII度AVブロックなのか，見きわめることが大事です．

*モービッツ型ブロックはかつてII型ブロックとか，モービッツII型ブロックとよばれました．まぎらわしいので，いまではあまり使われません．

2：1AVブロック
ウェンケバッハ vs モービッツ

どちらかといえば
ウェンケバッハ型を考えます ➡

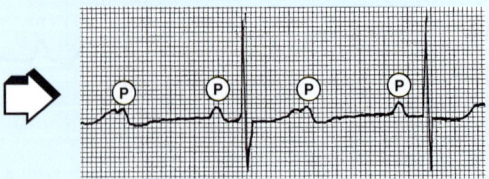

QRSの形が正常のとき

どちらかといえば
モービッツ型を考えます ➡

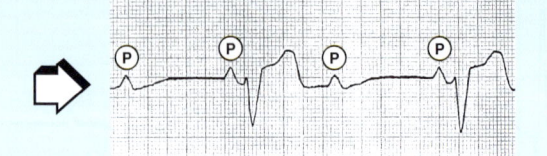

QRS幅が拡大しているとき

ウェンケバッハ型でもモービッツ型でもQRSの脱落を認めます．2：1ウェンケバッハ型ブロックと2：1モービッツ型ブロックはどこに差があるのでしょう？　ブロックのところだけ眺めても，区別できません．ウェンケバッハ型が生理的で良性の現象なのに，モービッツ型はより病的なものです．

メモ：2：1房室ブロックはウェンケバッハ型の可能性もあります．PR時間が少しずつ延びてくるのがウェンケバッハ型の特徴ですが，房室結節の伝導低下が顕著で早くも2個目のP波でQRSが抜けるようなら，2：1ウェンケバッハ型ブロックかもしれません．2：1房室ブロックをみたらモービッツ型と考えがちですが，次のようなことを参考にしてください．

● ウェンケバッハ型ブロックは概して房室＿＿＿＿＿＿に生じるブロックです．伝導遅延がはなはだしければ，PR時間の延長にとどまらずに，2個目のP波で早くもQRSの消失に至ることがあります．左右の伝導脚に分岐する前で生じるブロックですから，脚ブロックのような幅の広いQRS*になるのではなく，QRSそのものがみられなくなります．　　　　　　　　　　　　　　　　　結節

● 一方，モービッツ型のほとんどは房室結節よりも下方に生じます．ヒス束や伝導脚で伝導性が低下していると，PR時間は正常範囲でも＿＿＿＿＿＿幅の拡大（脚ブロック）も認めることがあります．　　　　　　　　　　　　　　　　　　　　　　　QRS

メモ：2：1房室ブロックがウェンケバッハ型かモービッツ型か見極めるのは臨床的に重要ですから，次ページではその鑑別を学びましょう．

＊脚ブロックにおけるQRS幅の拡大についてはp.191〜202で勉強します．

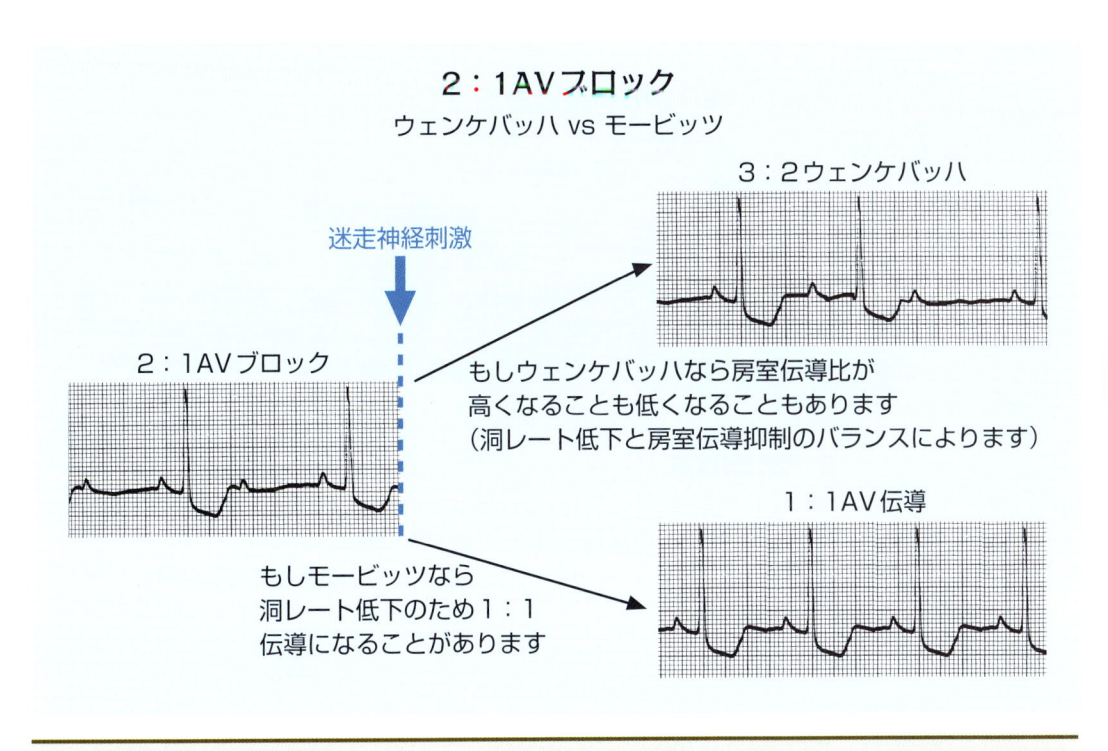

2：1AVブロック
ウェンケバッハ vs モービッツ

2：1AVブロック

迷走神経刺激

3：2ウェンケバッハ

もしウェンケバッハなら房室伝導比が高くなることも低くなることもあります（洞レート低下と房室伝導抑制のバランスによります）

1：1AV伝導

もしモービッツなら洞レート低下のため1：1伝導になることがあります

2：1房室ブロックがウェンケバッハ型（多くは房室結節内でのブロック）かモービッツ型（こっちは房室結節より下位のブロック）かを区別することが大事です．たとえば，迷走神経刺激法が有用です（p.61参照）．

メモ：PR時間やQRS幅のクライテリアを持ち出しても，2：1房室ブロックではウェンケバッハ型とモービッツ型のいずれの可能性もあります．鑑別には迷走神経刺激法が便利です．

- 房室結節には副交感神経線維が豊富です．迷走神経_____法を行えば房室結節伝導を低下させます． 　　　　　　**刺激**

- 迷走神経刺激法は洞レートの低下を招きますから，房室伝導比が変化することもあります．房室伝導比が3：2や4：3となれば，PR時間の延長の様子もはっきりみえるかもしれません．ただし，迷走神経刺激法は房室_____の副交感神経による抑制を高めるわけですから，洞レートの減少より房室結節伝導の低下がはなはだしければ，房室ブロックがより高度（advanced）になるかもしれません． 　　　　　　**結節**

- モービッツ型の2：1房室ブロック（ヒス束以下の心室内_____のブロックが予想されます）では，迷走神経刺激法による徐脈のためにブロックが消失するかもしれません．つまり，1：1房室伝導に戻る可能性があります．もちろん，何も変化がないということもあります． 　　　　　　**刺激伝導系**

ECGの判読にあたって：

1. PR 時間

- Ⅰ度 AV ブロックではずっと延長
- ウェンケバッハでは徐々に延長
- Ⅲ度 AV ブロックでは不定
- WPW 症候群や LGL 症候群では短縮

2. QRS の消失

- ウェンケバッハ型およびモービッツ型Ⅱ度 AV ブロック
- Ⅲ度 AV ブロック―心房と心室の周期は互いに独立しています

どうして PR 時間と QRS の脱落をみることは ECG 判読に大事なのでしょうか？ それは，この 2 つのことから，房室伝導についてほぼすべて理解できるからです．

● PR 延長をみたら，Ⅰ度 AV ブロックだけでなく，どこかにⅡ度 AV ブロックやⅢ度 AV _____ がないか注意しましょう． | ブロック

● QRS の脱落はⅡ度 AV ブロックやⅢ度 _____ ブロックを疑わせます． | AV

> **メモ**：これら 2 つの要素がさまざまな房室ブロックとどう関与しているか振り返ってみましょう． かなりの時間を使って勉強してきたのですから，たぶん PR 時間と QRS の有無をみれば，ある程度ブロックの診断ができるようになっているはずです．さらにブロックの部位だけでなく，患者さんの予後を予測することも大事です．ともあれ，皆さんの知識はだいぶ増えてきました．

練習します

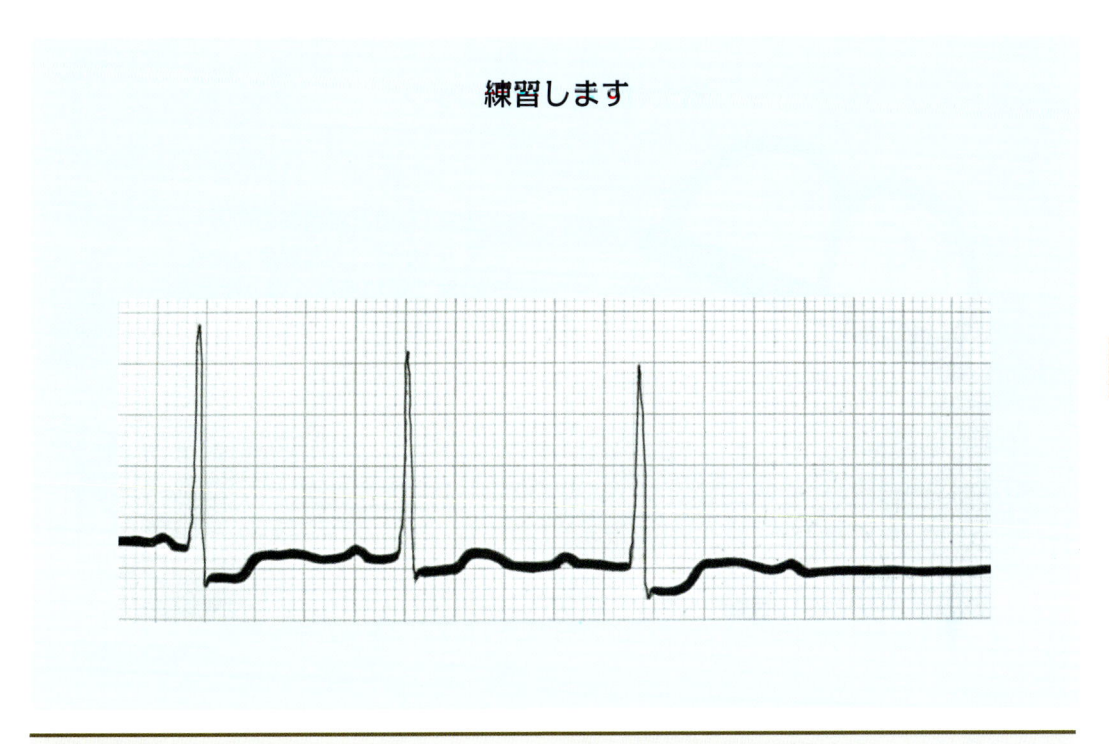

医師は患者さんの脈の乱れに気づきました．よくよく脈を触れてみると，ある期間の休止をはさんで何拍かひとまとまりになっていることがわかりました．ひとまとまりの脈が同じパターンで反復して現れています．ECGを見てみましょう．

●PR時間はどうなっていますか？　PR時間は少しずつ長くなり，3個目のPR時間は0.2秒を超えています．ということは，＿＿＿＿ブロックの可能性があります．	AV
●QRSのないP波はありませんか？　4番目のP波は＿＿＿＿を伴っていません．	QRS
●よくみると最初のPR時間は正常です．しかし，PR時間はだんだん長くなっていますから，＿＿＿＿ブロックだとわかります．	ウェンケバッハ型

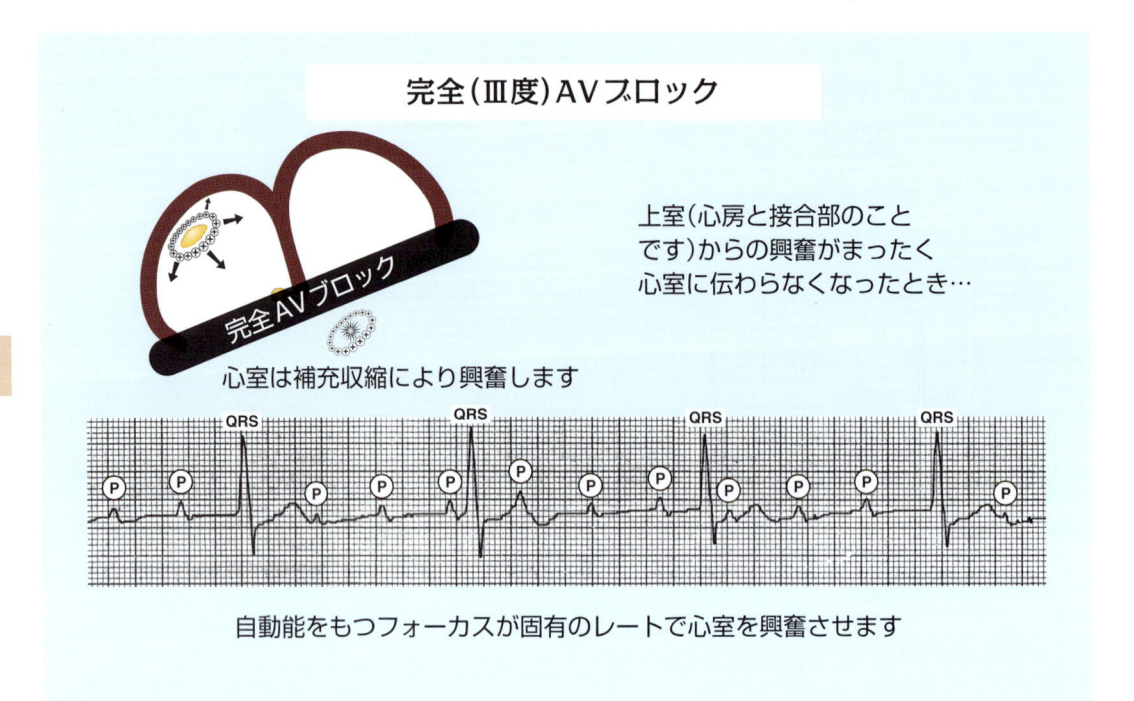

完全（Ⅲ度）AVブロック

上室（心房と接合部のことです）からの興奮がまったく心室に伝わらなくなったとき…

心室は補充収縮により興奮します

自動能をもつフォーカスが固有のレートで心室を興奮させます

> **完全房室ブロック**はⅢ度AVブロックのことです．房室結節を経由した心房から心室への伝導はまったく途絶えています．ブロック部位よりも下方から補充収縮が生じて，固有のレートで心室を刺激します．

- Ⅲ度AVブロックは完全房室ブロックと同じものです．洞結節からの心房興奮は_____にたどりつけません． 　　　　　心室

- 房室結節やヒス束なら1ヵ所の伝導途絶でも"完全房室ブロック"になります．ところが，心室内の刺激伝導系は枝分かれしていますから，完全房室ブロックを生じるにはその枝すべてにおいて心室への_____がブロックされていることが必要条件になります． 　　　　　伝導

- 上位からの興奮がこなくなれば，ブロック部位より下位の自動能が固有_____で心室をペーシングします． 　　　　　レート

> **メモ**：補充収縮の発生場所は完全房室ブロックの位置により異なります．次にさまざまな可能性について考えてみましょう．

完全（Ⅲ度）AVブロック

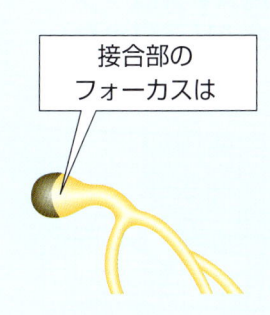

接合部のフォーカスは

上位の房室結節で完全AVブロックが生じたときには，ブロック部位より下方の接合部自動能が心室を興奮させます

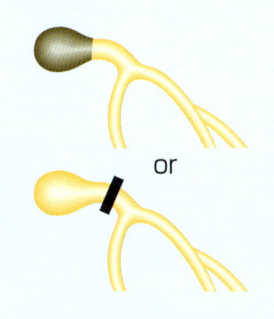

房室結節全体あるいはヒス束あたりの傷害で完全AVブロックになれば心室のフォーカスのみが心室のペースメーカーとなります

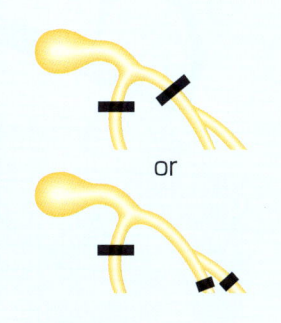

ヒス束よりも下位で完全AVブロックとなっているときも心室のフォーカスが心室を興奮させます

完全房室ブロックは房室結節の上のあたりに生じることがあります．一部の房室結節はブロックよりも下方に位置しますから，接合部のフォーカスが心室に補充収縮を送り出すことが可能です．房室結節より下方にブロックが起これば，補充収縮の発生場所としては心室のフォーカスしかありません．ブロックの位置がどこであれ，"完全房室ブロック"は心房と心室間の伝導がすべて途絶えています．

● 房室結節上位での完全房室ブロックなら，接合部のフォーカス（具体的にはブロックより下方でもっとも発火レートが高い自動能）が固有のレートで＿＿＿＿をペーシングし始めます．	心室
房室結節のほとんどが障害を受けていたり，房室結節より下方（たとえばヒス束）でブロックになっていれば，心室内のフォーカスがペーシングの任務を負わねばなりません．	
● 心室内の補充収縮は上位のフォーカスよりも低めの＿＿＿＿レートをもっています．	固有

メモ：補充収縮がどこから出てきたとしても，心房には洞結節からの興奮が広がります．ですから，ECGには通常の洞性心房興奮（P波）と補充調律による低めのレートをもったQRSが互いに独立して現れます．レートの異なるQRSとP波が互いに干渉しあうことなく出現することを，"房室解離（AV dissociation）"とよびます．房室解離は完全房室ブロックによるものが多いのですが，この場合あえて房室解離という用語をもち出すことはありません．12誘導心電図でも，モニター心電図でも房室解離を認めたら完全房室ブロックを思い浮かべましょう．

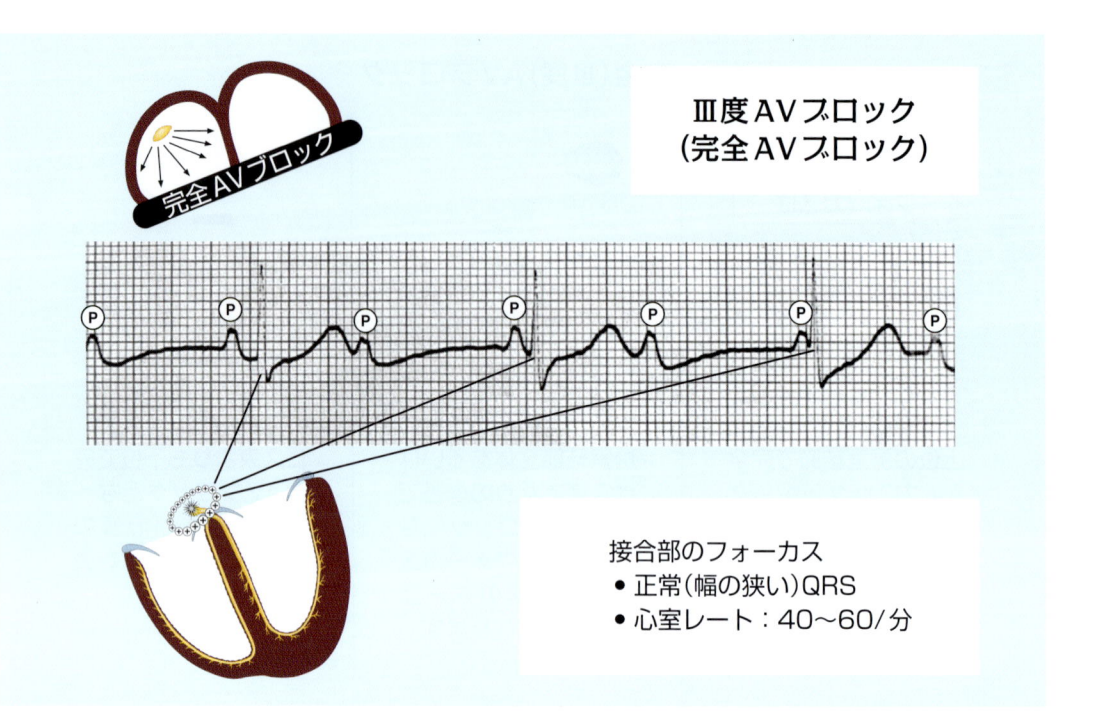

III度AVブロック（完全AVブロック）

接合部のフォーカス
- 正常（幅の狭い）QRS
- 心室レート：40～60/分

房室接合部よりも上位で（ここでは房室結節のうち上位と理解してください）完全房室ブロックが起きれば、接合部のフォーカスにはオーバードライブサプレッションが解消され、補充調律として心室をペーシングし始めます。洞結節由来のP波とともに、独立した周期をもつQRSを認めます。このQRSは原則として正常幅のQRSです。

メモ：房室結節内部、とりわけ自動能を有する接合部よりも上のほうで完全房室ブロックが生じたら、オーバードライブサプレッションから解放された接合部が心室のペーシングを開始します。"接合部固有調律*"といいます。

● 完全房室ブロックがあっても、QRSが正常な形をしていたら心室の興奮は正常な刺激伝導系を経由していることになります。接合部の自動能によって＿＿＿＿＿が興奮していることがわかります。　　　　　　　　　　　　　　　心室

メモ：接合部からの興奮が始まっても、心室の刺激伝導系に障害があることもあります。心室のどこかで伝導が遅延あるいは途絶すればQRS幅は拡大します。

● 心室レートが40/分から60/分なら、房室＿＿＿＿＿＿＿がペースメーカーとなっていると推測されます。　　　　　　　　　　　　　　　　　　　　　　　　　　　　接合部

＊ときには接合部からの興奮レートが上昇しますが、そのときは促進性接合部調律とよびます。

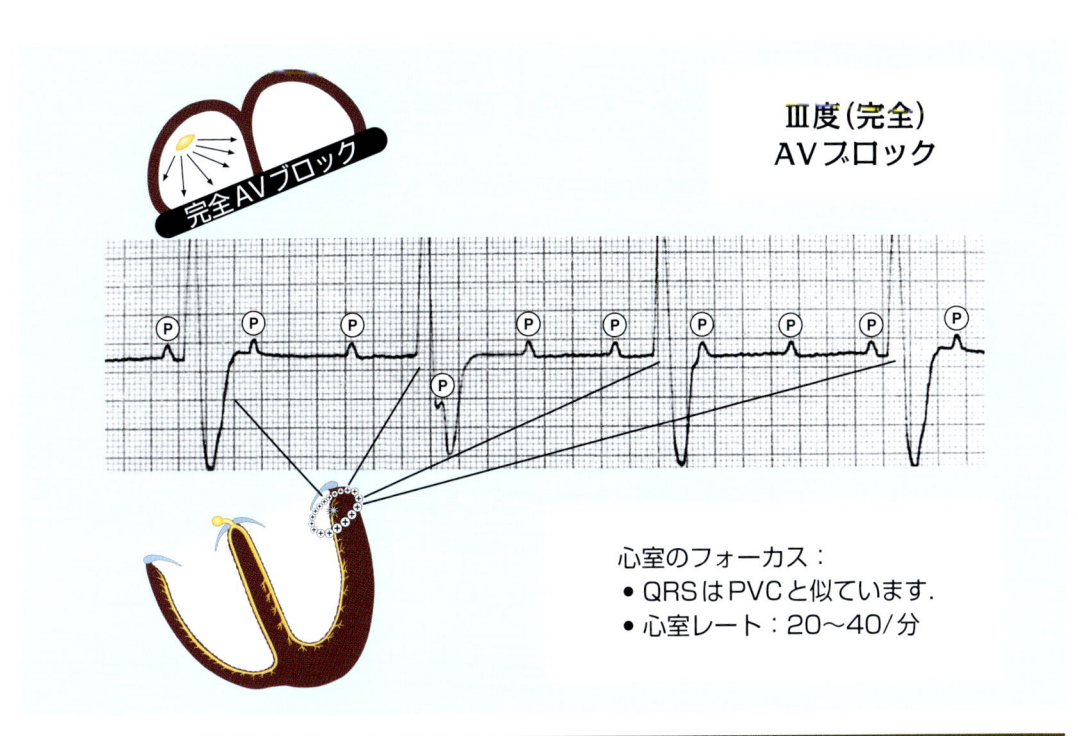

III度（完全）AVブロック

完全AVブロック

心室のフォーカス：
- QRSはPVCと似ています．
- 心室レート：20〜40/分

房室接合部より下方で完全房室ブロックが生じたら，オーバードライブサプレッションから抜け出してペースメーカーとして働き出すフォーカスのレートはだいたい20/分から40/分です．このレートでは脳循環も不十分で，失神することもあります．

● P波とQRSが互いに独立して現れる房室解離をみたら，QRSの形に注目してください．幅の広い，PVCみたいに大きなQRSなら_____起源の調律を考えます．	心室
● さらに，20/分から40/分のレートなら心室の_____を示唆します．	フォーカス

メモ：接合部の自動能が任務を果たせないときは心室の補充収縮が現れます．完全房室ブロックが房室結節全体の障害によるものだったり，房室接合部より下方にブロック部位が存在している場合です．

メモ：III度（完全）AVブロックでは心室レートがかなり低くなります．脳への血流が足りなくなれば意識の低下や失神も生じます．徐脈でも頻脈でも，不整脈による失神はAdams-Stokes症候群といいます．完全房室ブロックの患者さんではその病態の解明とともに，気道の確保が必要です．これなしでは救命できません．速やかな対処を心がけましょう．III度AVブロックではしばしば人工ペースメーカーの植え込みを要します．

ペースメーカーの下方へのシフト

上室性の興奮（心房や接合部の興奮）を認めません

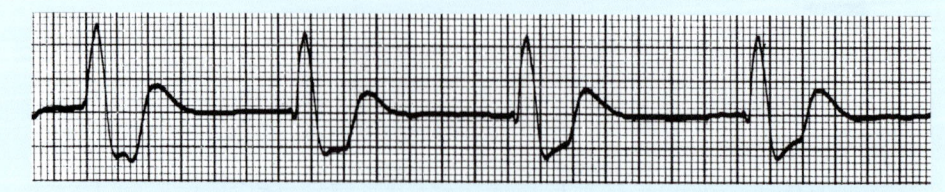

予後が悪いのは：
- QRS幅が拡大   • 低い電位   • 低い心室レート

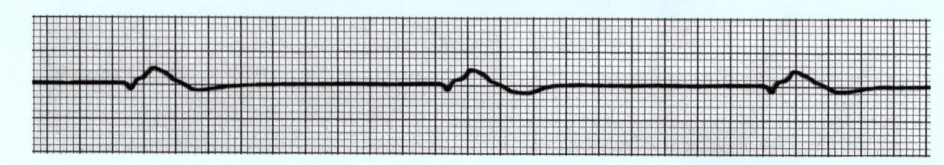

ここに掲げた心電図はⅢ度AVブロックではありません．徐脈で幅の広いQRSだからといって，Ⅲ度AVブロックとは限りません．独立した周期をもつ心房興奮はみられますか？ 全部の誘導を見て確かめてください．

● 幅の広いQRSの徐脈だけでⅢ度AVブロックと診断することはできません．Ⅲ度AV_____の診断には房室解離（心房と心室のリズムが互いに独立しています）を伴う徐脈であることが必要条件です．

ブロック

メモ：心房興奮を認めない幅の広いQRSの徐脈なら，洞結節もそれ以外の上室性フォーカスも機能していないことになります．心室よりも上位の自動能がすべて消失すれば，ペースメーカーは下方にシフトし，予後不良の可能性があります．ペースメーカーの心室側への移動と断定する前に，基線が本当にフラットであり，心房細動ではないことを確認してください．

メモ：高度の高カリウム血症は洞結節を含め，上室性のフォーカスを抑制しますので，同じようなECGになります．高カリウム血症では収縮停止 (asystole) を生じます．厳密な定義はともあれ，収縮停止は心停止 (cardiac arrest) の1つです．

ここで一息入れてください．頭がすっきりしたら脚ブロックの話を始めます．

脚ブロック

脚ブロック

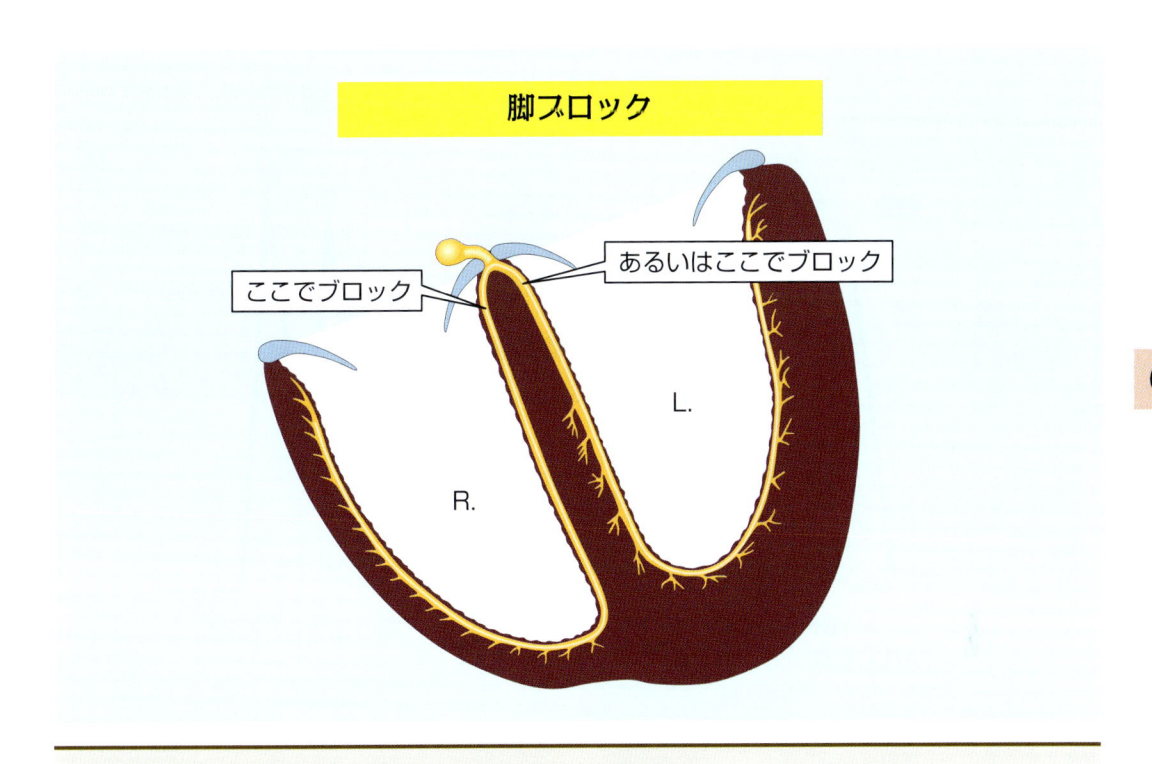

ここでブロック　　あるいはここでブロック

R.　　L.

脚ブロック（bundle branch block：BBB）は右脚もしくは左脚の伝導ブロックのことです．伝導途絶と伝導遅延はいずれもブロックに含まれます．

● 右脚は右室に興奮を伝え，左脚は_____室に興奮を伝えます．これはごくおおざっぱな表現で，正確さには欠けますが心電図の理解には便利です．左右の伝導脚を経由した興奮はほぼ同時に心室に達し，調和のとれた心室の収縮に貢献します． | 左

● 脚ブロックはその支配領域の興奮を_____（消失あるいは遅延のどちら？）させます． | 遅延

メモ：左右の心室はほぼ一緒に興奮します．脚ブロックにより興奮が遅れた領域は健常側から興奮が迂回してきます．刺激伝導系を使わない伝導ですから，ちょっと時間がかかります．脚ブロックが伝導途絶でなく伝導の遅延にとどまっていれば，ブロック部位を通り抜けたあとの興奮の伝導速度は正常に戻ります．しかし，障害側の心室興奮は健常側よりも遅くなります．続きは次のページです．

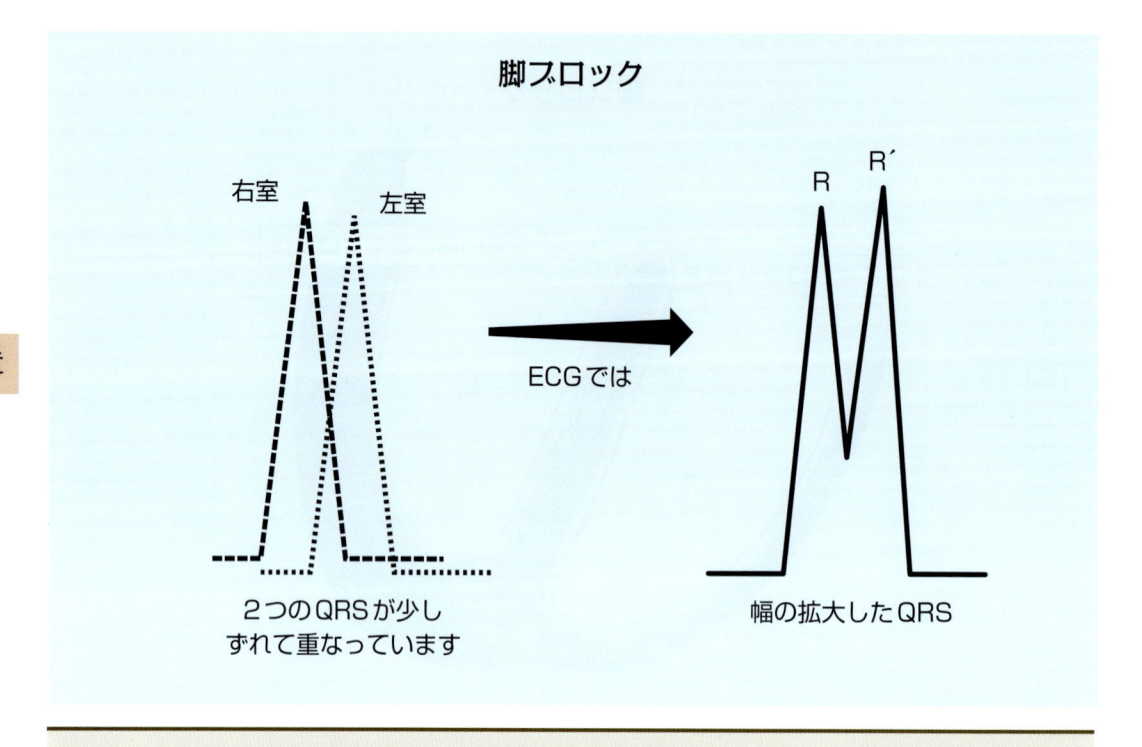

脚ブロック

右室　　左室

ECGでは　→　R　R´

2つのQRSが少し
ずれて重なっています

幅の拡大したQRS

脚ブロックがあれば障害側の心室は健常側よりも遅く興奮します．ECGではQRSが2つ重なっているように見えます．

●どちらの伝導＿＿＿＿＿＿が障害されているかによって興奮伝播が遅延する心室は異なります．

脚

> **メモ**：脚ブロックの有無にかかわらず右室の脱分極（興奮のことです）も左室の脱分極も同じくらいの時間がかかります．しかし，興奮が始まるタイミングにズレがありますから，ECGのQRS幅は拡大して見えます．独立した2つのQRSが重なっていると思ってください．ECGでは二峰性のQRSになります．

> **メモ**：幅の広いQRSは左右の心室興奮のタイミングがズレていることを意味しています．片方は正常なタイミングで，もう一方はちょっと遅れています．R波は2つ，それぞれR波とR´波とよびます．R´波（英語ではR-primeとよみますが日本語ではアールダッシュと読むことが多いようです）はブロックされた心室側の伝導遅延を表しています．

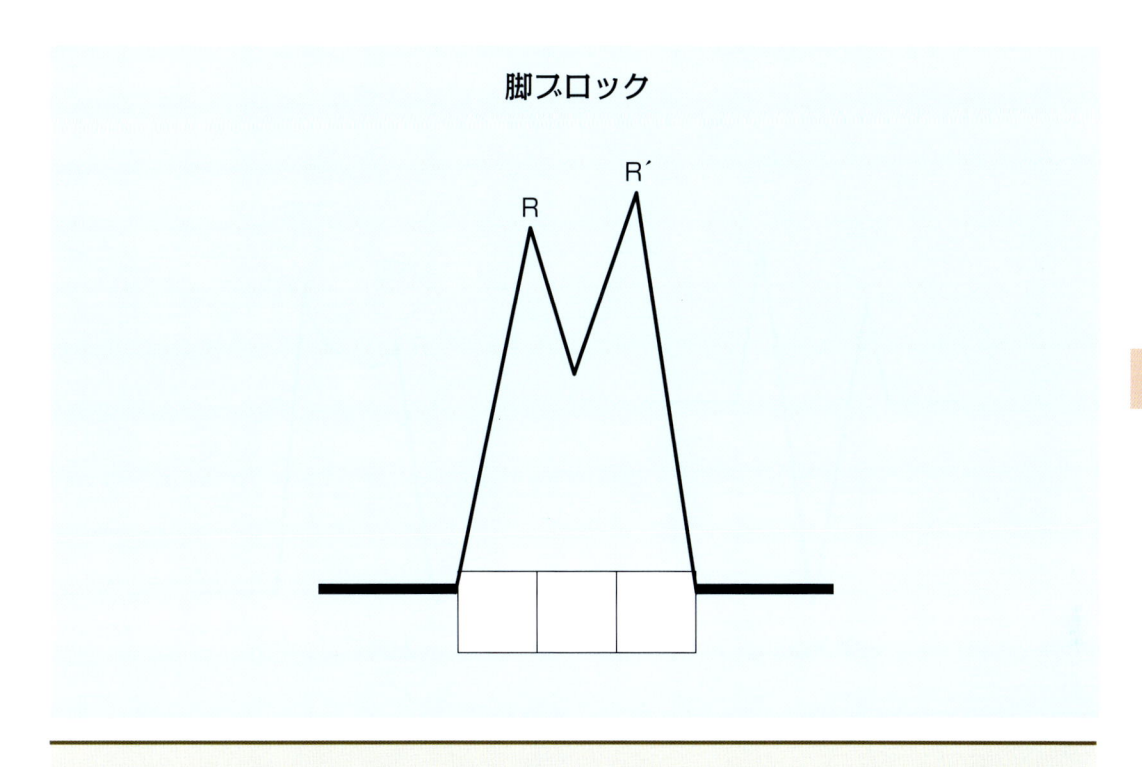

脚ブロック

脚ブロックのQRSの幅は小さな四角3個（0.12秒）以上になります．R波とR′波を認めます．R′波はブロック側の心室興奮の遅延を反映しています．

メモ：もともと左右の心室はほぼ同時に興奮し，0.12秒未満に興奮は終了します．0.12秒とは小さな四角3個分です．

● 脚ブロックでは_____の幅が0.12秒以上です． 　　QRS

● 脚ブロックと判断するには，QRSの幅が小さな四角_____個（つまり0.12秒ですね）かそれを超えるという条件があります．QRSの幅は心室伝導の評価に欠かせません． 　　3

メモ：ECGの記録機器のなかにはQRSの振れに追いつかないものもあります．時定数の関係もあるでしょうが，QRS幅が過大評価されることもあるようです．QRS幅が正常かどうか微妙なら，QRS波高の低い肢誘導のほうがQRS波高の大きな胸部誘導よりも正確にQRS幅を評価できます．

メモ：脚ブロックを有する患者さんに上室頻拍が生じたら，幅の広いQRSのために心室頻拍と間違われやすくなります．ご注意ください．

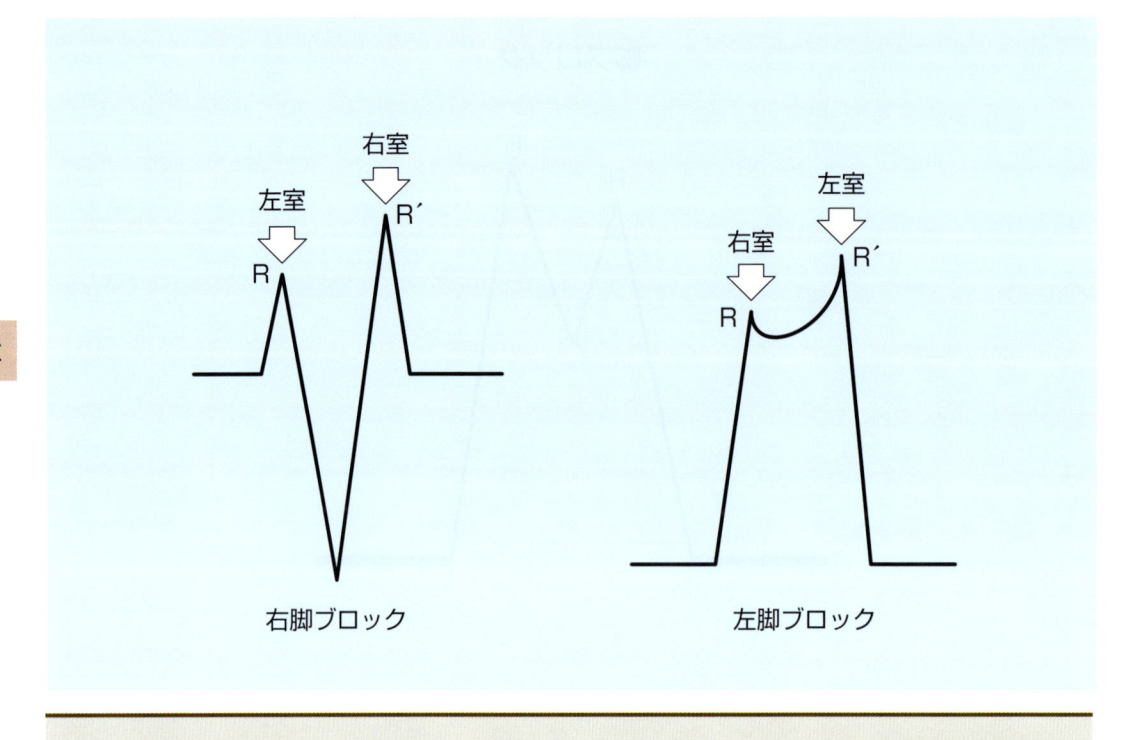

左脚ブロックでは主に左室の興奮が遅れます．右脚ブロックでは右室の興奮が遅れます．

●脚ブロックでは何といっても幅の広い＿＿＿＿＿が目につきます．胸部誘導にRR´パターンが見えませんか？	QRS
●右脚ブロックがあっても左室の大半は通常通りのタイミングで興奮が広がります．R波は左室側の興奮のことで，R´波は＿＿＿＿＿室が遅れて興奮する様子を表しています．	右
●左脚ブロックでは左室への興奮伝播が遅れます．右室への興奮伝播は正常ですので，R´波は遅延した＿＿＿＿＿室の興奮に対応しています．	左

そんなに難しくはないですね？

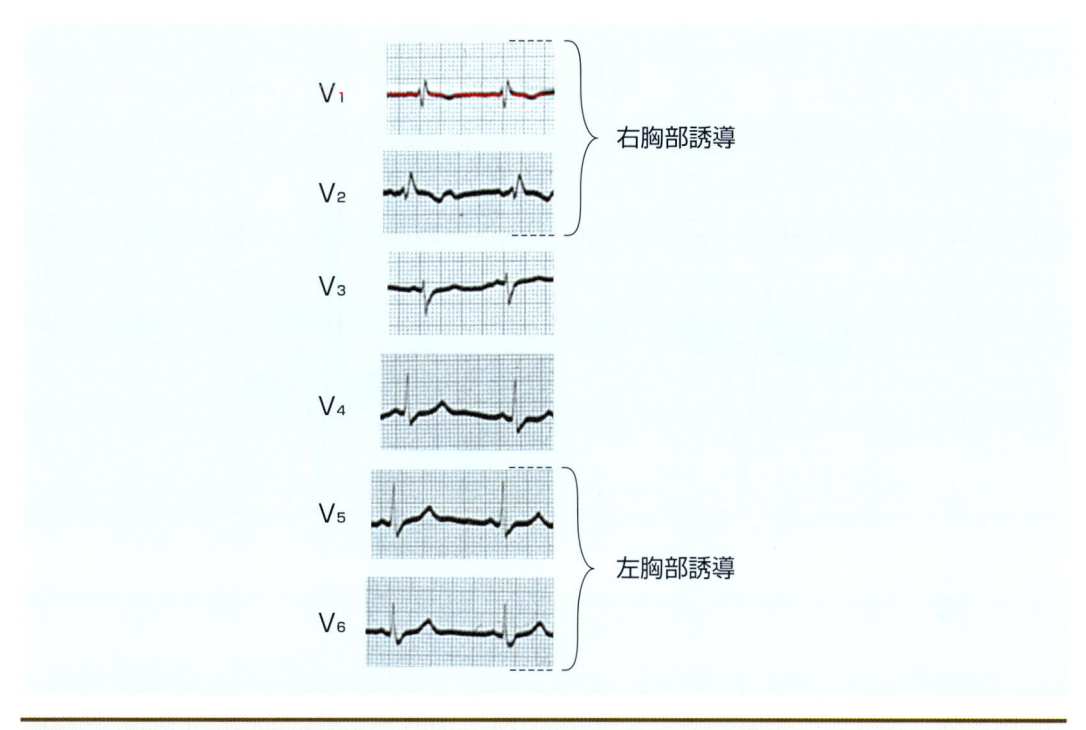

脚ブロックを見たら右胸部誘導のV₁とV₂，あるいは左胸部誘導のV₅とV₆にRR'パターンがないかチェックしてください．

● QRS幅が0.12秒以上なら脚ブロックと思われます．右胸部誘導もしくは左胸部誘導の＿＿＿＿＿＿パターンに注意してください． | RR'

メモ：心室が興奮したあとしばらくは（T波の頂点あたりまでですが），次の興奮波を受け入れることができません．早期刺激に対して応答できない（refractory）時期を不応期（refractory period）といいます．伝導脚にも不応期がありますが，左脚と右脚の不応期は同じではありません．たとえば上室頻拍のときに，片方は不応期を脱しているのに，もう一方の脚は不応期を終えていないこともあります．このとき，どちらか1つの脚だけで速やかな伝導が可能です．左右の心室興奮には時間的なズレがみられ，レート依存性の脚ブロックは上室頻拍を心室頻拍と同じような波形にしてしまいます．

● 右胸部誘導とはV₁と＿＿＿＿＿＿です． | V₂

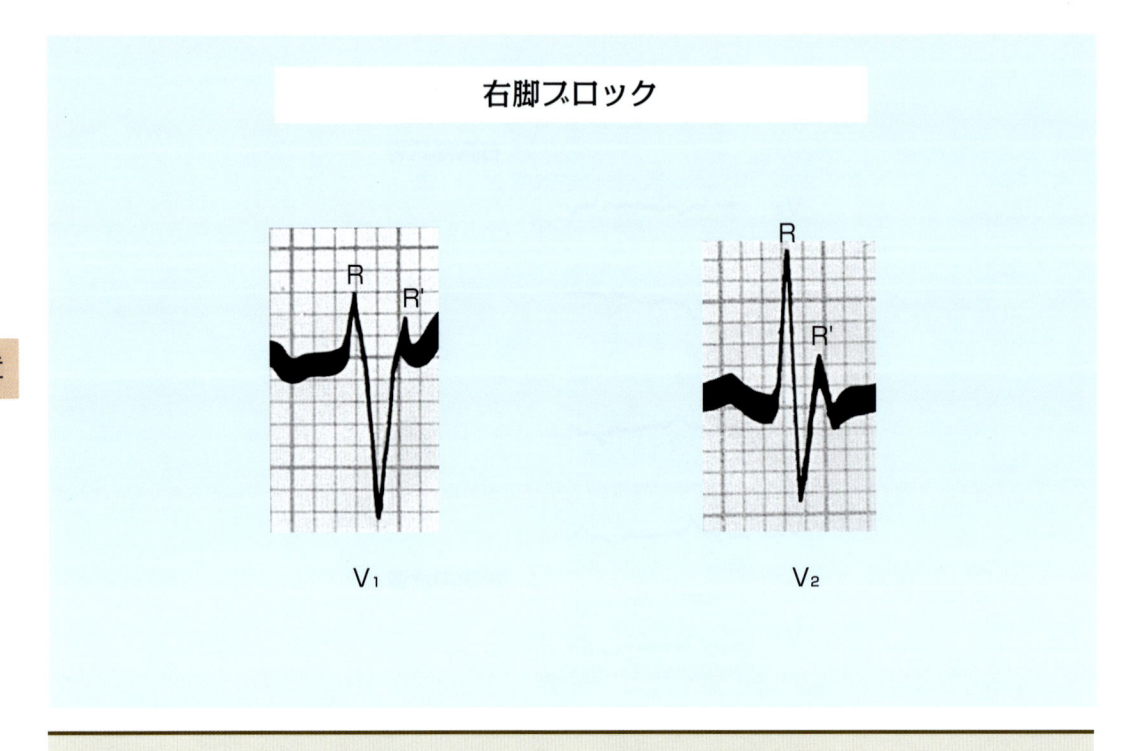

右脚ブロック

右脚ブロックは右胸部誘導のV₁とV₂がRR´パターンとなります.

●幅の広い_____(たぶん脚ブロックです)では右胸部誘導や左胸部誘導にRR´がないか確認してください.	QRS
●右胸部誘導のV₁とV₂にRR´を認めるときは_____脚ブロックが考えられます.	右
●右脚ブロックでは右室の興奮は左室の興奮より遅くなります．上の図のR´はブロックされて遅延した_____室の興奮を表します.	右

左脚ブロック

V₅

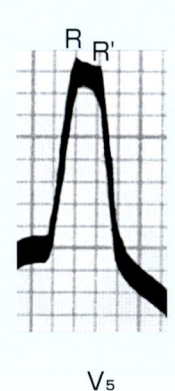

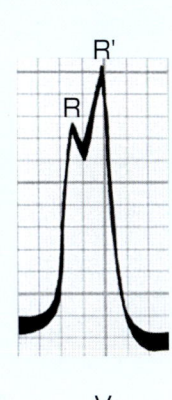

V₆

左胸部誘導の V₅ と V₆ に RR′ を見たら左脚ブロックです．R′ は遅れた左室の興奮を示しています．

● 左胸部誘導の＿＿＿＿と V₆ の電極は胸壁をはさんではいますが，左室の上にあります． | V₅

● ＿＿＿＿脚ブロックでは，ときに V₅ と V₆ の RR′ の尖りがはっきりとせず，先端部が平坦になっていることもあります（図の V₅ の QRS を見て下さい）． | 左

● 左脚ブロックでは左室よりも右室が先に興奮します．ですから QRS の最初の振れは＿＿＿＿室の興奮を意味します． | 右

> **メモ**：典型的な右脚ブロックと左脚ブロックの QRS がどういう形をしているか，よく覚えておいてください．脚ブロックはパッと見ただけで診断できます．PVC や VT の波形を RBBB 型とか LBBB 型と表現することがありますから，脚ブロックのパターンはしっかり頭に入っている必要があります．ペースメーカーが植え込まれている患者さんの QRS から，ペーシングリードの位置などを推測するときも脚ブロックの知識が大事です．

> **メモ**：左脚はさらに 2 つの枝（fascicle 束枝といいます）に分かれています．束枝のブロックをヘミブロック（hemiblock）といいます（p.295〜305）．

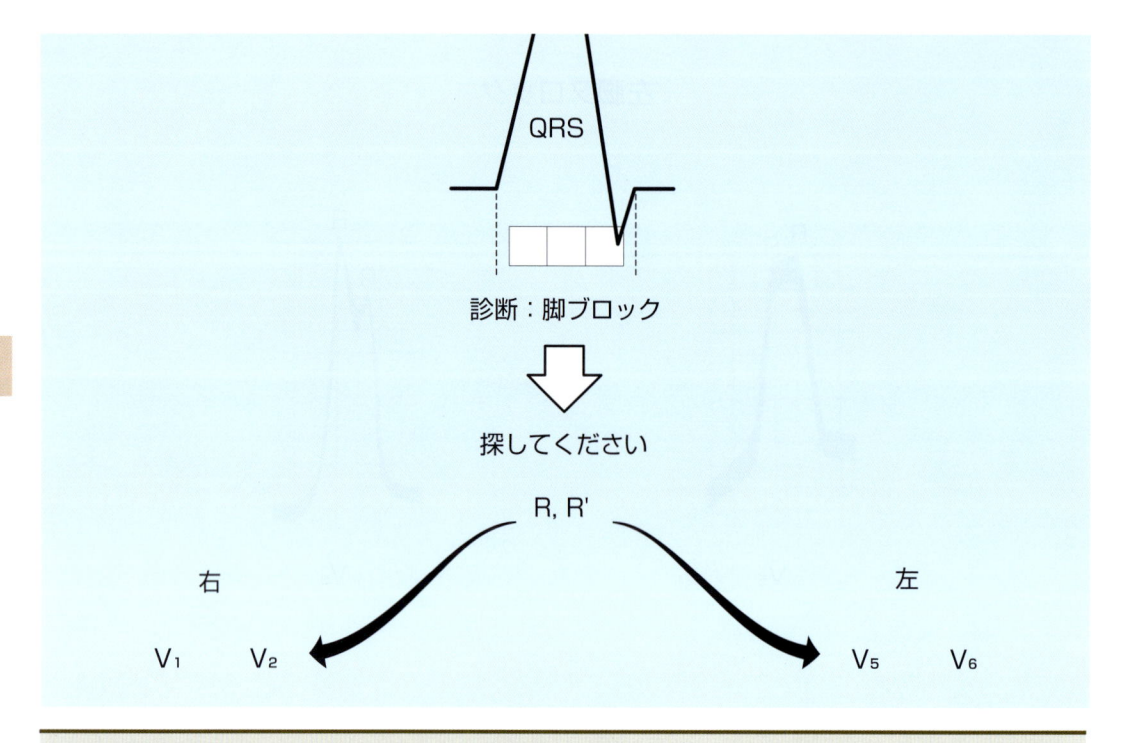

```
        QRS
      ┌─────┐
      │     │
  診断：脚ブロック
       ⇓
    探してください

      R, R'
   右         左
V₁  V₂       V₅  V₆
```

小さな四角3個以上に拡大したQRSを見たら脚ブロックを考慮します．左胸部誘導と右胸部誘導をチェックして，どちらの脚がブロックされているか判断します．ただし，QRS幅が拡大していても脚ブロック以外の原因があることもあります．

- 脚ブロックの診断にはQRS幅が＿＿＿＿＿＿秒以上という条件があります．簡単ですが，p.193の脚ブロックがどのタイプか診断してください． | 0.12

  メモ：両伝導脚の不応期の差が小さいときは，レート依存性の脚ブロックが生じるゾーンはかなり狭くなります（p.195のメモを参照）．

- R´が見えにくく，RR´パターンが胸部誘導のうち1つの＿＿＿＿＿＿でしか認められないこともあります．ただし，原則として右胸部誘導のV₁とV₂もしくは左胸部誘導のV₅とV₆に存在します． | 誘導

  メモ：ときにはQRS幅は正常なのにRR´を認めることもあります．このときは，"不完全 incomplete" 脚ブロックとよびます．

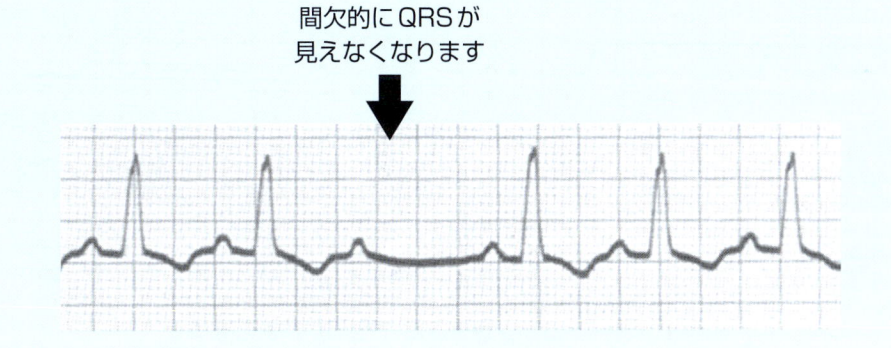

間欠性モービッツ型（Ⅱ度AVブロック）

間欠的にQRSが
見えなくなります
↓

ベースラインに脚ブロックがあり，もう一方の脚に
間欠的なブロックが生じることでQRSが欠落します

右脚ブロックと左脚ブロックが同時に存在すれば完全（Ⅲ度）房室ブロックになり，興奮は心室まで降りてこれません．片方に継続的な脚ブロックがあり，もう一方に間欠的（intermittent）な脚ブロックが起きると間欠性完全房室ブロック（モービッツ型の1つの形です）になります．

- 右脚ブロックに間欠性左脚ブロックが生じると，ECGには右脚ブロックのQRSがしばらく続いたあと間欠的に完全房室ブロック（P波のうしろに_____を認めません）を認めます． **QRS**

- 左BBB〔脚ブロック（budle branch block）のことです〕に間欠性右BBBが生じると，ECGには左脚ブロックのQRSがしばらく続いたあと間欠的な完全AVブロック（P波のうしろに_____を認めません）を認めます． **QRS**

メモ：モニター心電図にBBB型のQRSが続いたあと，ときどきQRSが抜け落ちていたら間欠性完全房室ブロックを考えます．間欠性完全房室ブロックが進行すれば，継続的な完全房室ブロックを呈することもあります．ですから，このタイプのモービッツ型ブロックは危険な徴候と理解してください．モービッツ型ならしばしば人工ペースメーカーの植え込みが必要です．絶対見落とさないで下さい．

リスクのない見かけ上の間欠性モービッツ型ブロック

PR時間の延長が目立たないウェンケバッハ型ブロック

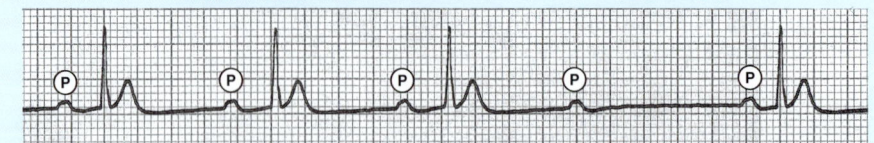

非伝導性(non-conducted)心房期外収縮　（P´）

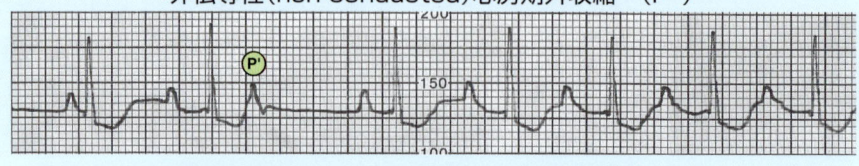

一過性の洞房ブロック（P-QRS-T全部が消失します）

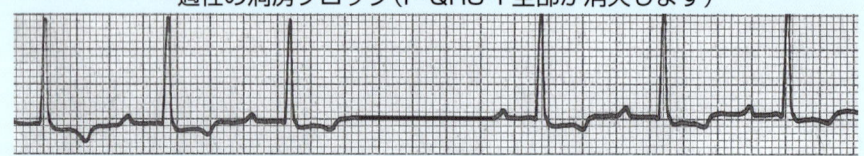

ペースメーカーを要する完全房室ブロックに先行して間欠性モービッツ型を認めることがあります．正常なP波のうしろにQRSが欠落すると，まっすぐな基線が続きます．ただし，長い基線を認めてもリスクが高くないこともあります．

- ウェンケバッハ型ブロックではP波はきちんとしたタイミングで出現しますが，時折＿＿＿＿波のうしろのQRSが脱落します．長い基線を認めても心配いりません (p.180を参照)． | P

- 心房期外収縮が房室結節の不応期に遭遇すれば〔非伝導性（non-conducted）PAC〕，心房からの興奮は＿＿＿＿に届きません (p.128)．長い基線の最初のほうに洞結節のP波とは異なるP´波を認めることに注意してください． | 心室

- 洞停止（通常は良性です）でも，洞結節の発火が再開するか，どこかの自動能から補充＿＿＿＿が発生するまで心休止が続きます．いずれにしても心休止に先立ってP波は認めません (p.174を参照)． | 収縮

> **メモ**：ちょっとまとめてみます：
> - P波は規則的に出現（QRSの脱落）…Ⅱ度AVブロック．モービッツ型かウェンケバッハ型ブロック
> - 期外収縮を思わせるP´波（QRSの脱落）…非伝導性（non-conducted）PAC
> - P-QRS-Tの消失…洞停止あるいは洞房ブロック

調律：いつも重要です

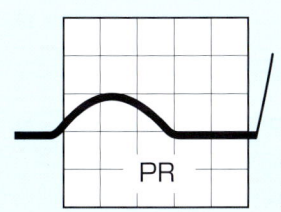

PR …房室ブロックの診断に大事です
（QRSを伴わないP′にも注意）

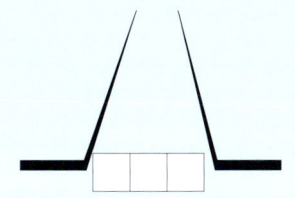

QRS…脚ブロックの診断に大事です

PR時間やQRS幅の測定にはいちいち物差しは使わず，目盛りから視覚的に計測します*．これで十分です．

●PR時間はECG判読に必須です．大きな四角1個よりも長いPR時間があれば，なんらかの_____ブロックがあるでしょう．QRSの消失があればⅡ度かⅢ度のAVブロックが考えられます．	AV（房室）
●QRS幅の確認はECG判読に必須です．0.12秒以上なら脚_____を考えます．	ブロック

メモ：ECGにはたくさんの情報が詰まっています．その中でもPR時間とQRS幅はとても大事です．モービッツ型ブロックや脚ブロックが出現したら，心筋梗塞が原因となっている可能性があります．

メモ：ヘミブロックは心筋梗塞のときにも生じますので，心筋梗塞の章でも述べます．ヘミブロックとは左脚の2つの枝〔束枝（fascicle）〕のブロックのことです．

*眼で見て明らかに異常なPR時間やQRSがあったら，さらに詳細な計測をお勧めします．

脚ブロック

ベクトル＝？

心室肥大？

脚ブロックがあれば，電気軸"Axis"（平均QRSベクトルのことです．これは次の章で扱います），と心室肥大についての評価はむつかしくなります．

- **メモ**：平均QRSベクトルは心室の興奮波がどちらを向いているか，大まかな方向を示しています．BBBではベクトルの向きが把握しにくくなります．というのはBBBでは心室全体にバランスの取れた興奮伝播がみられず，左右心室にばらばらなベクトルが存在しています．

- **メモ**：心室肥大（あるいは拡大）の診断基準は正常なQRSを念頭にして作られています．正常では左右心室がほぼ同時に興奮して電気的な打ち消しあいが生じますが，脚ブロックでは電気的打ち消しあいがなく大きなQRSが現れます．そのため，BBBでは心室肥大の診断が難しくなります．心房についての情報はBBBによって邪魔されません．

- **メモ**：本章の図をもう一度おさらいしてください．そのあとで，p.337のPersonal Quick Reference Sheetsの"ブロック"のところを見て下さい．さらに，p.332のまとめに進んでください．

第7章　電気軸（Axis）

この章の要約はp.332とp.338にあります．先にそっちを見ていただいても結構です．

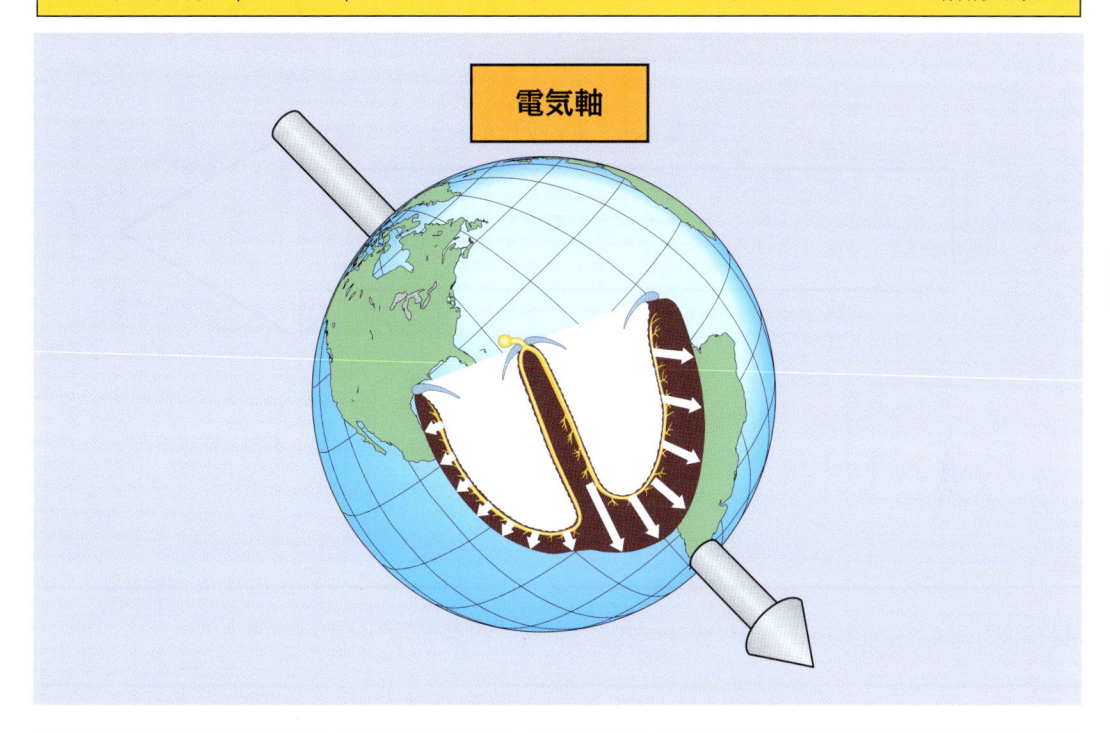

電気軸*は興奮波の方向を示しています．興奮波は心臓全体に広がり，心筋の収縮を引き起こします．

メモ：ちなみに上の地球儀は心電図の勉強とは関係ありません．軸のイメージを表すため，借りてきました．

- ＿＿＿＿＿（myocardium の日本語訳）の興奮伝播はだいたい決まった方向に向かいます．　　　心筋

- 電気軸とは興奮波が進んでいく大まかな＿＿＿＿＿（direction を日本語で）を表しています．　　　方向

＊Axisだけでelectrical axisのことを意味します．日本語でも"軸"とだけでいうこともあれば，"電気軸"ということもあります．

興奮波の進む方向

ベクトル

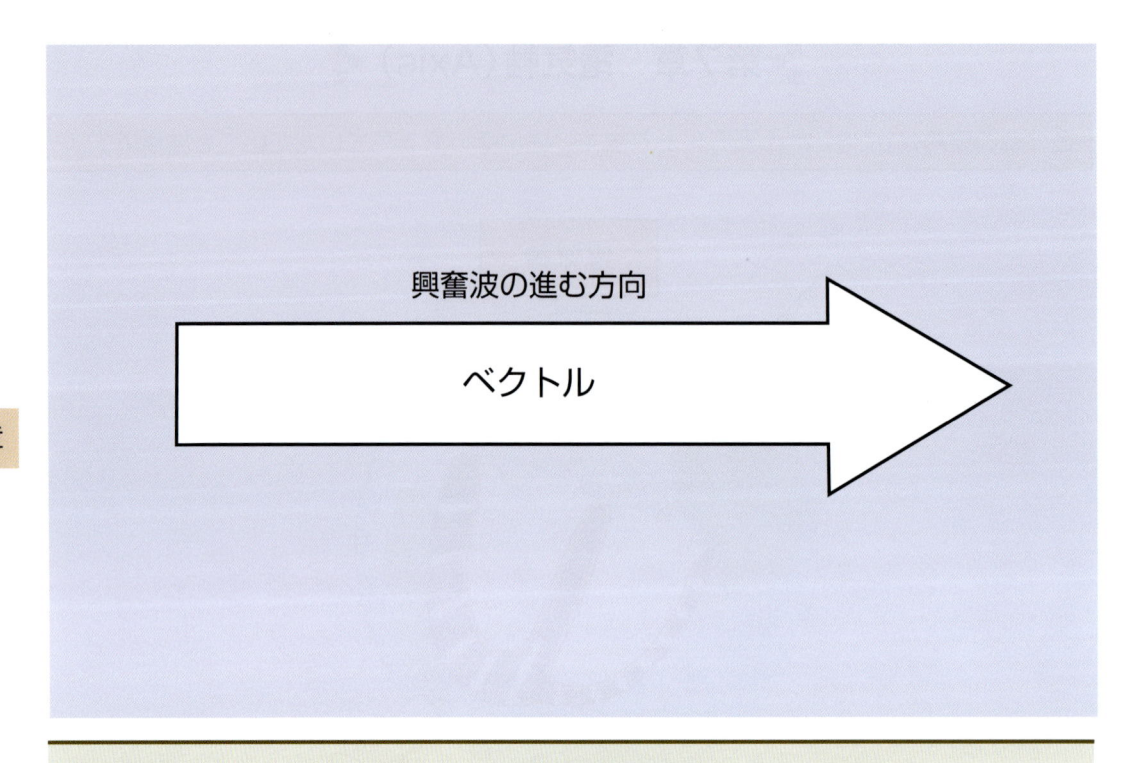

興奮波が進む方向は矢印で示します．この矢印を"ベクトル"とよびます．

● 興奮波がおよそどの方向に向いているか，＿＿＿＿とよばれる矢印で表します．　　ベクトル

● ＿＿＿＿は心臓のなかでいろいろな方向に進みますが，それらをひとまとめにして1本のベクトルで示すことができます．　　興奮

● ベクトルによって興奮が進行する＿＿＿＿を表現できます．　　方向

第 7 章　電気軸（Axis）　205

QRS

収縮

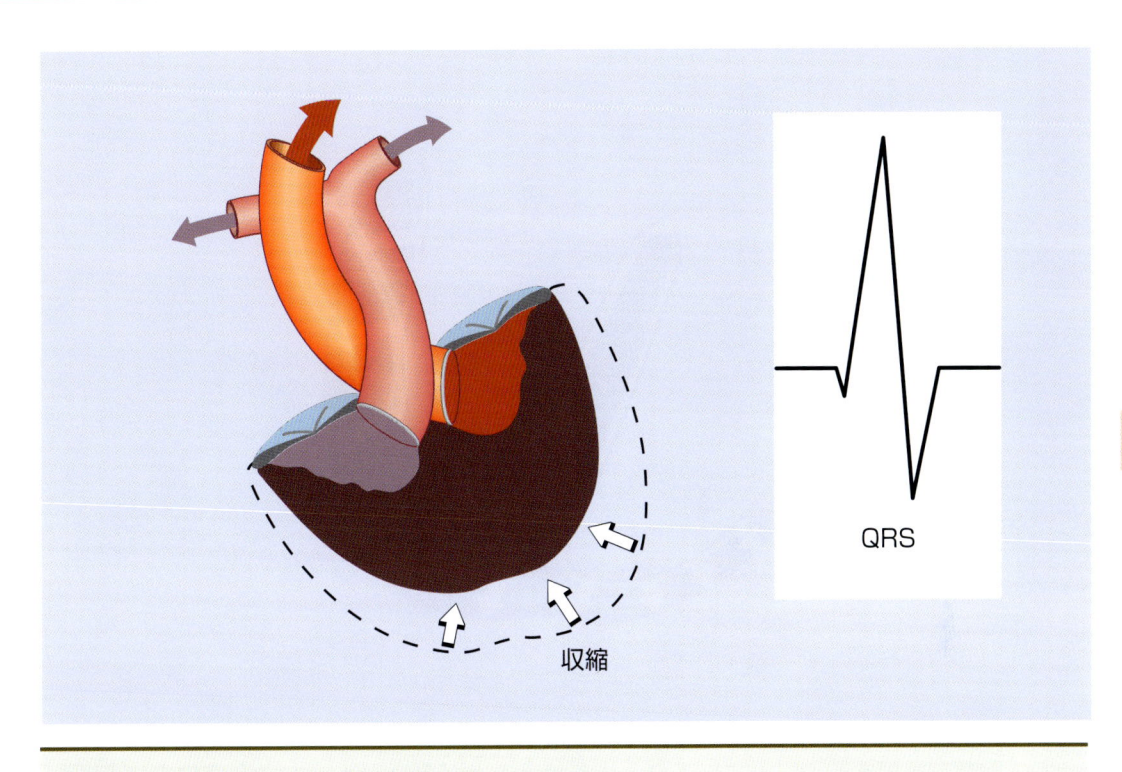

QRSとはなんですか？　心室筋の興奮を表しています．

●QRSは両_____の興奮をまとめて反映しています． 　　　　心室

●心室の興奮と収縮はほぼ同時に生じると考えても大して支障はありません（本
　当は機械的現象である_____は電気的現象である興奮より遅れます）． 　　収縮

●心室の興奮と収縮は_____によって表されます． 　　　　　　　　　　　　QRS

7章

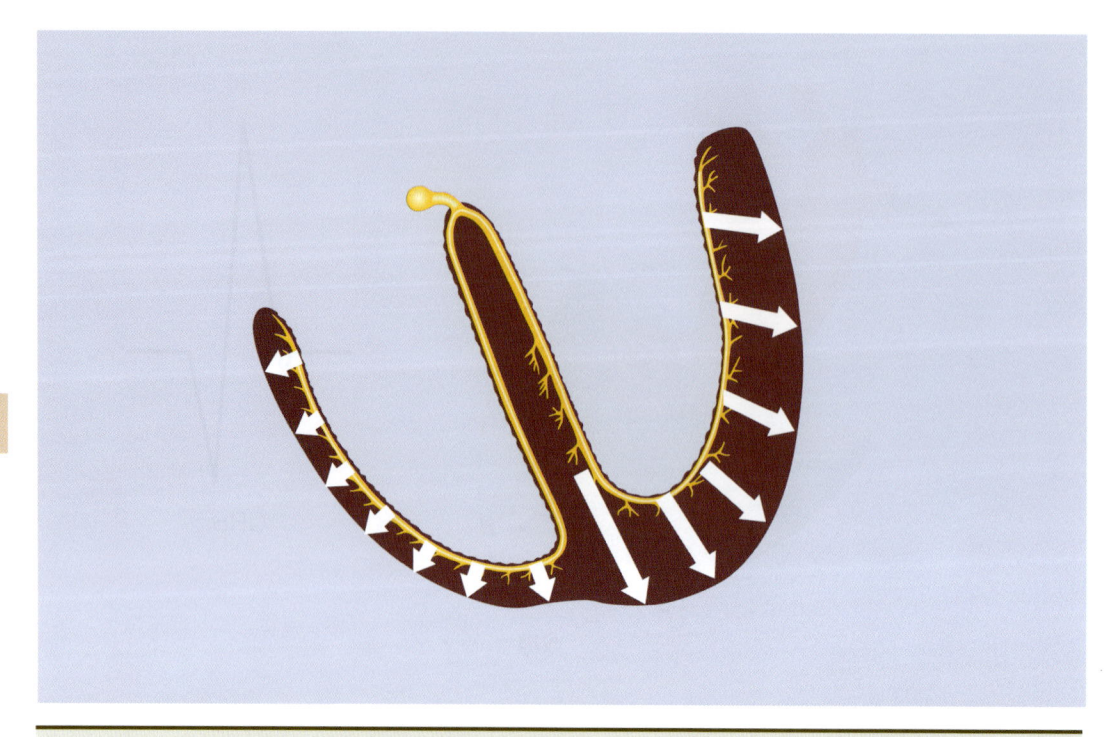

心室の興奮を表現するのに小さなベクトルを使うことがあります．左右心室の内側〔心内膜（endocardium）〕に始まり，外側〔心外膜（epicardium）〕に向かいます．できるだけ全体のタイミングが合うことが大事です．

メモ：興奮は房室結節を過ぎて，心室の刺激伝導系をすごい速さで下っていきます．刺激伝導系の末梢が心内膜に分布している事情もあり，心室興奮は心内膜側から始まり，心室壁を一気に広がっていきます（話が難しくなるので，心室中隔の興奮伝播については，ここでは触れません）．	
●プルキンエ線維は心内膜直下の心筋細胞に興奮を伝えます．プルキンエ線維を伝わる伝導はとてもすばやく，＿＿＿＿＿＿（endocardium のことです）の興奮はどこでもほとんど同時に起こります．	心内膜
●興奮は心内膜から心外膜に向かって，いっせいに＿＿＿＿＿＿壁を貫いて進みます．図の小さなベクトルで表してあります．	心室
メモ：左室壁のほうが厚いですから，より大きなベクトルを形成しています．	

第7章　電気軸（Axis）

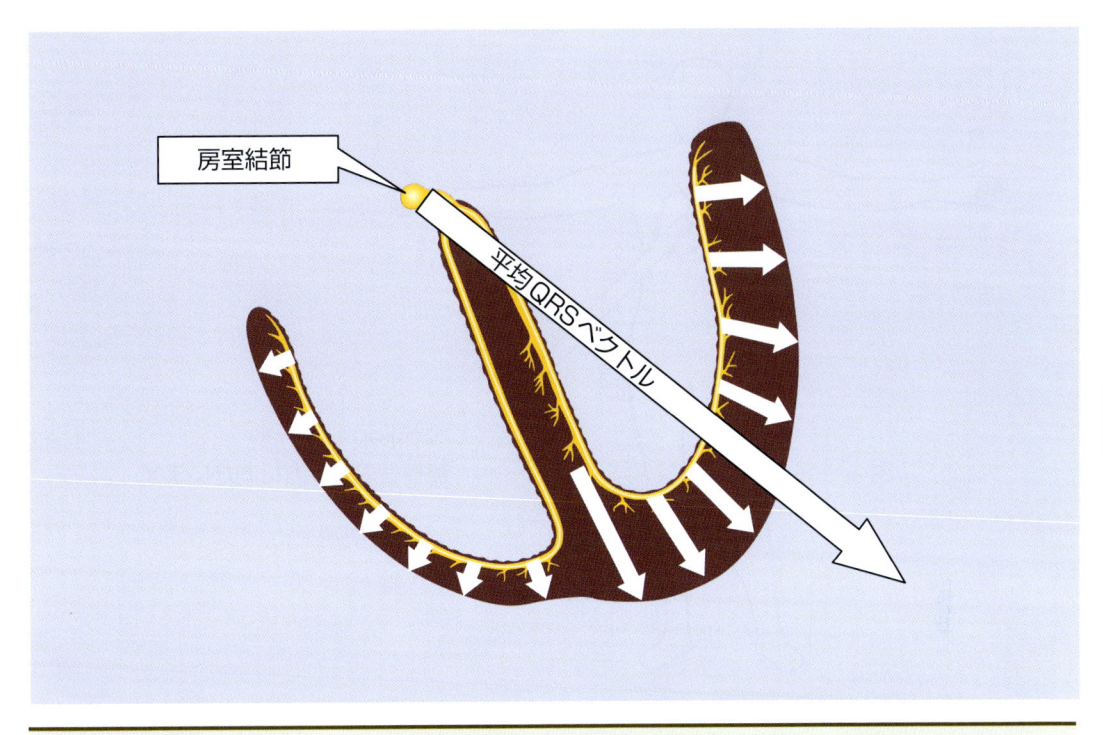

心室興奮を意味するちいさなベクトルを，その方向と大きさの両方を考慮しながら足し合わせたものが"平均QRSベクトル"です．この大きなベクトルで心室興奮が主にどちらに向かっているかわかります．

●平均QRSベクトルは_____の興奮ベクトルを加算したものです．	心室
●理解しやすくするために平均QRSベクトルは房室結節から始まるイメージで表現されています．つまり，このベクトルは起点を_____にして描かれます．	房室結節
●壁が厚い左室のほうが，壁の薄い右室より大きなベクトルを形成します．そのため平均QRSベクトルは_____（右ですか，左ですか？）側にシフトしています．	左

メモ：ベクトルとは興奮の「方向」と「大きさ」を示しています．大きなベクトルは大きな電気の流れを意味します．

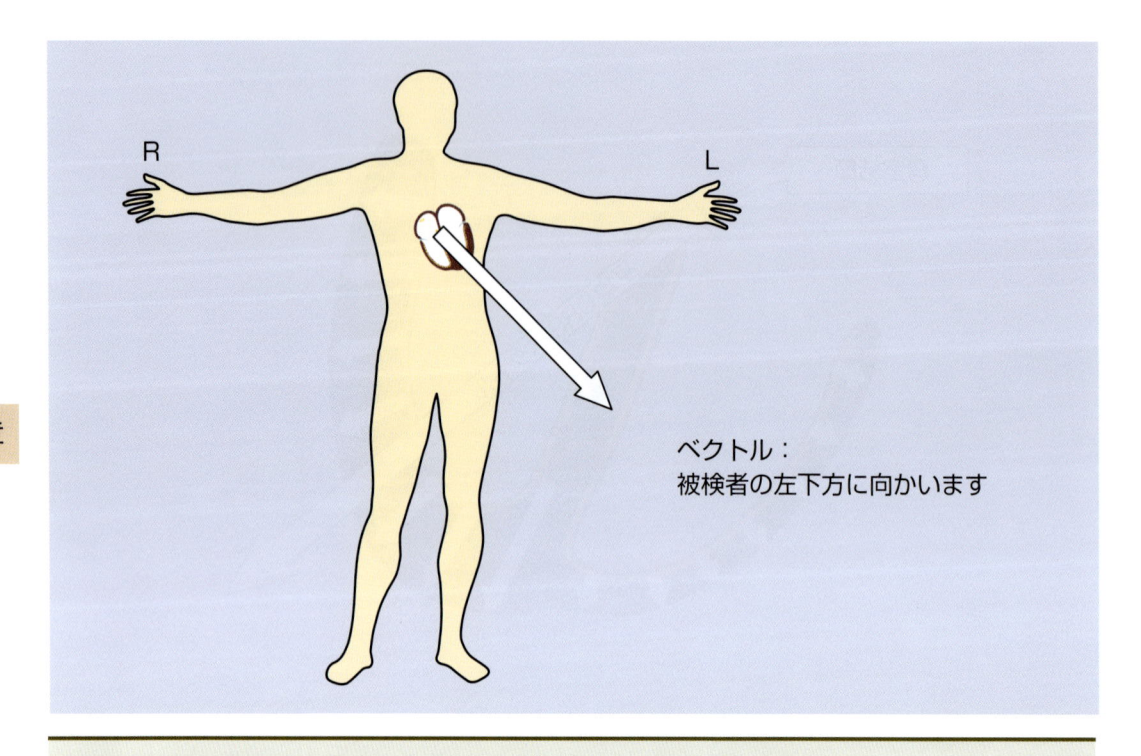

ベクトル：
被検者の左下方に向かいます

平均QRSベクトルは下向きで，少し左に向いています．このベクトルが心室興奮の大きな流れを表現しています．

- 心室は胸部のやや左寄りにあり，その先端は_____（右下ですか？　左下ですか？）を向いています． | 左下

- _____ベクトルは下向き，かつ左向きになっています． | 平均QRS

メモ：単にベクトル（Vectorと頭文字が大文字になっています．"V"と1文字で表すこともあります）というだけで平均QRSベクトルを意味することもあります．心室興奮のおおまかなトレンドを示しています．被検者の胸部にベクトル（Vector）をイメージしてください．房室結節から始まる矢印です．

メモ：かなり前のところで述べましたが，心筋が興奮するときNaイオンが大きな働きをしています．

第 7 章　電気軸（Axis）　209

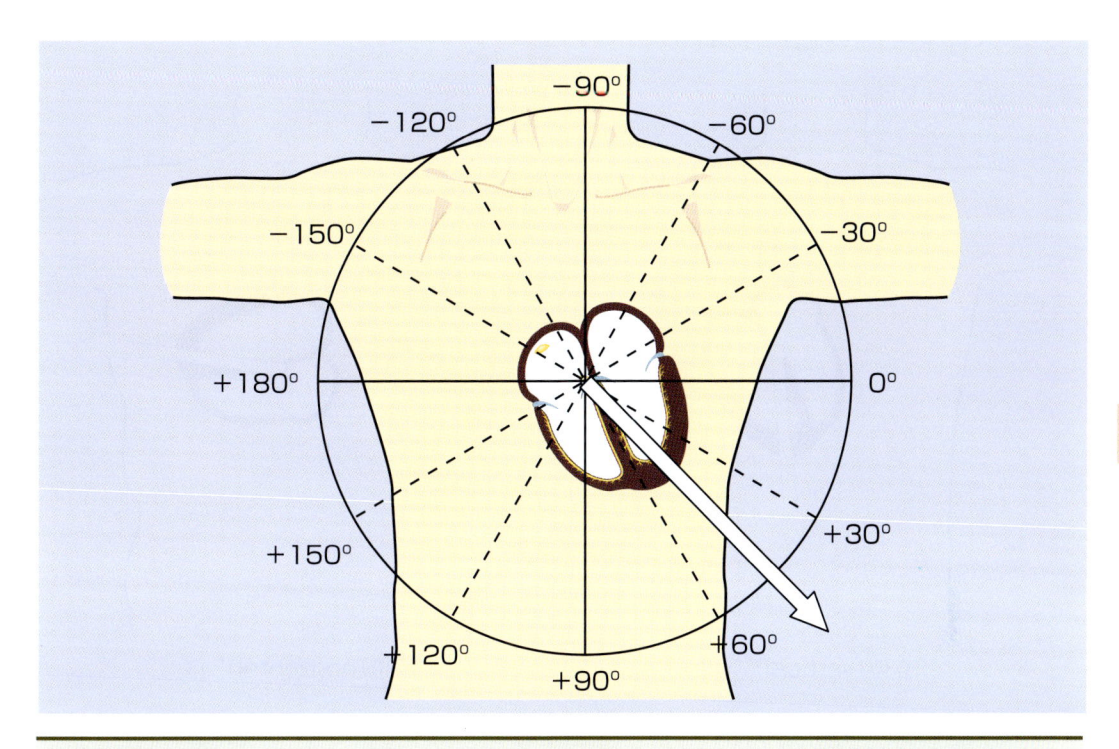

その向きが正確にわかるように被検者の胸に円盤をイメージして，平均 QRS ベクトルを描くこともあります．胸部と平行なこの面を前額面といいます．前額面での平均 QRS ベクトルは肢誘導の形や大きさを参考にします．

● 心臓のまわりに大きな＿＿＿＿を描いて，平均 QRS ベクトルの位置を決定することができます．

円

● この円の中心は＿＿＿＿にあります．心臓のちょうど真ん中，かつ胸部の中心にあたります．ここを起点にして矢印を描けば，ベクトルが何を意味しているかわかりやすいのです．

房室結節

● ベクトル（Vector＝平均 QRS ベクトルの意味です）は下向きで少し左に向いています．左向きをゼロと設定して，正常範囲は－30°から＿＿＿＿°です．

＋90（プラスを忘れないで）

メモ：心臓の電気軸は前額面においてはシンプルに平均 QRS ベクトルと同じことです．たとえば上の図の電気軸は＋45°です．0°は左手の方向です．また，円の下側がプラスになり，上半分はマイナスの領域です．電気軸は単に"軸"とよぶこともあります．

第7章 電気軸（Axis）

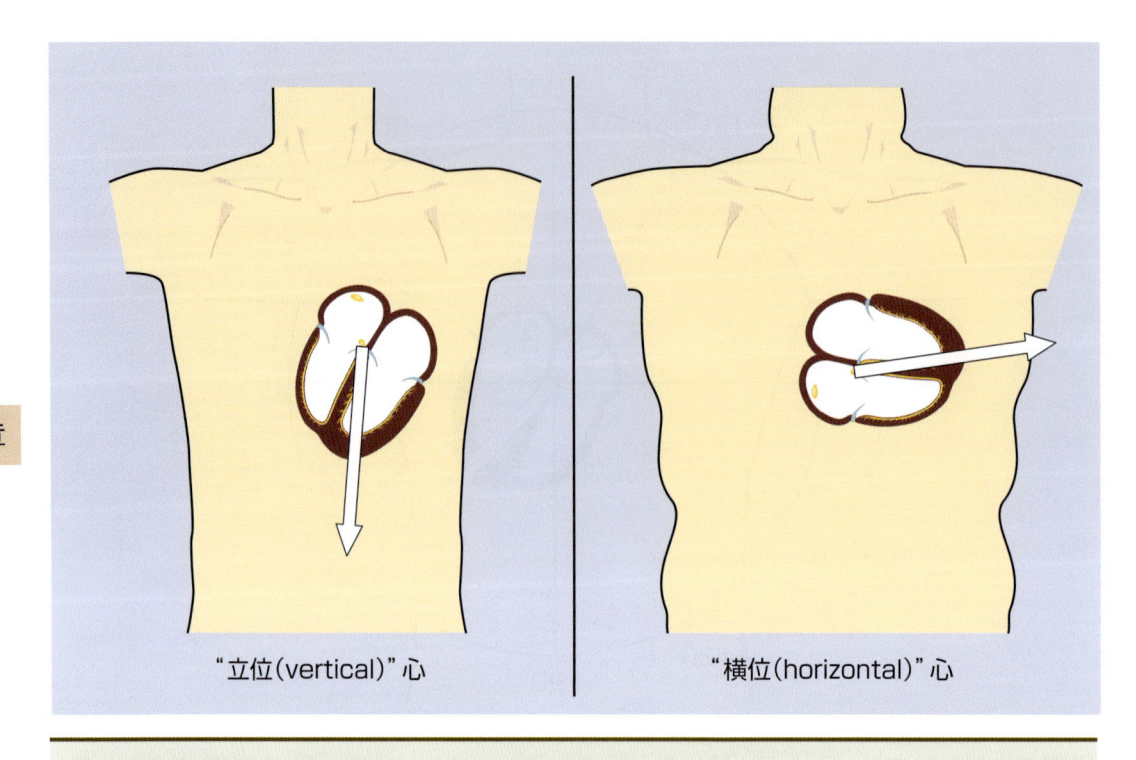

"立位（vertical）"心　　　　　　"横位（horizontal）"心

心臓の位置が変われば平均QRSベクトルもそれに応じて移動しますが，房室結節あたりがベクトルの起点であることは変わりません．

- ●心臓が右方向へねじれたら，平均QRSベクトルも同じように_____側に向かいます．背が高いやせっぽちの人に見られる現象です． | 右

- ●肥満があれば横隔膜も心臓も上のほうに押しやられます．平均QRSベクトルは被検者から見て_____に向かいます（図を参考に）． | 左

- ●ベクトルの起点は_____にあります．絵を描くときにわかりやすくなるように，便宜的にこうしただけですが． | 房室結節

メモ：肥満があると横隔膜は胸部に押されます．心臓の位置も横向きになり，"横位心"とよばれます．同じように，背が高くやせている人では心臓がまっすぐ下に向かいますので，"立位心"となります．

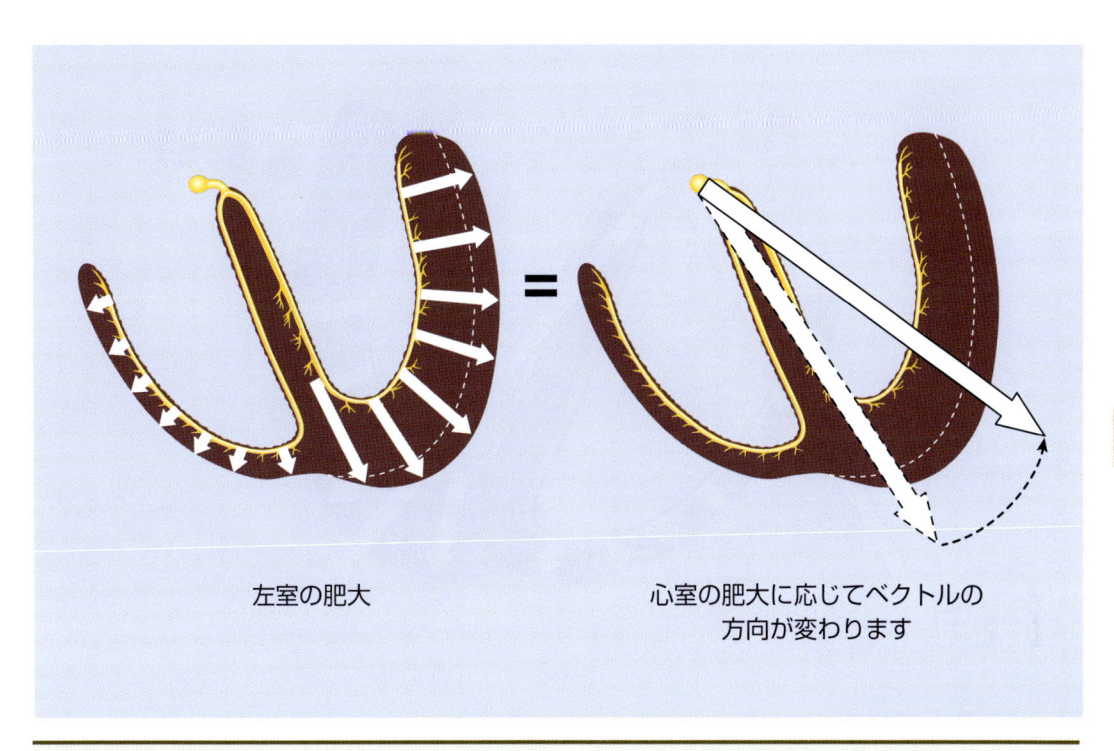

左室の肥大　　　　　　　　　心室の肥大に応じてベクトルの
　　　　　　　　　　　　　　　　　方向が変わります

どちらかの心室に肥大（あるいは拡大）があれば肥大したほうの電気的活動が大きくなり，平均QRSベクトルもそちらに向かいます．ただし右室の肥大に比べると左室の肥大に伴うベクトルのシフトはわずかです．

● _____ した心室は興奮波も大きくなります． 　　　肥大

● そのため，平均QRSベクトルは肥大した_____ に向かってシフトすること　　心室
　があります．

メモ：肥大した心室は大きなベクトルをもっていますから，平均QRSベクトルをそっちのほうに引っ張ります．右室肥大のほうがはっきりした変化を認めます．左室肥大ではあまり目立ちません．

梗塞領域

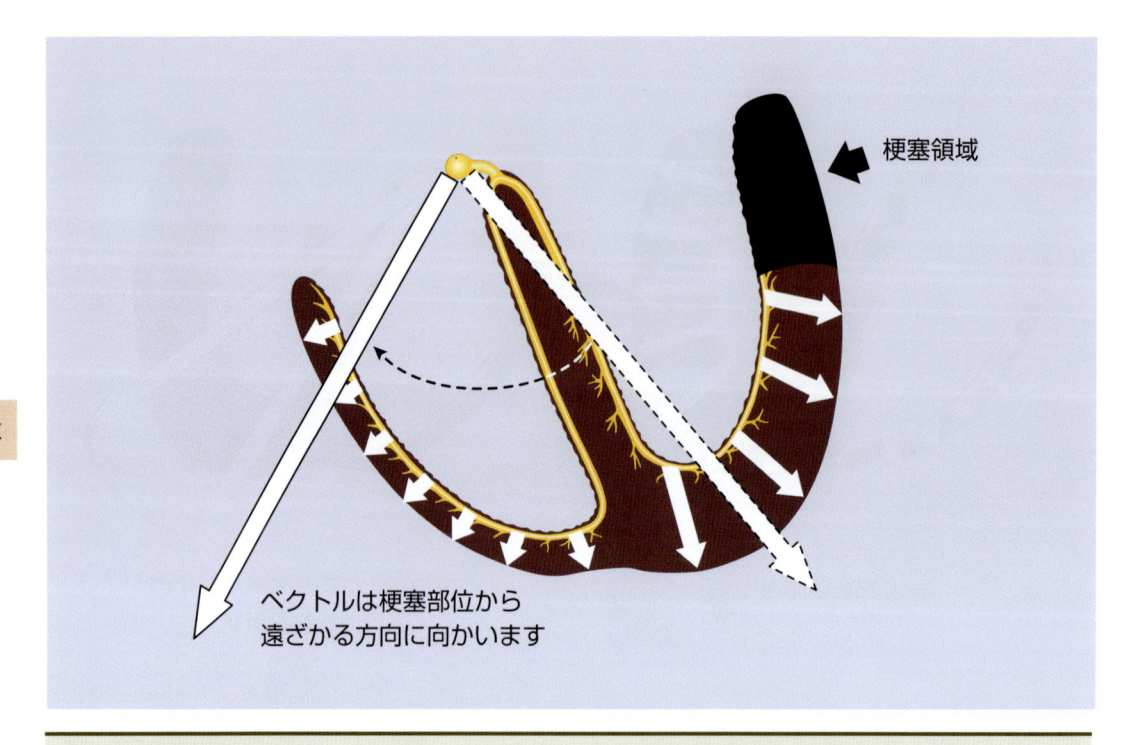

ベクトルは梗塞部位から
遠ざかる方向に向かいます

心筋梗塞では血流を失った心筋が壊死し，そこでは興奮も認められなくなります．そのため心筋梗塞の領域ではベクトルが失われ，平均QRSベクトルは梗塞から離れる方向に引っ張られます．

> **メモ**：冠動脈は心臓自体に血液を供給します．その冠動脈のどこかが閉塞すれば心筋梗塞を生じます．梗塞領域は電気的にも傷害され，興奮できなくなります．

● 冠動脈閉塞により_____の供給が途絶えると心筋梗塞が生じます．梗塞領域は興奮できず，電気的興奮に伴うベクトルは生じません． 　　血液

● 梗塞領域は興奮波とそれに伴う電気的ベクトルが生じませんから，生き残った心室筋だけで平均QRSベクトルが作られます．結果的に平均QRSベクトルは_____領域から離れていく方向に向かいます． 　　梗塞

第 7 章　電気軸（Axis）　213

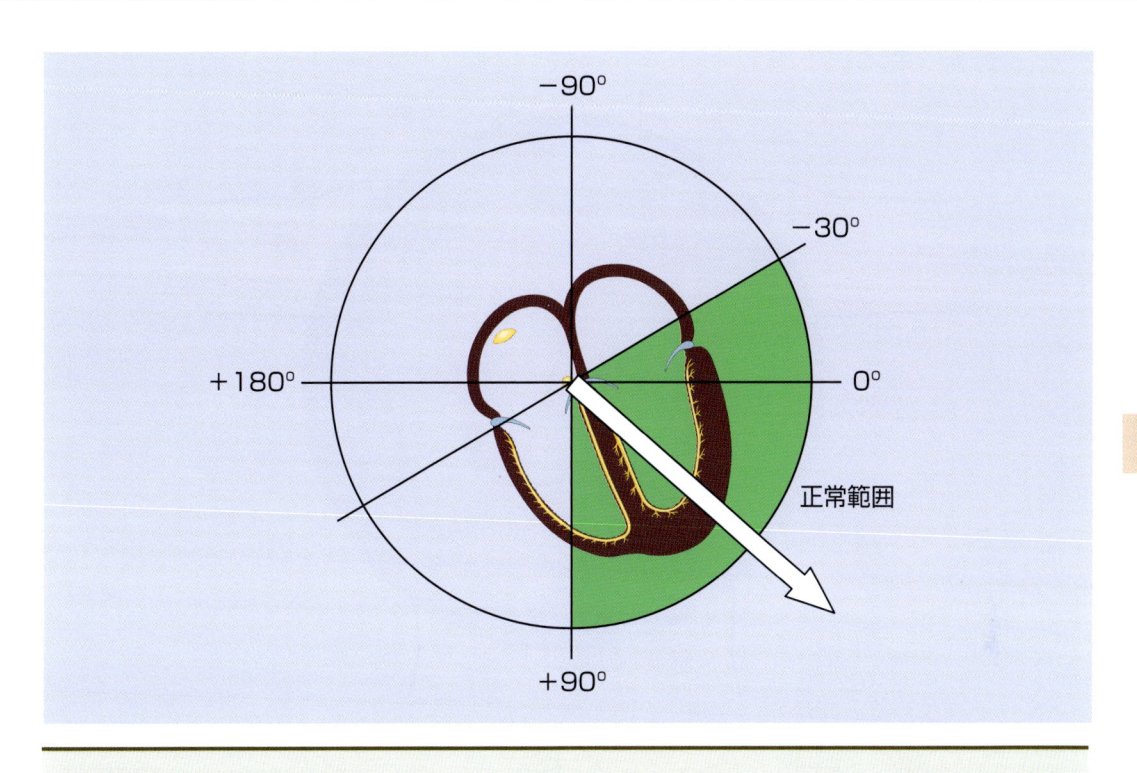

平均QRSベクトルがどういうものか理解できましたか？ "電気軸"は平均QRSベクトルをその角度で表現したものなのです．正常は－30°から＋90°の間です．

●平均QRSベクトルは下のほうを向いていますし，被検者から見て＿＿＿＿（右ですか？　左ですか？）寄りです．具体的には－30°から＋90°の範囲が正常です．	左
●平均QRSベクトルは＿＿＿＿の位置や傾きも反映しています．	心臓
●さらに平均QRSベクトルは心室の＿＿＿＿や心筋＿＿＿＿についても教えてくれます．	肥大　梗塞

メモ：平均QRSベクトルは心室肥大の方向に傾きますが，心筋梗塞の領域からは離れていきます．この理屈はそれなりにわかりやすいものです．12誘導ECGを判読するときにはいつも平均QRSベクトルのことを念頭においてください*．

＊たとえばヘミブロック（p.295〜305）の診断も電気軸を参考にします．

房室結節

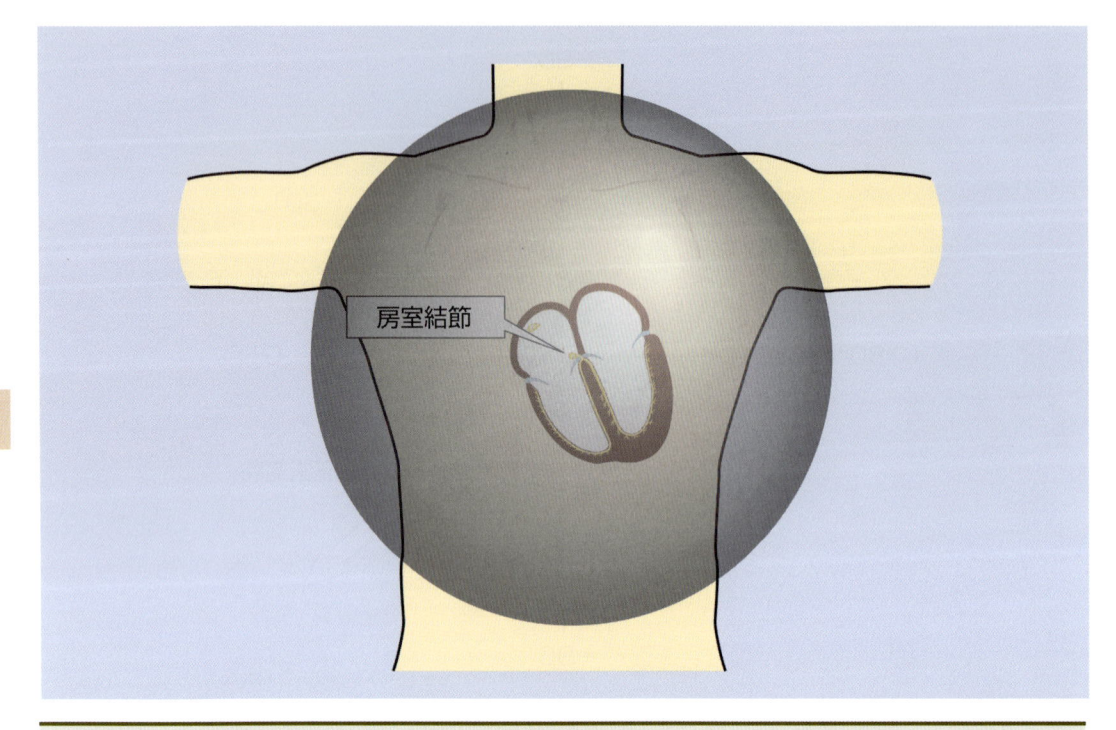

ベクトルの方向を決めるには心臓を取り巻く球をイメージします．球の中心は房室結節です．

● 心臓のまわりに大きな_____があると考えてください． 　　球

● 房室結節が球の_____に位置します． 　　中心

メモ：平均 QRS ベクトルの起点は房室結節です．矢印の先端はイメージ上の球表面のどこかにあります．

第 7 章　電気軸（Axis）　215

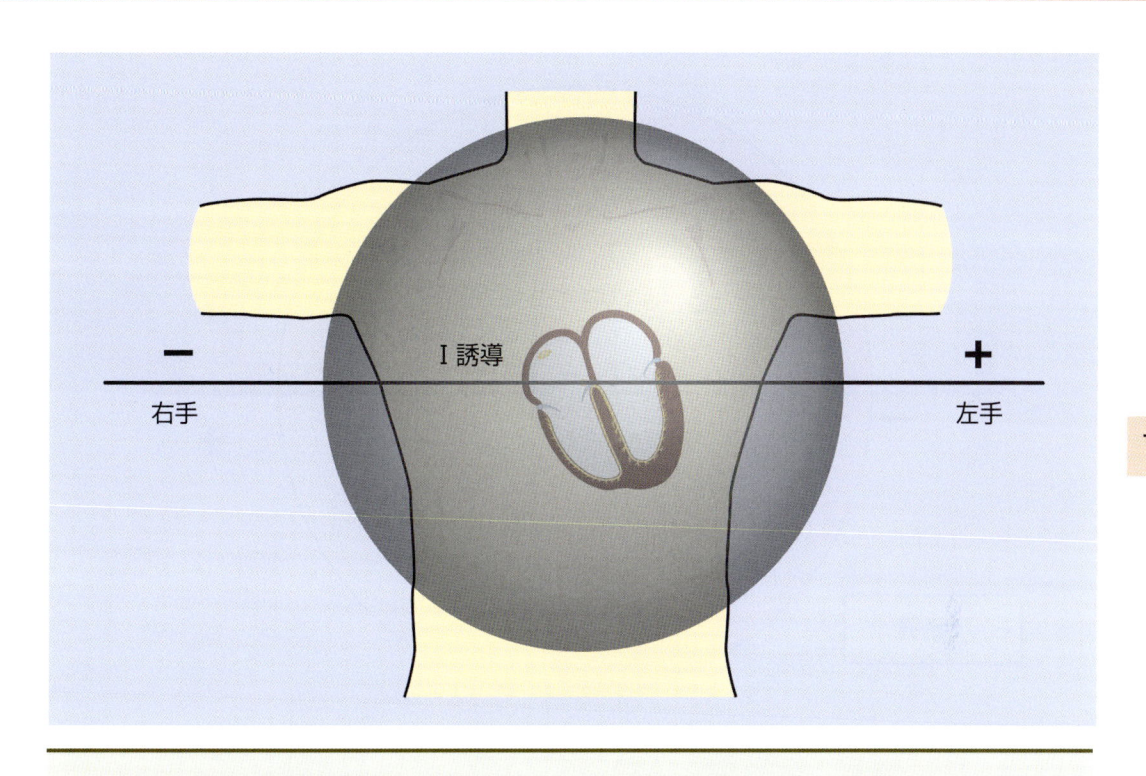

イメージ上の球に I 誘導を置いてみましょう．左手は陽極，右手は陰極です．

- I 誘導は左右の＿＿＿＿＿＿＿（上肢ですか，下肢ですか）の電極で構成されます．　　上肢

- I 誘導をイメージ上の球に重ねてみますと，左手は＿＿＿＿＿＿＿極になります． 　　　陽

- I 誘導では右手が＿＿＿＿＿＿＿極です． 　　　陰

メモ：I 誘導は球の中心を貫いています．球の真ん中は房室結節です．

第7章　電気軸（Axis）

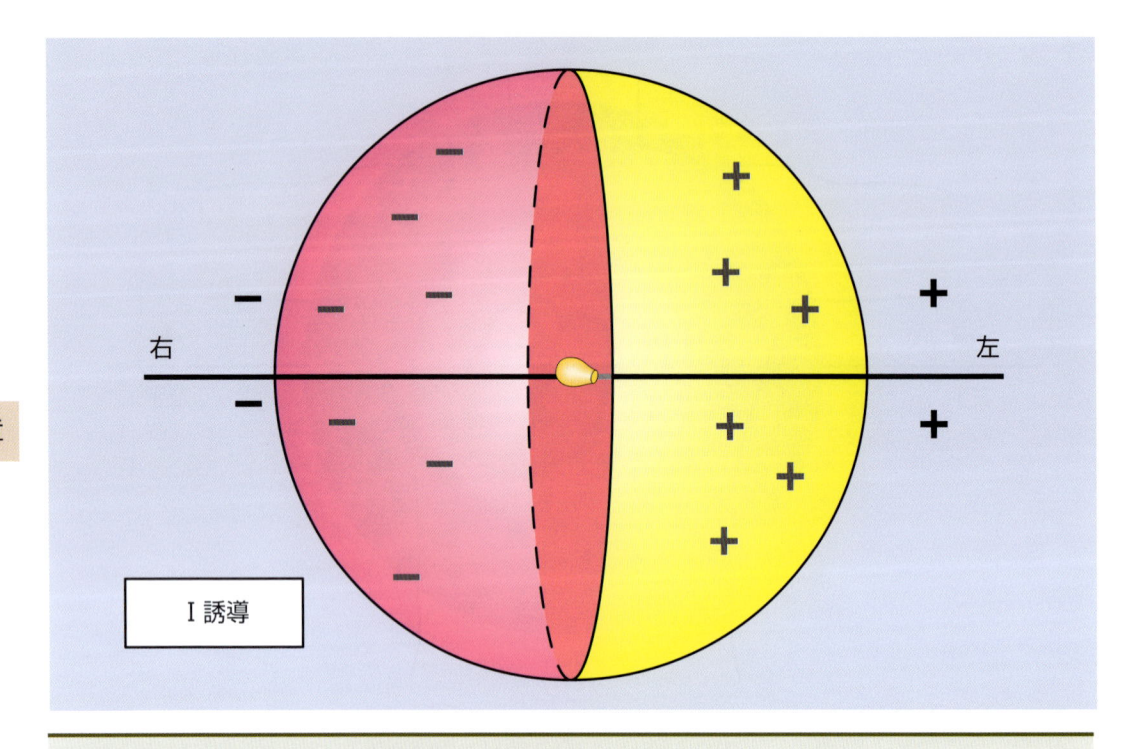

I誘導

I誘導の話が続きます．被検者の左手が陽極，右手が陰極です．そして中心が房室結節と重なります．

- 今，横向きの誘導のことを考えています．これは，＿＿＿＿誘導です．　　　I

- I誘導を左右に分割して考えてみます．プラス（陽性）側と＿＿＿＿（陰性）側の2つに分けます．　　　マイナス

- 球の右半分は＿＿＿＿（陽性ですか，陰性ですか）になります．　　　陰性

第7章　電気軸（Axis）　217

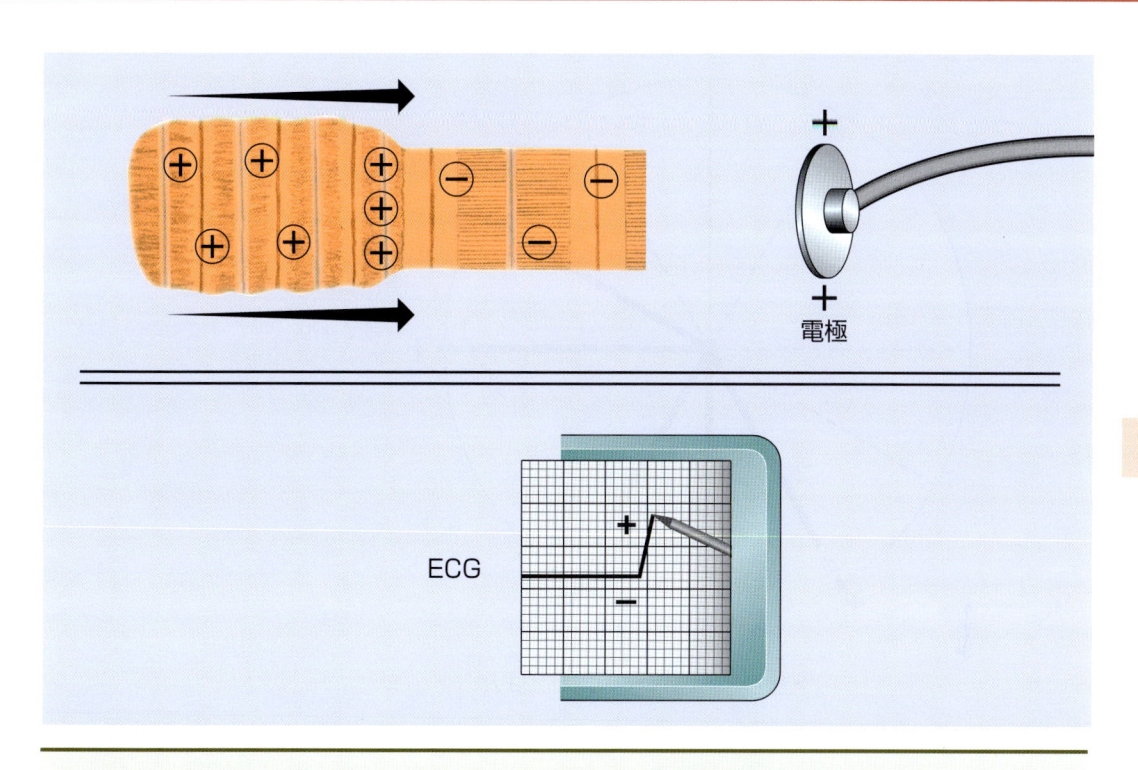

心筋細胞の興奮波（脱分極のプラス面のことです）が陽極電極に向かって進むとき，ECGには上向きの振れが記録されます．上向きの振れは陽性への振れともいいます．

●脱分極の波は＿＿＿＿（陽性？　陰性？）の電荷が移動していくことといい換えることができます．	陽性
●陽性電荷が＿＿＿＿極電極に向かって進めば，ECGには上向き（陽性）の振れを生じます．	陽
●ECGの＿＿＿＿（上向き）の振れは，脱分極波が陽極電極に向かっていることを意味します．	陽性

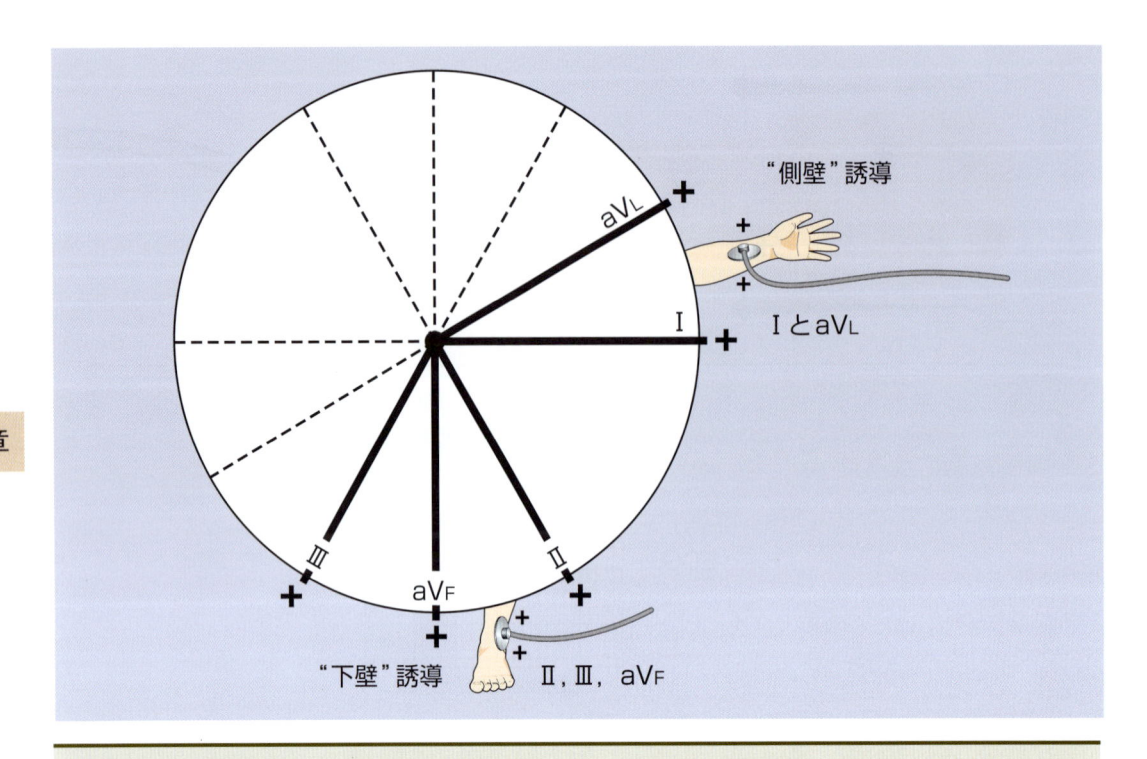

下壁誘導，つまりⅡ，Ⅲ，aV_F誘導の陽極は左足においた電極です．側壁誘導，つまりⅠ，aV_L誘導の記録に用いる陽極は左手です．

●水平方向の誘導について考えてみましょう．Ⅰ誘導のことです．この誘導の陽極は_____手です．　　　　　　　　　　　左

●上下に垂直な誘導，つまりaV_F誘導の_____極は左足です．　　　　　　　　　陽

では次に進みましょう．

I 誘導

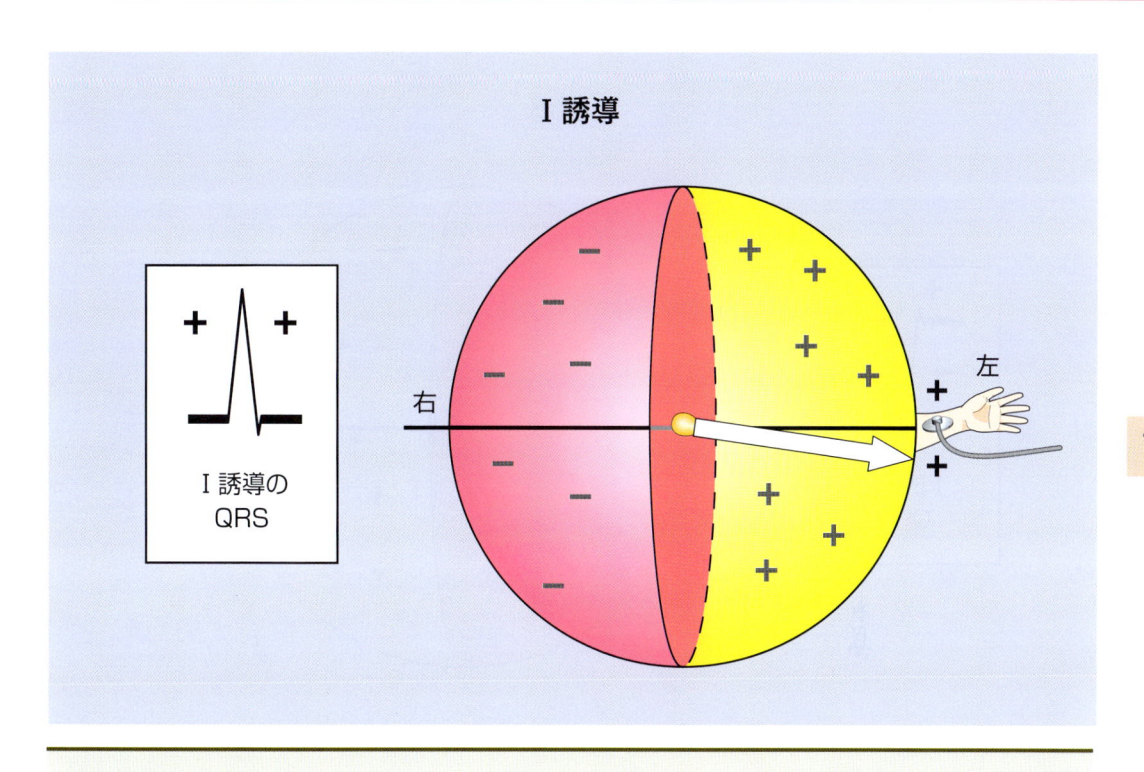

I誘導のQRS

I誘導のQRSが陽性に振れていたら，つまり基線より上の成分が多かったら，平均QRSベクトルの先端は球の左半分にあります．

● 心室興奮がどちらに向かっているかを考えるときは，まずI誘導の_____に注目してください．	QRS
メモ：なぜQRSに着目するのですか？ QRSが心室の興奮を表しているからです．	
● I誘導のQRSの主成分が上向きなら，_____（陽性？ 陰性？）の振れといいます．	陽性
● I誘導のQRSが陽性のとき平均QRSベクトルは球の_____（右？ 左？）半分に向かいます．被検者の左手の電極に近づいていきます．	左
メモ：どうもすっきりしなかったら，もう一度前のページからこのページまで読み直してください．くりかえし読めば，だんだんわかってきます．	

第7章 電気軸（Axis）

I 誘導

I 誘導のQRS

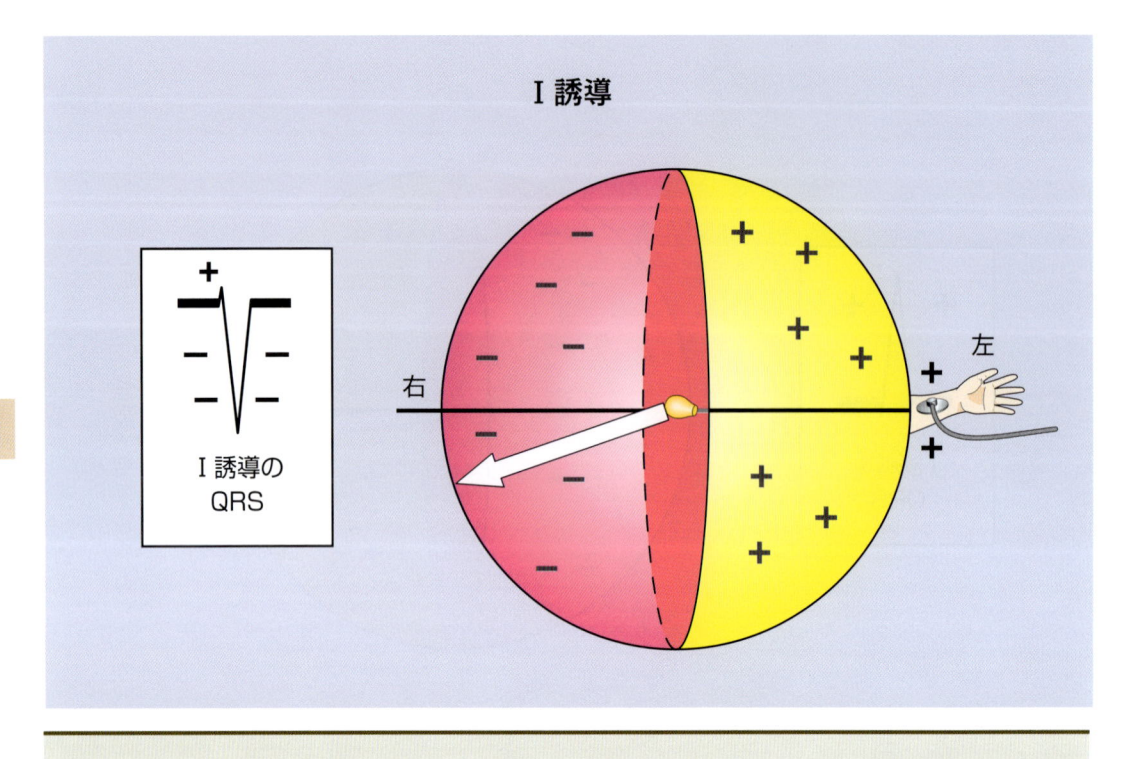

まだ I 誘導の話です．今度はQRSの主成分が陰性（下向き）に振れていたとします．このときのベクトルは球の右側を向いています．

● I 誘導のQRSが主に基線より下方にあったら，QRSは_____（陽性？　陰性？）です．	陰性
● I 誘導と球をイメージしてください．ベクトルが陰性側の半球を向いているということは，そのベクトルが被検者の_____側を指していることを意味します．	右
● I 誘導のQRSが主に陰性側にあれば，平均_____ベクトルは被検者の右側を指しています（左手においた陽極からは離れていきます）．	QRS

第7章 電気軸（Axis）　221

I誘導の
QRS

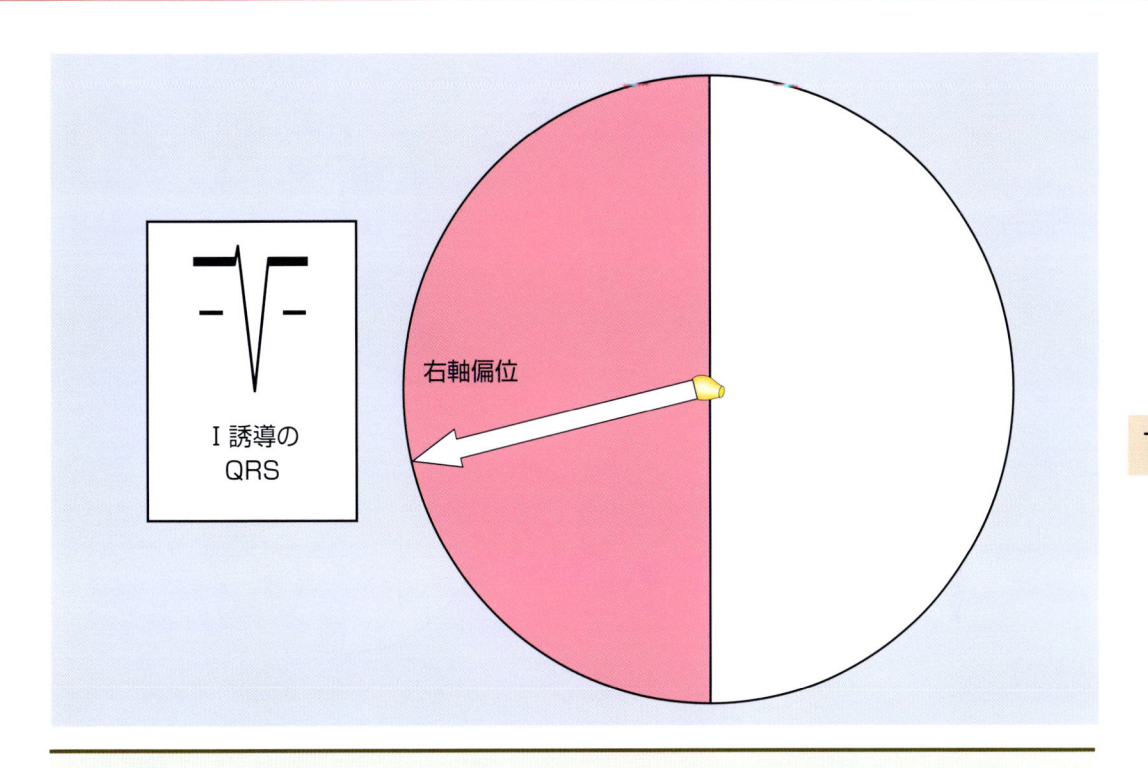

右軸偏位

I誘導でQRSの主成分が陰性なら（ベクトルは右向きです），右軸偏位（right axis deviation）といいます．

- 平均QRSベクトルが右を向いていたら，I誘導のQRSはきっと_____（陽性？　陰性？）です．QRSはしばしば基線の上下どちらにも振れますから，その主な部分がどちらにあるのかという質問です． | 陰性

- 平均QRSベクトルが被検者の右側（房室結節を中心として上下に引いた線を境にして右側，つまり右手の方向）にあれば，右_____偏位（right axis deviation）といいます． | 軸

- _____誘導のQRSが陰性なら，右軸偏位です．右軸偏位（right axis deviation）はRADと書くこともあります． | I

I 誘導

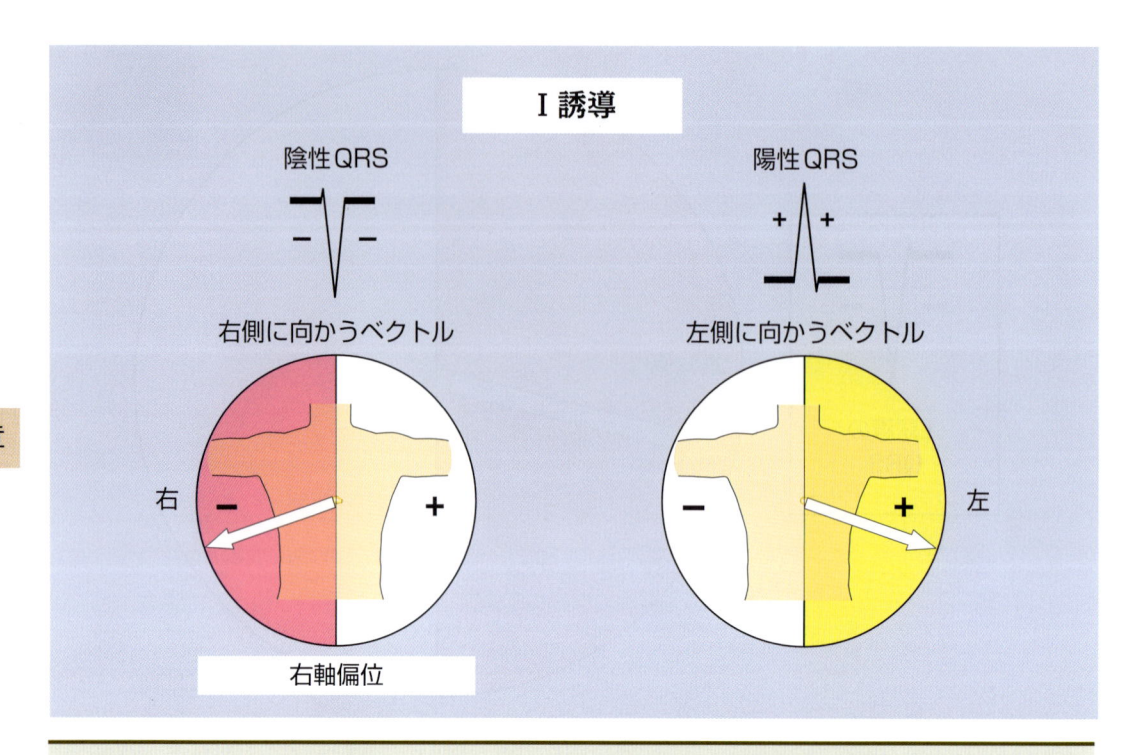

陰性 QRS　　　　　　　陽性 QRS

右側に向かうベクトル　　左側に向かうベクトル

右軸偏位

平均QRSベクトルが被検者の左側を向いているか，右側を向いているかは，見ただけでパッとわかります．

- I 誘導は右＿＿＿＿偏位の検出にベストの誘導です． 　　軸

- I 誘導のQRSが陽性なら（これが正常です），RADではありません．ベクトルは被検者から見て＿＿＿＿側を向いていますから． 　　左

- I 誘導を記録するとき左手は＿＿＿＿極になります． 　　陽

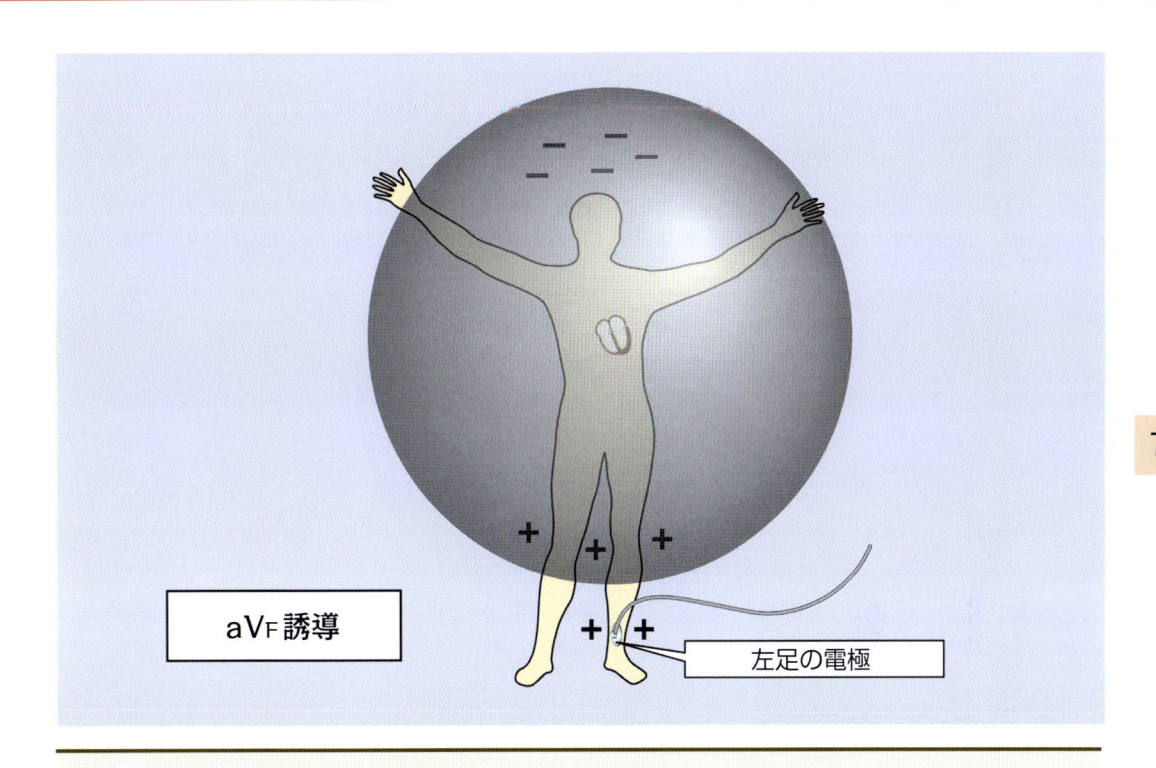

aVF誘導

aVF誘導では左足が陽極になります．aVF誘導も被検者の周りに球のイメージを作って考えましょう．

●前のページで学んだⅠ誘導のことはとりあえず置いておいて，ここでは＿＿＿＿＿＿誘導の話をします． | aVF

メモ：こんどの球はさっきとは全然違うもので，aVF誘導を念頭に置いています．どっちが陽性の半球で，どっちが陰性の半球か，頭を切り替えなければなりません．

●aVF誘導を記録するときは左＿＿＿＿＿＿の電極が陽極になります． | 足

●図の球の下半分が＿＿＿＿＿＿（陽性？　陰性？）側です． | 陽性

●この球の中心は＿＿＿＿＿＿です．これはいつも変わりません． | 房室結節

224 | 第7章　電気軸（Axis）

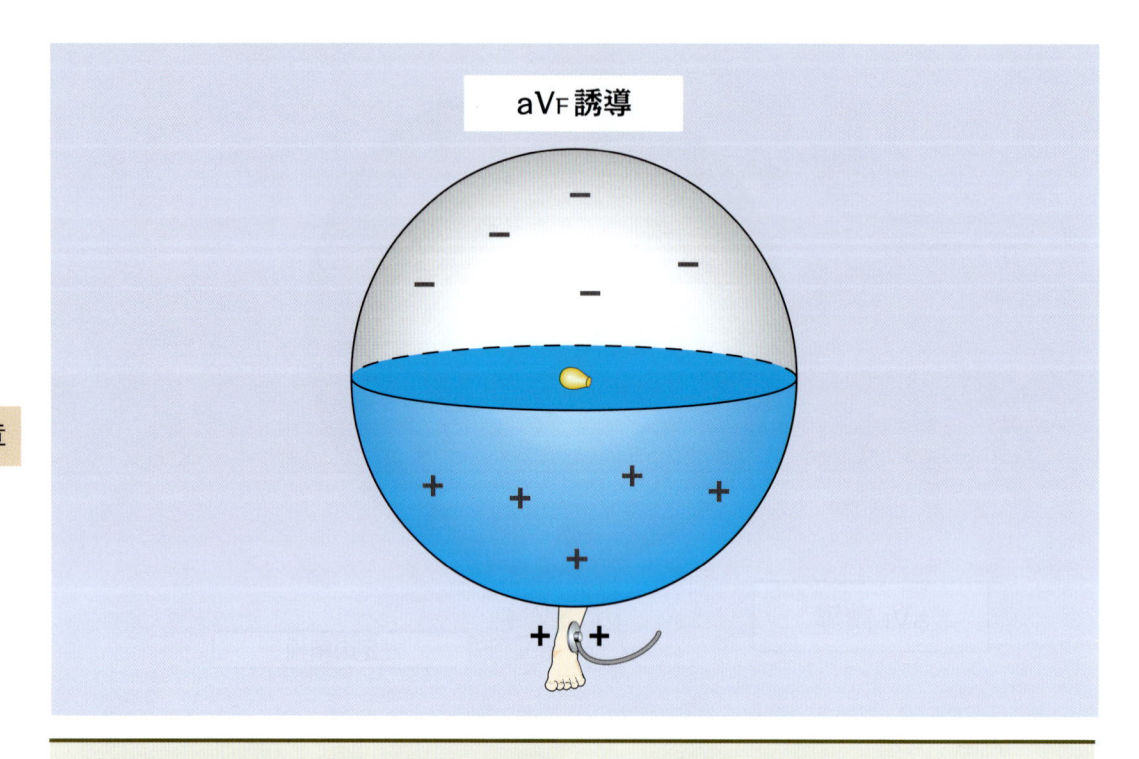

aVF誘導

aVF誘導では下半球が陽性で上半球が陰性です．

●aVF誘導の下半球は陽極電極を置く左足のあるほうです．ここから下半球が_____（陽極？　陰極？）だとわかります．	陽極
●上半球（房室結節より上の部分です）は_____（陽性？　陰性？）になります．	陰性
●aVF誘導がかかわってくる球も2つの半球に分割できます．上半分は_____です．	陰性
●そして，下半分は_____です．	陽性

第7章　電気軸（Axis）　225

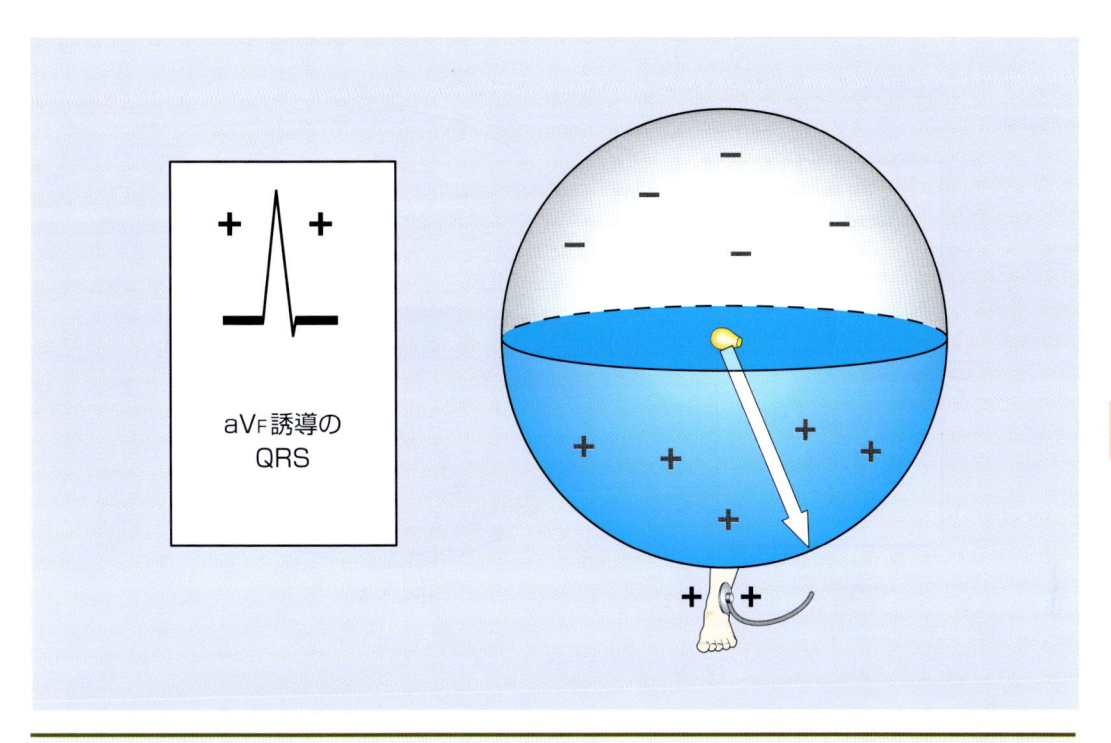

通常，aV_F 誘導の QRS は陽性です．平均 QRS ベクトルはもともと下向きが正常ですから，aV_F 誘導の球では下半分の陽性側に向かっています．aV_F 誘導の陽極に向かって心室興奮は進みます．

● 平均 QRS ベクトルが下を向いているということは，aV_F の QRS が_____に向いていることと対応しています．

上（あるいは陽性）

メモ：QRS が陽性で上向きなのに，ベクトルが下向きとなれば混乱してきます．ECG のなかの QRS がどちらに振れているかということと，被検者から見てベクトルがどちらを向いているかは別な話です．ベクトルが下半球（左足の陽極電極に向かう方向です）を指しているので，ECG の QRS は陽性になっています．aV_F では下半球を陽性側と決めたのでこういう結果になったのです．

第7章　電気軸(Axis)

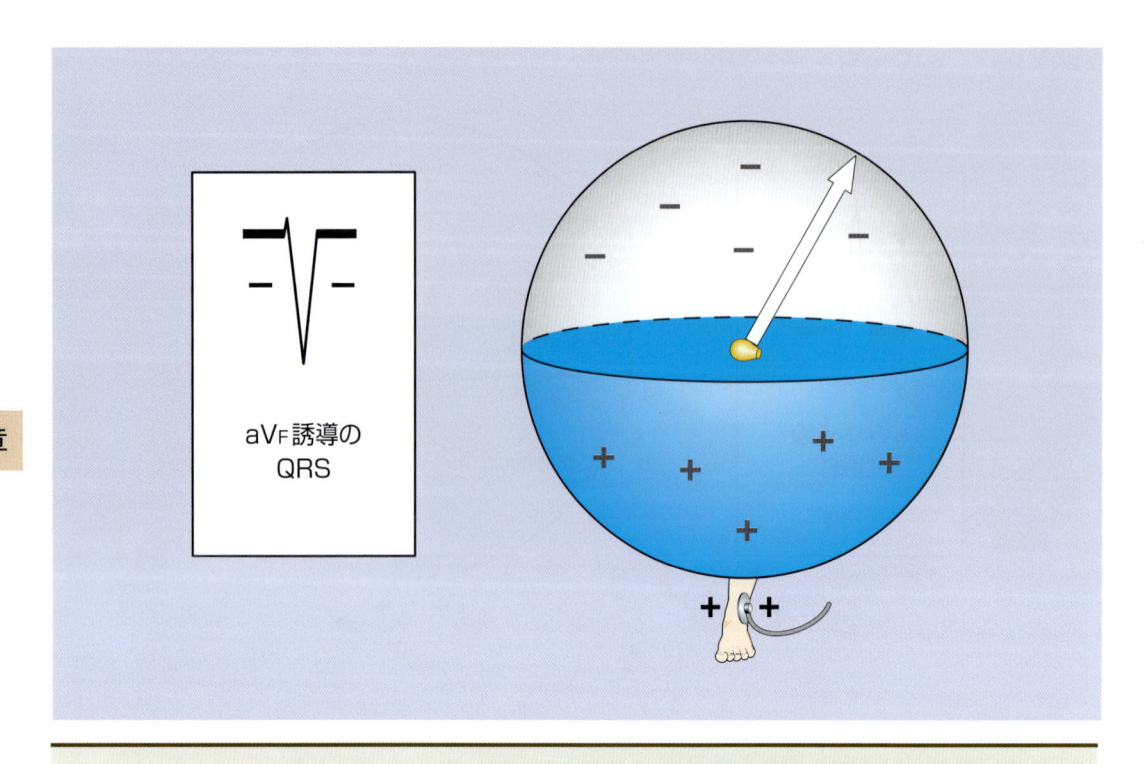

aVFのQRSが陰性なら，ベクトルは陰性側の半球を指しています．

●球の中心は_____です．	房室結節
●aVFの上半球は_____（陽性？　陰性？）です．	陰性
●aVFで陰性のQRSをみたら平均QRSベクトルは_____（上ですか？　下ですか？）を向いています．いい換えると陰性半球に先端があるということです（左足にある陽極から見れば，反対側を指しています）．	上

第7章 電気軸(Axis)

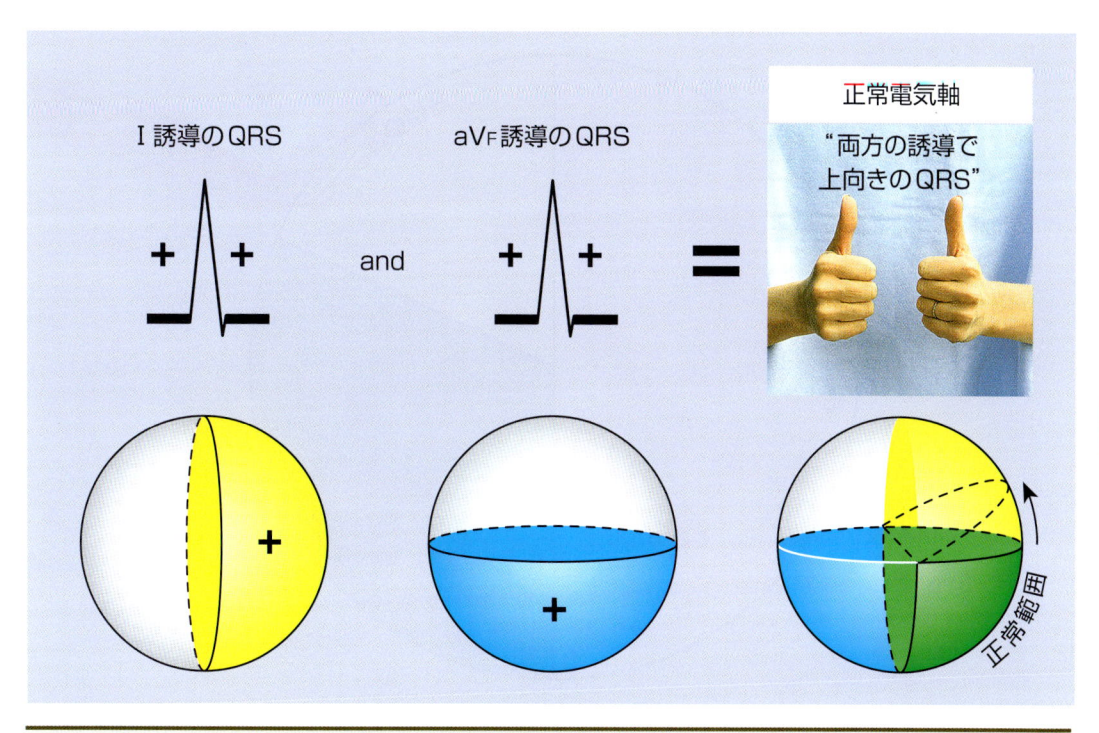

I誘導のQRS　　　aVF誘導のQRS　　　　　正常電気軸
　　　　　　and　　　　　　　＝　　"両方の誘導で上向きのQRS"

この図をよく見て下さい．I誘導でQRSが陽性で，aVFのQRSが陽性ならベクトルは被検者から見て下向き，かつ左側を向いています．欧米では正常の電気軸は0°から+90°の範囲と定義することもありますから，両誘導でこの条件を満たせば電気軸は正常範囲にあるとみなせます．黄色い半球と青い半球が重なって，緑色になった1/4球のところです．
なお，ここで大事なことは－30°から+90°を正常範囲とするほうが多いということです．0°～+90°を正常範囲とすると，特に異常がないのに正常範囲外と判定される人がたくさん出てくるので，現実にそぐわないのです．ですから，－30°～+90°を正常として覚えてください．

- I誘導のQRSが主に陽性側にあれば，平均QRSベクトルは_____（左右どちら？）を向きます． 　　　　左
- aVFで陽性QRSなら平均QRSベクトルが_____（上下どちら？）を向いていることがわかります． 　　　　下
- ベクトルが左下方にあれば，上で述べた2つの条件をクリアしています．この条件を満たすのはベクトルが左下の1/4_____（sphereを日本語でいうと？）を指していることになります．この位置は0°から+90°の狭義の正常範囲に該当します． 　　　　球

> **メモ**：心室そのものが解剖学的に左下方を向いています．これも1つの理由でしょうが，心室興奮はトータルしてみれば左下方に向かっています．こうしてみると，電気軸の正常範囲が0°～+90°となるのもうなずけます．この範囲をはずれたら，右軸偏位とか左軸偏位といいます．IとaVFのQRSが上向きならこの基準を満たします．なお，すでに述べたように広く使われている正常範囲は－30°～+90°です．

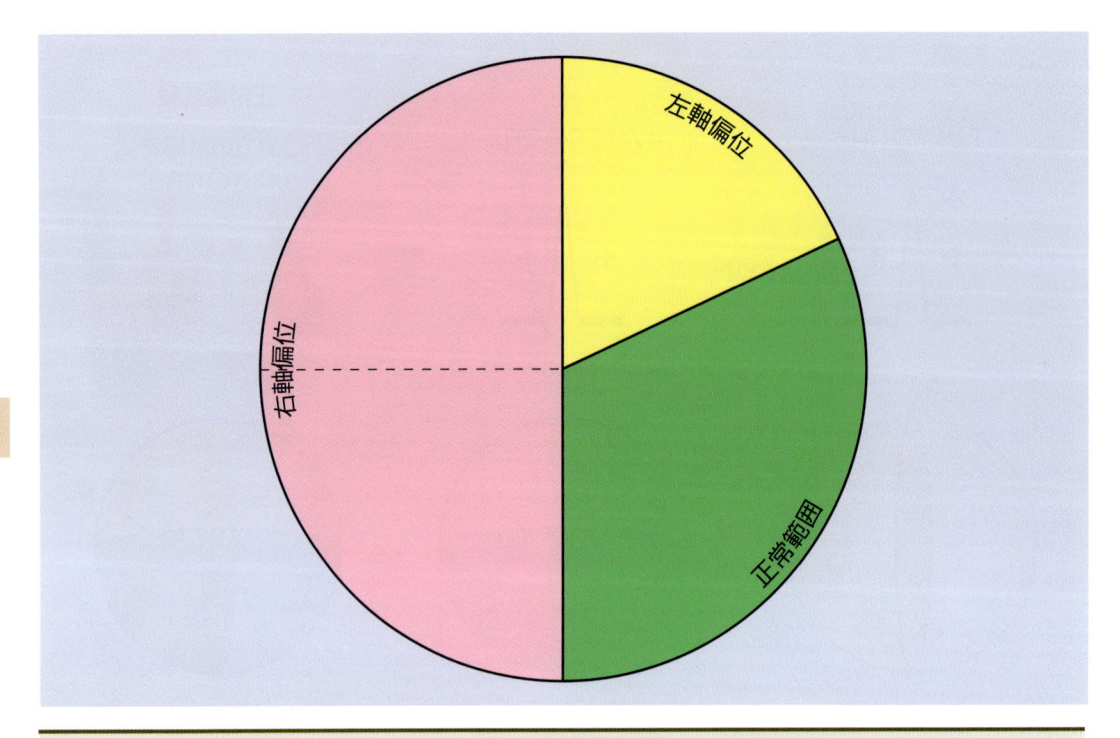

ここからは広く認知されている正常範囲である－30°〜＋90°で話を進めます。前額面の円を思い浮かべてください。平均QRSベクトルがどちらを向くかによって、この円は3つに分割できます。被検者の胸の上にこの大きな円をイメージしてください。

> **メモ**：電気軸が正常範囲にあるかどうか，前額面において判断します．

● ベクトルは房室結節を起点としています（これは厳密な根拠はありません．心室興奮の広がりを考えるとき，解剖学的位置からこう考えたほうがわかりやすいだけです）．このベクトルが－30°よりもマイナス側（－90°まで）にあれば左_____偏位（LAD）とよびます。　　　　　　　　　　　　　　　　　軸

● ベクトルが正常範囲の右側にあれば_____軸偏位（RAD）といいます．　　　　　右

● ベクトルが－30°〜＋90°なら電気軸は_____です．　　　　　　　　　　　　　　　正常

> **メモ**：平均QRSベクトルは方向と大きさの2要素で構成されています．電気軸はこのうち方向だけに着目しています．心室の興奮が平均するとどちらを向いているかを示しています．

第 7 章　電気軸（Axis）　229

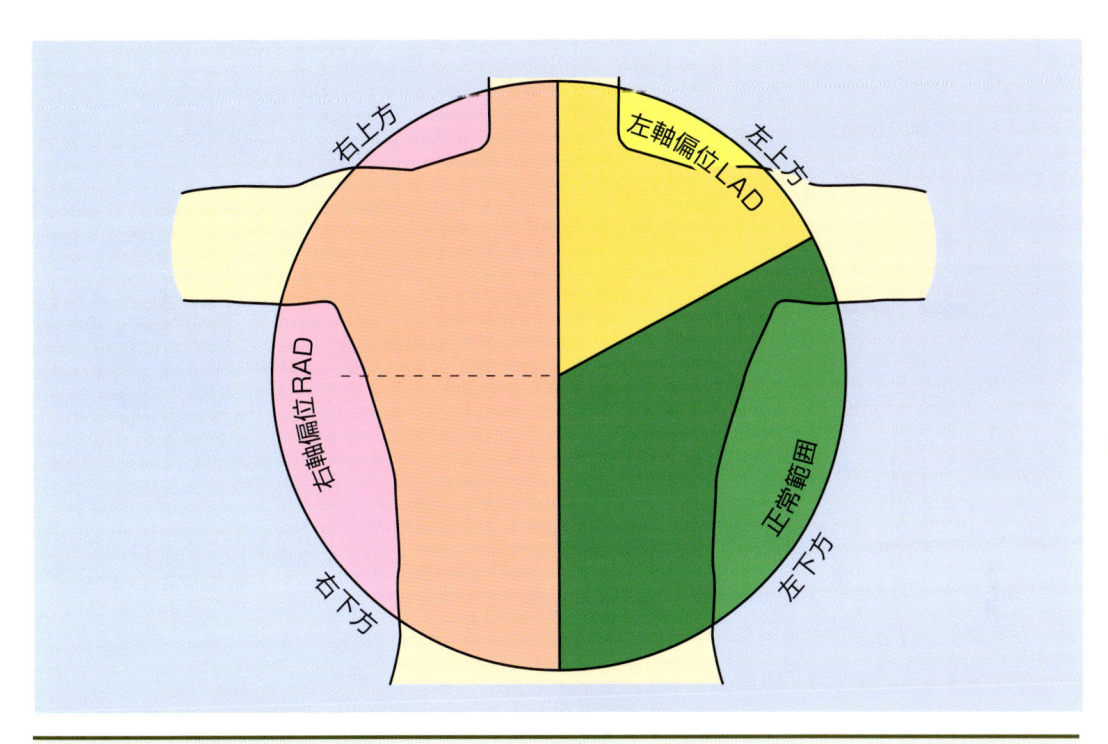

ベクトルの向きから心室興奮の方向を推測します．ベクトルが向いている方向をどう表現するか小さな文字で示してあります．正常範囲は左下向きの四半球と左上向き四半球の1/3を加えたものが正常範囲になります．

> **メモ**：被検者の前額面にイメージした大きな円を4つに分割してみます．円の中心が房室結節あたりにあることは繰り返し述べました．テキストによってはもっと小さな円が書かれていることもありますが，いいたいことは同じです．

●円の左上をベクトルが指していたら＿＿＿＿軸偏位（LAD）です．　　　　　　　　左

第7章 電気軸（Axis）

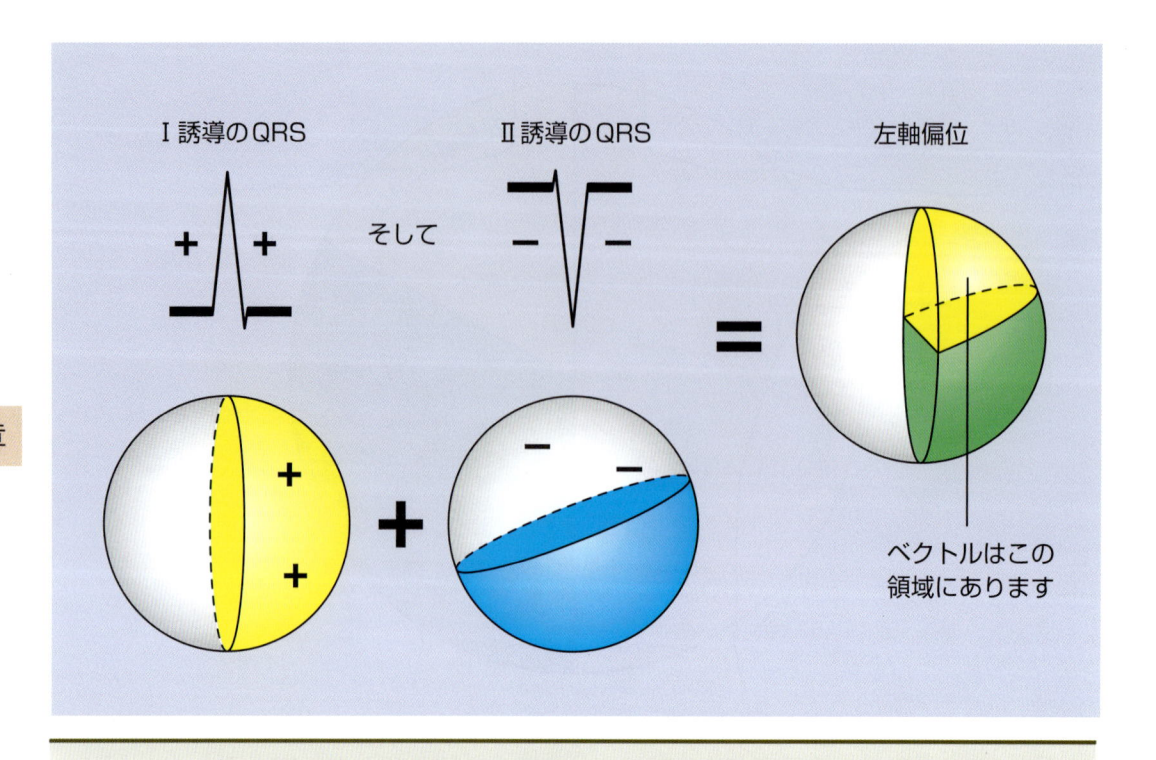

Ⅰ誘導のQRS　　　　Ⅱ誘導のQRS　　　　左軸偏位

Ⅰ誘導のQRSが陽性で，Ⅱ誘導のQRSが陰性ならベクトルは左上に向かっています．これが左軸偏位です．

● Ⅰ誘導のQRSが上向きならベクトルは_____（左右どちら？）を向きます．	左
● ベクトルが−30°〜＋90°の正常範囲をはずれて左軸偏位の位置を向いているとき，Ⅱ誘導のQRSは基線より_____（上下どちら？）を向いています．	下
● ベクトルが左上を向いて，さらに−30°より上のほうなら左_____偏位（LAD）です．	軸

第7章　電気軸（Axis）　231

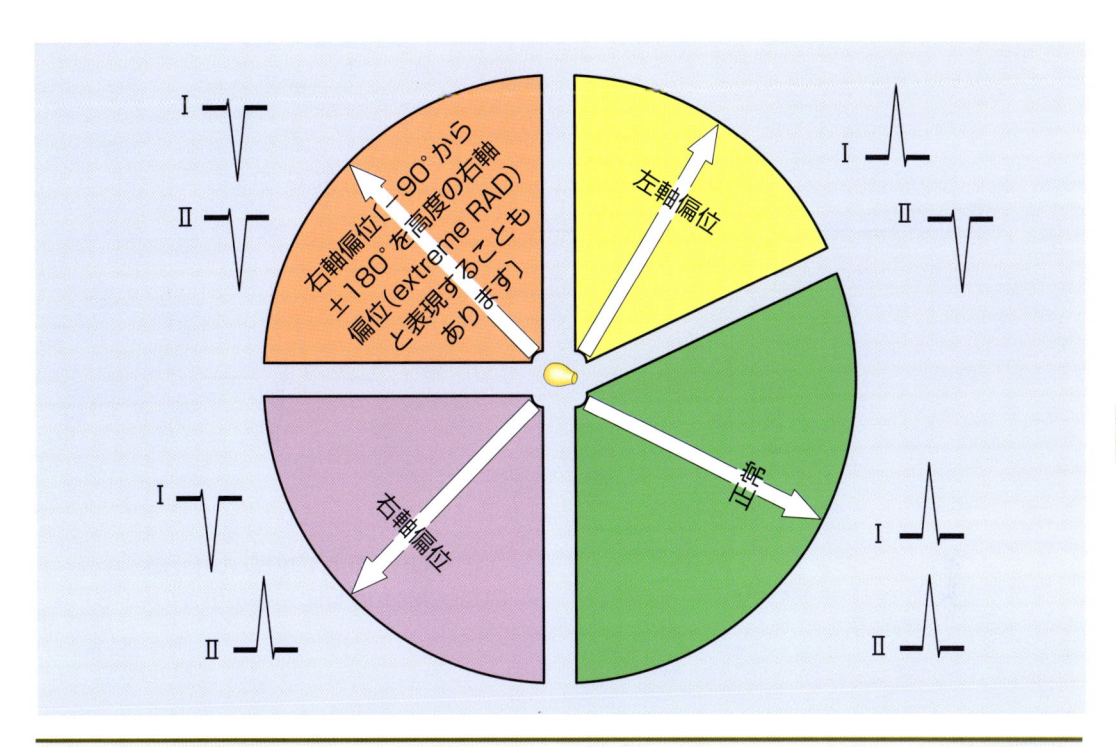

Ⅰ誘導とⅡ誘導のQRSを観察すれば，平均QRSベクトルが前額面でどのあたりを向いているかわかります．注：ただし，高度の右軸偏位にあたるところと通常の右軸偏位は厳密にはⅠ誘導とⅡ誘導の波形の組み合わせと一致していません．大体の傾向と理解して下さい．

- Ⅰ誘導のQRSが陰性なら_____軸偏位（RAD）です．ベクトルが右上方なら右軸偏位も高度です． 　　　右

- Ⅰ誘導のQRSは陽性で，Ⅱ誘導のQRSが陰性なら左軸_____です． 　　　偏位

- というような次第で平均QRSベクトルが左下向きあるいは左上向きでわずかに上向き（－30°〜＋90°）なら，Ⅰ誘導とⅡ誘導のQRSの主な成分は_____（上向き）です．もちろんこのベクトルは正常です． 　　　陽性

メモ：平均QRSベクトルを求めるのと同じ方法で，QRSの一部分（たとえばQRS後半の0.04秒のところだけ）のベクトルを求めることも可能です．

[訳者注]：高度の右軸偏位にあたる部分を，"高度の左軸偏位"と表現しているテキストもあります．あるいは，右とも左ともいいにくいので単に"高度の軸偏位"とよぶこともあります．

第7章 電気軸（Axis）

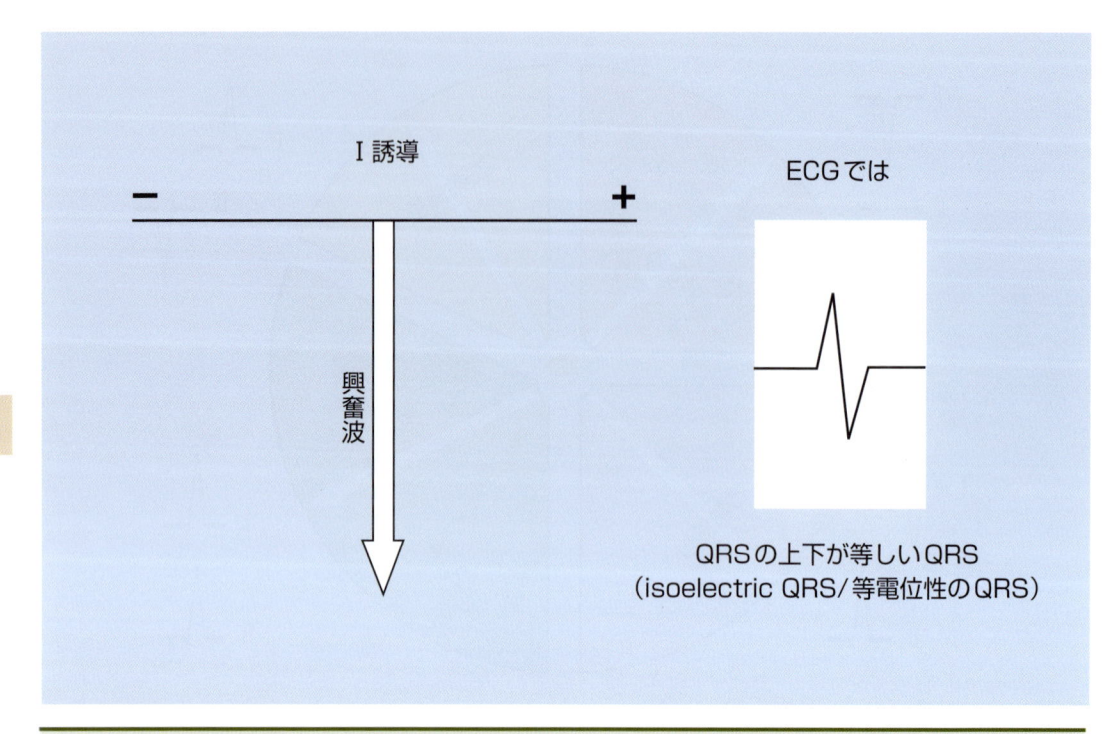

```
     Ⅰ誘導
 ―           +
 ─────────────

       ↓
      興奮波
```

ECGでは

QRSの上下が等しいQRS
（isoelectric QRS／等電位性のQRS）

ある誘導の方向と垂直に興奮が進んでいけば，その誘導では理論的には振れは生じず，"等電位（isoelectric）"にとどまっています．等電位線と基線は同じものです．QRSの上向き（陽性）成分と下向き（陰性）成分が同じなら，isoelectric QRSといいます．

- 誘導の向きと垂直に進行する興奮波は実質的にはどっちの電極にも近づいたり離れたりせず，陽性成分と陰性成分が拮抗し，＿＿＿＿＿（isoelectricを日本語で）といわれます． 　　　　　　　　　　　　　　　　　　　　　　　　等電位

- "等電位（isoelectric）"とは文字上は"同じ電位"という意味です．QRSの陽性成分と陰性成分が＿＿＿＿＿（同じ？　異なる？）ということです． 　　　　　同じ

- 等電位のQRSでは陽性と陰性の成分が等しいのですが，肢＿＿＿＿＿では概して電位が小さくなりがちです． 　　　　　　　　　　　　　　　　　　　　　　　誘導

　メモ：Ⅰ誘導とⅡ誘導から右軸偏位や左軸偏位の有無を判断します．さらにQRSが小さな（結局，isoelectric QRSという意味です）肢誘導があれば，ベクトルの角度（電気軸のことです）がよりはっきりしてきます．Isoelectric QRSを認める誘導の向きとQRSのベクトルは直交（角度が90°）しています．では，次に進みましょう．

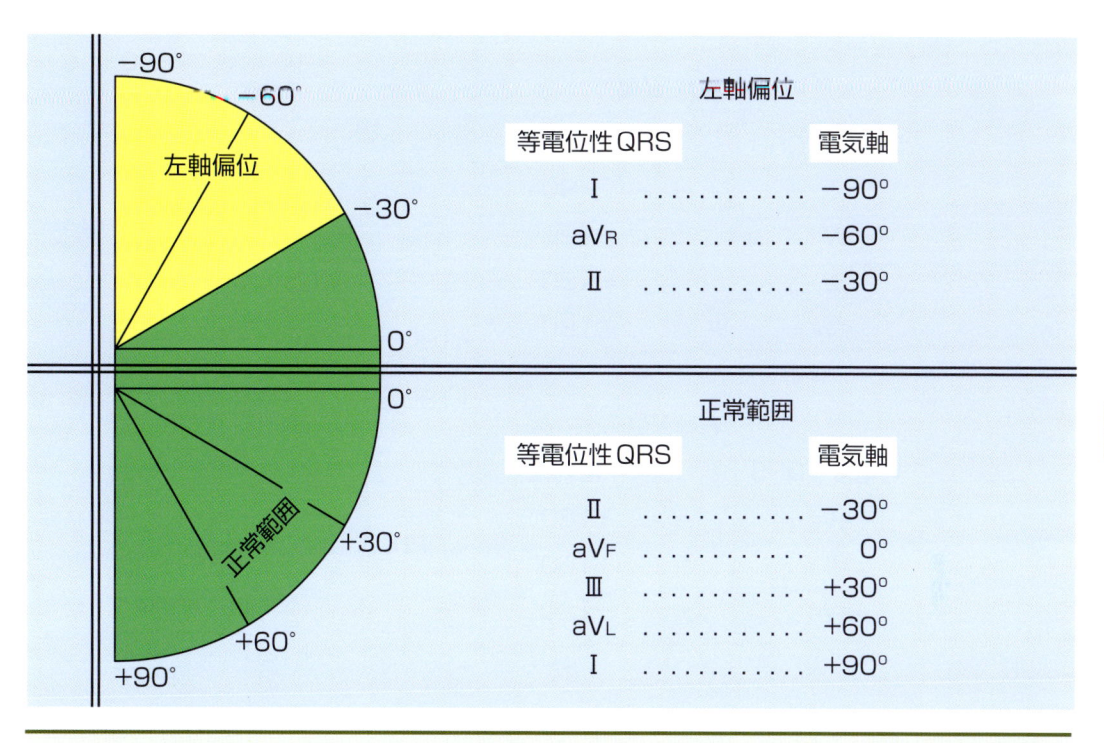

左軸偏位	
等電位性QRS	電気軸
Ⅰ …………	−90°
aV_R …………	−60°
Ⅱ …………	−30°

正常範囲	
等電位性QRS	電気軸
Ⅱ …………	−30°
aV_F …………	0°
Ⅲ …………	+30°
aV_L …………	+60°
Ⅰ …………	+90°

ベクトル（電気軸）をもう少し正確に知りたいときは，<u>まず</u>，Ⅰ誘導とⅡ誘導から正常軸かどうかを判断し，<u>さらに等電位QRSの肢誘導</u>がないか探します．あるいは，等電位に最も近い肢誘導はどれか探してください．

> **メモ**：このページと次のページの図は，等電位のQRSから平均QRSベクトルの電気軸を求める方法を示しています．自信がないときは，<u>この図を参考にしてください</u>．最初は電気軸がどうなっているかわからないのが普通です．たとえば，p.338の図をコピーして使っていただいて結構です．

> **メモ**：おさらいです．ベクトルのおおざっぱな方向はⅠ誘導とⅡ誘導から判断します．そのあと，等電位かそれに近いQRSを認める肢誘導はないか探してください．図を参考にしながら，練習してみましょう．

● 左軸偏位なら平均QRSベクトルは−30°から_____°です（Ⅰ誘導のQRSは陽性，Ⅱ誘導のQRSは陰性です）．図を参考にしてください．	−90（マイナスを忘れないで）
● ある若い女性の平均QRSベクトルは正常範囲にありました．もしⅢ誘導のQRSが等電位でしたら，電気軸は_____°です．この質問をスイスイこなせたら，さきに進んでください．今一歩なら見直してください．	+30

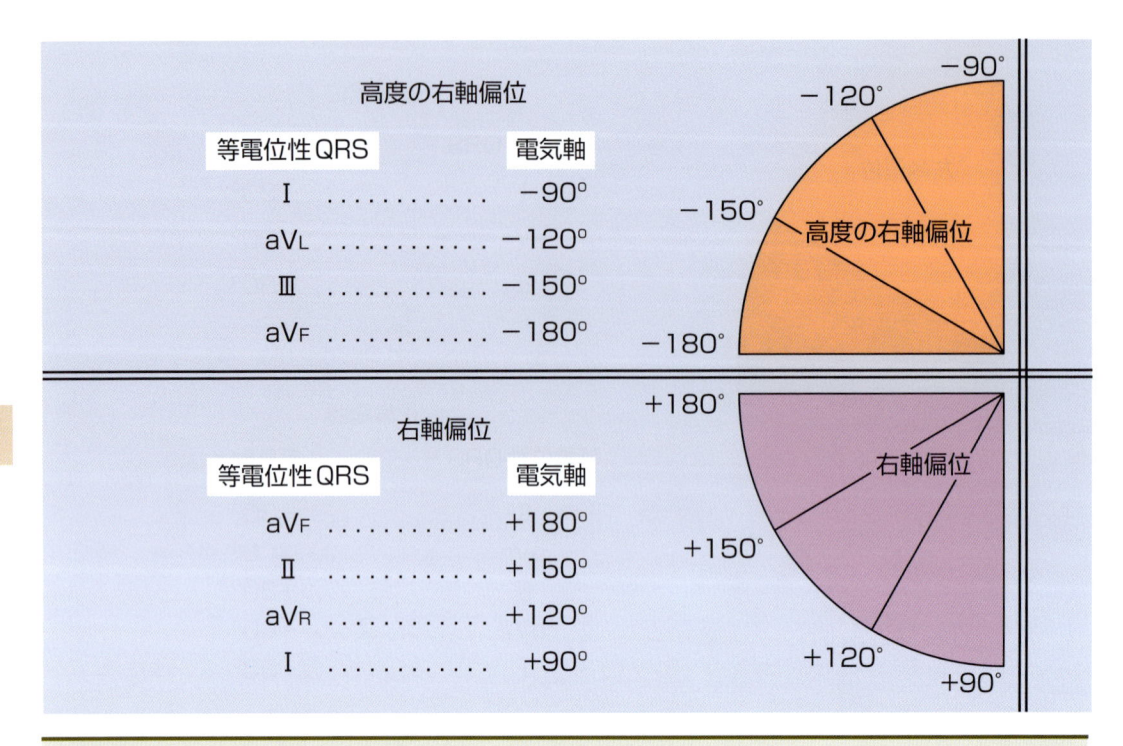

高度の右軸偏位	
等電位性QRS	電気軸
Ⅰ …………	−90°
aVL …………	−120°
Ⅲ …………	−150°
aVF …………	−180°

右軸偏位	
等電位性QRS	電気軸
aVF …………	+180°
Ⅱ …………	+150°
aVR …………	+120°
Ⅰ …………	+90°

右軸偏位や高度の右軸偏位でも正確に電気軸を知ることができます．前のページも参考にしながら考えてください*．

メモ：Ⅰ誘導とaVF誘導からどの四半円のベクトル（電気軸）なのか，めやすをつけます．さらに等電位のQRSをもつ誘導，あるいは等電位にもっとも近い肢誘導がどれか判断します．

● Ⅰ誘導に陰性のQRS，aVF誘導に陽性のQRSを認めました．Ⅱ誘導で等電位のQRSなら電気軸は_____°になります．　　+150

● 幅の広いQRSをもつ期外収縮が頻発しています．PVCなのか，変行伝導を伴うPACなのか見極めなければなりません．Ⅰ誘導とaVF誘導で陰性のQRSなら，そのベクトルは_____の四半円にあります．　　右上

● 幅の広いQRSはaVL誘導で等電位でしたから，電気軸は_____°です．興奮がこの方向に進むということは，PACの変行伝導よりも左室心尖部からのPVCのほうが考えやすいでしょう．　　−120

メモ：電気軸が180°なら＋をつけても−をつけても結構です．

＊p.338のPersonal Quick Reference Sheetsにまとめてあります．

第 7 章　電気軸 (Axis)　235

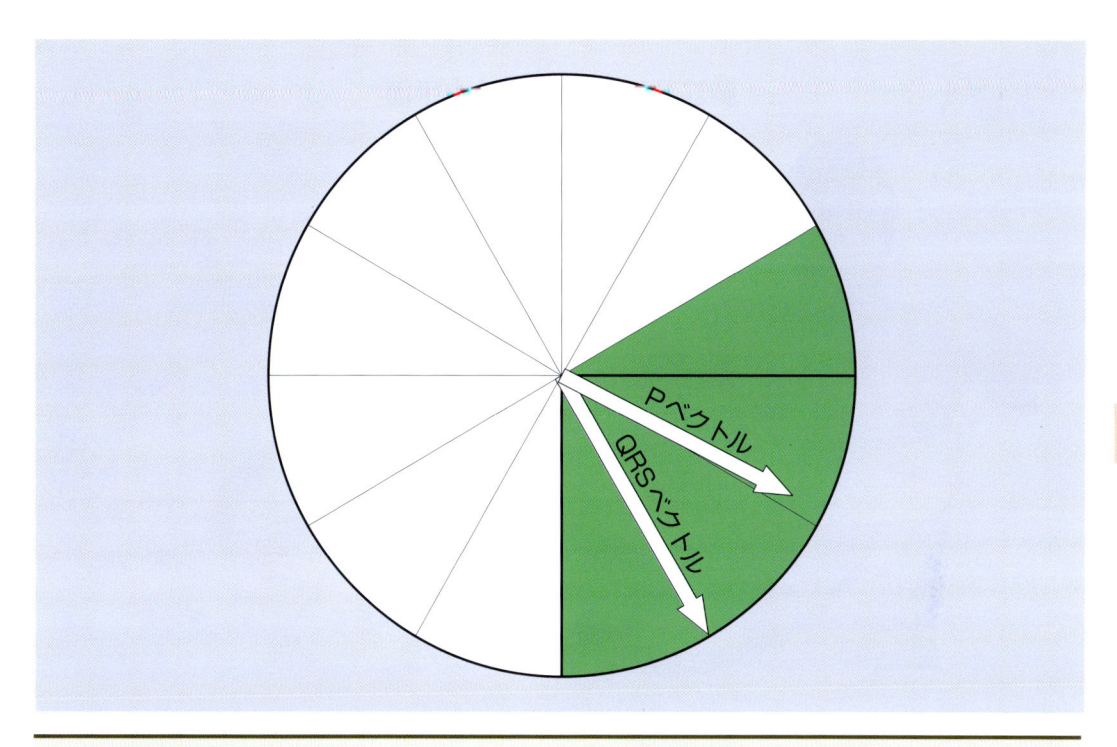

両心室の興奮伝播が正常なら，平均 QRS ベクトルは左下方に向かいます．左右心房の興奮を表現する P 波も正常では左下方を向きます．

● 興奮波がだいたいどういう方向に進むかを表すためにベクトルという概念が用いられています．興奮波（陽電荷の波です）が陽極に近づけば，ECG には ＿＿＿＿（陽性？　陰性？）の振れを記録します．

陽性

メモ：P 波のベクトルは左足の陽極に近づきます．つまり左下方に向かいます．Ⅱ，Ⅲ，aV_F はまとめて下壁誘導といいますが，これらの誘導では上向きの P 波が見られます．P 波も，どちらかというと左に向かいます．左手に近づくということは，左手を陽極にする Ⅰ や aV_L に上向きの P 波が生じます．もしこれらの誘導で陰性 P 波を認めるなら，下位心房をフォーカスとする期外収縮による P′波，あるいは房室結節からの逆行性心房興奮かもしれません．

メモ：PVC のフォーカスがもし下壁に存在すれば下壁誘導で陰性の QRS を認めます．側壁から PVC が発生しているなら側壁誘導で下向きの振れが見られるはずです．洞調律のときと同じように下壁誘導で陽性の QRS なら，PVC のフォーカスは心室基部かその近くにある可能性が高いでしょう．

胸部誘導で作られる水平面

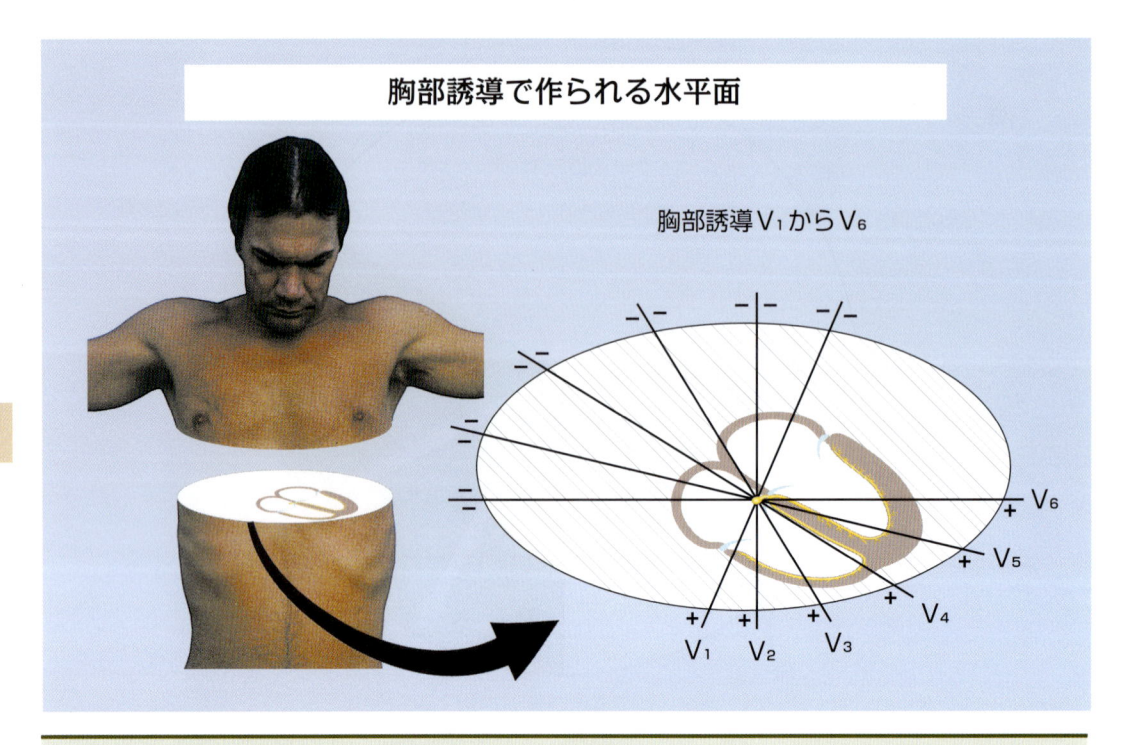

胸部誘導V₁からV₆

球は三次元ですから，平均QRSベクトルは前額面だけでなく水平面でも解析することができます．

- ●水平_____により人間の体は上下に分けられます． 　　　　面
- ●胸部誘導は心臓の電気現象を_____面で捉えます． 　　　　水平

> **メモ**：水平面における平均QRSベクトルの変化〔回転（rotation）を見ます〕は胸部誘導で解析します．

> **メモ**：前額面の電気軸には"偏位（deviation）"という表現を使いますが，水平面では"回転（rotation）"という概念が使われます．どちらも長い歴史のある表現です．

第 7 章　電気軸（Axis）　237

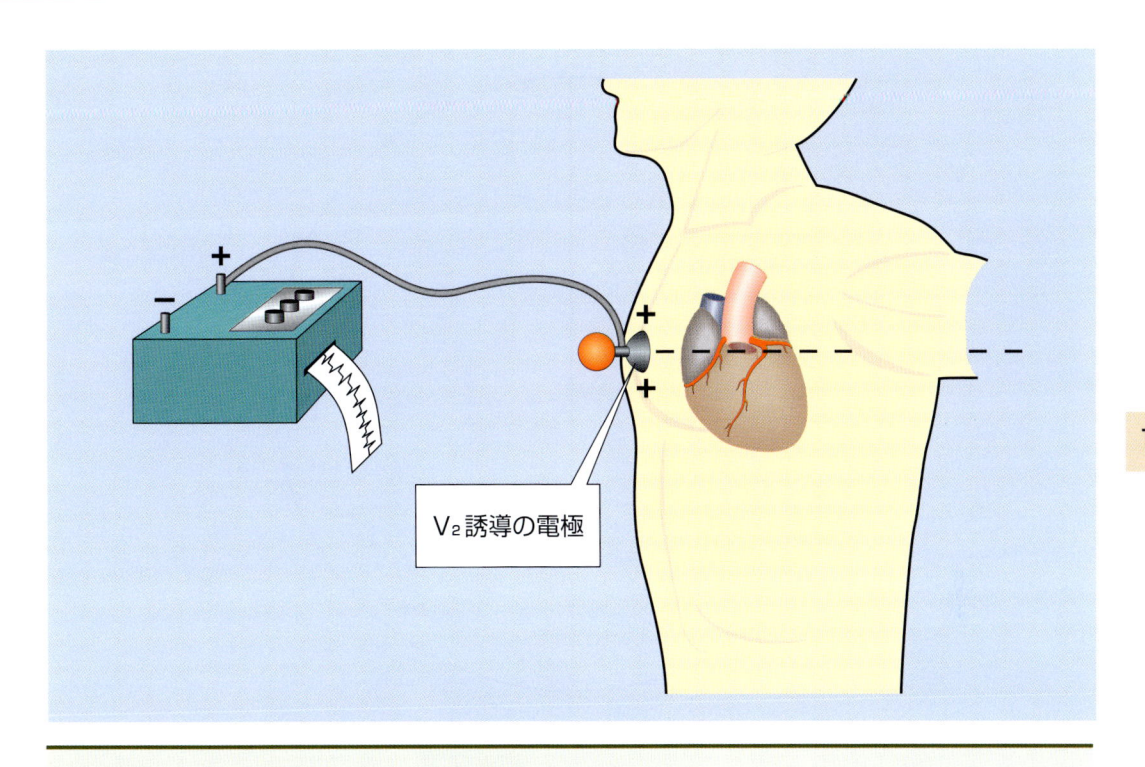

V₂誘導の電極

V₂誘導は胸骨左縁（第4肋間）の陽極電極で記録します．

●V₂誘導を記録する胸部電極は常に＿＿＿＿＿（陽陰どちらかの電極）です． | 陽極

メモ：胸部誘導として，しばしば吸盤型電極が用いられます．少しずつ位置は下がりますが，だいたい水平に6個の電極を並べます．どの電極も陽極です．

●V₂の電極は心臓の前面に置かれます．第4肋間胸骨左縁，ちょうど房室結節の＿＿＿＿＿（前後どちらですか？）になります． | 前

メモ：実際に心電図を記録した経験があるかたはご存知でしょうが，最近は吸盤型だけでなく，貼り付け型電極も使われます．形は違っても役割は同じです．

第7章　電気軸（Axis）

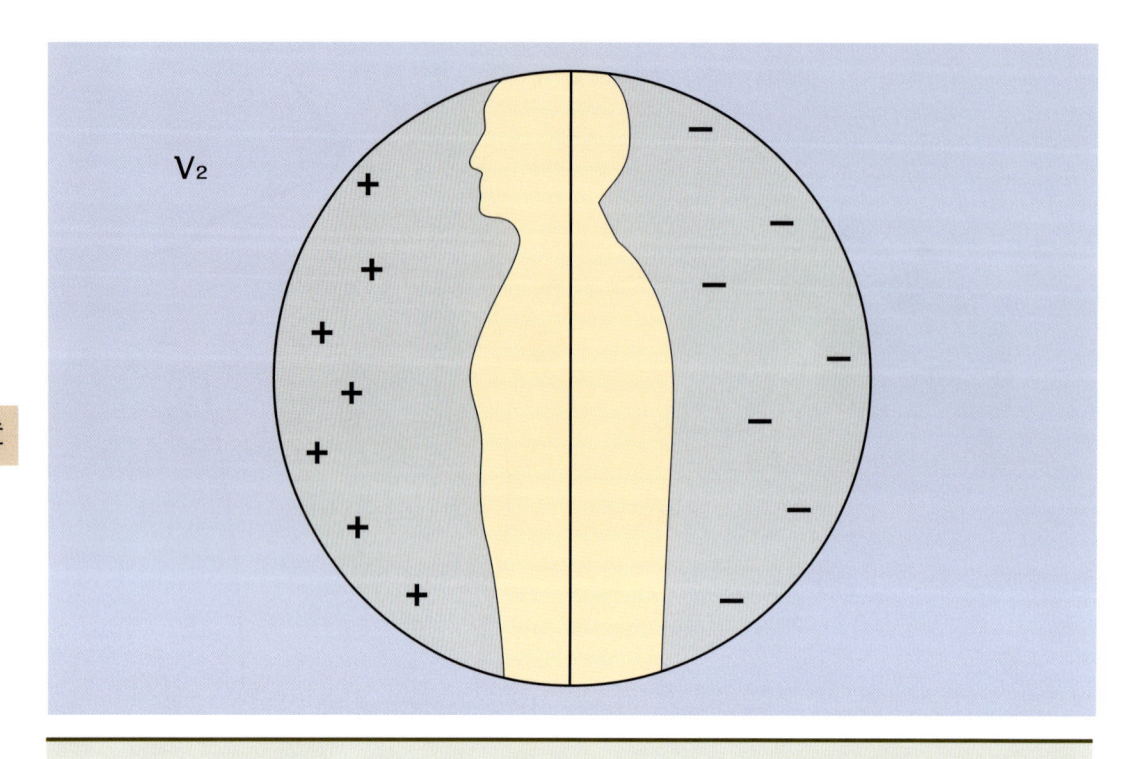

V₂の電極を念頭において，からだの前後の半球をイメージしてみましょう．体の前が陽性で後ろ側が陰性になります．

● 被検者を横から眺めながら，V₂の球をイメージしてみます．ここでも，この_____の中心は房室結節あたりと思ってください．　　　　　　　　　球

● V₂では被検者の背中側は_____（陽性？　陰性？）になります．　　　　　　　　　陰性

● V₂の球では，前半分が_____です．　　　　　　　　　陽性

V₂誘導の電極

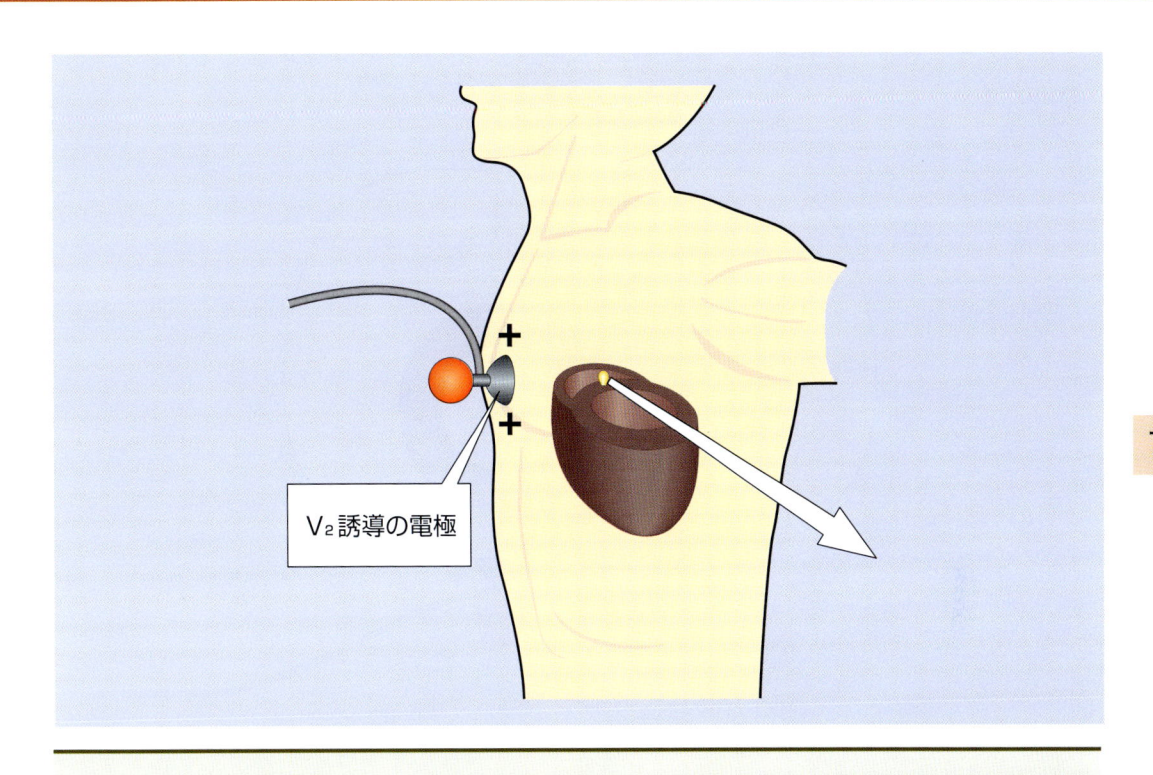

V₂のQRSは本来陰性です．ですから平均QRSベクトルは後ろに向かっていることになります．

●解剖学的にみても，心室壁の薄い右室が前胸部側にあるのに対し，心室壁に厚みがある_____室が後ろ寄りに位置していることも，この所見とつじつまが合います． | 左

心室の水平断面

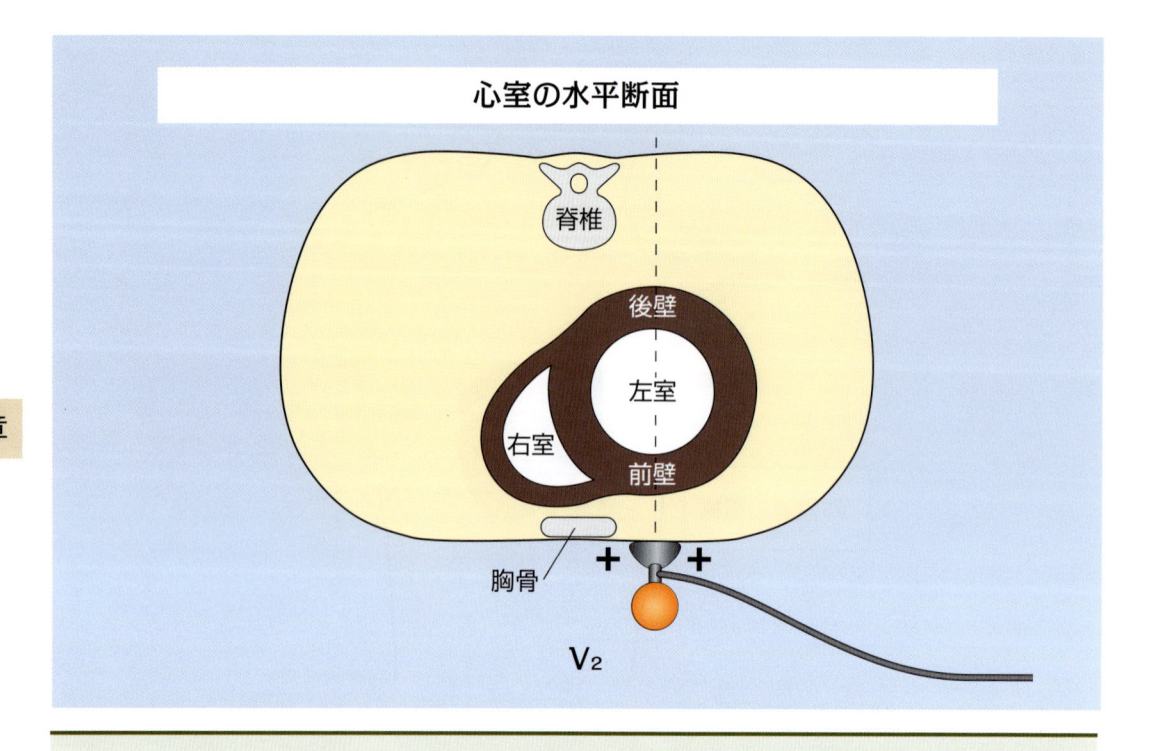

胸部誘導のV₂は左室の前方に位置しています．V₂は前壁梗塞や後壁梗塞の診断に重要です．

- V₂は心臓をどんなふうに観察しているでしょうか．簡単にいえば，＿＿＿＿＿＿室を前壁から後壁に貫くようにして心臓を眺めているのです． 　　左

- V₂は前壁梗塞や＿＿＿＿＿＿梗塞について信頼性の高い情報をもたらします． 　　後壁

メモ：心筋梗塞の診断には心室筋の興奮だけでなく，再分極についても検討する必要があります．勉強していくうちにだんだんわかってくることと思います．

胸部誘導

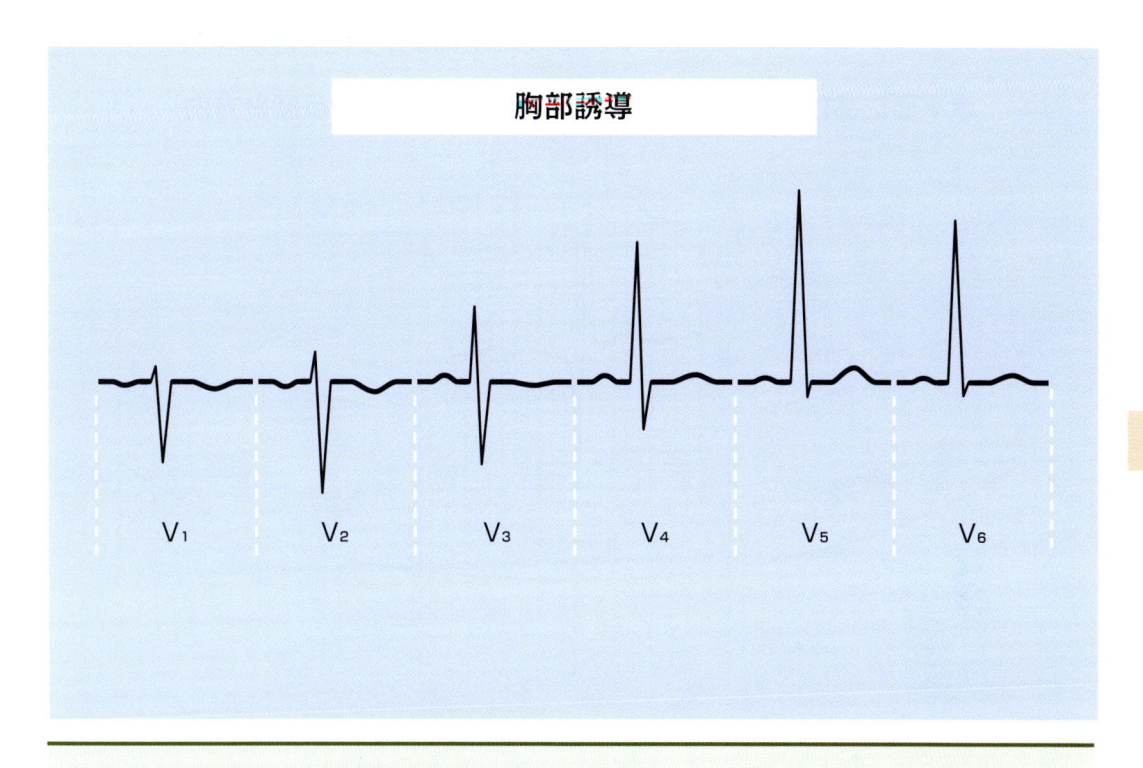

6個の胸部誘導は少しずつ形が変わっていきます．V_1のQRSはほとんど陰性ですが，R波はすこしずつ高くなって，V_6ではほとんど陽性（上向き）成分だけです．

● V_1のQRSは大部分が陰性側にあります．一方，V_6のQRSは主に_____側にあります． | 陽性

● 胸部誘導の V_1 から V_6 にかけてQRSは徐々に変化していきます．V_3 と V_4 のQRSは陽性成分と陰性成分がおなじくらいの大きさです．つまり"_____電位 (isoelectric)"です．こうして上下が等しくなるあたりを移行帯 (transitional zone) とよびます． | 等

> **メモ**：等電位性のQRSは平均QRSベクトルと直交する誘導に見られます．ベクトルが水平面でシフト (rotation：回転とよびます) すれば，胸部誘導の移行帯 (等電位性のQRSが見える誘導のことです) がほかの誘導に移ります．詳しくは次ページで．

● 水平面でベクトルの方向が変わることを回転 (rotation) といいますが，ベクトルの起点は_____にあります．わかりやすくするための便宜的な理由によるものですが． | 房室結節

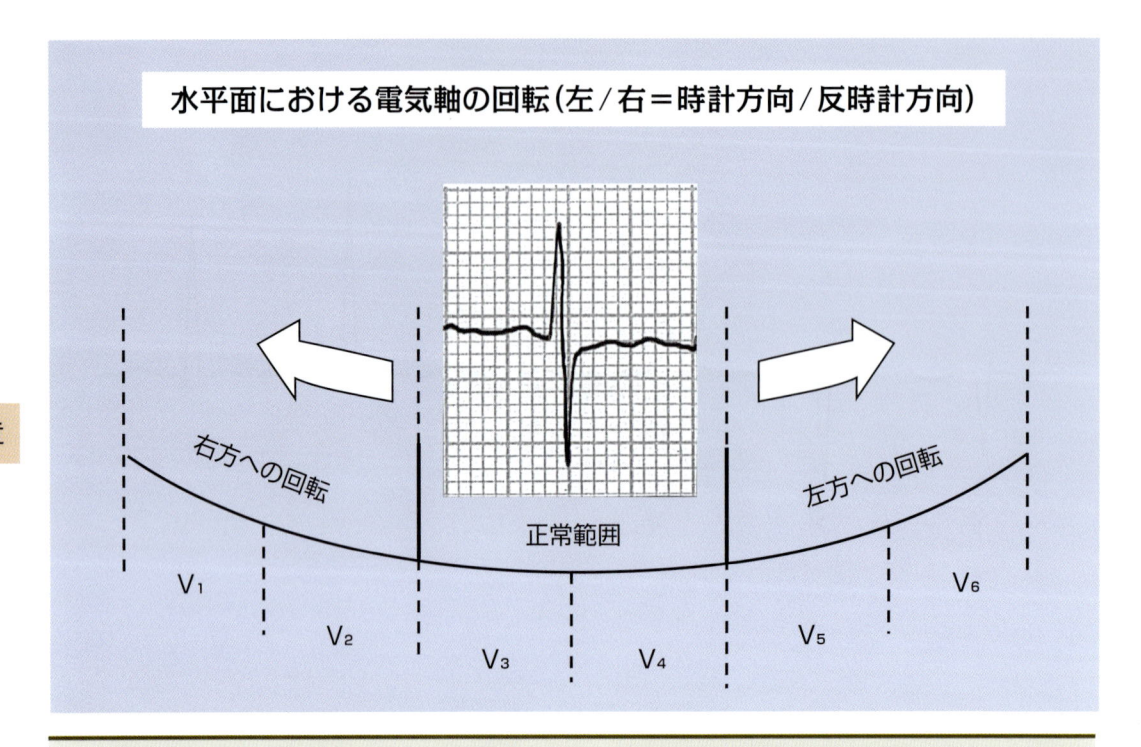

水平面における電気軸の回転（左／右＝時計方向／反時計方向）

右方への回転　　正常範囲　　左方への回転

V₁　V₂　V₃　V₄　V₅　V₆

水平面のベクトルに回転（rotation）が認められるとき，その回転方向は被検者から見て右方向（rightward）あるいは左方向（leftward）と表現されます．ともあれ，等電位のQRSがどこにあるか探してください．

メモ：ベクトルの水平面における変化を回転と表現します．等電位（移行帯にあたります）のQRSが被検者から見て右側（V₁やV₂）に動けば，右方回転です．逆に移行帯がV₅やV₆にシフトすれば左方回転です．解剖学的には心臓の水平面での回転は生じにくいものです．しかし，ベクトルは心室肥大があるほうに向かいますし，梗塞部位からは離れていきます．あくまで電気軸のシフトであり，心臓そのものの回転が関与する割合は限られています．

もう一度：前額面では電気軸の偏位（deviation）が起こります．
　　　　　　水平面では電気軸の回転（rotation）が起こります．

メモ：p.338を見てください．電気軸を決めるときの簡単なやりかたを参照してください．
　　　　p.332のPersonal Quick Reference Sheetsに要約があります．

第8章　肥大

この章の要約はp.332とp.339にあります．先にそっちを見ていただいても結構です．

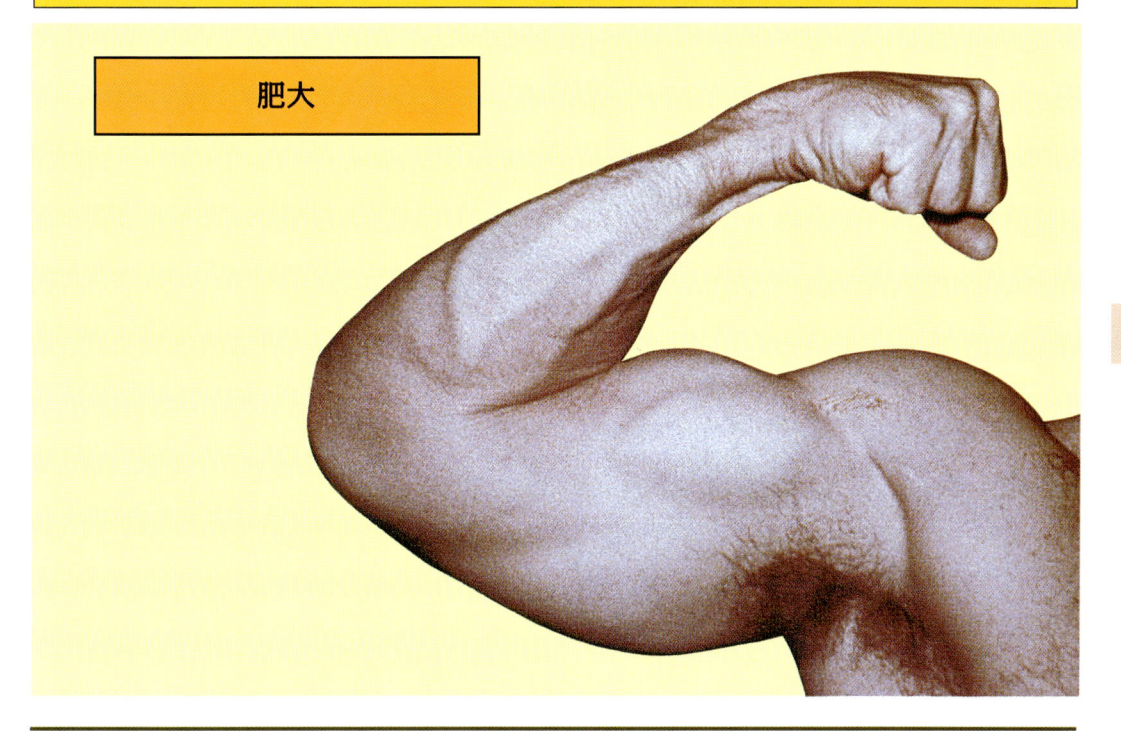

肥大

肥大 (hypertrophy) とはサイズが大きくなることです．心筋でも骨格筋でも量が増すことを肥大といいます．

メモ：上の写真はボディービルをやっている人の腕です．当初は著者自身の腕の写真を使おうかと思いましたが，やめました．著者の腕では肥大 (hypertrophy) ではなく，萎縮 (hypotrophy) になってしまいます．

正常な心室　　　　　　　　　　　左室肥大

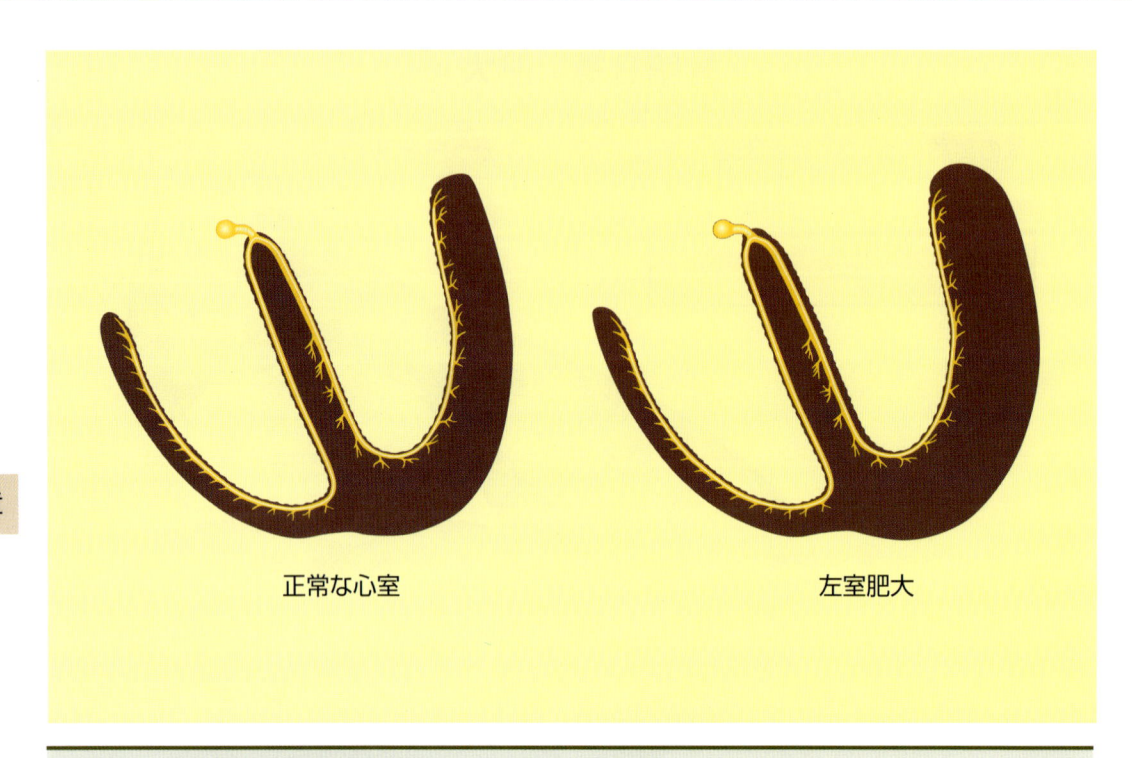

心臓の肥大とは厚みが増すことです．心腔（心室壁で囲まれたスペースのことです）は拡張することもあれば，狭くなることもあります．

● 心肥大とは壁の厚みが_____を超えることです． | 正常

● 心肥大は_____壁のボリュームが増すことです．壁の厚みは正常上限を超えます． | 心室

● 心肥大や心腔の拡大はある程度_____で診断することができます． | ECG

心房の収縮

P波

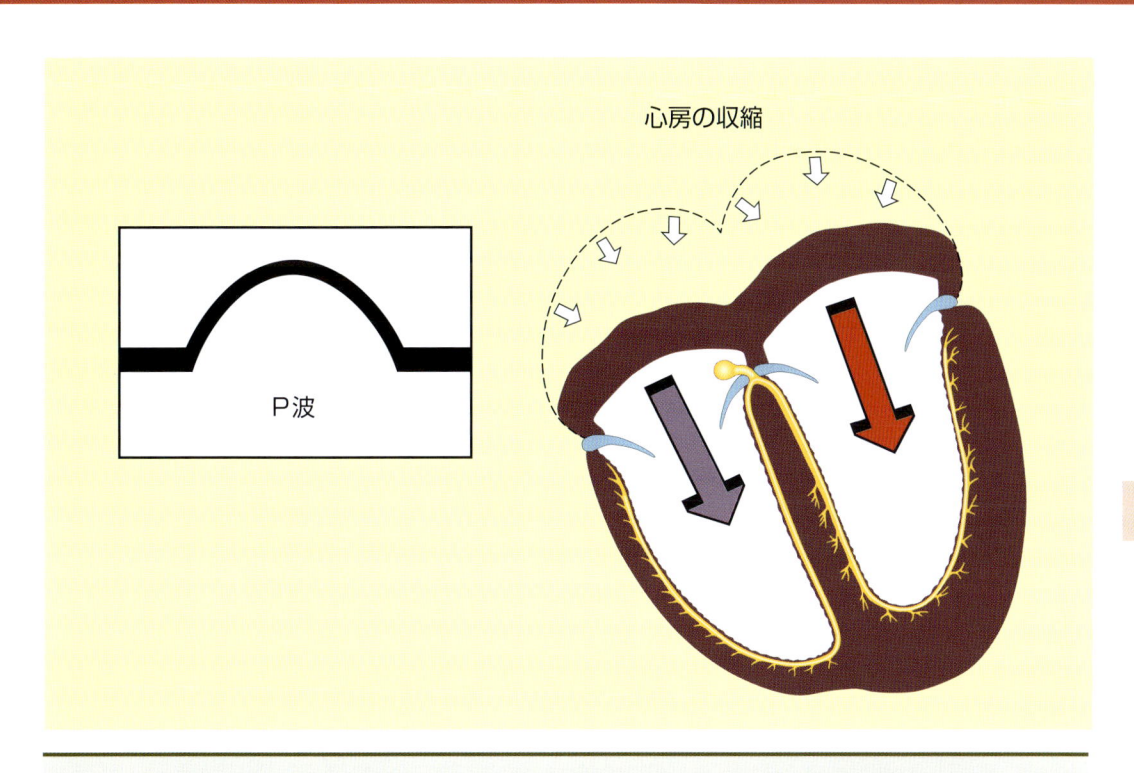

P波は心房の興奮と収縮を表しています．P波のかたちから心房の拡張が示唆されることもあります．

●左右の心房がほぼ同時に興奮しているなら，両心房の_____も同じタイミングでしょう．	収縮
●心房興奮は_____波を生じます．	P
●12誘導_____のP波の形から心房の拡大がわかることもあります．	ECG

メモ：心房はしばしば拡張しますが，肥大することはまれです．"心房拡大 (atrial enlargement)" といいます．心室は拡大することも，肥大することもあります．

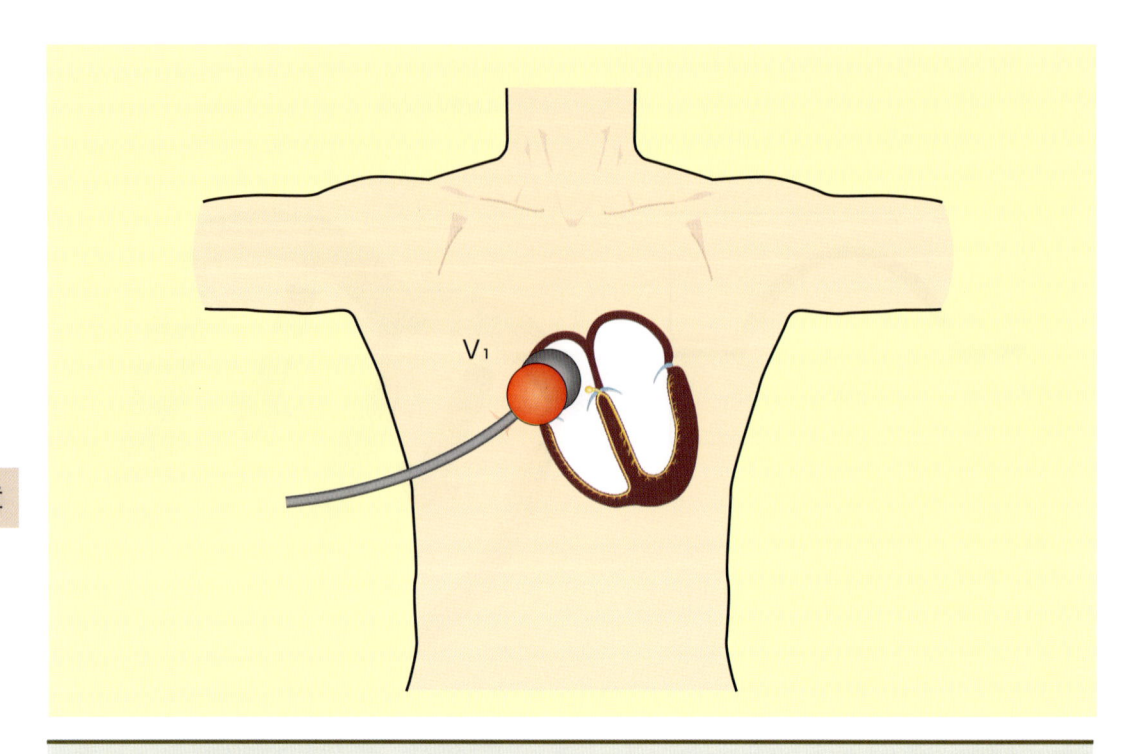

V₁誘導は胸壁で隔てられてはいますが，ちょうど心房の上に位置します．V₁のP波は鋭敏に心房拡大を検出します．

- V₁電極は_____です（陽極？　陰極？）． | 陽極

- V₁の電極は第4肋間胸骨右縁にあります．この電極は_____（心房？　心室？）の上に乗っかっています． | 心房

- V₁電極は心房に近いので，V₁のP波は心房の_____について情報が豊富です． | 拡大 (enlargement)

二相性 P 波

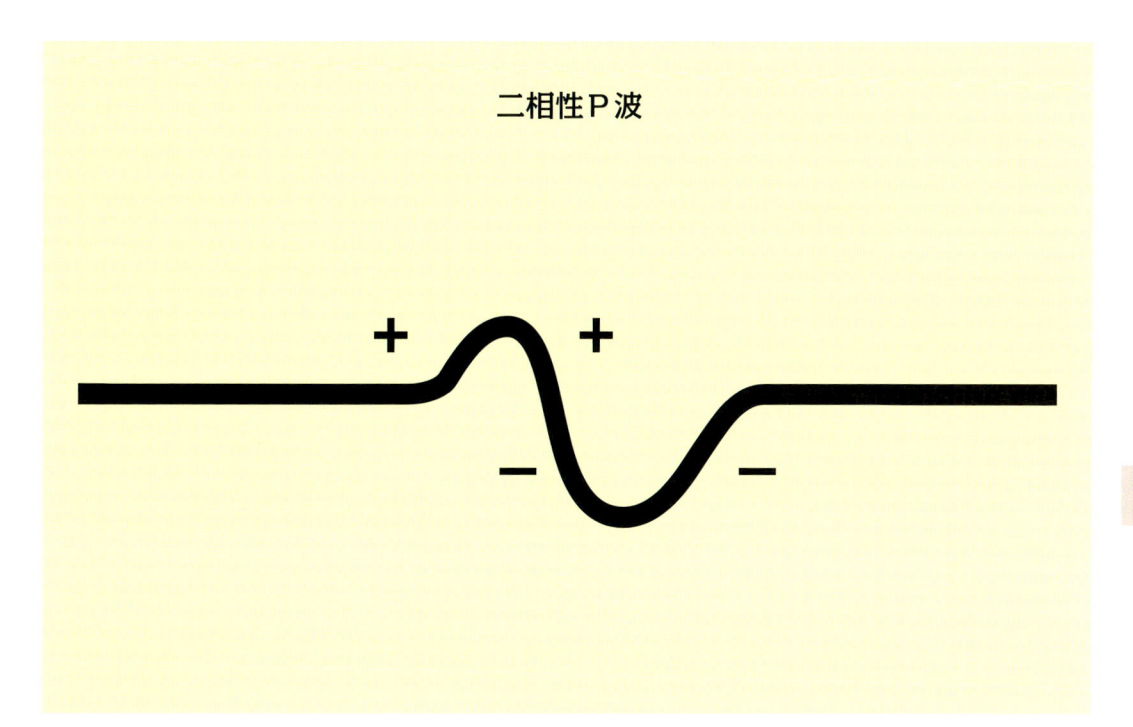

心房拡大があればしばしば二相性（biphasic）の P 波を認めます（陽性部分と陰性部分があります）．

●陽性部分と陰性部分があれば_____（biphasic を日本語でいうと）の波といいます．	二相性
●二相性 P 波は_____（電位ゼロの線です）よりも上の部分と下の部分があります．	基線
●二相性というだけで心房拡大と断定できるわけではありませんが，目立つようなら心房拡大があるかもしれません．ただし，左右どちらの_____が拡大しているのか知りたいですね．	心房

右房拡大

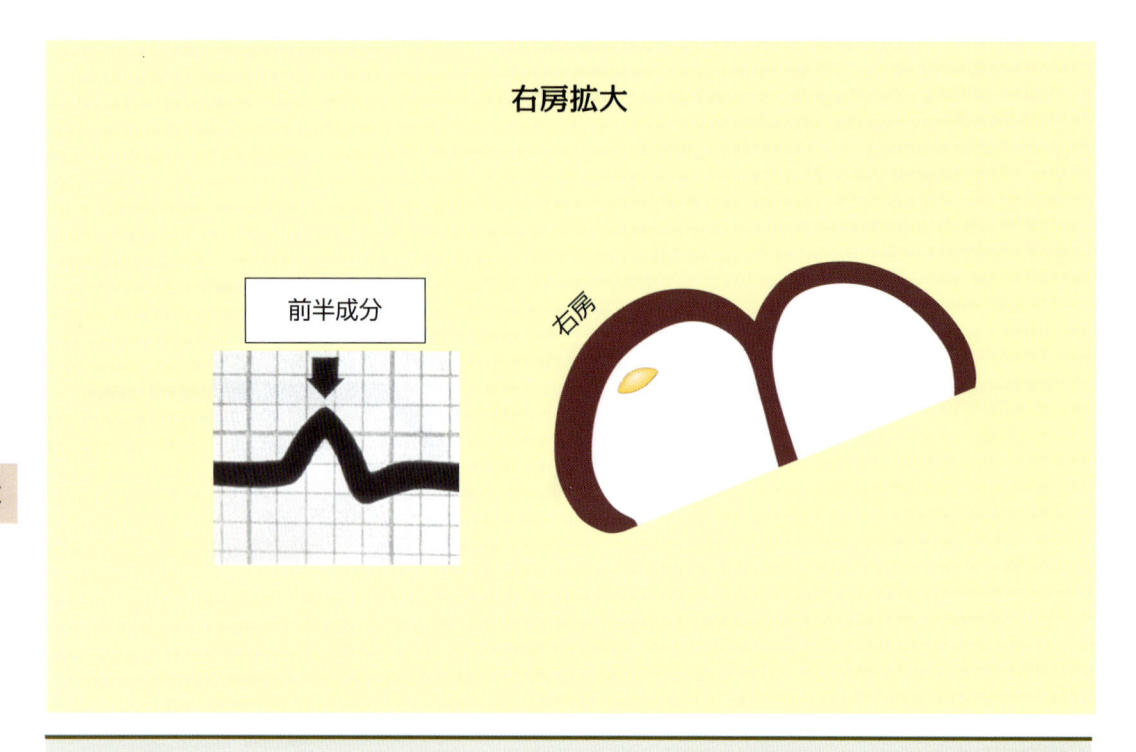

前半成分

V₁誘導に二相性P波を認め，前半成分が大きければ右房拡大を疑います．

● V₁のP波が＿＿＿＿性なら，心房のどちらかが拡大している可能性があります． | 二相

● 二相性P波の最初の成分のほうが＿＿＿＿なら（大きい？　小さい？），右房拡大が示唆されます． | 大きい

● V₁の二相性P波の前半成分が大きく，とがっていたら＿＿＿＿房（左右どちらですか？）が拡張している可能性があります． | 右

> **メモ**：肢誘導のP波が2.5mmを超えていたら右房拡大を疑います．二相性P波でなくてもかまいません．

左房拡大

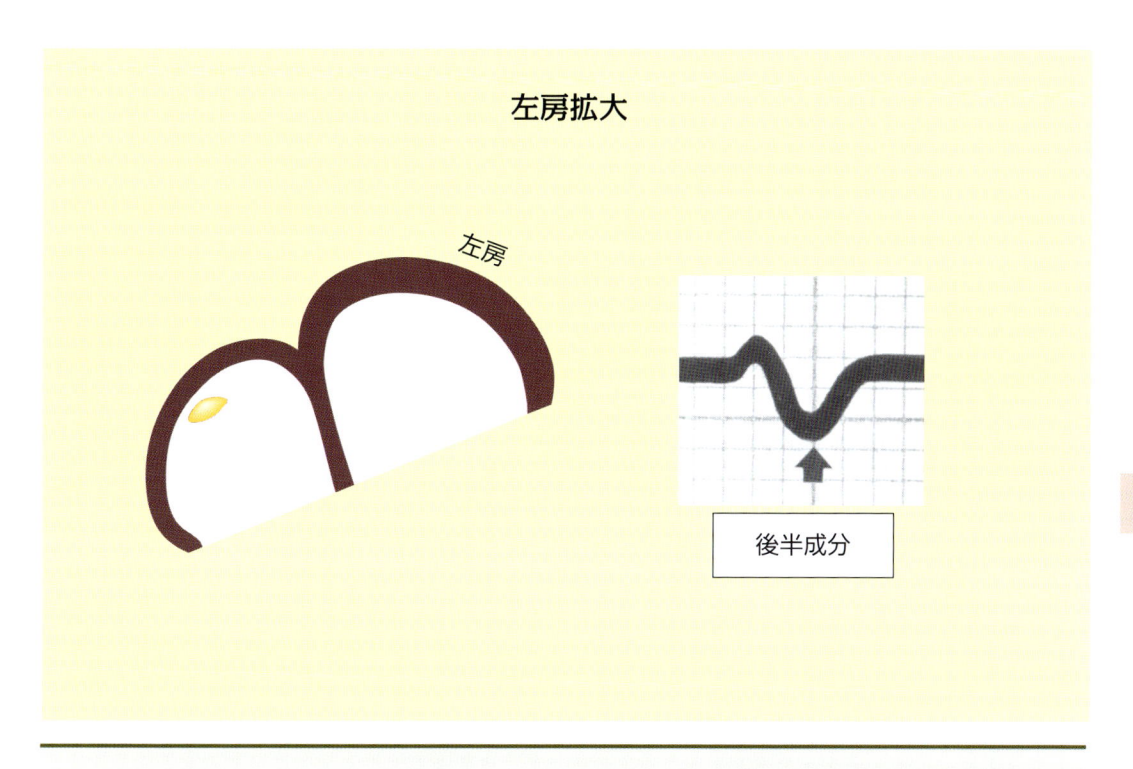

V₁が二相性P波で，後半成分の幅が広く深ければ左房拡大を疑います．

●僧帽弁狭窄*による左房拡大があれば，しばしば_____誘導に二相性P波を認めます．ただし，正常のときにも二相性P波は稀ではありません．	V₁
●この図に見られるV₁誘導の二相性P波は前半成分が小さく，陰性の_____成分のほうが大きくなっています．	後半
●V₁の二相性P波では通常後半成分が_____性です．	陰

*僧帽弁狭窄により左房拡大が生じますが，左房拡大の原因として頻度の高いのは高血圧です．

V₁誘導で正常QRS

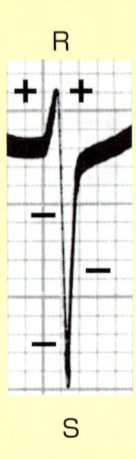

V₁のS波はR波よりも大きくなっています．

- QRSは心室の興奮を表しています．ですから心室＿＿＿＿（hypertrophyを日本語で）もQRSに反映されます． 　　肥大

- V₁誘導のQRSが主に＿＿＿＿（上？　下？）向きなら，R波高はかなり小さいはずです． 　　下

> **メモ**：V₁電極は陽極です．心室興奮は被検者の左下方，かつ後ろに向かいます．左室後壁は厚みがあることも影響しているでしょう．心室興奮は陽極のV₁電極から<u>遠ざかっていく</u>ので，V₁のQRSは陰性成分のほうが大きくなります．繰り返しますが，興奮波は陽性の波です．興奮波が陽極電極に向かってくればECGには陽性の振れが生じます．逆に興奮波が陽極電極から離れていくときは陰性の振れが記録されます．

右室肥大

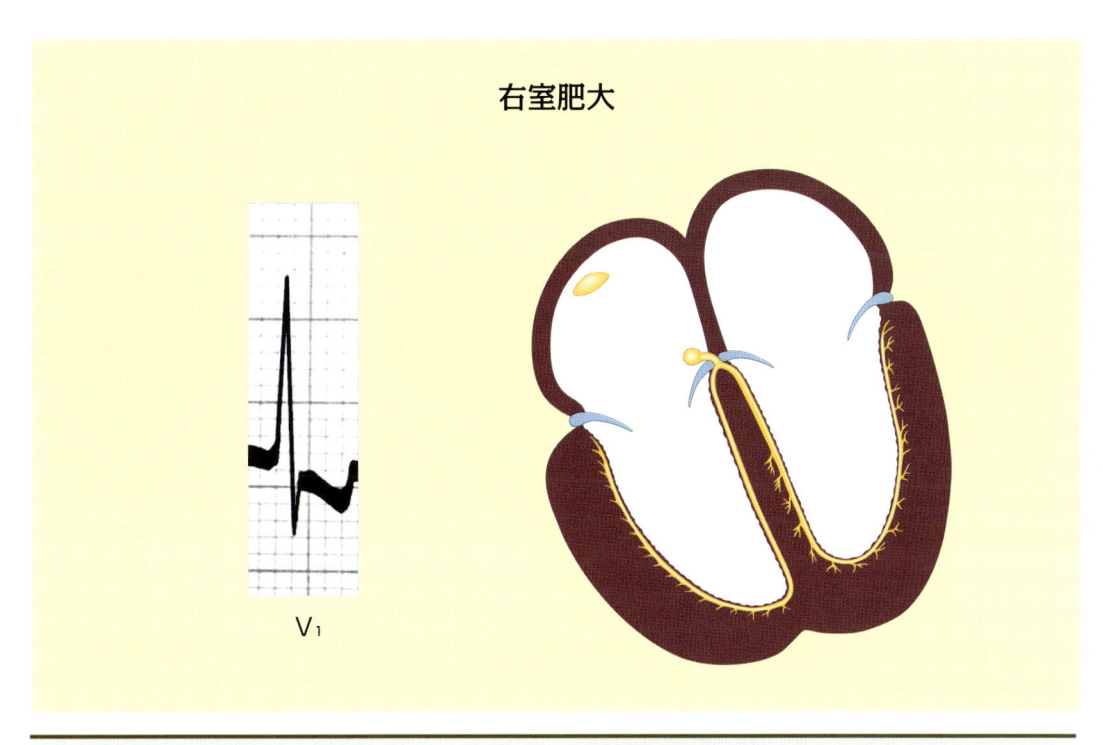

V₁のR波は小さいといいましたが，右室肥大（right ventricular hypertrophy：RVH）のときにはV₁に大きなR波を認めます．

● 右室肥大があればV₁誘導に大きな_____波を認めます． | R

メモ：右室肥大では右室壁が厚くなるので，たくさんの興奮がV₁電極に向かってきます．そのため，V₁誘導のQRSは陽性成分が大きくなります．

● 右室肥大があればV₁のS波は_____波より小さくなります．図を見て答えてください． | R

右室肥大

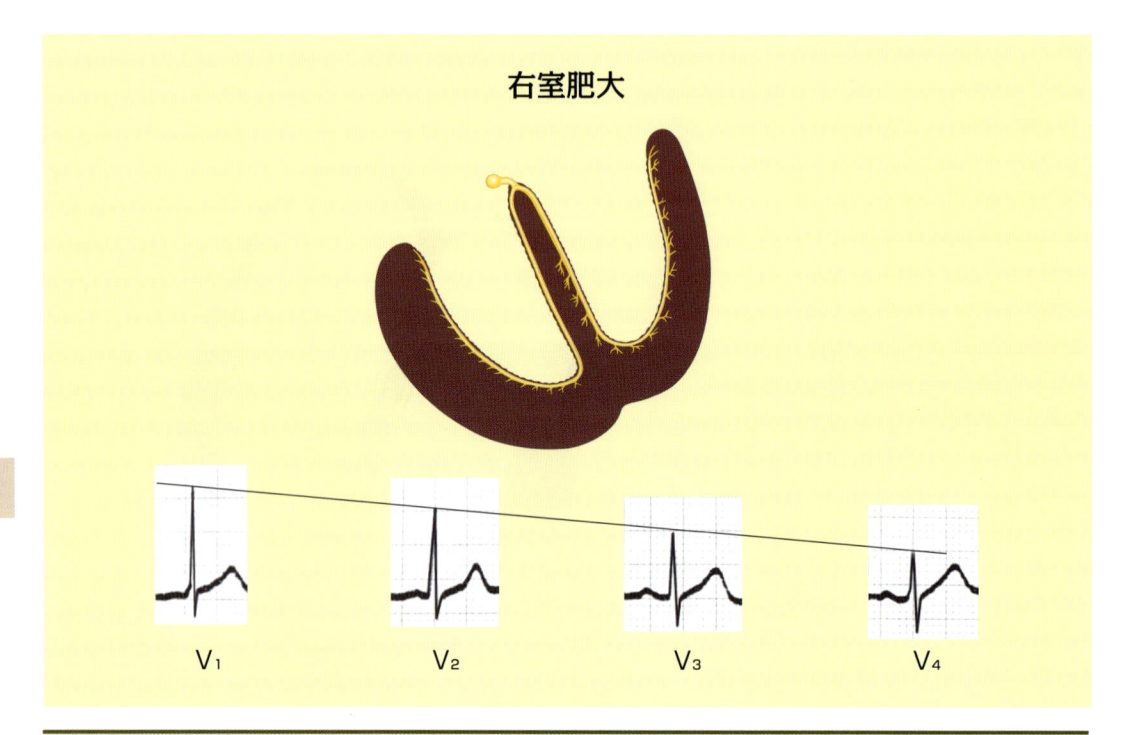

右室肥大があれば通常とは異なり，V_1 から V_2，V_3，V_4 と R 波がむしろ小さくなることもあります．

- 右室肥大があれば，_____ の R 波が V_2，V_3，V_4 の R 波よりも高いことがあります．ただし，これは極端な右室肥大に限られます． … V_1

- _____ 波の高さが低くなる場合でも，右胸部誘導から左胸部誘導に向けて徐々に変化していきます．急にどこかの誘導だけ R 波が極端に大きくなったり，小さくなったりすることはありません． … R

  メモ：拡大した右室はベクトルを右側に引っ張りますから，前額面で右軸偏位が生じます．水平面で見ると右方への回転を認めます．右室の肥大や拡大のせいで平均 QRS ベクトルがシフトしている様子を想像すれば，なぜこんな ECG になるか何となくわかってきませんか．

左室肥大

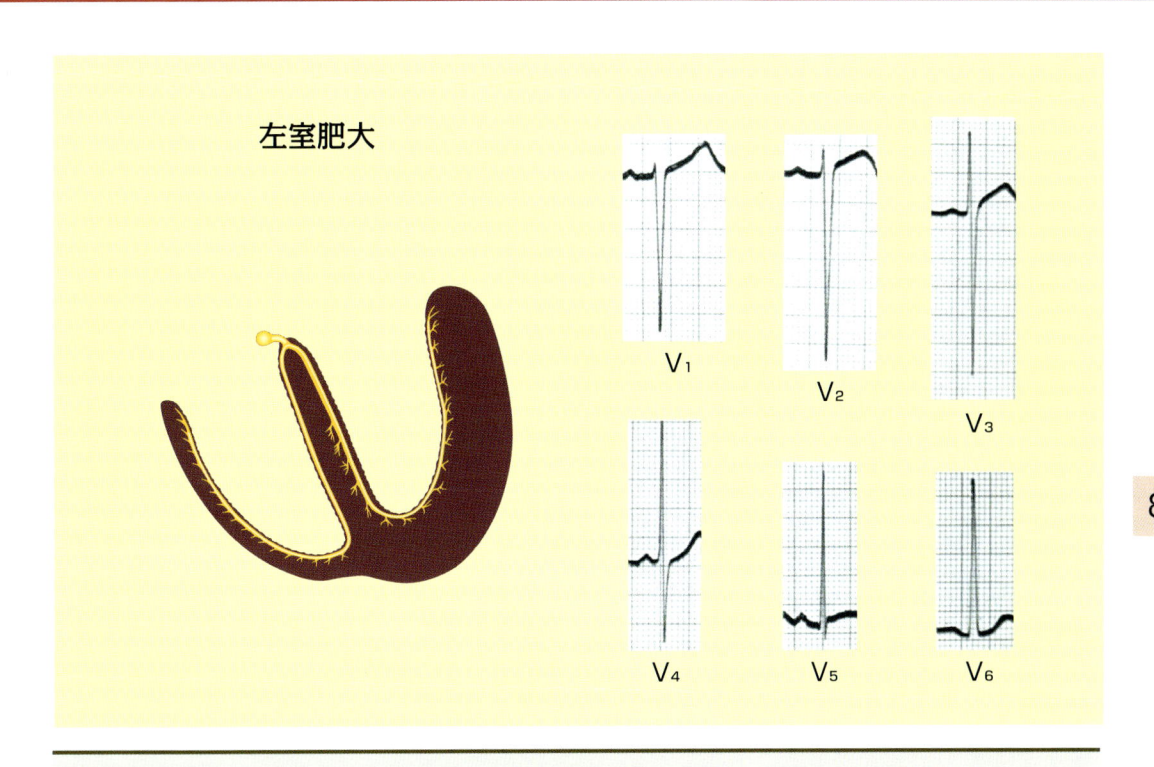

左室肥大（left ventricular hypertrophy：LVH）では左室壁の厚みが増します．胸部誘導でのR波がかなり高くなります．

- ●左室肥大とは_____室の壁が厚くなることです． 　　　　　　　　　左

- ●左室肥大があればQRSの高さも深さも増してきます．とくに_____誘導（肢　胸部
  誘導？　胸部誘導？）で目立ちます．

> **メモ**：正常のV₁は深いS波をもっています．左室肥大になると興奮波はいっそう左室側に引っ張られてV₁から遠ざかり，結果としてV₁のS波はよけいに深くなります．左室肥大では左軸偏位が生じると思うかもしれませんが，もともと左に向いているベクトルですから，ベクトルの変化は乏しく，左軸偏位は原則として認めません．

左室肥大

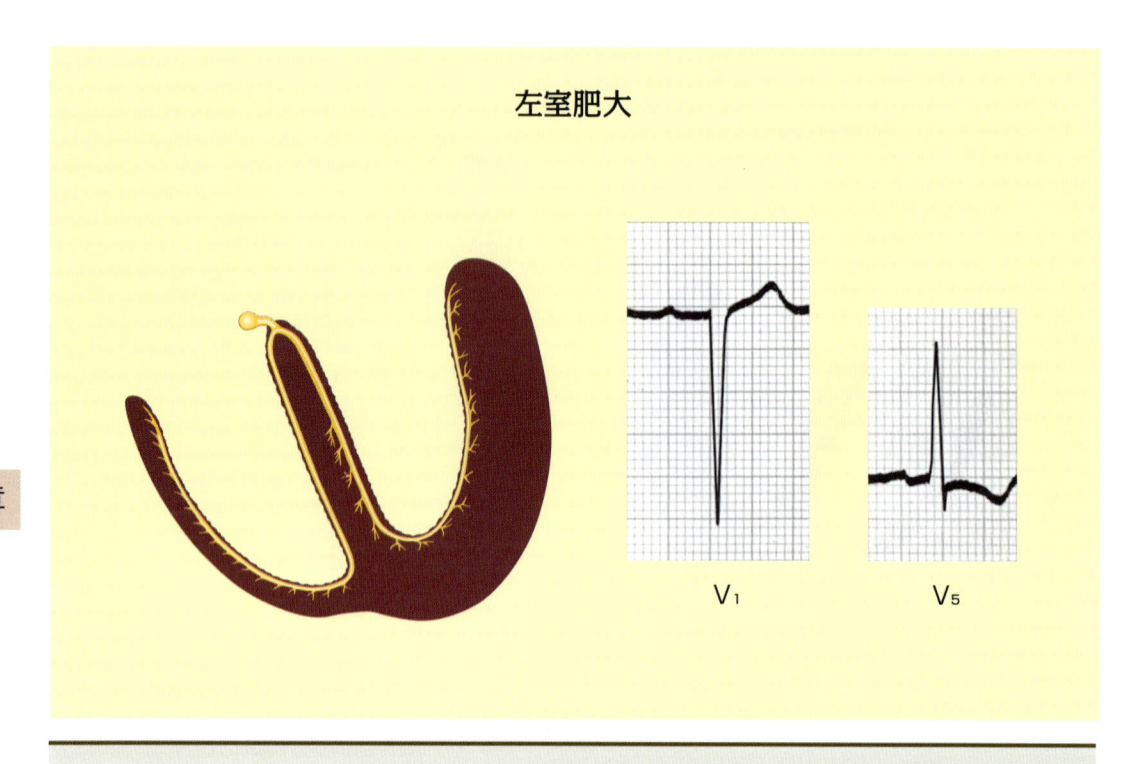

左室肥大ではV₁に深いS波が，V₅には高いR波を認めます．

- ●左室肥大ではV₅誘導にとても大きな_____波を生じます． | R

  メモ：V₅誘導は胸壁を介して左室と接しています．左室肥大による心筋量の増加は大きな興奮波を作り，V₅誘導に向かいます．V₅誘導にはとても高いR波が認められます．

- ●左室肥大のとき_____誘導に大きなR波を認めます．大きな興奮波は右胸部誘導のV₁電極から見れば遠ざかっていくことになり，深いS波を認めます． | V₅

左室肥大

V_1 のS波の深さ

＋

V_5 のR波の高さ

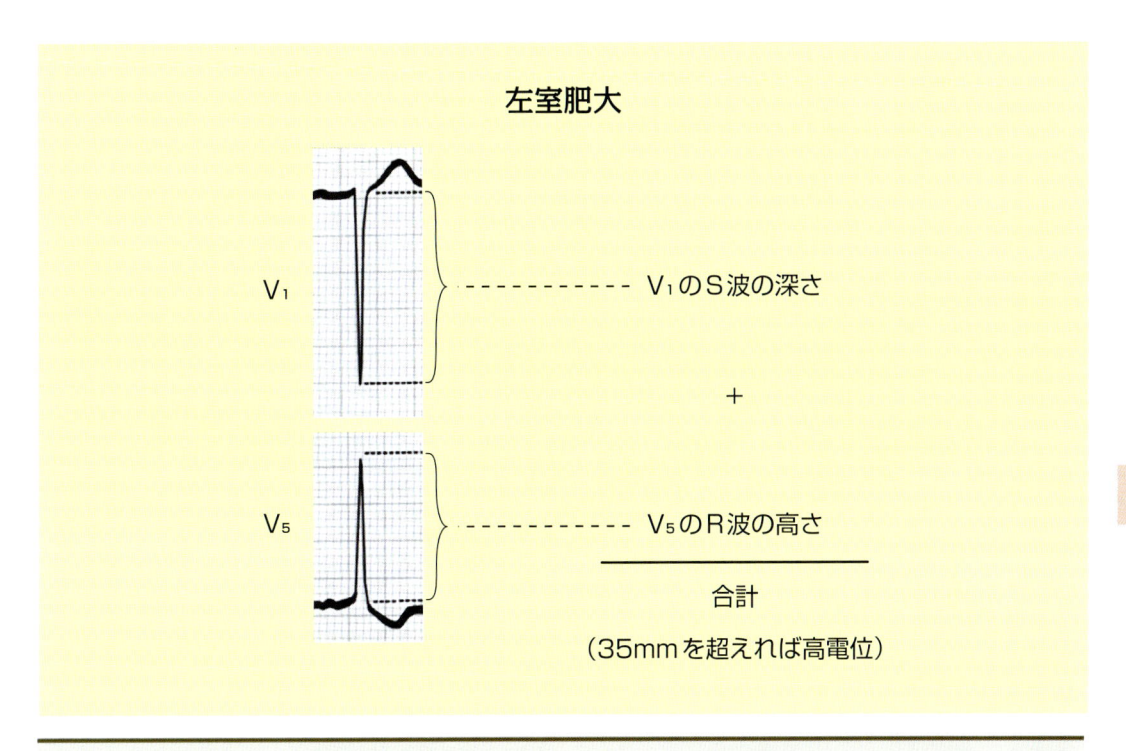

———————
合計
（35mmを超えれば高電位）

V_1 のS波の深さと V_5 のR波の高さを足してください．この値が35mmを超えたら左室肥大とするクライテリアがあります．ただし，この基準だけで本当に左室肥大が存在するというわけではなく，あくまでECGとしての診断基準だとご理解ください．

●左室肥大の有無をECGで推測するには，V_1 のS波と V_5 の_____波を足してみましょう．	R
●V_1 のS波の深さが何mmか，V_5 のR波は何mmか見てください．両方を足して35mmを超えていたら_____室肥大を疑います．この基準でいくと左室肥大に該当する割合が高くなりすぎます．もうちょっと大きな数値のとき，あるいはST-T部分の変化を伴うときに左室肥大とすることで感度と特異性のバランスをとるように工夫します．	左

メモ：12誘導心電図を判読するときは V_1 のSと V_5 のRの和がいくつか，いつも注意してください．通常はだいたいの値でかまいません．ただし，心電図判読のレポートを作成するときはきちんとmm単位で測定してください．

左室肥大の左胸部誘導

ゆるやかに下がって
急勾配で昇ります

陰性T波

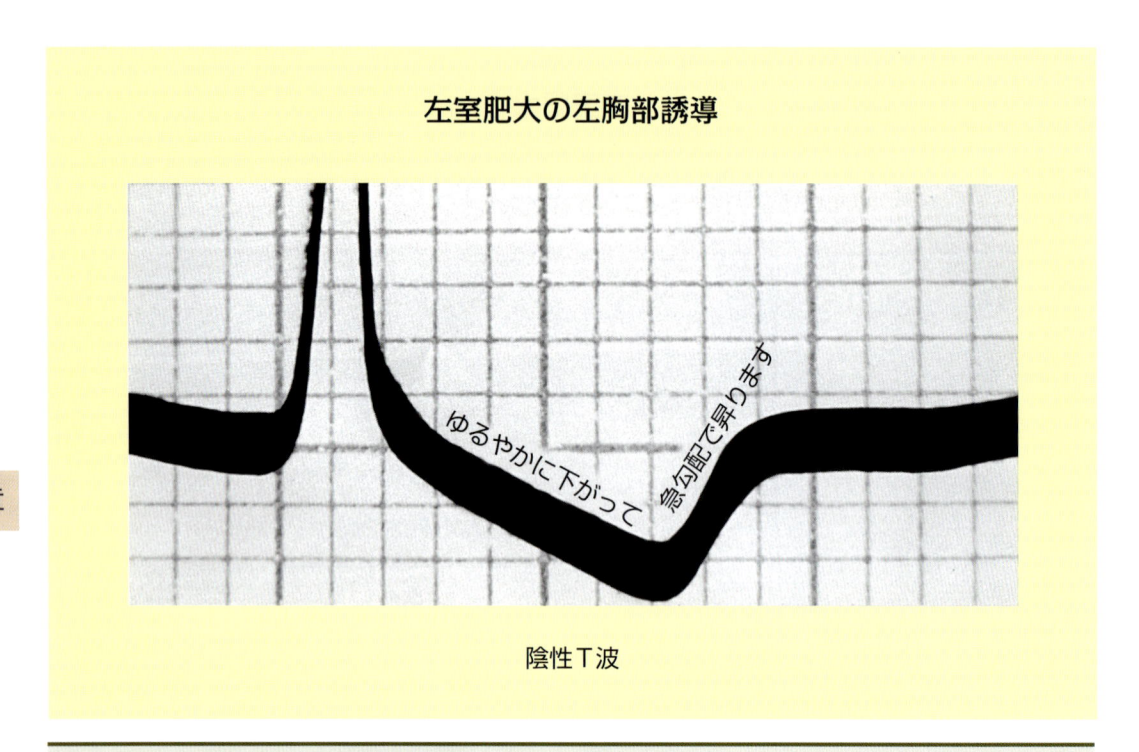

ST部分やT波には左室肥大に特徴的な変化があります．非対称的な陰性T波がその1つです．

- ●＿＿＿＿＿室肥大は特有のT波変化を示します． 　　　　　　　　左

- ●左胸部誘導（V_5とV_6）は左の＿＿＿＿＿と胸壁をはさんで近接しているので，LVH特有のT波変化の検出に優れています． 　　　　　　　　心室

- ●LVHがあればST部分がゆっくり下がっています．そのあと急峻に＿＿＿＿＿（ゼロ点を表す横線のことです）に復帰します．下がるときと上がるときの傾斜が異なりますから，非対称的な陰性T波です． 　　　　　　　　基線

第8章 肥大 | 257

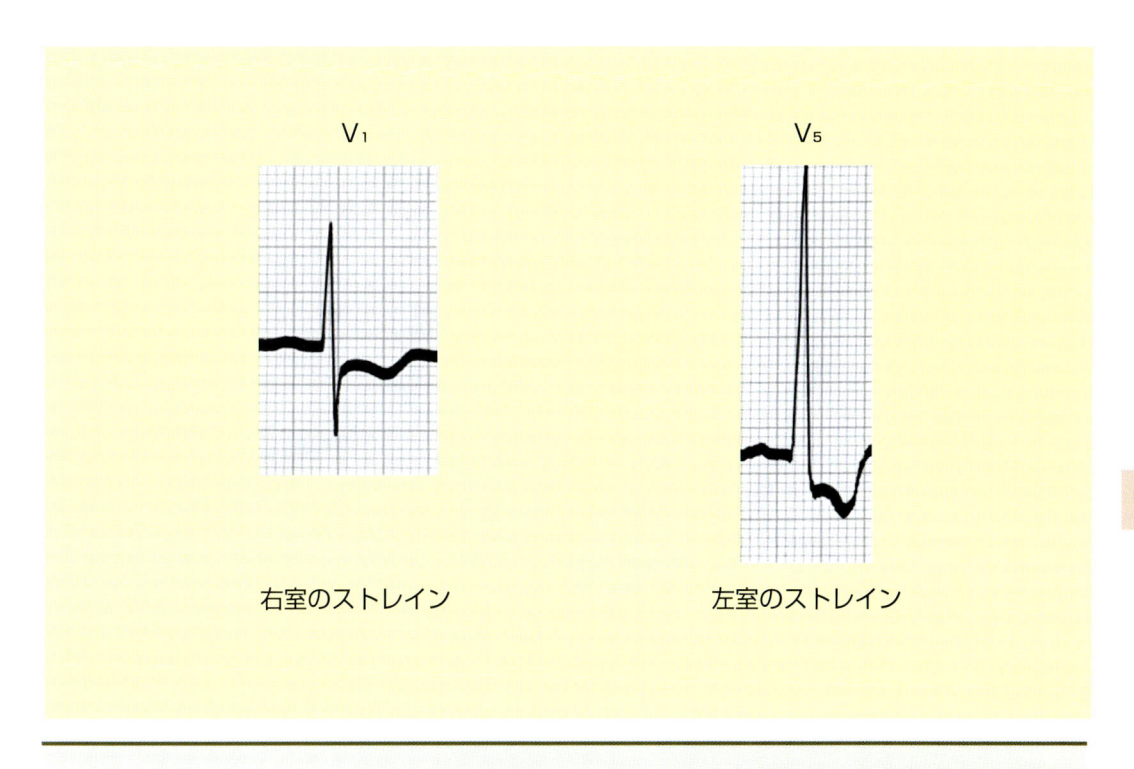

V₁ の図 / V₅ の図

右室のストレイン　　　　左室のストレイン

心肥大の心電図所見としてストレインパターンというのがあります．心室に負荷や肥大が生じたときに，ST 部分が低下する様子をさしています．

- 心室にストレイン（緊張とか負荷という意味です）があれば ST＿＿＿＿＿＿（segment）の低下を認めます． | 部分

メモ：ストレインといえば心臓の場合は心室肥大を念頭に置きます．大動脈弁狭窄や高血圧など圧負荷による肥大では，たしかに心室にはストレイン（負荷）がかかっています．

- 心室のストレインは ST 部分の低下を招きます．＿＿＿＿＿＿部分の前半が上凸になって下がっているのが特徴です． | ST

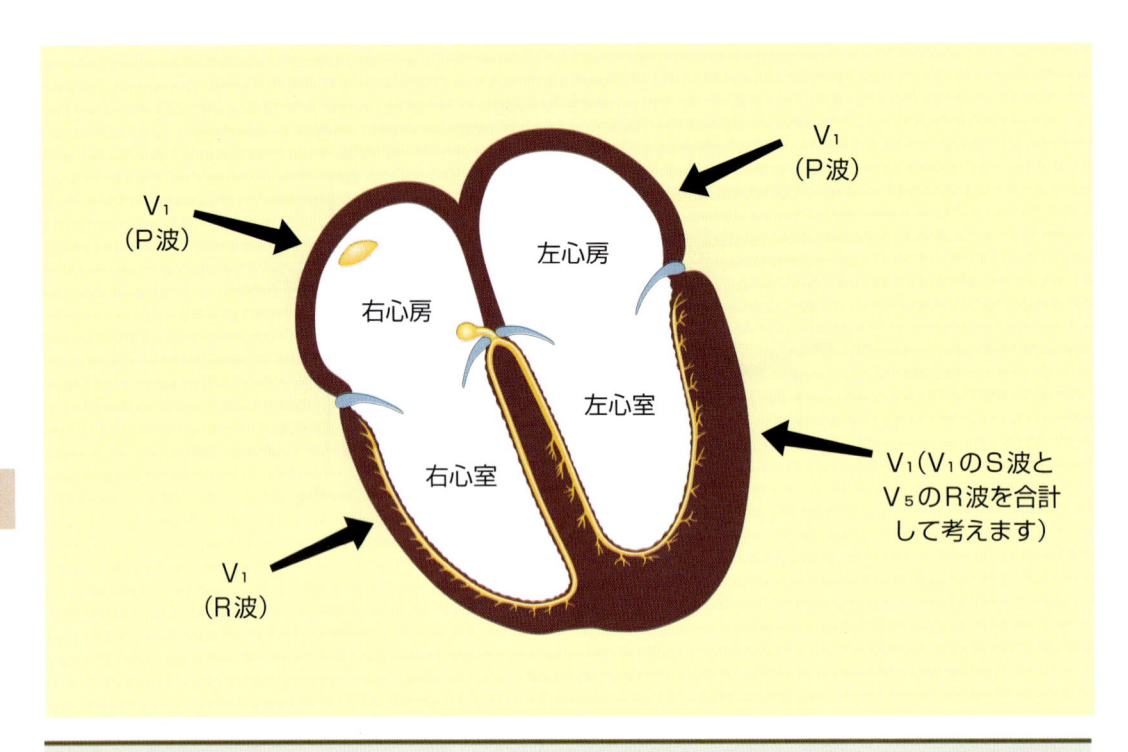

V₁は心臓の拡大や肥大についていろいろな情報を提供します.

- ●12誘導心電図をみたら，＿＿＿＿（hypertrophy を日本語で）や拡大の有無をチェックします．　　肥大

- ●まず，V₁のP波にはしばしば上向き成分と下向き成分の両方を認めます．これを＿＿＿＿性P波といいます．　　二相

- ●V₁のR波の大きさはどうですか．R波が小さかったら，V₁のS波とV₅の＿＿＿＿波をチェックしてください．　　R

  メモ：肥大について復習するときは，p.339のPersonal Quick Reference Sheetsを見て下さい．p.332には判読の仕方を簡単にまとめておきます．

第9章 心筋梗塞（ヘミブロックを含む）

この章の要約はp.332とp.340, 341にあります. 先にそっちを見ていただいても結構です.

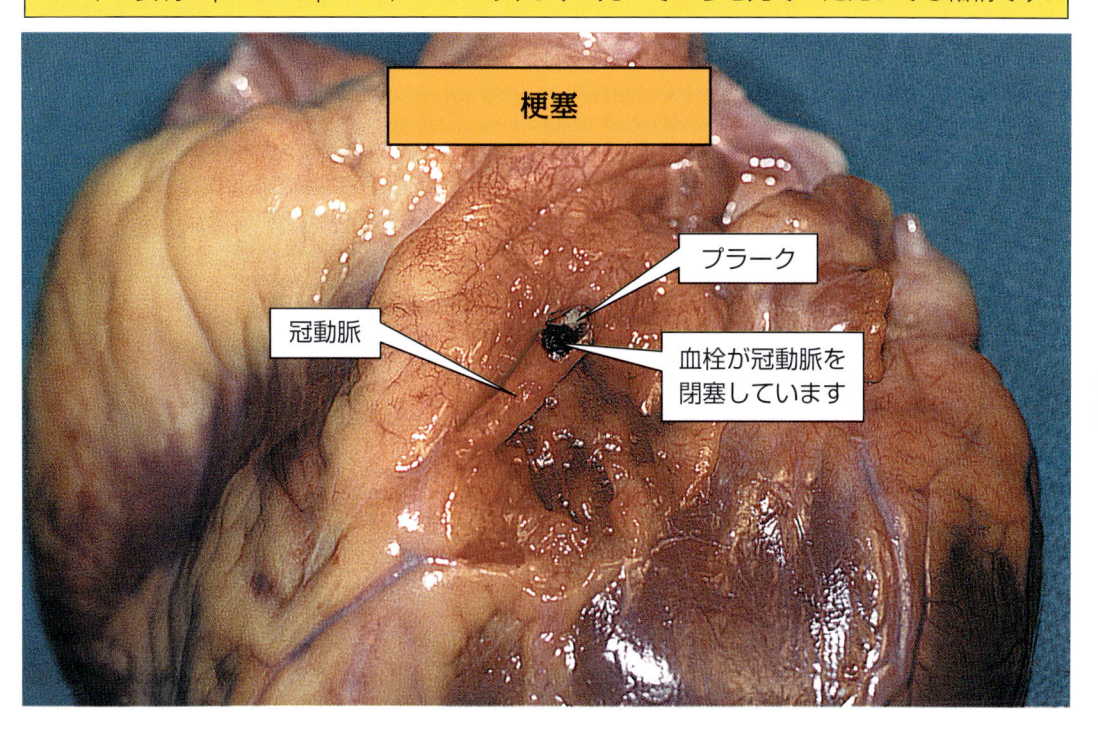

梗塞

プラーク
冠動脈
血栓が冠動脈を閉塞しています

心筋梗塞（myocardial infarction：MI）は冠動脈の閉塞によって発生します. 梗塞心筋は壊死（文字通り壊れて部分的に死んでいます）していますから, 興奮することも収縮することもできません.

メモ：心臓の中は血液で満たされています. しかし, その心腔内の血液が直接心筋を潤すのではなく, 冠動脈を経由した血液だけが心筋を灌流します. 脂質が中心となった内膜下の粥腫斑（atheromatous plaque：アテロームプラーク）により徐々に冠動脈の狭窄が進行します. 内膜に裂け目ができるとプラークが冠動脈内の血液と接触し, 速やかに凝血塊（血栓）が形成されます. 冠動脈はすでに狭くなっていますから, 血栓により完全閉塞が生じます. 血流が途絶えた心室は少しずつ壊死し, 心筋梗塞が完成します. 低酸素状態にある梗塞辺縁部は被刺激性が高く, 重篤な心室不整脈のフォーカスとなります.

メモ：ECGにより, 冠動脈の完全閉塞により心筋梗塞が進展する様子を正確に把握することができます. 心筋梗塞の診断だけでなく, 冠動脈の閉塞部位や心室の伝導障害を検出することもできます. 心筋梗塞を発症する前でも, 冠動脈狭窄を示唆する所見を指摘できることがあります. 臨床的に大事な知識です.

冠動脈を閉塞させる血栓

梗塞領域

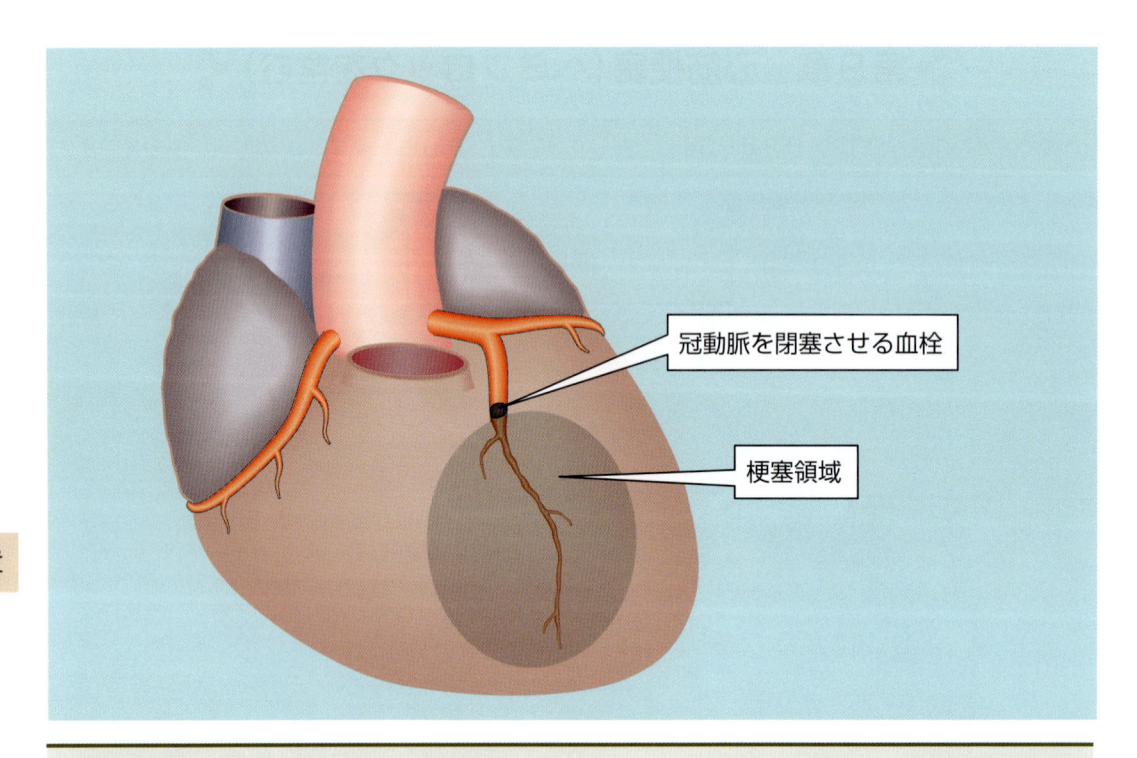

心筋梗塞は冠動脈閉塞による心筋壊死のことです．主に左室の梗塞が問題になります＊．

● "心筋_____(myocardial infarction)"，"冠動脈閉塞"，あるいは"心臓発作 (heart attack)"という用語は互いに関連が深いものです． | 梗塞

● 心臓は_____動脈から血液を供給されています．その血管のどこかに閉塞が生じればその先の心筋には血液が届きません． | 冠

● 臨床的に問題となるのは主に_____室の梗塞（壊死）です．ときには重篤な不整脈も発生します． | 左

メモ：冠動脈は右室にも血液を供給しますから，稀には右室梗塞も生じます．しかし，重篤な血行動態の異常や不整脈は左室梗塞によるものがほとんどです．心筋梗塞といえばまず左室梗塞が念頭にあります．

＊図は大動脈基部の冠動脈起始部がよくみえるように肺動脈は取り除いて描かれています．

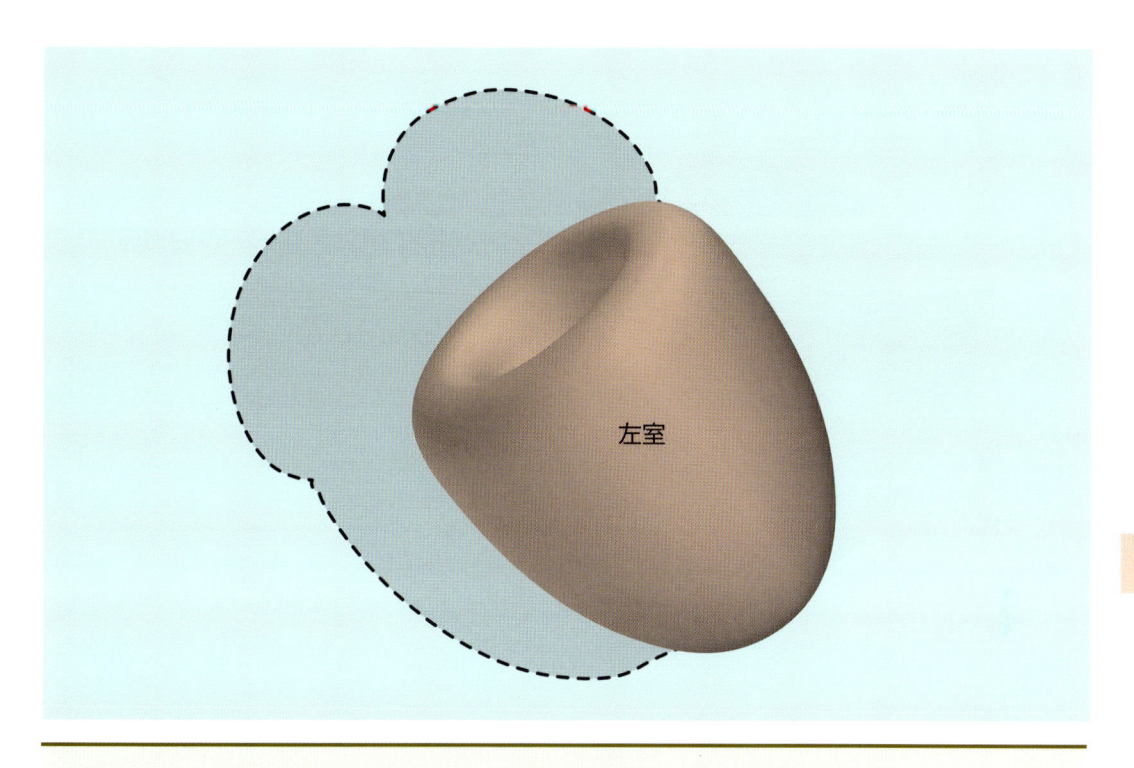

第9章 心筋梗塞（ヘミブロックを含む）

通常，心筋梗塞が問題になるのは壁の厚みがある左室です．

● 左室は心臓のなかでもっとも厚い壁をもっています．冠_____に狭窄が生 | 動脈
じると，心筋量の多さのゆえに灌流血液の需要の多い左室に障害が起きやすく
なっています．

● _____の心室は心臓から全身へ血液を力強く送り出すポンプの役割をもって | 左
います．

メモ：梗塞部位としては前壁，中隔，側壁，下壁，あるいは後壁に分けられます．主に左室
に向かう冠動脈でも，小さい枝が左室以外の領域に入り込んでいることがあります．
そのため左室梗塞に心房や右室の梗塞が合併しているかもしれません．

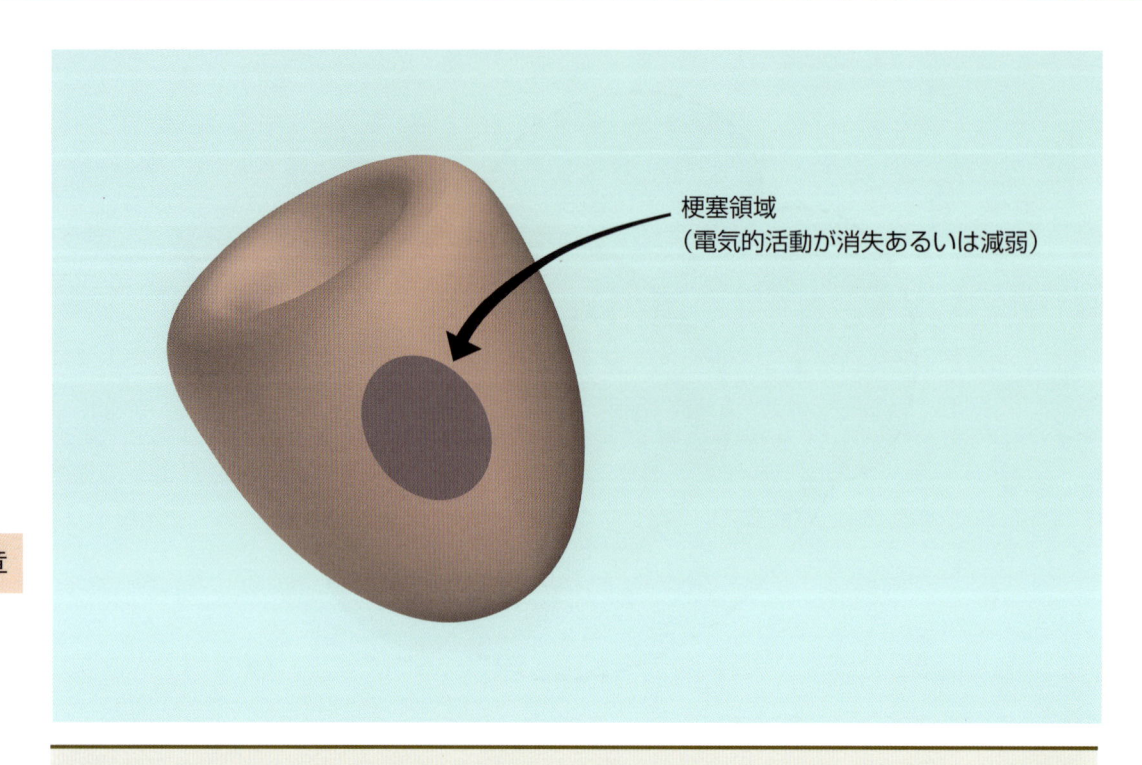

第9章 心筋梗塞（ヘミブロックを含む）

梗塞領域
（電気的活動が消失あるいは減弱）

梗塞領域は電気的に活動できず，脱分極は起きません．

- 梗塞といえば主に左の_____壁に障害が起きることです． 　　心室

- 梗塞領域では心筋細胞に_____が流れなくなり，機能的にも病理学的にも壊死します． 　　血液

  メモ：梗塞壊死領域は電気的に空白ができます．脱分極も収縮もできませんから，ポンプとして機能することはできません．梗塞部位と非梗塞部位との境界は心室不整脈の発生に関与します．

梗塞

- 虚血
- 傷害
- 壊死

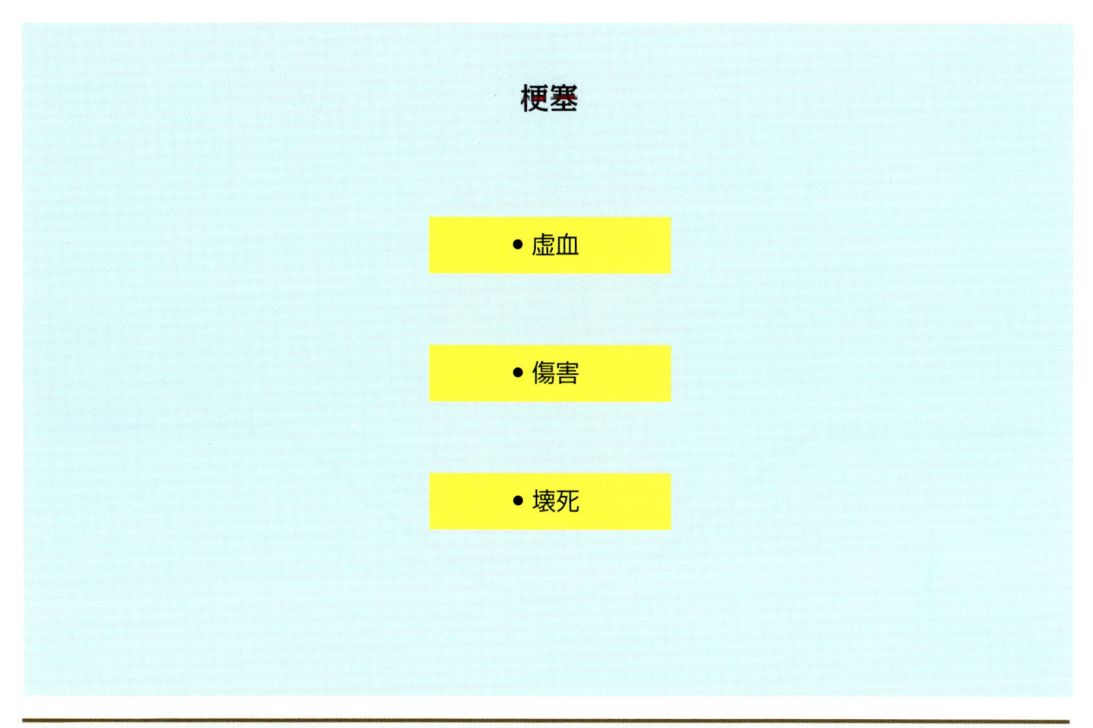

心筋梗塞は"虚血","傷害","壊死"というステップで進行します．必ずしも最後までいかないこともあり，たとえば虚血のまま経過したりすることもあります．

メモ：心室の壊死は脱分極できない心筋細胞を作ります．

● 心筋梗塞が進展するプロセス（虚血，傷害，壊死のことです）を理解することは，_____梗塞の診断に大事です． 　　　　　　　心筋

● 低酸素（hypoxia）とは血液中の酸素が不足していることです．低酸素は心筋の虚血（ischemia）によって生じます．虚血とは_____が足りないことを意味します． 　　　　　　　血液

メモ：心筋梗塞の診断に虚血，傷害，壊死が同時に出現することが必要条件というわけではありません．ECGの判読では，これらのいずれが存在するかおおよそ察知できます．

虚血

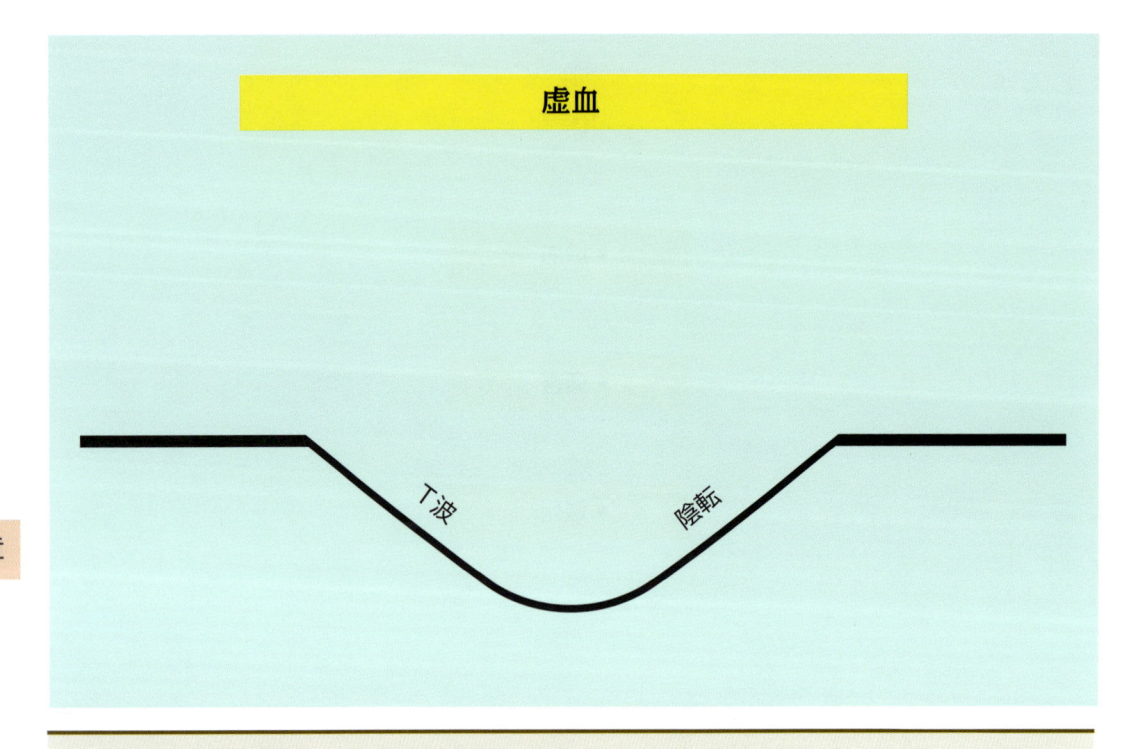

T波　陰転

陰性T波はときに**虚血**（心筋への血液供給の減少）を示唆します．

- ●虚血は冠動脈からの_____の供給が減少していること意味します．梗塞周囲にも虚血が出現します． | 血液

- ●_____T波は虚血の存在を示唆します．そのサイズはいろいろで，小さな陰性T波もあれば，大きな陰性T波もあります． | 陰性

- ●陰性_____波は心筋梗塞よりも心筋虚血を思わせる所見です．冠動脈の血流量が低下しても梗塞には至らないこともあります． | T

メモ：心筋虚血は胸痛を生じます．狭心症といいます．一過性に陰性T波を認めることがあります．

[訳者注]：労作性狭心症の虚血はおもにST部分の低下を生じます．ここでは心筋梗塞になりそうな重篤な虚血を中心に話を進めています．

虚血

陰性T波

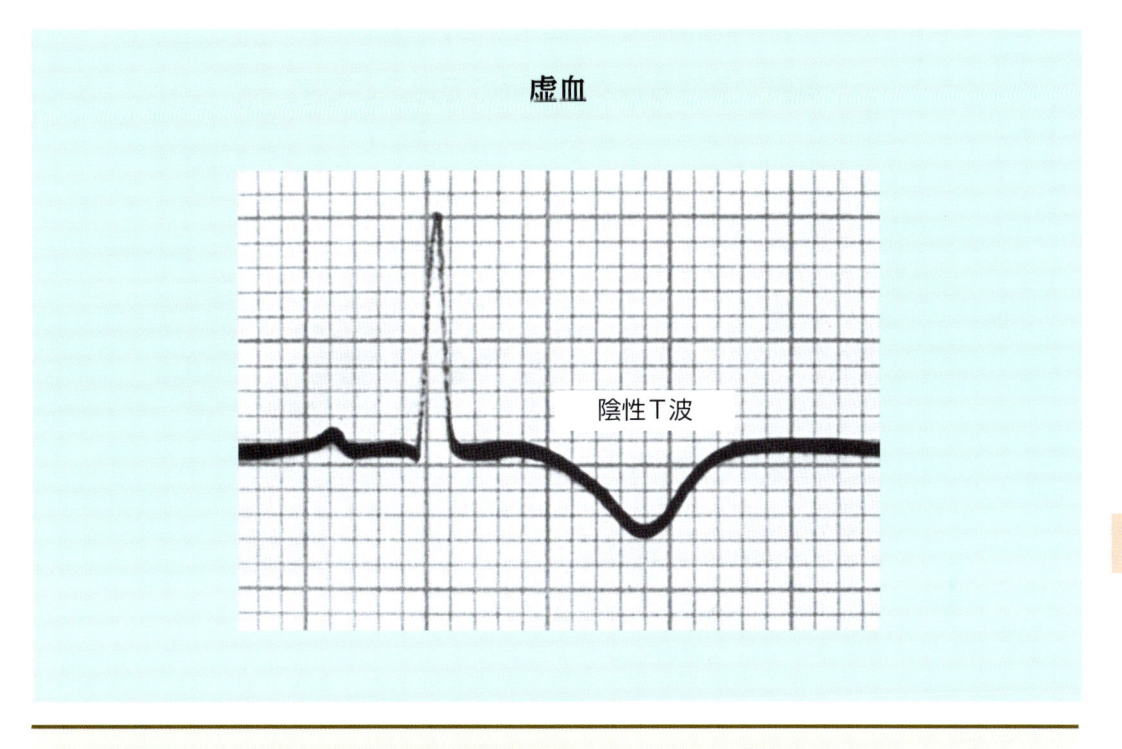

典型的な虚血性のT波変化は対照的な陰性T波です．

> **メモ**：陰性T波はとても大事です．胸部誘導は心室に近接してますから，T波の変化も目立ちます．肢誘導をおろそかにするわけではありませんが，ともかくV_1からV_6にかけて陰性T波がないか探しましょう．陰性T波があれば冠動脈の血流低下を疑います．

● 虚血のときにT波は左右＿＿＿＿＿＿（対称？　非対称？）の陰性になります．陰性T波の前半部と後半部，いい換えれば下向き部分と上向き部分の傾斜がほぼ同じです． 　　　　対称

> **メモ**：健常成人でも肢誘導（前額面です）に平低T波やわずかな陰性T波を認めることがあります．しかし，V_2からV_6のどこかに陰性T波があれば病的と考えたほうがよいでしょう．V_2とV_3あたりに大きな陰性T波があれば，**Wellens症候群**が疑われます．Wellens症候群は左前下行枝近位部に高度の狭窄があり，数時間から数日にわたり陰性T波を認めるものです．この病態自体はありふれたものですが，日本ではWellens症候群という用語はほとんど使われません．

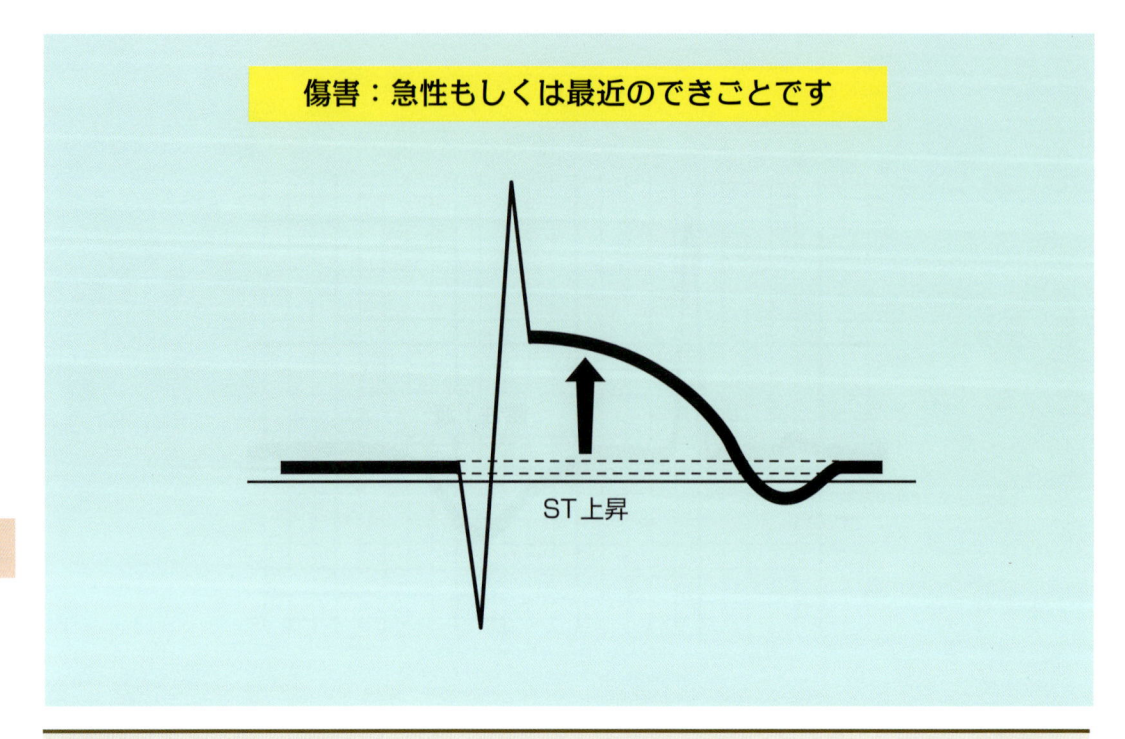

傷害：急性もしくは最近のできごとです

ST上昇

心筋傷害（injury）は梗塞のごく初期（acute）の状態を意味します．ST上昇は心筋傷害を意味します．

> **メモ**："acute"とは「急性」という意味です．

● QRS と_____波にはさまれて ST 部分があります．ST 部分は正常では基線と重なっています． | T

● ST 上昇は"傷害"の存在を疑わせます．わずかな上昇もあれば，_____から 10mm 以上も上昇することもあります． | 基線

● ST 上昇があれば心筋梗塞は_____（acute を日本語で）であると理解されます．ECG に通常もっとも早期に現れる所見です． | 急性

> **メモ**：労作性狭心症は ST 低下が一般的ですが，ときに ST 上昇もみられます．異型狭心症〔冠動脈の痙攣によって生じます．冠動脈攣縮（coronary spasm）ともいいます〕では ST 上昇を認めます．つまり，梗塞がなくても狭心症だけでも ST 上昇は生じるのです．

ST上昇

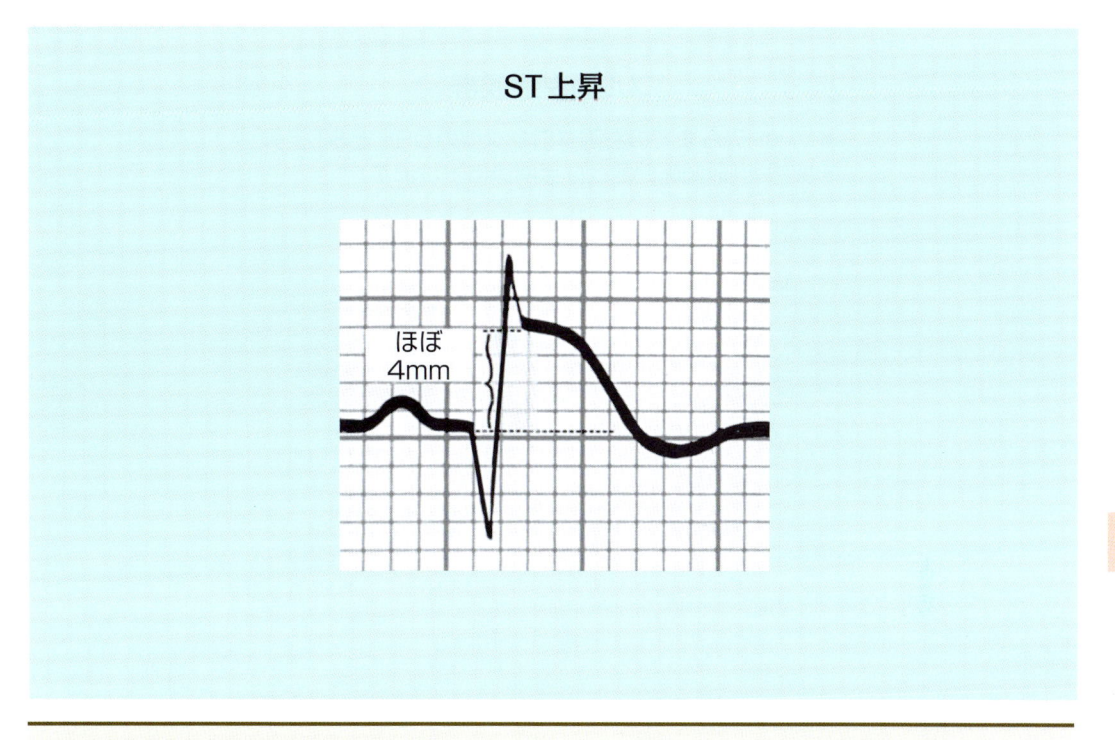

ほぼ 4mm

ST上昇を伴う梗塞は通常急性です．しばしばST上昇のみでも梗塞と診断できます．

メモ：梗塞に遭遇したら緊急の治療を要する急性のものか，あるいはすでに時間が経過したものか（陳旧性心筋梗塞―数年以上を経たものかもしれません）見極める必要があります．

● 急性心筋梗塞ではST_____は基線から離れて上昇します．ST上昇は梗塞最早期のECG所見です．多くの場合，時間が経てばST部分は基線に戻ります．

部分

メモ：異常Q波（心筋壊死を意味します）を伴わずにST上昇のみを認めるとき，非Q波梗塞（non-Q wave infarction）といいます．どちらかといえば小さな梗塞のことが多いのですが，そのうち広範な心筋梗塞を生じることもあります．ST変化があれば心筋逸脱酵素の上昇などを参考にして診断を確定します．

メモ：心室瘤（ventricular aneurysm）とは梗塞後に心室壁が外側に膨隆したものです．胸部誘導に継続的なST上昇を認めます．いつまで経っても基線にもどらないST上昇です．心膜炎（pericarditis）もST上昇を生じます．

ブルガダ症候群

- V_1からV_3までの右脚ブロック型のQRSとST上昇
- 突然死（冠動脈閉塞とは無関係に生じます）

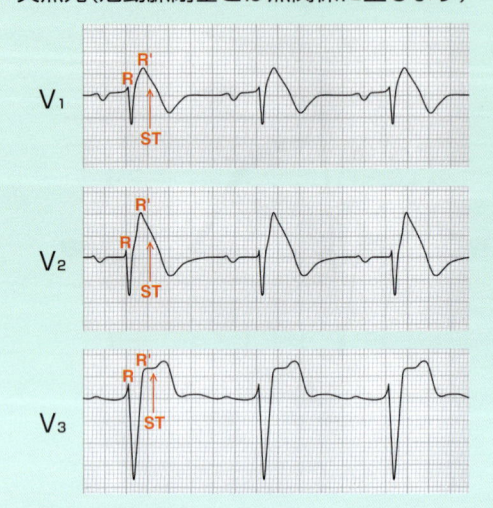

ブルガダ症候群（Brugada syndrome）は明らかな器質的心疾患がないようにみえながら，突然死を生じうる遺伝性疾患です．右脚ブロック型（right bundle branch block：RBBB）のQRSとST上昇をV_1からV_3に認めます．アジアに発生頻度が高いことが知られています．このタイプの心電図異常は稀ではありませんが，突然死に至ることは多くありません．

- ●ブルガダ＿＿＿＿＿の患者さんには突然死が生じることが知られています．　　　症候群

- ●ブルガダ症候群はV_1からV_3にわたってRBBBとST上昇を認めます．＿＿＿＿　ST
部分は特徴的な上昇を示します．尖ったR′の後ろからSTが上昇しますが，上に凸のときもあれば，下に凸のこともあります．V_1とV_2のほうが変化は顕著です．

> **メモ**：ブルガダ症候群は遺伝的なナトリウムチャネルの機能異常によって発症します．心室細動による突然死を避けるためにICDの植え込みを考慮します．

> **メモ**：健常壮青年における突然死は，少なからず本症候群によるものと推測されています．しかし突然死の実態を把握するのは容易ではなく，その正確な頻度は明らかではありません．

心膜炎

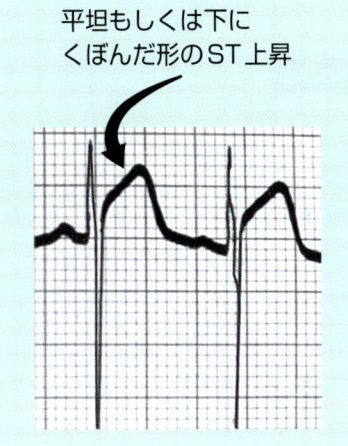

平坦もしくは下に
くぼんだ形のST上昇

ST上昇に加え，T波の後ろも
基線から離れているように見えます

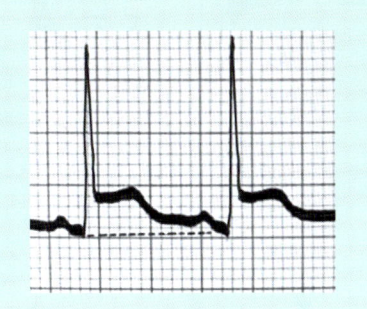

心膜炎のST上昇はフラットあるいは凹型の上昇が多いようです．ST-T全体が基線から上昇しているようにみえます．

> **メモ**：心膜炎は心臓を取り囲んでいる膜（pericardium）の炎症です．ウイルス，細菌，癌など炎症を引き起こすものが原因となりますが，ウイルス感染によるものが大半です．稀に心筋梗塞後にも生じます．

●心膜炎でも_____上昇を認めます．まっすぐ上向きの上昇か，若干途中がへこんだ下凸がよくみられます．ウイルス感染によるものなら数日で軽快します． | ST

●心膜炎のST上昇は_____波も含んで，ST-Tがまるごと基線から離れています．ときにはP波のあるところや，QRSの近くまで基線より上昇してみえます．図の右側の形です． | T

> **メモ**：図の左側のパターンはS波の深い右胸部誘導によく見られます．右の心電図パターンはR波が大きい誘導に見られる形です．側壁誘導，下壁誘導，あるいは左胸部誘導のことです．心膜炎ではときにはPVCを認めます．

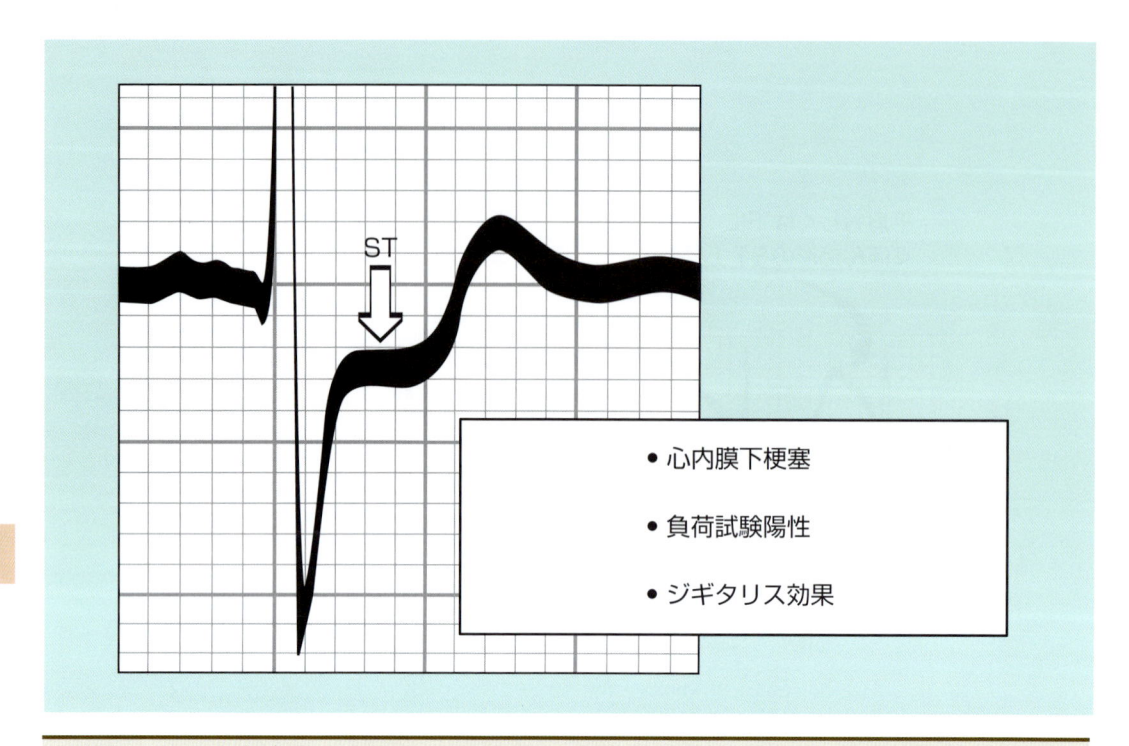

第9章 心筋梗塞（ヘミブロックを含む）

ST ↓

- 心内膜下梗塞
- 負荷試験陽性
- ジギタリス効果

ST部分は低下することもあります．

メモ：狭心症＊では一過性のST低下を認めます．

- 心内膜下梗塞とは心内膜側から心外膜側まで＿＿＿＿室壁を貫くような梗塞ではなく，梗塞が心内膜側にとどまるものを指します． 　　　　　　　　　　左

- 冠動脈狭窄があれば心筋の血液供給が不足することがあります．たとえば運動負荷試験を行えば，血液の需要が増すので＿＿＿＿部分は低下します． 　　ST

- ジギタリスもST部分の＿＿＿＿を招きます．ジギタリスによるST低下は独特で，なかなか印象深い形をしています（p.317を見て下さい）． 　　　　　低下

＊狭心症とは冠血流の減少に伴う胸痛のことです．狭心症は梗塞とは別なものですが，梗塞後に狭心症を生じることもあります．

心内膜下梗塞

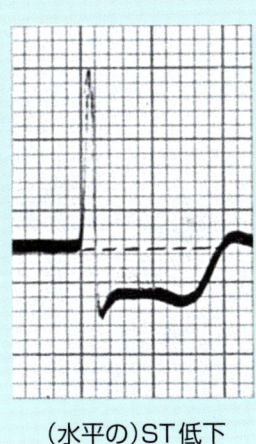

（水平の）ST低下

心内膜下梗塞はST低下を生じます．凹凸の少ないST低下です．ST低下（意味をもつのはS波よりR波が大きい誘導です）は虚血以外にもいろいろな病態により出現しますが，とりあえず最初に冠動脈疾患を考えて対処しましょう．

●心内膜下梗塞はST部分の_____を伴います．凹凸は少ないST低下ですが，傾きのない水平なST低下のこともあれば，下向き（downslope型）のST低下もあります．　　　　　　　　　　　　　　　　　　　　　　　　　低下

> **メモ**：心内膜下梗塞は非Q波梗塞と近似した病態です．厳密には正しくありませんが，とりあえず心内膜側の心筋のみ壊死すると考えてください．どちらかといえば梗塞サイズは小さめです．心内膜下梗塞と対立する用語は貫壁性梗塞で，心内膜から心外膜まで心室壁を貫いて梗塞が形成されています．心内膜下梗塞の梗塞サイズが比較的限られているとしても，心筋梗塞であることは間違いありません．治療も急ぎます．心内膜下梗塞でもそのうち梗塞が広がったり，重症化することがあります．

> **メモ**：新たに出現したST低下やST上昇がすぐに正常化しないときは，心筋逸脱酵素の測定などの対応が必要です．

壊死

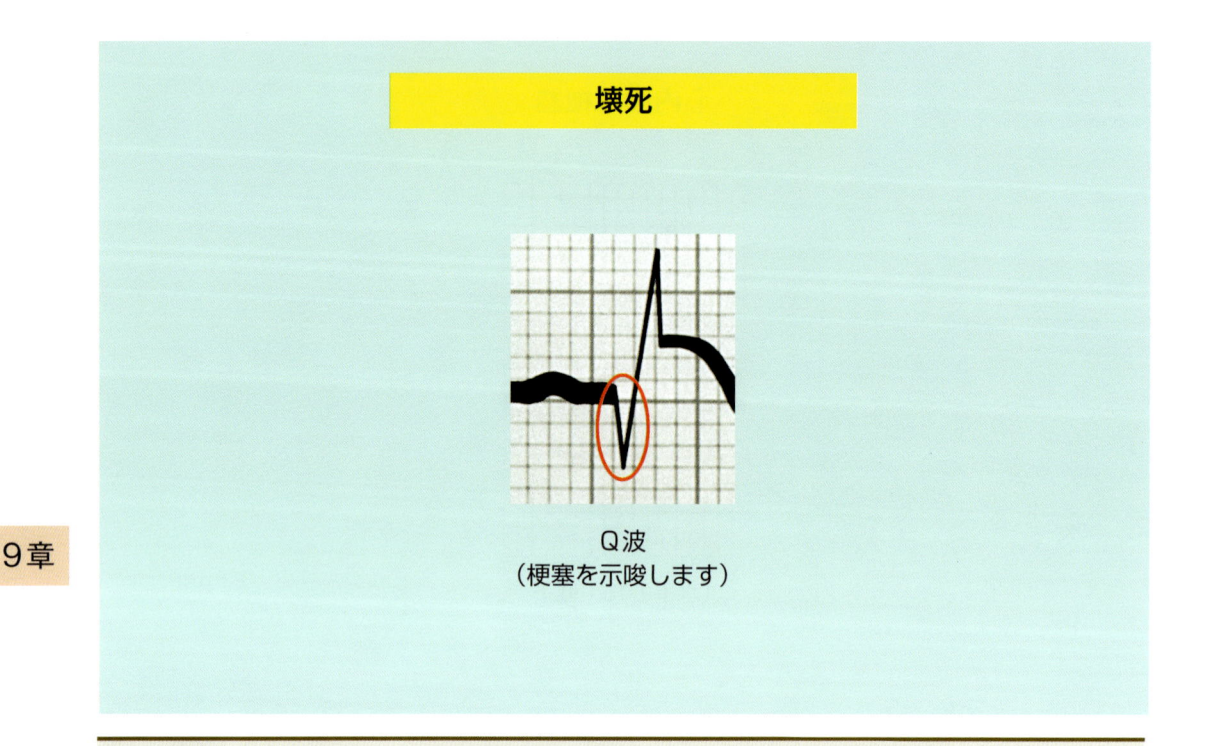

Q波
（梗塞を示唆します）

心筋壊死による新たなQ波は梗塞を意味します．定義の仕方はいろいろですが，異常Q波とよびます．

- 異常_____波の出現はしばしば心筋梗塞を意味します．このQ波は心室の壊死を反映します． | Q

  メモ：Q波はQRSのいちばん最初の下向きの振れです．QRSが下向きの振れで始まっていることが条件です．もし，QRSが上向きの振れで始まっていたら，そのQRSにQ波は存在しません．QRSとよんでいながらQ波がないのは変ですが，心室の興奮はその形にかかわらずQRSとよぶことになっています．QRSがR波で始まっていたら，そのうしろに下向きの振れをS波といいます．Q波とはいいません．R波がどんなに小さくても，このルールは変わりません．

- 病的なQ_____を異常Q波といいますから，正常心電図には異常Q波は認めません．ある程度の幅や深さがあることを前提にして，異常Q波のQは大文字です．小文字でq波と書けば，"小さくて病的にはみえません"という意味が隠されています．次ページも参考にしてください． | 波

病的ではないQ波

もっとも早期の心室興奮は左脚により心室中隔中位から始まります
（そして左から右に向かって興奮は進みます）

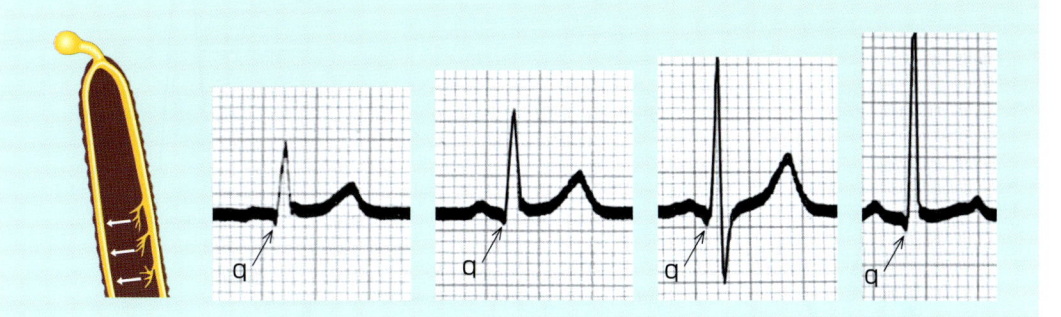

…この興奮波によって一部の誘導に小さなQ波を認めます

通常の心室興奮は心室中隔の真ん中よりちょっと下のほうから始まります．中隔の興奮（左脚を経由した興奮が中隔中部を脱分極させます）は左から右に向かいます．この右方向の初期興奮は大きなR波をもつ誘導に小さなq波をもたらします．このq波は病的ではありません．

- 右脚は心室中隔を枝分かれすることなく，まっすぐ下降します．一方，_____ 脚は中隔の真ん中あたりでプルキンエ線維の枝を出します．　　　　　左

最初の心室興奮は心室中隔の真ん中あたりで左から右に進みます．この方向は
- 側壁誘導（Ⅰ誘導，aV_L誘導）の陽極である左手からは遠ざかっていきます．
- 下壁誘導（Ⅱ誘導，Ⅲ誘導，aV_F誘導）の陽極である左足からは遠ざかっていきます．
- 胸部誘導のV₅とV₆からは遠ざかっていきます．

- この結果，ここであげた誘導で_____波を認める可能性が高くなります．　　q

メモ：刺激伝導系を経由した心室への興奮伝導は速やかです．心室中隔の興奮はごく短時間のことです．そのため心室中隔の興奮によるq波は0.04秒未満です．0.04秒以下の幅のq波は正常です．

異常Q波

幅は1mm以上

かつ

QRSの振幅の1/3を超えます

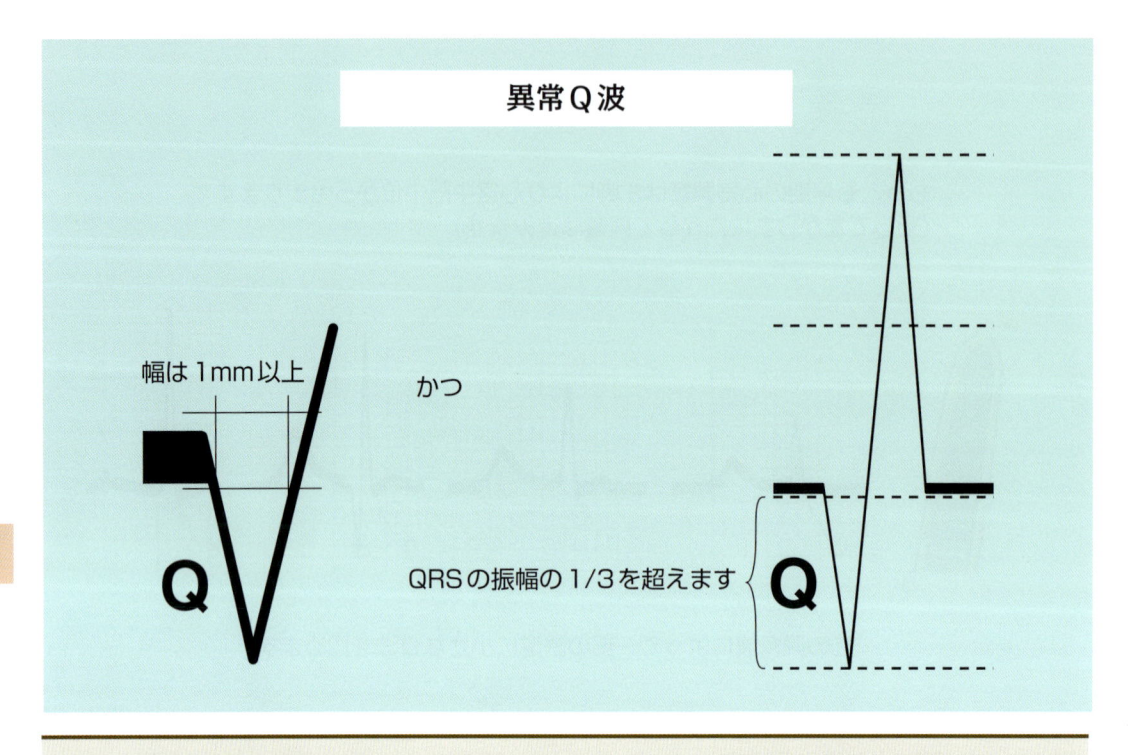

異常Q波は小さな四角の1辺（0.04秒）以上の幅をもつか，QRS全体の振幅の1/3以上であることがめやすです．異常Q波はしばしば心筋梗塞による壊死を表しています．

- 心筋＿＿＿＿＿＿＿による壊死は異常Q波の原因となります． 　　　梗塞

- 異常Q波の幅は小さな四角の1辺（1mm）かそれを超えます．つまり異常Q波の幅は＿＿＿＿＿＿秒以上です． 　　　0.04

- 昔からあるクライテリアですが，QRSの振幅（上向きの振れと下向きの振れを加えたものです）の＿＿＿＿＿＿以上なら異常Q波といえます． 　　　1/3

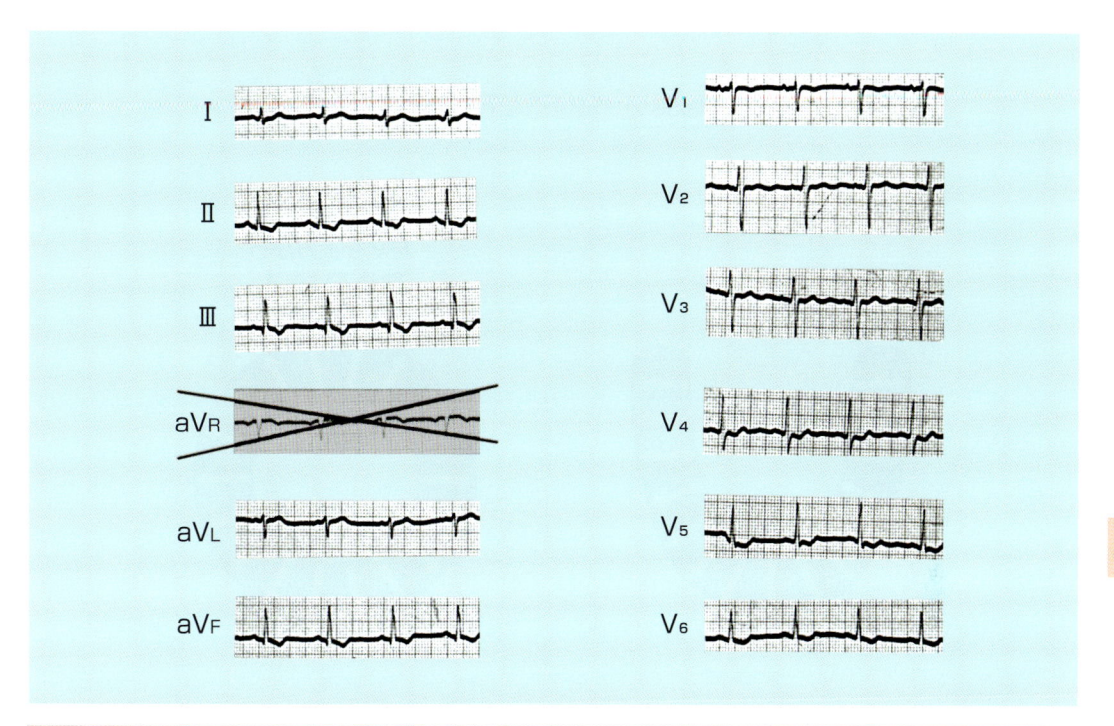

aV_R誘導にはもともとQ波がありますから，異常Q波とはとりません．異常Q波から心筋梗塞の部位を診断するときは，側壁誘導，下壁誘導，および前壁と中隔の情報をもたらすそれぞれの誘導をひとまとめにして判読することが大事です．

● 心筋梗塞の診断には，aV_R以外の誘導に＿＿＿＿Q波がないかを探します． 　　異常

メモ：異常Q波について考えるとき，aV_R誘導は考慮しません．この誘導はほぼⅡ誘導とは上下さかさまにした方向から心臓を観察しており，Ⅱ誘導のR波に相当する振れがaV_R誘導ではQ波として表現されます．すんなりわからなくてもかまいませんが，ともかくaV_R誘導のQ波は気にしないでください．

● モニター心電図でも12誘導心電図であっても，異常Q波*やST変化，あるいは陰性T波がどの誘導にみえるかが大事です．単に異常があるというだけでなく，それを見つけた＿＿＿＿も記載しましょう． 　　誘導

＊異常Q波の定義にはあてはまらなくても，病的意味をもつQ波は存在します．小さなQ波のことも適宜，記載してください．

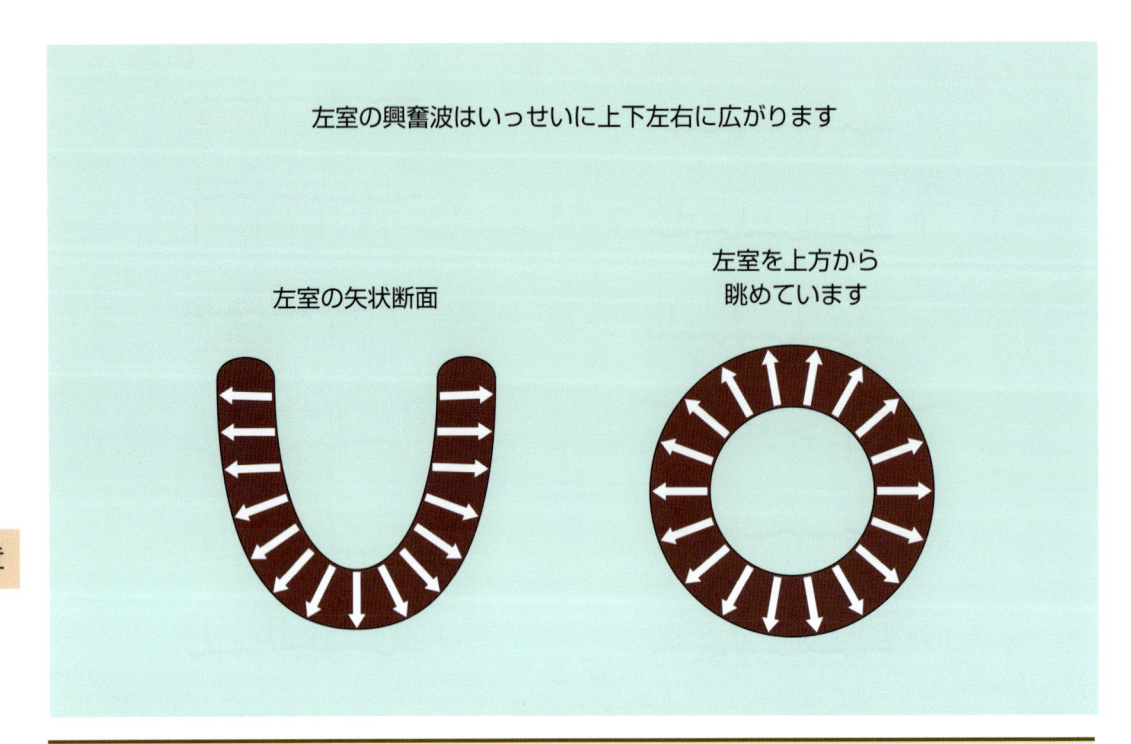

276　第9章　心筋梗塞（ヘミブロックを含む）

左室の興奮波はいっせいに上下左右に広がります

左室の矢状断面　　　　　左室を上方から眺めています

> プルキンエ線維はかなりの伝導速度をもっていますから，左室内膜側はどこもほとんど同時に興奮しているかのようにみえます．さらに，心内膜から心外膜への興奮伝導も部位による時間的なズレは小さいものです．

メモ：図のベクトルは心内膜から心外膜への伝導を示しています．ごらんのように，左室の左右と前後の興奮伝導は互いに逆向きになっています．

●興奮は左室側壁では左に進みます．一方，心室中隔の興奮は＿＿＿＿に向かいます．　　　　　　　　　　右

●興奮は左室前壁では前方向に進み，後壁では＿＿＿＿方向に進みます．　　　　　　　　　　後ろ

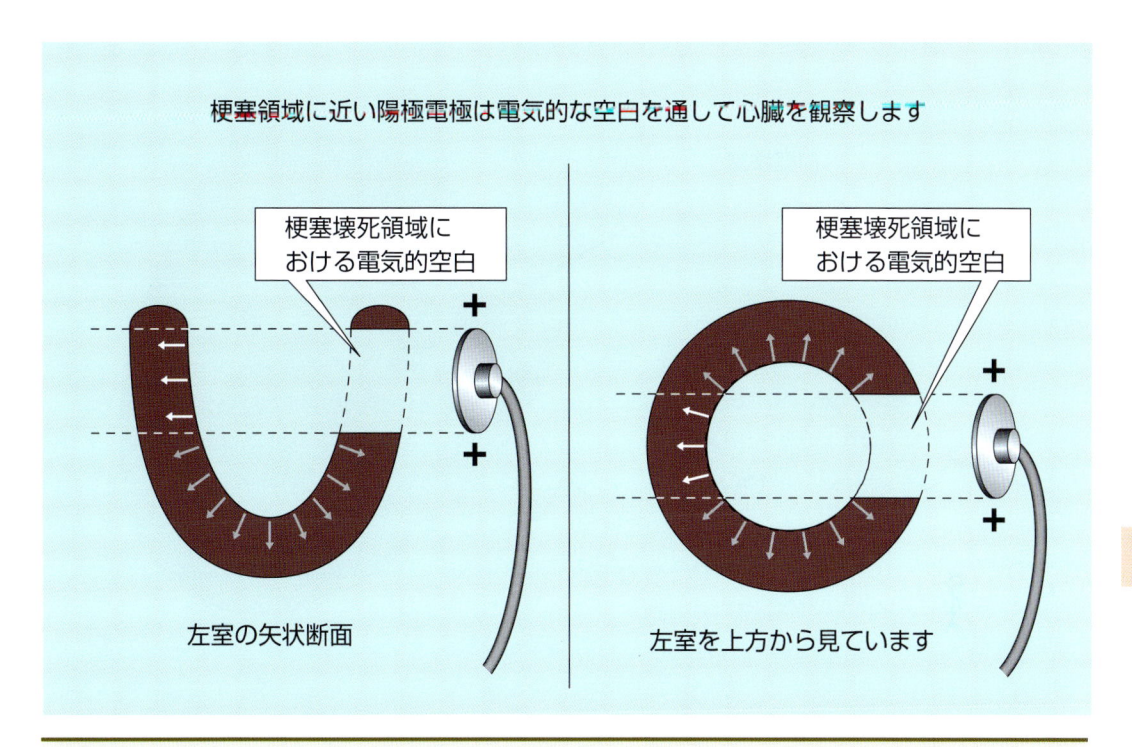

梗塞領域に近い陽極電極は電気的な空白を通して心臓を観察します

（左：左室の矢状断面／右：左室を上方から見ています．いずれも梗塞壊死領域における電気的空白を示す）

梗塞部位は壊死しており，興奮できません．電気的なベクトルは存在しないのです．ですから，梗塞領域に近接する**陽**極に"向かってくる"興奮ベクトルが失われます．一方，非梗塞領域の"遠ざかっていく"ベクトルは，そのまま残っています．こうして，陽極が梗塞領域に近い位置にある誘導にQ波が出現します．

メモ：陽極から見て，興奮が遠ざかっていくときは陰性の振れ（ここではQ波のことです）を認めます．

メモ：なぜQ波が現れるのか興奮の進み方をイメージしながら理解してください．

梗塞の領域ごとにまとめます：
- 前壁梗塞のとき，胸部電極は遠ざかっていくベクトルを検出します．$V_1 \sim V_4$ にQ波が現れます．
- 側壁梗塞では，左手の電極が遠ざかっていくベクトルを検出しますから，左手を陽極にする I 誘導と aV_L 誘導にQ波がみられます．
- 下壁梗塞なら，左足の電極が遠ざかるベクトルをよく観察できます．左足を陽極にする下壁誘導とは II，III，aV_F のことですから，これらの誘導にQ波が生じます．

前壁梗塞

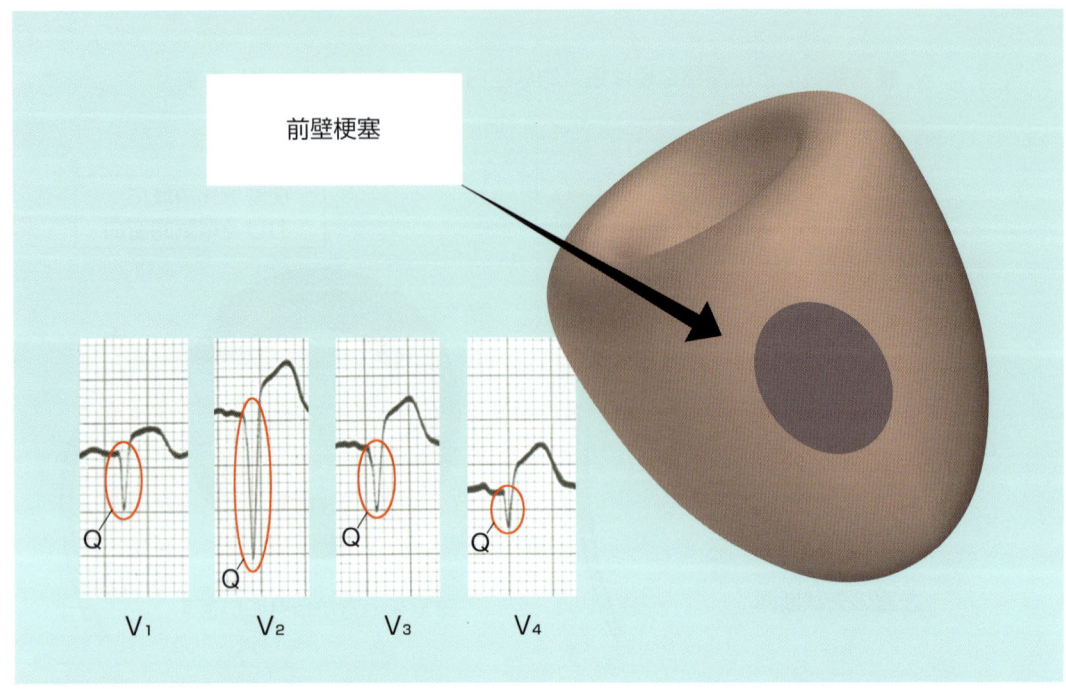

V_1, V_2, V_3, V_4 のQ波は前壁梗塞を意味します（V_1 だけ別にして中隔梗塞と対応させることもありますが，ここではまとめて考えます）．この図の梗塞はST上昇を伴っており，たぶん急性のものです．

> **メモ**：胸部誘導の電極は主に前胸壁に置かれていますから，前壁梗塞の検出に優れているのは納得できます．

● V_1, V_2, V_3, V_4 のQ波は_____心室の前壁の梗塞を示唆しています． 　　　左

> **メモ**：左室の前側には心室中隔も含まれています．中隔に梗塞が及べば，V_1 と V_2 にQ波が生じます．ですから，V_1〜V_4 までQ波がみられるときは，前壁中隔梗塞 (anteroseptal infarction) というい方もよく使われます．つまり，前壁梗塞というとき V_1 を含まない V_2 から V_4 あたりにQ波を認めるものに限局します．V_3〜V_6 あたりに異常Q波をみとめるとき前側壁梗塞とよぶことがあります．V_5 と V_6 には梗塞がなくてもQ波を認めますが，このQ波は小さいものです．

> **メモ**：一般に前壁梗塞は壊死サイズが大きく重篤ですが，血栓溶解療法やステントを用いた血行再建によって生存率は大幅に向上してきました．

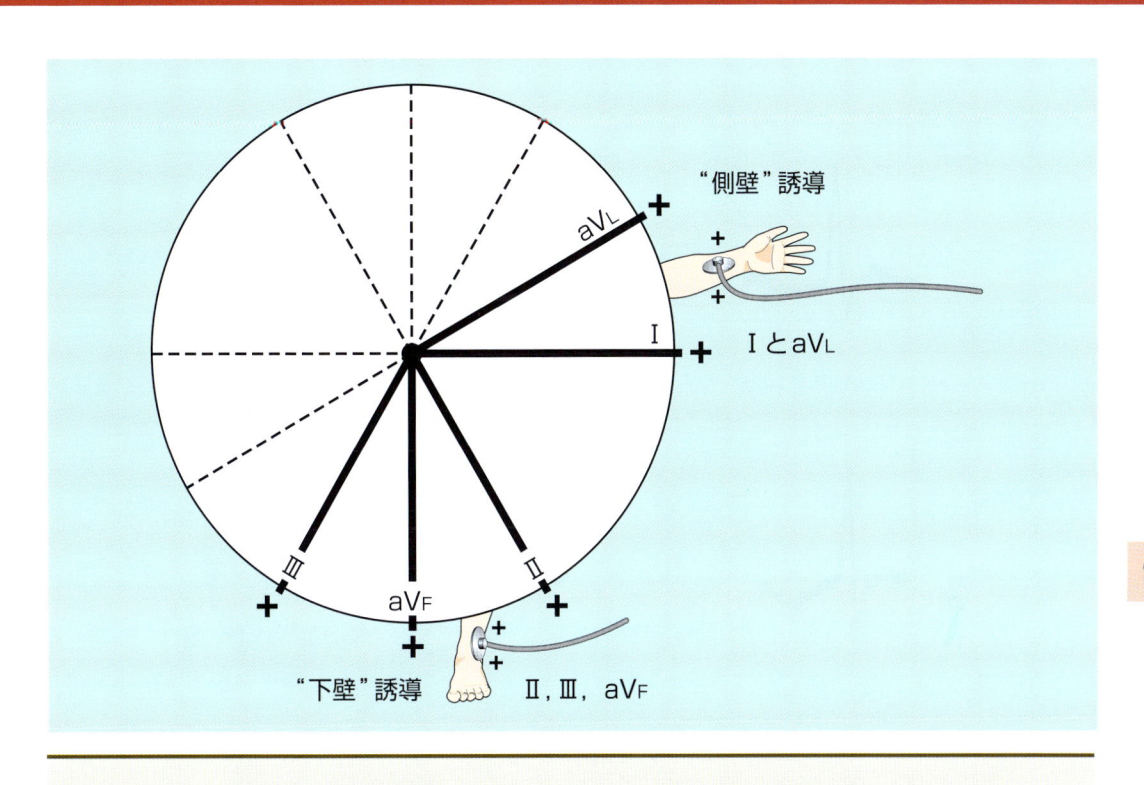

第9章 心筋梗塞（ヘミブロックを含む） | 279

"側壁"誘導　aVL　IとaVL
"下壁"誘導　aVF　Ⅱ, Ⅲ, aVF

Ⅰ誘導とaVL誘導は左手を陽極とします．これらの誘導は側壁誘導といいます．Ⅱ，Ⅲ，aVFを下壁誘導といいますが，左足を陽極としています．

● Ⅰ誘導とaVL誘導は左手を_____極としています． 　陽

簡単すぎてあくびが出ますね．すみません．

● 下壁誘導とはⅡ，Ⅲ，aVFのことです．陽極は左_____に起きます． 　足

メモ：同じことをしつこく何度も繰り返しています．そのうち，なぜだかわかっていただけるものと思います．

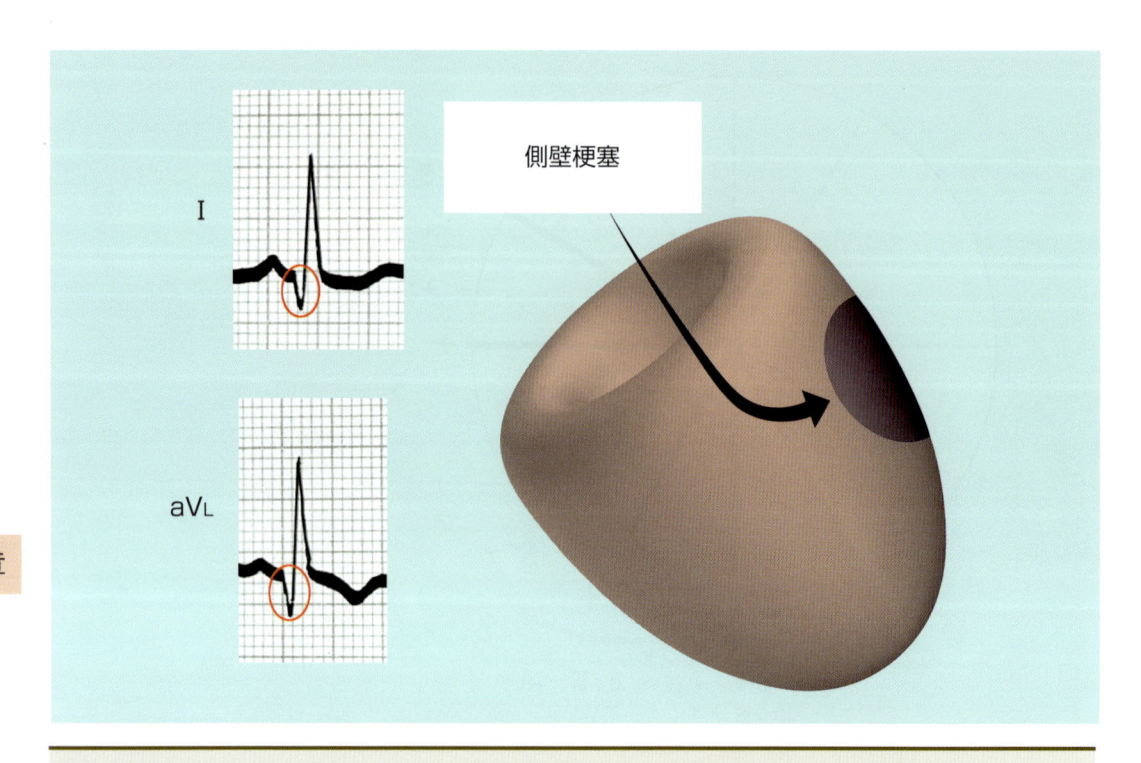

側壁誘導，つまりⅠ誘導とaV_L誘導にQ波があれば側壁梗塞を疑います．

> **メモ**：陽極から見て遠ざかっていく興奮は陰性の波（ここではQ波）を生じます．

●側壁梗塞では＿＿＿＿心室の左横に壊死が生じます． | 左

●側壁梗塞では左手の電極から見て，まず心室中隔の興奮ベクトルが遠ざかっていく様子が観察されます．そのためⅠとaV_Lの側壁＿＿＿＿にはQ波が現れます． | 誘導

●側壁梗塞では側壁誘導にQ波が生じます．側壁誘導とはⅠ誘導と＿＿＿＿誘導のことです．陽極である左手電極から見て，壊死した側壁には電気的な活動は検出されません．心室興奮の初期のベクトルは左手から遠ざかっていく成分だけ残ります． | aV_L

> **メモ**：側壁梗塞は英語ではlateral infarctionといいます．イニシャルをとれば，LIになります．LはaV_L誘導，IはⅠ誘導と対応させれば，覚えるのも楽です．

第9章 心筋梗塞（ヘミブロックを含む） 281

下壁梗塞

Ⅱ　　　　　Ⅲ　　　　　aV_F

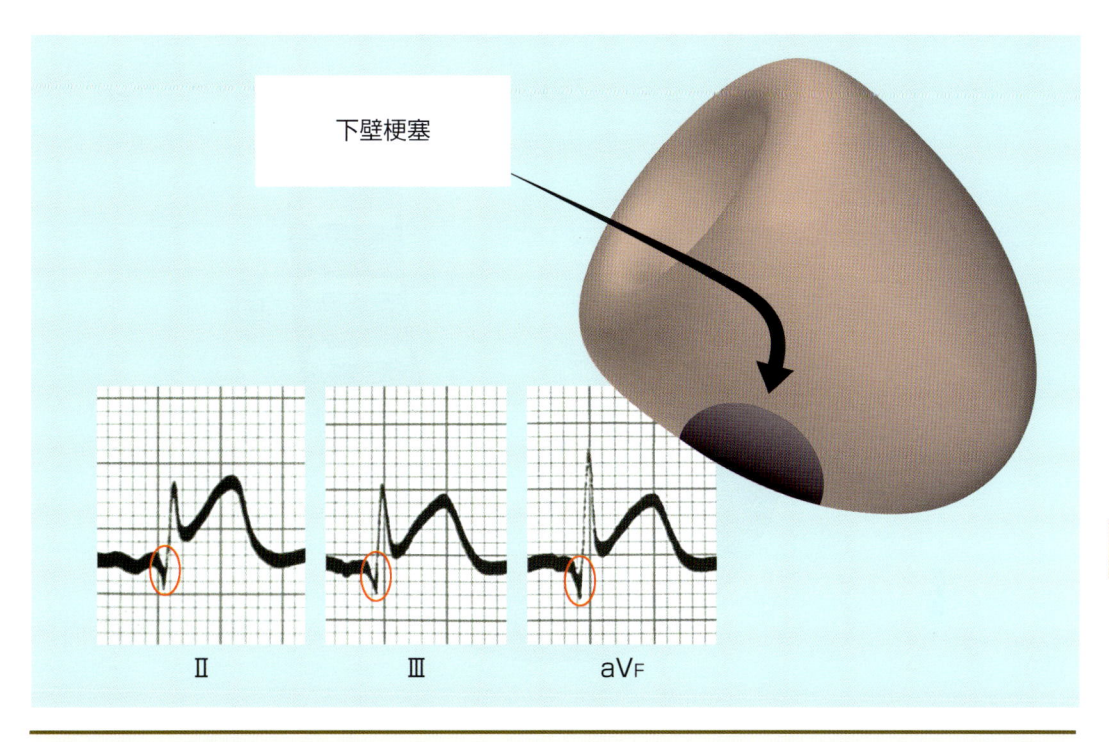

下壁梗塞は下壁誘導，すなわちⅡ，Ⅲ，aV_FのQ波によって診断できます．ST変化は急性かどうかの判断に役立ちます．

メモ：陽極から見て遠ざかっていく興奮は陰性波（ここではQ波）を生じます．

- 下壁は横隔膜（diaphragm）と接する位置にあります．英語では下壁梗塞 "inferior" ＿＿＿＿のことを "diaphragmatic" infarction ということもあります．日本ではほとんど使われない用語です． | infarction

- 下壁梗塞では下壁＿＿＿＿，つまりⅡ，Ⅲ，aV_Fに向かう初期ベクトルが失われ，左足にある陽極から見れば非梗塞部の遠ざかっていくベクトルだけが観察されます． | 誘導

- 下壁梗塞で異常Q波が現れるのは下壁誘導です．下壁誘導とはⅡ，Ⅲ，＿＿＿＿誘導のことです．下壁の壊死部には電気的活動はなく，心室興奮の初期には左足の電極からは離れていくベクトルだけが見えます． | aV_F

メモ：病理学的な検討では下壁梗塞症例の1/3に右室梗塞が合併しています．ただし血行動態的に問題となる右室梗塞は稀です．

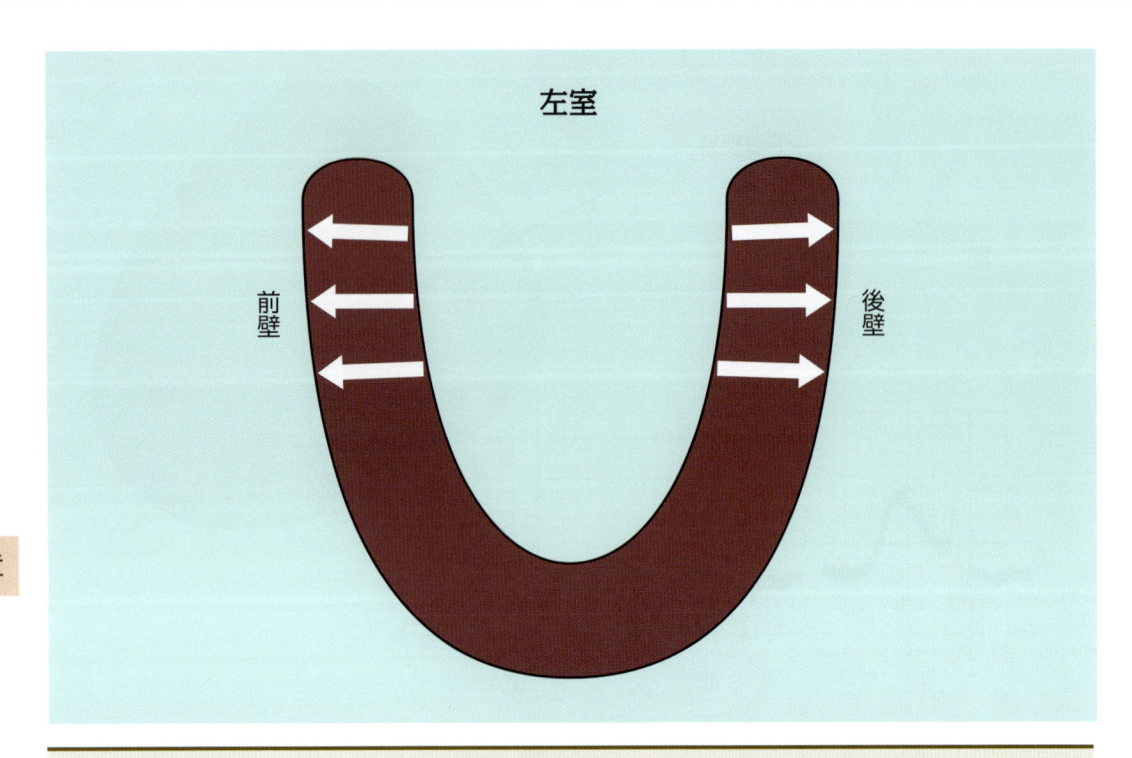

第9章 心筋梗塞（ヘミブロックを含む）

左室

前壁　後壁

前壁の興奮と後壁の興奮の進行方向は反対向きになっています．

メモ：左室興奮は心内膜 (endocardium) から心外膜 (epicardium) に広がります．

● 左室前壁の興奮は心内膜から_____に向かって貫壁性に進みます． | 心外膜

● 後壁の興奮も同じように，_____心室の心内膜から心外膜に広がります． | 左

● ということは左室前壁の興奮と後壁の興奮は，_____（同じ？　反対の？）方向に進みます． | 反対の

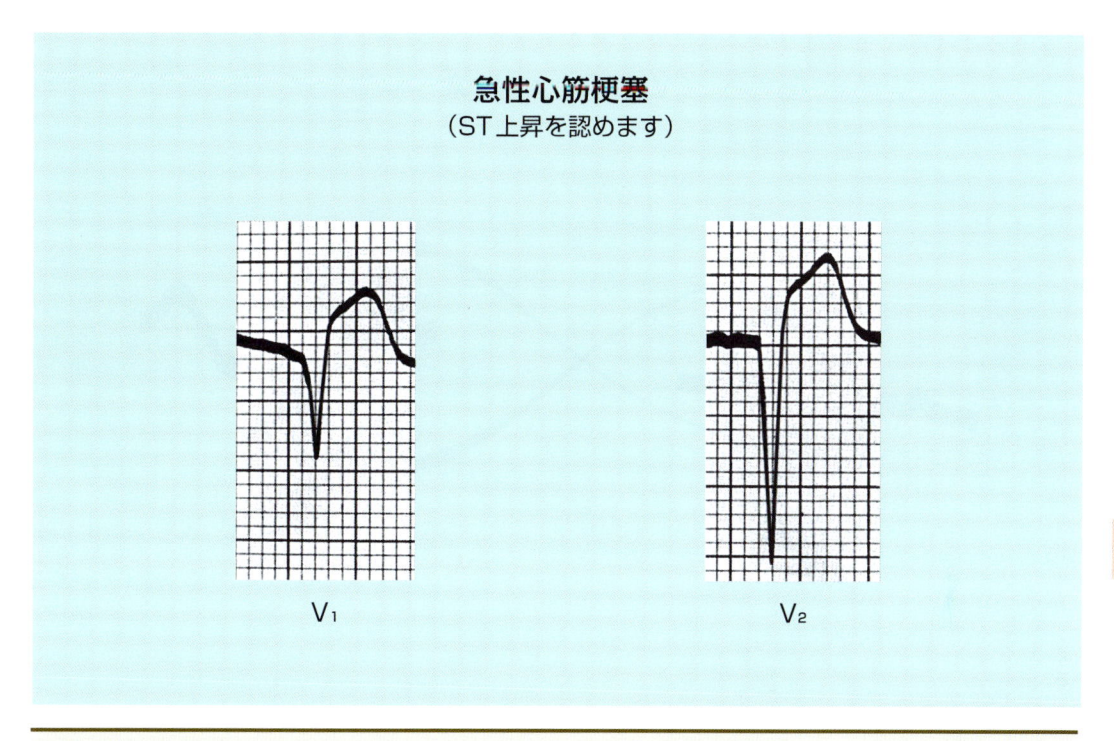

急性心筋梗塞
（ST上昇を認めます）

V₁　　　　　　V₂

前壁中隔梗塞ではV₁からV₄あたりにQ波とST上昇を認めます．では前壁と解剖学的に反対側に位置する後壁に心筋梗塞が生じたら，これらの誘導にはどういう変化が現れるでしょうか．

● 急性前壁梗塞では胸部誘導に異常Q波やST_____が生じます． | 上昇

● V₁からV₄前後まで異常Q波とST上昇を認めるなら急性_____梗塞と診断します． | 前壁中隔

メモ：前壁と後壁は対称的位置にありますから，急性後壁梗塞は前壁梗塞を反転したような所見を示します．次のページで詳しく述べます．

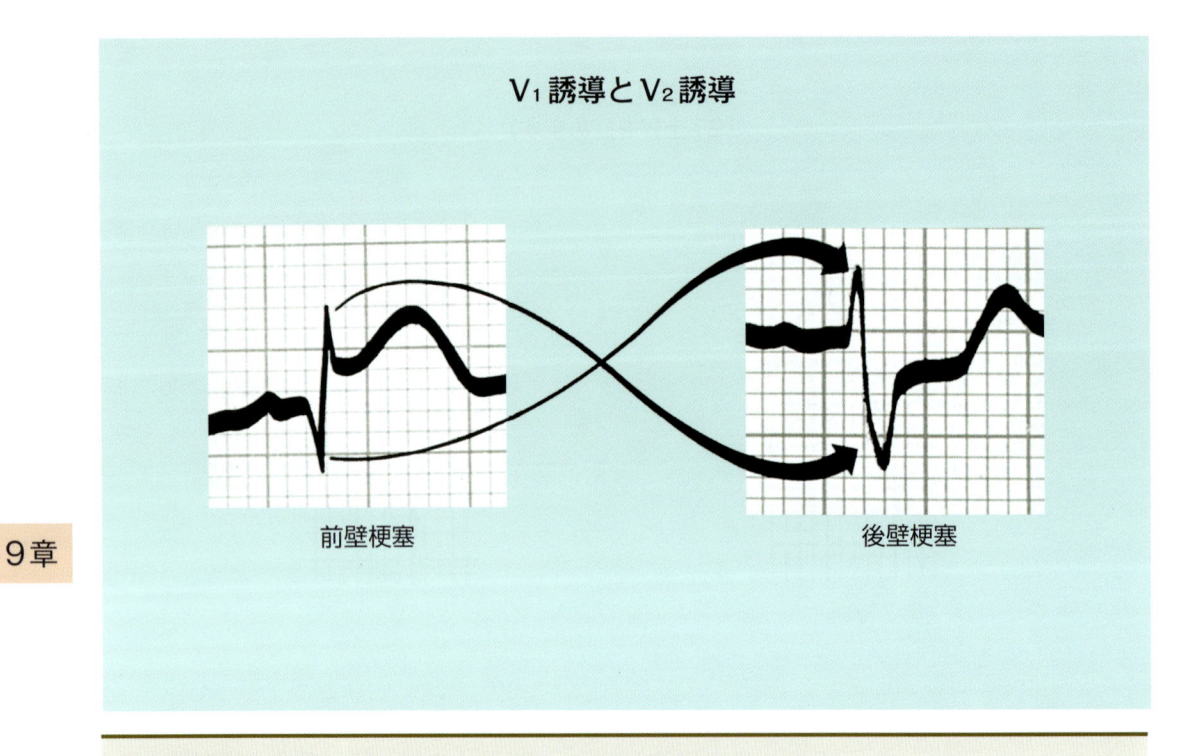

284 第9章 心筋梗塞（ヘミブロックを含む）

V₁誘導とV₂誘導

前壁梗塞　　　　　　　　　後壁梗塞

急性後壁梗塞ではV₁とV₂に大きなR波を認めます．これは異常Q波をひっくり返して観察していると思ってください．

メモ：V₁はもともと小さなR波しかありません．背中には電極がありませんから後壁梗塞の異常Q波を直接検出することはできません．そのかわりに前胸部の電極は裏側から梗塞部位を眺めることになり，異常Q波をさかさまにした形の変化が生じます．これがV₁の大きなR波になります．

● ＿＿＿＿室の後壁に梗塞が生じれば，異常Q波のかわりにV₁に大きなR波（上向きの振れ）が現れます． 　　左

● V₁やV₂にいつもより大きな＿＿＿＿波を認めたら後壁梗塞を疑います．ただし，右室肥大でもV₁のR波が大きくなります． 　　R

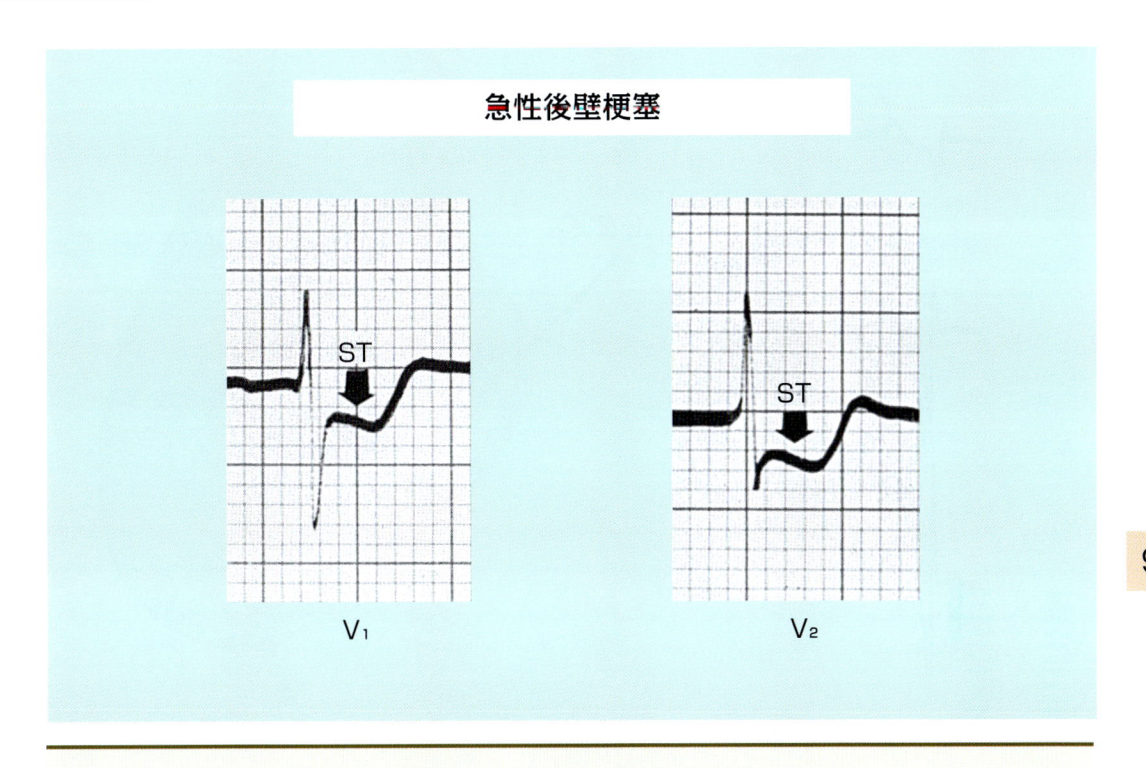

急性後壁梗塞

V₁ / V₂

急性後壁梗塞ではV₁とV₂にST低下を認めます．ST上昇をさかさまにして見ているのです．

● 急性前壁梗塞では胸部誘導にQ波とST_____を認めます． 　　　上昇

メモ：後壁の興奮方向は前壁とは逆向きになります．ですから，急性後壁梗塞ではV₁とV₂にはST上昇のかわりに，ST低下が出現します．

286 | 第9章 心筋梗塞（ヘミブロックを含む）

急性後壁梗塞

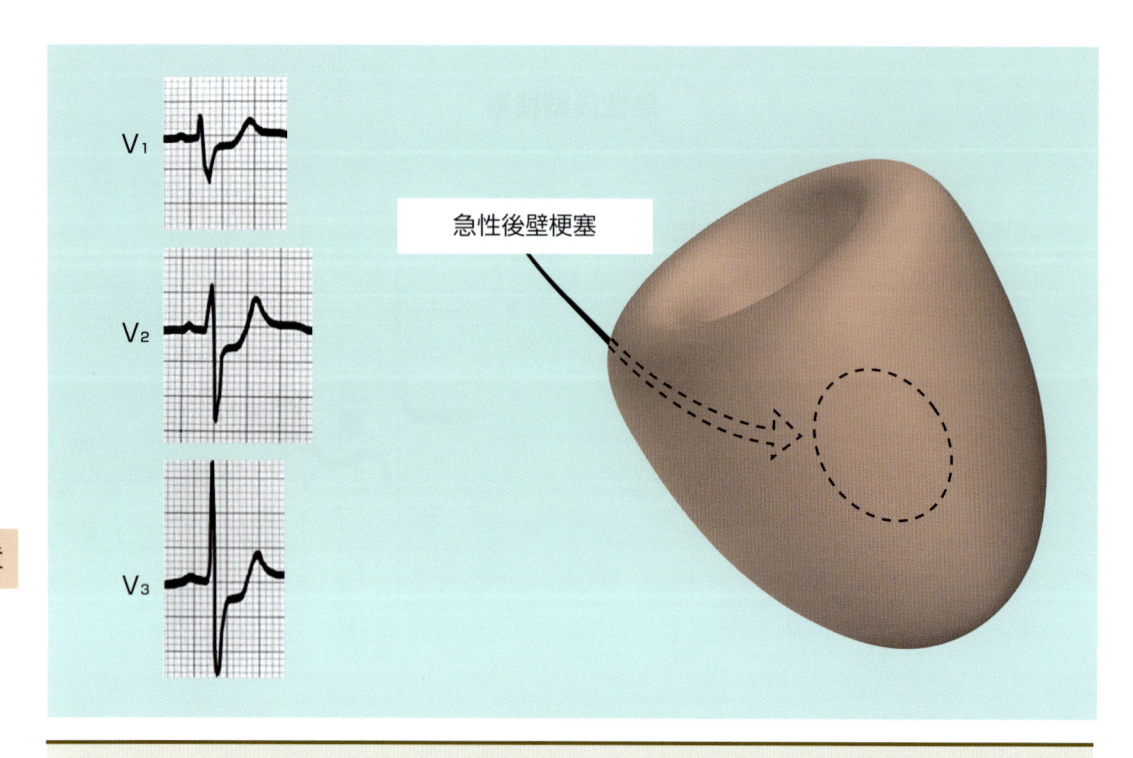

もう一度．急性後壁梗塞は V_1 と V_2（ときには V_3 でも）に大きなR波とST低下がみられます．

メモ：右胸部誘導にST低下をみたら，急性後壁梗塞の可能性を考慮しましょう．なぜST低下になるのかわからなかったらp.270に戻ってください．胸部誘導のST低下から"前壁の心内膜下梗塞（p.271参照）"と結論するのは，かなり慎重でなければなりません．本当は急性後壁梗塞かもしれません．

第9章　心筋梗塞（ヘミブロックを含む）

ひっくり返して透かしてみます

鏡像テスト

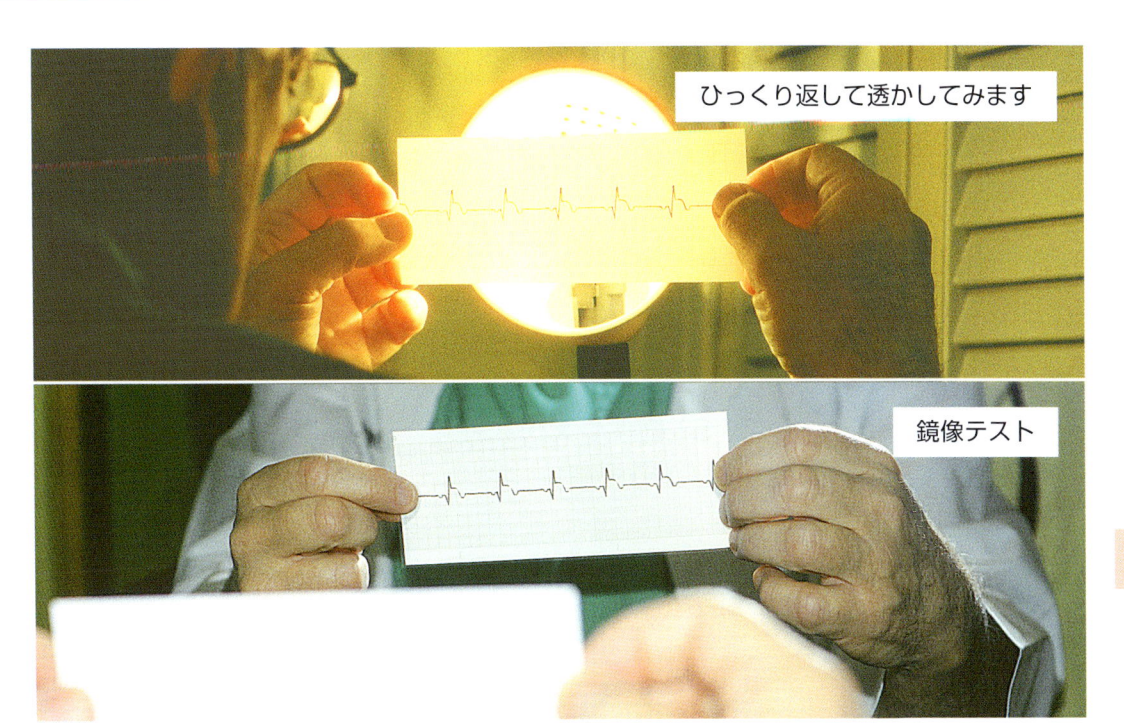

V_1やV_2の大きなR波とST低下から急性後壁梗塞を疑ったら，"さかさま透過テスト（reversed trans-illumination test）" あるいは "鏡像テスト（mirror test）" を試してみましょう．どうやるかは，下に書いてあります．

メモ：V_1やV_2に大きなR波とST低下があれば急性後壁梗塞の可能性があります．そこで，"さかさま透過テスト" あるいは "鏡像テスト" を思い出しましょう．<u>どっちも，心電図をひっくり返して，裏側の何も書いてない面を自分のほうに向けてください</u>．

- **さかさま透過テスト**：ECGをくるりとひっくり返します．なにも書かれていない面を自分に向け，ECGが描いてあるほうを明るいほうに向けてください．透かしてみえてきたV_1やV_2の波形に，"Q波とST上昇" はありませんか．
- **鏡像テスト**：これもECGをくるりとひっくり返して，何も書いてない面を自分に向けます．ECGを写して観察してください．後壁梗塞があれば，V_1とV_2に心筋梗塞を示唆する "Q波とST上昇" が見えてきます．

メモ：どちらのテストもECGをひっくり返す点は同じです．鏡像テストではECGを鏡に向けますし，さかさま透過テストなら照明に透かして見るだけです．

> いつでも V_1 と V_2 に注目します：
>
> 1. ST上昇やQ波
>   （前壁梗塞）
>
> 2. ST低下や大きなR波
>   （後壁梗塞）

後壁梗塞は他の領域といっしょに生じることもありますが，単独での発症では見落とされやすいものです．

● ECGの判読では V_1 と＿＿＿にも梗塞の所見がないか注意してください． | V_2

メモ：V_1 と V_2 のST変化はとても大事です．ST上昇もST低下のどちらも意味があります．

● V_1 と V_2 では異常Q波のみでなく，＿＿＿波の高さにも気をつけてください． | R

メモ：もう1つ追加しますと，どの誘導でも陰性T波は無視できません．

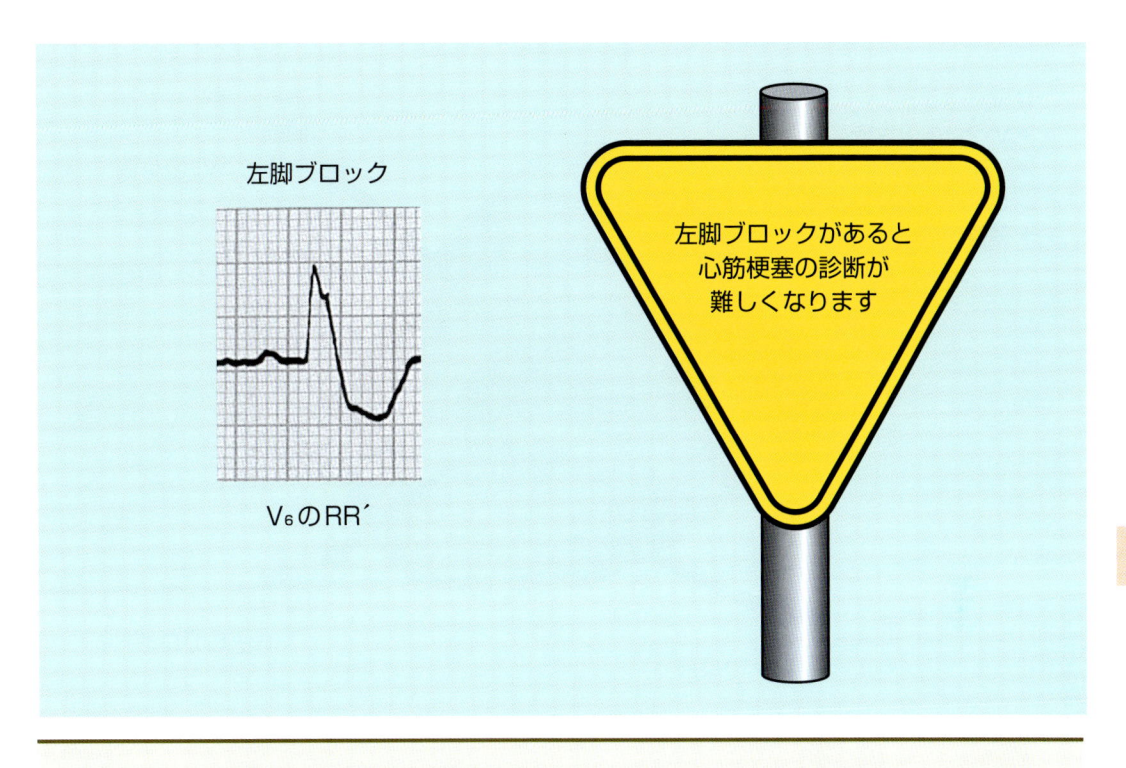

左脚ブロック

V₆のRR´

左脚ブロックがあると心筋梗塞の診断が難しくなります

左脚ブロックがあるときは梗塞の診断はむつかしくなります．

● 左脚ブロックがあると左室（心筋梗塞ではこっちが主に障害されます）の興奮は_____心室よりも遅くなります． 　　　　　右

● そうなると，左室に通常なら異常Q波を生じうる壊死があっても，左脚ブロックでは_____のなかに埋没してしまい，見えなくなります．異常Q波が見えなくなれば梗塞があっても診断はかなりむつかしくなります． 　　　　　QRS

メモ：例外もあります．左脚ブロックがあっても心室中隔の興奮はQRSの初期成分を構成しますから，中隔や前壁の梗塞によるQ波をV₁からV₃にかけて指摘できることがあります．つまり，左脚ブロックがあっても胸部誘導のQ波からある程度，中隔梗塞と前壁中隔の診断は可能です．

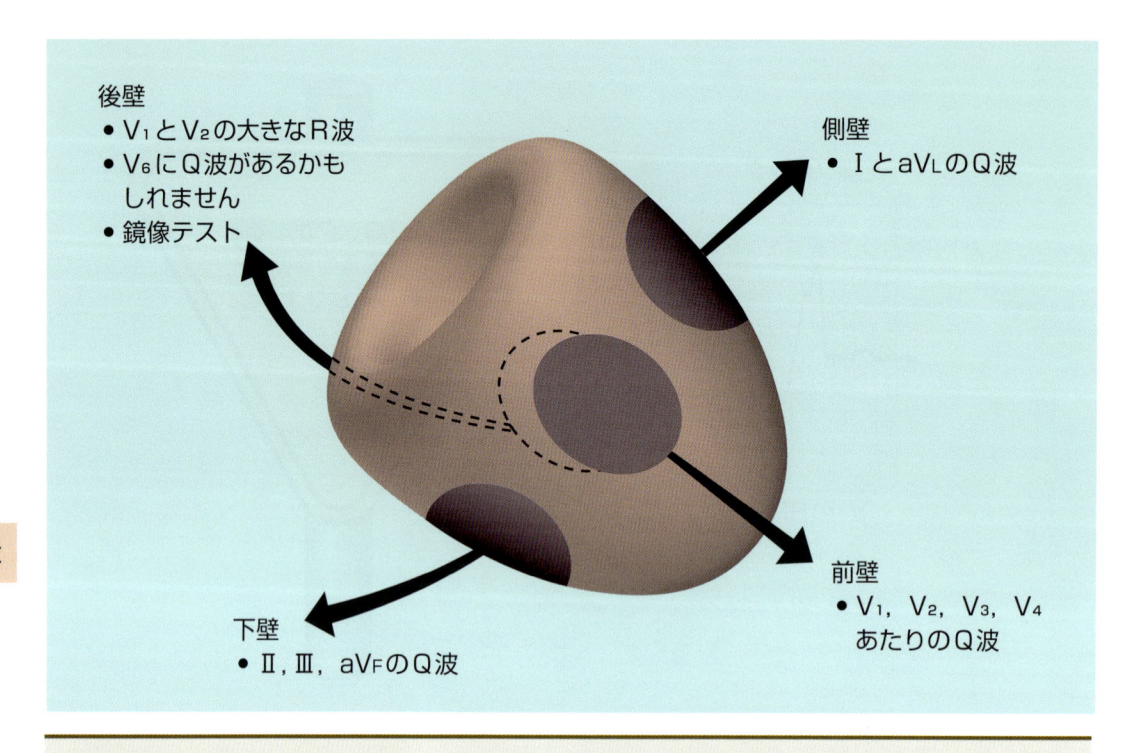

後壁
- V_1とV_2の大きなR波
- V_6にQ波があるかもしれません
- 鏡像テスト

側壁
- ⅠとaV_LのQ波

前壁
- V_1, V_2, V_3, V_4 あたりのQ波

下壁
- Ⅱ, Ⅲ, aV_FのQ波

梗塞部位は治療や予後に影響しますから，その診断は重要です．

● 心筋梗塞は主に＿＿＿＿室のことを念頭に置いていますが，梗塞部位は4つの部位に大別されています． 　　左

メモ：梗塞は必ずしも1ヵ所にはとどまりません．一部に陳旧性心筋梗塞があり，他のところに新たな梗塞を発症することもあります．ST上昇がどの誘導にみられるかによって，梗塞領域と発症時期が推測できます．ST上昇を認めながらQ波を欠けば，非Q波梗塞かもしれません．

● ＿＿＿＿脚ブロックがあるときは，とりわけ梗塞の診断が難しくなります． 　　左

メモ：異常Q波はなくても，どの誘導に陰性T波やST上昇をみるかによって梗塞部位がわかります．

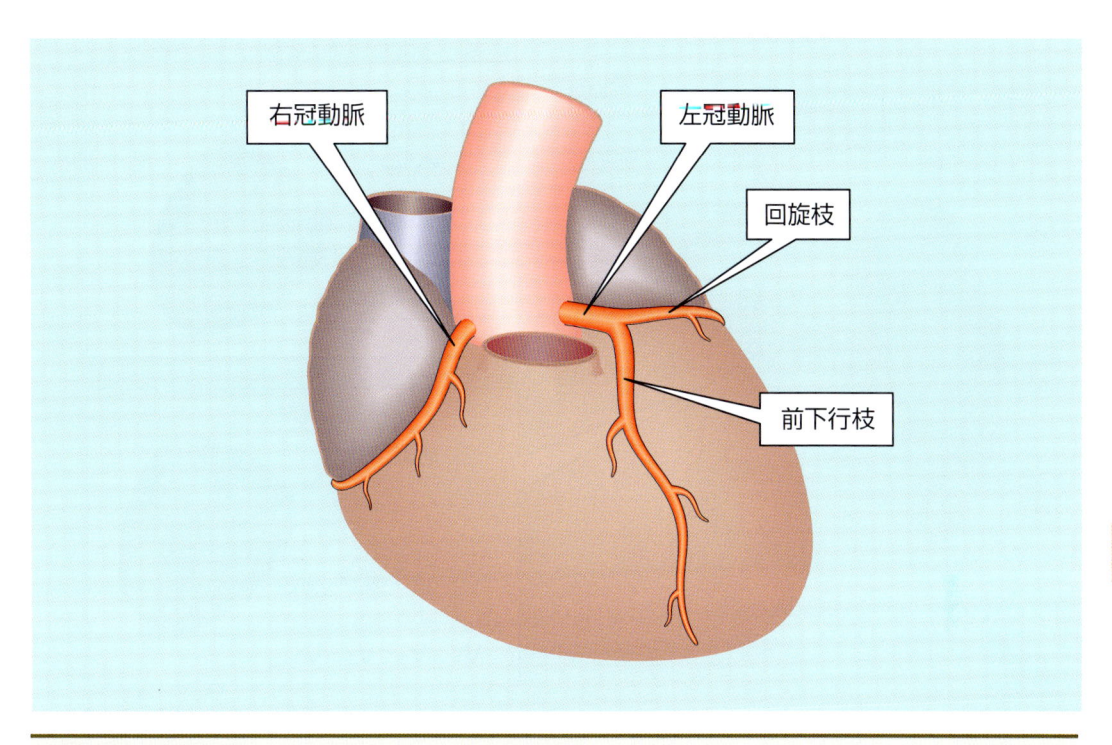

第9章 心筋梗塞（ヘミブロックを含む） | 291

冠動脈の支配領域についてちょっとした知識があれば，いっそう正確に梗塞部位の推測が可能です＊．

図中のラベル：右冠動脈，左冠動脈，回旋枝，前下行枝

●酸素化された_____を供給する2つの冠動脈があります． | 血液

●図を見て下さい．
　左冠動脈は2つに分かれています．左_____下行枝（left anterior descending branch）と左回旋枝（circumflex branch）です． | 前

●右冠動脈疾患（right coronary artery）は右_____に向かいます． | 室あるいは心室

＊この図では冠動脈の起始部がよくみえるように肺動脈は描かれていません．

側壁梗塞

前壁梗塞

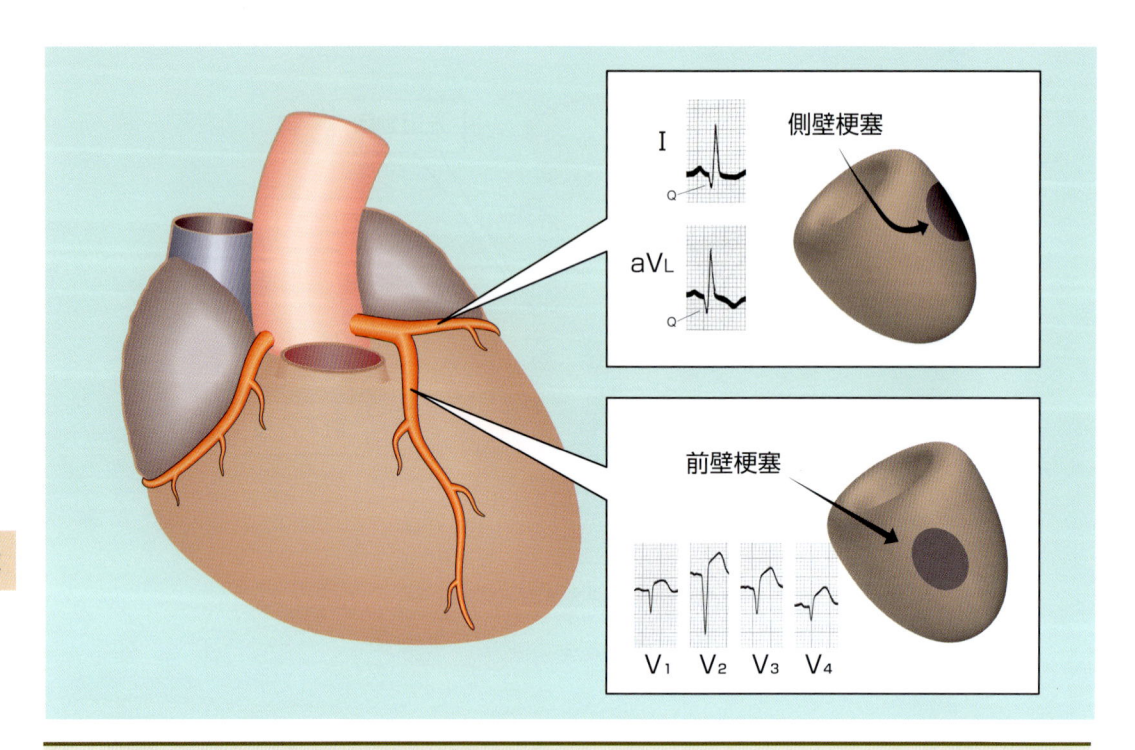

側壁梗塞は左冠動脈の回旋枝の閉塞により生じます．前壁梗塞は左冠動脈の前下行枝の閉塞によるものです．

● 左回旋枝は左室の＿＿＿＿壁に血液を送っています． 　　側

● 左前下行枝は＿＿＿＿心室の前壁に灌流しています． 　　左

● ＿＿＿＿冠動脈は2つの大きな枝，回旋枝と前下行枝に分かれます． 　　左

第9章　心筋梗塞（ヘミブロックを含む）　293

急性後壁梗塞

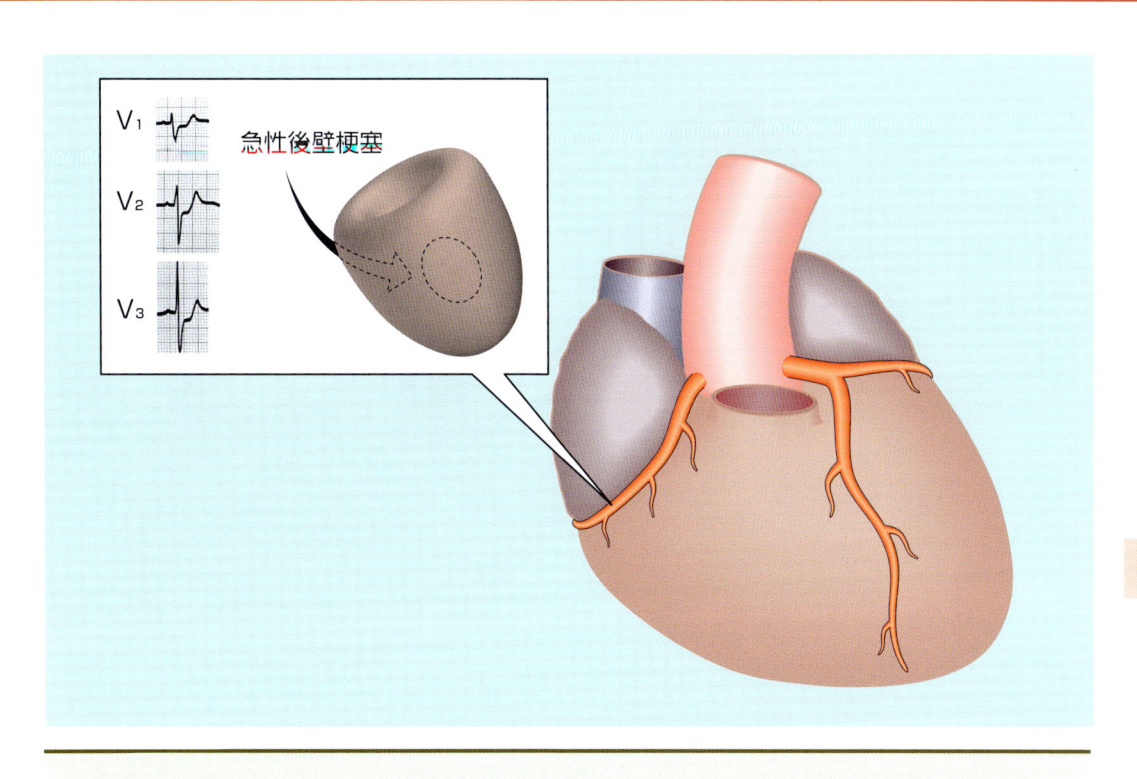

後壁梗塞は右冠動脈あるいはその枝の閉塞で生じます．ただし冠動脈の走行には個人差があり，左冠動脈回旋枝の閉塞によるケースもあります．

● 右冠動脈は右室の後ろをぐるりと取り巻いて，左室の_____（前？　後ろ？）に血液を送っています．　　　　　　　　　　　　　　　　　　　　　　　後ろ

● 後壁梗塞は_____冠動脈の枝が閉塞したときに発症します．　　　　　　　　　　右

メモ：かつて右冠動脈の役割は過小評価されていました．しかし冠動脈造影を行えば，右冠動脈が洞結節，房室結節，ヒス束にも血液を供給していることがわかります．右冠動脈の閉塞に由来する急性後壁梗塞でときに刺激伝導系に支障があるのは理解できます．後壁梗塞のみなら血行動態的には大きな問題は起きにくいものです．

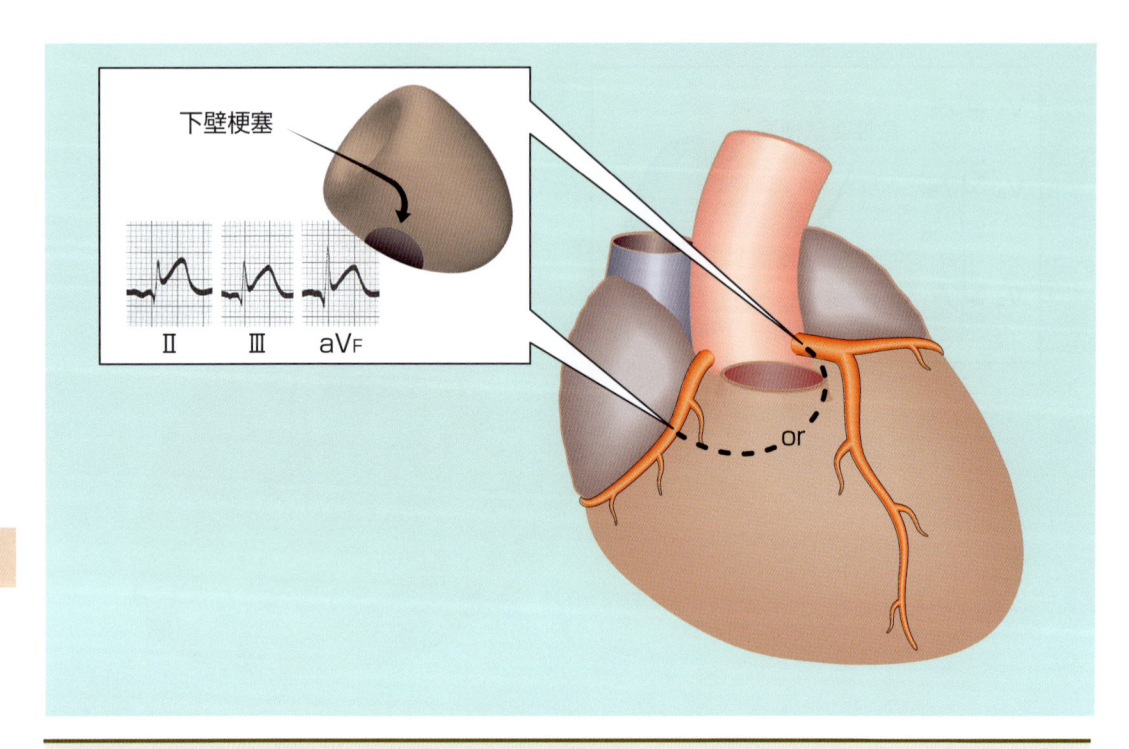

大動脈基部から出た冠動脈は心房と心室が接する房室溝を取り囲むように走行します．このあたりを心室基部とよびます．左室後壁へは右冠動脈の枝が灌流していることが多いのですが，かわりに左冠動脈の枝が分布していることもあります．左室後壁に灌流する血管が左右どちらの冠動脈に由来するかによって，右冠動脈優位（dominant）あるいは左冠動脈優位といういい方がなされます．

● 下壁梗塞は右冠動脈もしくは＿＿＿＿冠動脈の末梢側が閉塞したときに発症します．

左

● ということは，下壁梗塞と診断できてもどの冠動脈が閉塞しているかは断定できないことになります．ただし，以前に冠動脈造影が行われていれば，どの枝が左室の下壁を支配しているか情報となりますので，閉塞したと思われる＿＿＿＿動脈が推測できます．

冠

メモ：左冠動脈優位とか右冠動脈優位といいますが，これは左室の後下壁にどちら側の血管が入り込んでいるかによって決まります．多くの人が右冠動脈優位です．

ヘミブロック

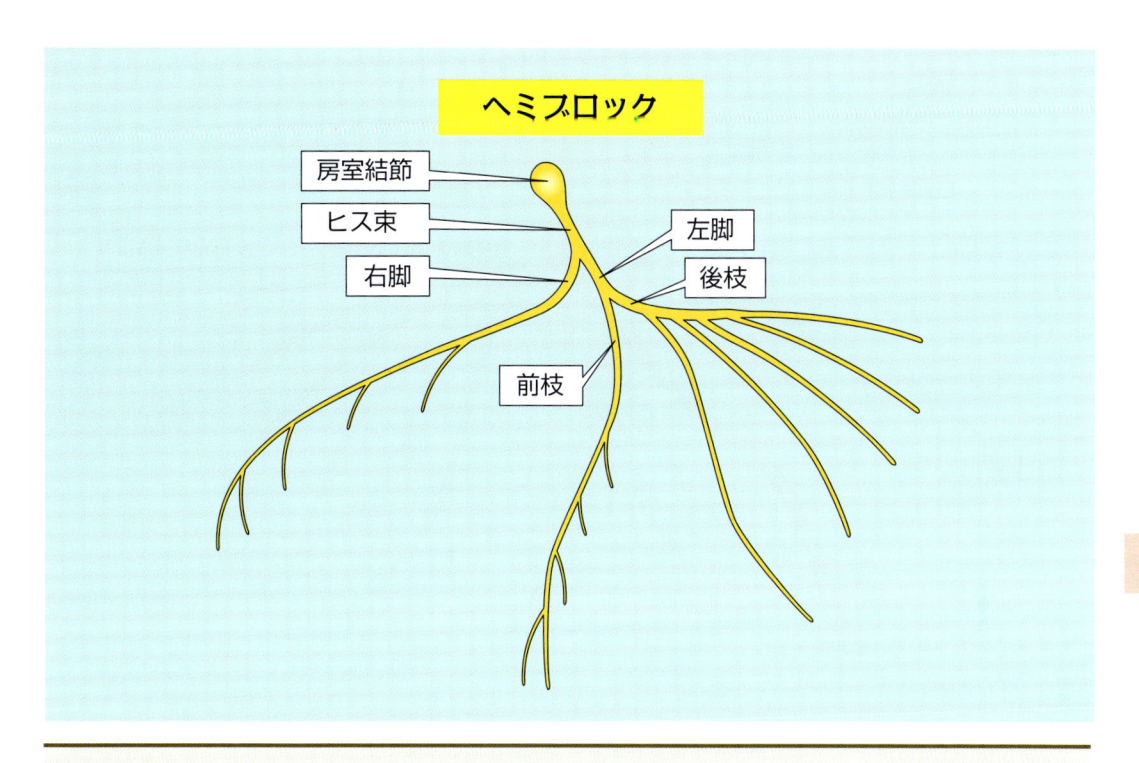

（図：房室結節、ヒス束、右脚、左脚、後枝、前枝）

ヘミブロックについてもこの章で扱います．というのは，梗塞によって左脚の2つの枝（束枝）のどちらかへの血流が低下したときにヘミブロックが生じることもあるからです．

メモ：左脚は2つの束枝に分枝します．

● ヘミブロックとは_____脚の前枝あるいは後枝のブロックのことです． | 左

● ヘミブロックは左脚の前枝か後_____への血流が途絶して生じることがあります． | 枝

メモ：右脚の枝はいずれも細く，臨床的にも解剖学的にもとりたてて名前をつけるほどのものはありません．

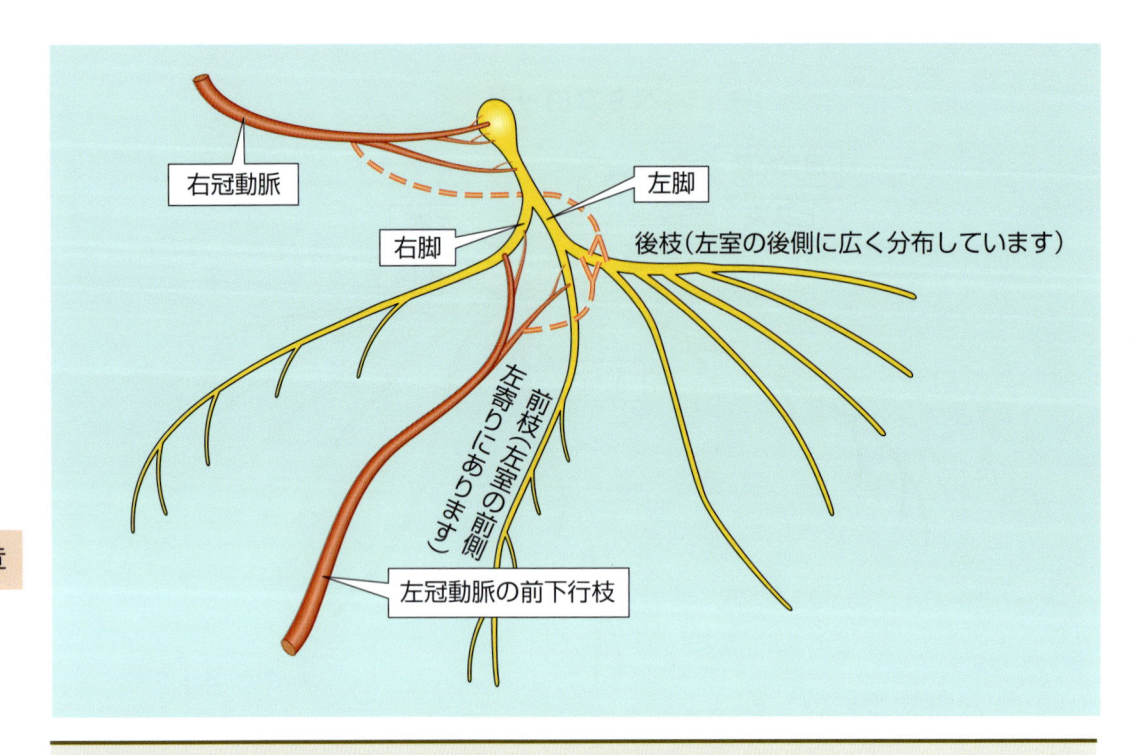

第9章 心筋梗塞（ヘミブロックを含む）

（図：冠動脈と刺激伝導系）
- 右冠動脈
- 左脚
- 右脚
- 後枝（左室の後側に広く分布しています）
- 前枝（左室の前側寄りにあります）
- 左冠動脈の前下行枝

ヘミブロックを理解するには房室結節や心室の刺激伝導系への冠動脈灌流について知っておく必要があります．

●右冠動脈は房室結節，ヒス束，左_____の後枝に血液を供給します＊．	脚
●_____脚後枝は右冠動脈のみでなく，左冠動脈からの血流も受け入れています．	左
●この図から左前下行枝の完全閉塞により前枝ヘミブロックと右脚_____が生じることがわかります．前枝とは前方左側に向かう左脚の束枝のことです．	ブロック

メモ：梗塞を生じる冠動脈閉塞のパターンはいろいろです．ですから，ヘミブロックや脚ブロックの起こり方も患者さんごとに異なります．1本の伝導路だけがブロックされることもあれば，複数のブロックが同時に出現することもあります．冠動脈の閉塞が不完全だったり一時的なものなら，ブロックも一過性のこともあります．

＊洞結節は右冠動脈支配が一般的です．なお，図では前枝のほうが後枝よりも右側に描かれていますが，前枝が左室の前壁左寄りに存在することに注意して下さい．一方，後枝は左室の後ろ側に広がっています．左脚後枝は左室の右側にあると考えたほうがヘミブロックのときの電気軸を理解しやすいでしょう．

前枝ヘミブロック

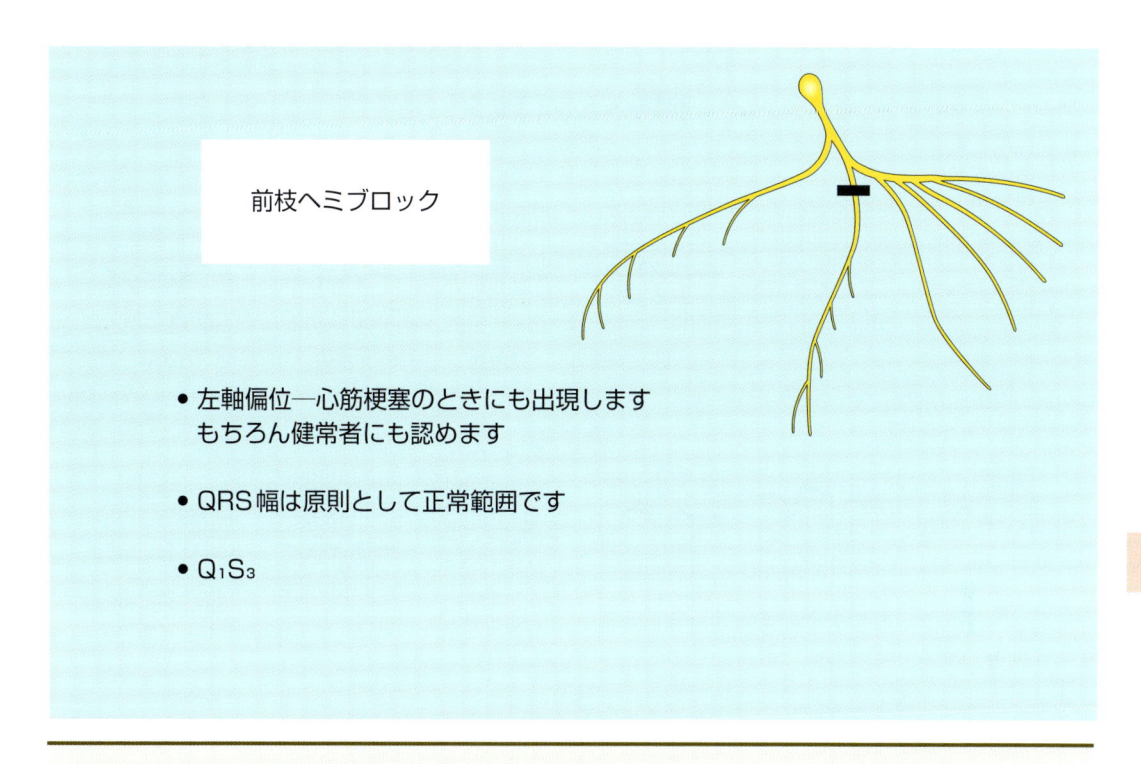

- 左軸偏位―心筋梗塞のときにも出現します
  もちろん健常者にも認めます

- QRS幅は原則として正常範囲です

- Q_1S_3

前枝ヘミブロックとは左脚前枝の伝導が途絶した状態です．心電図の所見をまとめてみました．

- 左室の前側壁および心基部領域にちょっとした伝導遅延があれば，心室興奮の後半に上方左向きのベクトルが生じます．ECGでは左_____偏位（LAD）がみられます．新たなLADを認めたら前枝のヘミブロックを疑います． | 軸

- 典型的な前枝ヘミブロックではQRS幅は正常範囲にとどまり，せいぜい0.10秒から0.12秒までです．前枝のブロックに他の伝導_____のブロックが重なればQRS幅は拡大します． | 脚

- 前枝ヘミブロックとは左脚の前方成分にブロックが生じています．Ⅰ誘導にQ波を，Ⅲ誘導に深い_____波を認めます（"Q_1S_3"）． | S

メモ：ECGの変化が新たに生じたものなら，ヘミブロックの診断は確度が高くなります．前枝ヘミブロックと診断するには，"横位心"や心筋梗塞による左軸偏位の可能性を除外する必要があります．

前枝ヘミブロック

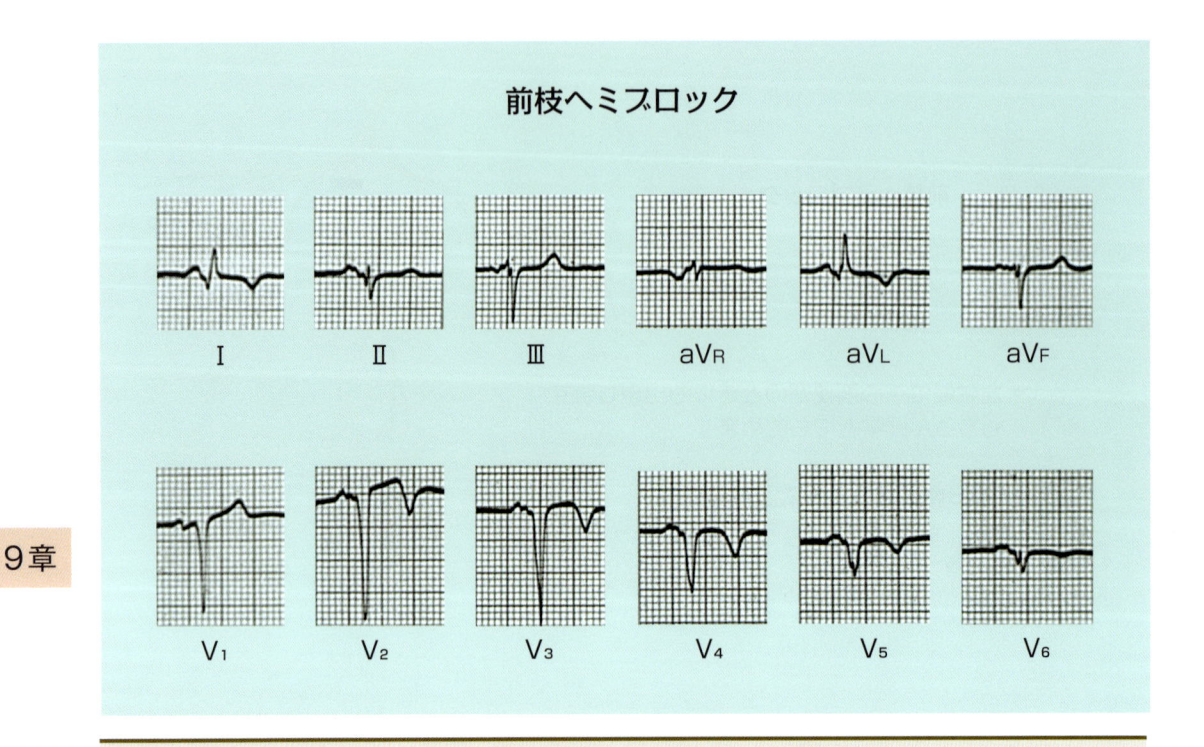

左冠動脈前下行枝が閉塞すれば前壁梗塞になります。このとき前枝ヘミブロックを疑わせる所見を認めることがあります。p.296の図を参考にしてください。

●前枝ヘミブロックは左脚の前側の枝が傷害されています。左室興奮の後半に左上向きのベクトルが残ります。そのため左軸＿＿＿＿を認めます。	偏位
●左前下行枝の閉塞は前壁梗塞を生じ、ときに前枝＿＿＿＿も認めます。理屈としては、わかりやすいですね。	ヘミブロック
●急性心筋梗塞に伴って正常な電気軸が－60°にシフトしたら、前枝＿＿＿＿の可能性があります。Q_1S_3パターンがないか注意してください。	ヘミブロック
●しかし下壁梗塞そのものでも左軸偏位を認めることがあり、この場合は左軸偏位からただちに＿＿＿＿枝ヘミブロックを疑うことはできません。左軸偏位＝前枝ヘミブロックという1：1対応関係は成り立ちません。	前

前枝ヘミブロック＋右脚ブロック

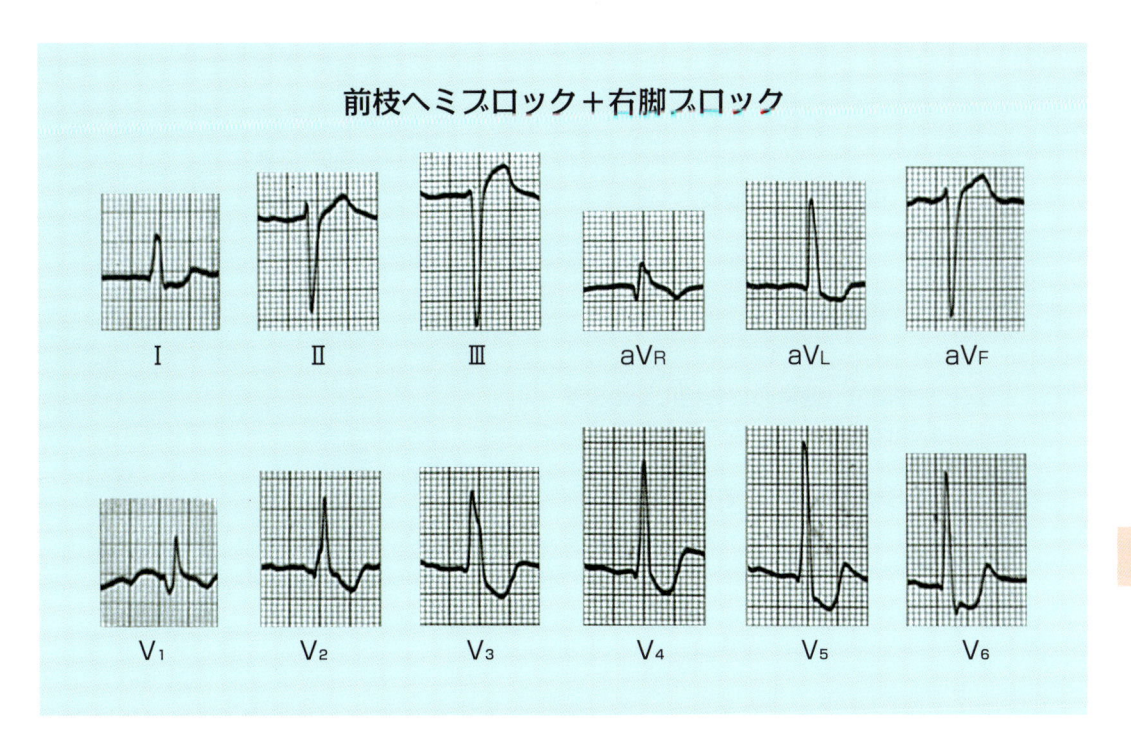

前壁梗塞（これは左冠動脈前下行枝の閉塞によるものです）で前枝ヘミブロックに右脚ブロックを合併することがあります．p.296のイラストを見直してください．

> **メモ**：前下行枝は右脚にも血液を供給しています．前壁梗塞は前下行枝の閉塞部位にもよりますが右脚ブロックの原因となることもあります．

● 右脚ブロックがあっても平均QRSベクトルは正常範囲にとどまります．ときに右軸_____になることもありますが，それが右脚ブロックのせいとは断定できません． | 偏位

● 右脚ブロックと左軸偏位が認められるようになったら，右脚ブロックと前枝ヘミブロックの合併が疑われます．ことに前壁_____なら，ヘミブロックの可能性が高くなります． | 梗塞

後枝ヘミブロック

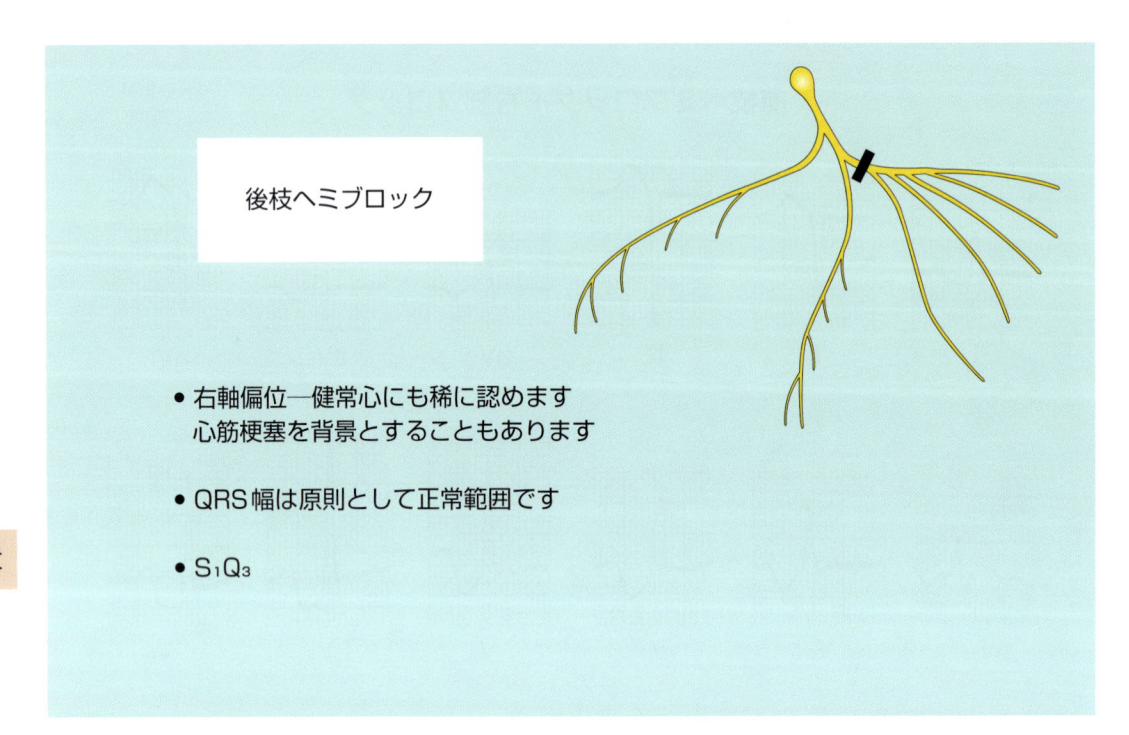

- 右軸偏位―健常心にも稀に認めます
  心筋梗塞を背景とすることもあります

- QRS 幅は原則として正常範囲です

- S_1Q_3

後枝ヘミブロックはめったに起きません．なぜなら後枝は太くて短い上に，左右両方の冠動脈から血液の供給を受けているからです．p.296 をごらんください．

● 下壁梗塞は左＿＿＿＿後枝への血流を損なうことがあります．　　　　　　　脚

● 後枝ヘミブロックでは心室興奮の後半に右方向へのベクトルが生じますから，
　右軸＿＿＿＿を生じます．　　　　　　　　　　　　　　　　　　　　　　偏位

● 後枝ヘミブロックを疑ったら，Ⅰ誘導の S 波とⅢ誘導の Q 波に注目してください（S_1Q_3）．これらの波が深さや幅の点で目立っていたら後枝ヘミブロックの可能性が＿＿＿＿（高く？　低く？）なります．なお，S_1Q_3 は肺塞栓症のときにも出現します．　　　　　　　　　　　　　　　　　　　　　　　　　　　高く

後枝ヘミブロック

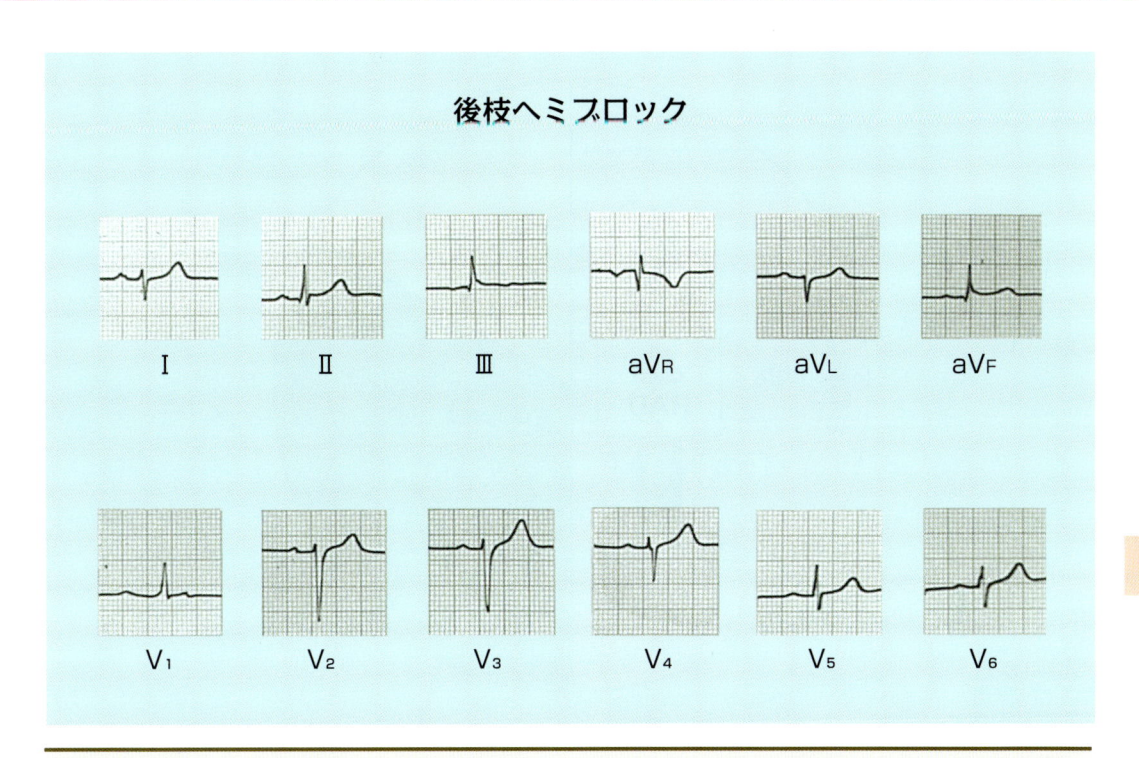

後枝ヘミブロックは無視できない所見です．下壁梗塞による軸偏位でないことも確認してください．

●陳旧性側壁梗塞でも，新鮮な側壁梗塞でもときに右軸偏位を認めます．後枝ヘミブロックと紛らわしくなります．後枝ヘミブロックは＿＿＿＿梗塞があれば診断しにくいことを覚えておいてください．	側壁
●病歴と以前のECGを参考にして，ヘミブロックによらない軸偏位の可能性を除外します．たとえば痩せた体型（これは立位心になります），＿＿＿＿室肥大，呼吸器疾患などが右軸偏位の原因になります．	右

メモ：後枝ヘミブロックは見過ごせない病態です．後枝ヘミブロックと右脚ブロックの両方があれば，房室ブロックへ進行する恐れがあります．

超重要!：房室ブロック（AV block）は"atrio-ventricular block"のことです．房室結節やヒス束のブロックにより房室ブロックは起こると考えがちです．もちろん，そうしたケースも多いでしょうが，左右の脚ブロックが同時に起きても房室ブロックになります．あるいは，右脚ブロックに加えて，左脚前枝と左脚後枝のヘミブロックがいっしょに現れたら，房室ブロックが発生します．房室ブロックにはいろいろなパターンがあることをご理解ください．

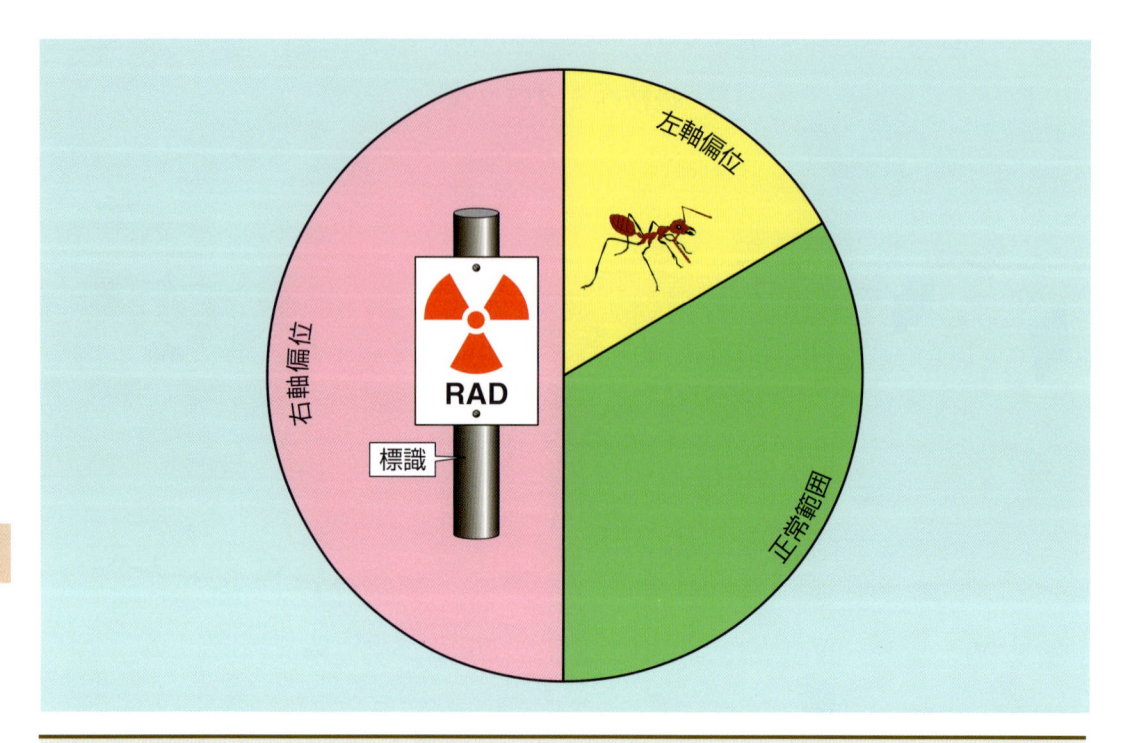

左軸偏位（LAD）と書いてある領域に蟻がいます．蟻は英語でantといいます．Anterior hemiblock（前枝ヘミブロック）の最初の3文字と同じ綴りです．印象に残るように蟻の絵を描かせてもらいました．右軸偏位（right axis deviation）の略語はRADで，これは放射線（radiation）の最初の3文字と同じです．後枝ヘミブロック（posterior hemiblock）はRADの原因の1つです．こんな図ですが，かなり頭をしぼって作りました．

- 新たに軸偏位が生じたら_____を疑います．ことに器質的心疾患があれば，この可能性は高くなります． ｜ ヘミブロック

- 正常電気軸から右軸偏位に変わったら後枝_____を念頭に置きましょう． ｜ ヘミブロック

- 正常電気軸から左軸偏位（図のなかでは蟻が描いてあるところです）に移行したら前枝_____を疑います． ｜ ヘミブロック

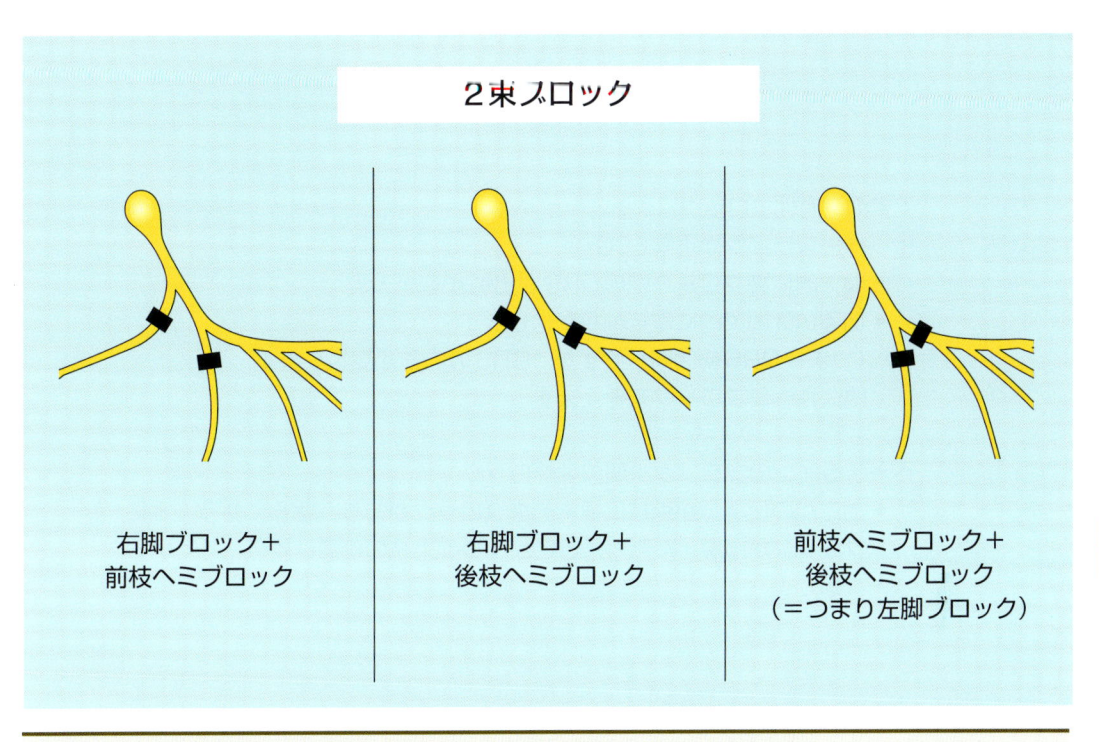

2束ブロック

右脚ブロック＋
前枝ヘミブロック

右脚ブロック＋
後枝ヘミブロック

前枝ヘミブロック＋
後枝ヘミブロック
（＝つまり左脚ブロック）

"Fascicle"は束枝（プルキン工線維の束）のことです．心室の刺激伝導系は束枝（fascicle）に枝分かれしています．通常は右脚，左脚前枝，および左脚後枝の3本が束枝に含まれます．

- **メモ**：脚といえば右脚と左脚のことを指してきました．右脚ブロックに左脚のいずれかの束枝のヘミブロックが重なったときは，混乱を避けるために"fascicular block"といういい方がされます．右脚もfascicleの1つとみなすわけです．

- **メモ**："2束ブロック（bifascicular block）"は2本の束枝（fascicle）が同時にブロックされている状態です．前枝ヘミブロックと後枝ヘミブロックがあっても，みかけは左脚ブロックと区別できませんから，これは2束ブロックとはみなされません．2束ブロックといえば，右脚ブロックと左脚の枝のどちらかがブロックされているものを指すことが一般的です．

- **メモ**：左脚ブロックと右脚ブロックが同時に生じたら完全房室ブロックになります．右脚ブロック＋左脚前枝ヘミブロック＋左脚後枝ヘミブロックでも完全房室ブロックを認めます．完全房室ブロックはいうまでもなく一大事です．レートの低い心室の補充調律しか残っていません．あんまりレートが下がると失神します．すぐに対処しないと死に至ることもあります．

- **メモ**：脚ブロックも束枝ブロックも一過性のことがあり，ブロックの所見はときに消失するかもしれません．

間欠性ブロック

1束の一過性ブロック：
　　ベースラインは正常ECG―
- 間欠的に脚ブロック型のQRSが出現するか
- あるいは間欠的に電気軸が変化します
  （つまりQRS幅は同じですが，QRSの向きが変わります）
  間欠性ヘミブロックを考えます

ベースラインのブロック＋間欠性ブロック
- どこかの伝導脚か束枝に恒常的なブロックがあり，さらにもう1本にブロックが出現．ただし，どこか1つの束枝の伝導は維持されている状態です

ずっと2束ブロックが続いているときは，確信をもって診断することができません．間欠的に2束ブロックになるのなら，診断しやすくなります．たとえば電気軸の変化（上向きのQRSがときどき下向きになります）は間欠的なヘミブロックを示唆しますし，ときどきQRS幅が拡大するなら間欠的な脚ブロックです．

- 複数の束枝に一過性ブロックを認めることもあります．こうなると，ECGではいろいろな形の_____が出現します．一過性の前枝ヘミブロックや後枝ヘミブロックは心室興奮のベクトルを変化させます． | QRS

- 左右どちらであれ一過性の脚_____が起こると正常なQRSが急に拡大します*．この変化を見過ごしては，重大な事態を招きかねません． | ブロック

> **メモ**：寿命の尽きかけた蛍光灯はついたり消えたりします．病的な束枝の伝導も間欠的にブロックされることがあります．やがてまったく点灯できなくなった蛍光灯と同じように，一過性ブロックは完全な伝導途絶に至る可能性があります．継続的な脚ブロックと一過性の束枝ブロックが伝導障害の進展の可能性を示唆するものなら，将来の完全房室ブロックに備えることもできるかもしれません．致命的なブロックになる前に，間欠的な伝導障害を認めることは運が良いともいえます．ハイリスク患者に対して恒久型ペースメーカーの植え込みを行えば，ひとまずリスクは回避できます．

*間欠的な前枝ヘミブロックと後枝ヘミブロックをよく判別できるようになってください．もちろん，間欠的な右脚ブロックと左脚ブロックをパッと診断できるようになることも大事です．自信がなかったら，もう一度おさらいしてください．

間欠性モービッツ型ブロック

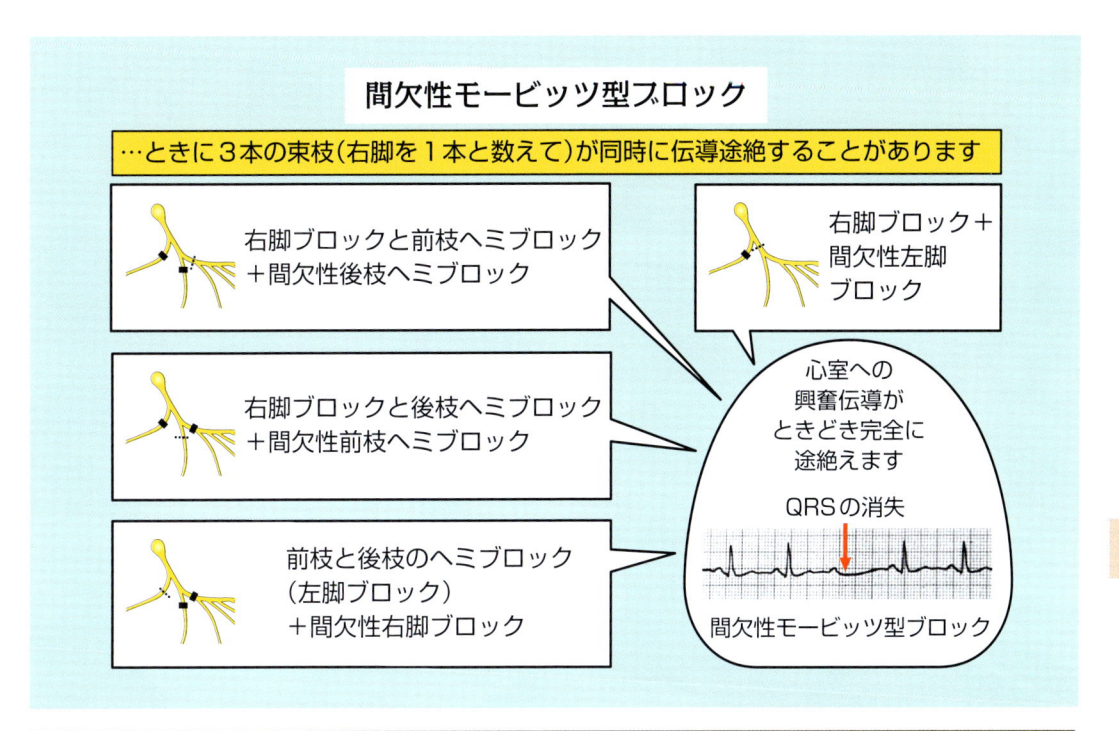

…ときに3本の束枝（右脚を1本と数えて）が同時に伝導途絶することがあります

- 右脚ブロックと前枝ヘミブロック＋間欠性後枝ヘミブロック
- 右脚ブロックと後枝ヘミブロック＋間欠性前枝ヘミブロック
- 前枝と後枝のヘミブロック（左脚ブロック）＋間欠性右脚ブロック
- 右脚ブロック＋間欠性左脚ブロック

心室への興奮伝導がときどき完全に途絶えます
QRSの消失
間欠性モービッツ型ブロック

心室の興奮伝導には3つの経路があります．生きていくには少なくともそのうちの1本により房室伝導が維持される必要があります．高度な房室伝導障害に進行しそうなときは早めに察知して，手を打つことが大事です．

- "3束ブロック（trifascicular block）"では心房と心室をつなぐ3本の束枝にブロックが生じます．すべての束枝で完全な伝導途絶が起きたら完全房室ブロックになります．もし，房室間の伝導が維持されているなら，3束枝のうち1本でも_____（継続的な？　間欠的な？）なブロックか伝導遅延にとどまっているはずです． 〔間欠的な〕

- "両側（bilateral）"脚ブロックはどちらかの脚_____が間欠的ブロックであるときに診断が可能です．継続的な両脚ブロックでも，ヒス束あたりでブロックされているとしても心電図だけでは区別できません． 〔ブロック〕

メモ：2本の束枝が完全にブロックされ，残りの1本に間欠性のブロックがあれば，モービッツ型の房室ブロック（ときどき心室への伝導が途絶えます）がみられるでしょう．モービッツ型房室ブロックがさらに進行すれば，2：1房室ブロックや完全房室ブロックを認めます．ペースメーカの植え込みを考えます．知識も大事ですが，それを活かす注意深さも求められます．

注意！：モービッツ型房室ブロックではP波は規則的な周期で現れ，QRSが欠落するときにも期外収縮のP′波は認めません（p.128 ペースメーカのメモ参照）．これはとても大事な条件です．

メモ：ヘミブロックについていまいち自信がないのなら，p.295 からこのページまで復習してください．

急性心筋梗塞の患者さんはCCU (coronary care unit) に収容され，ECGの連続監視が行われます．診断が確定しなくても急性心筋梗塞の可能性があれば，同様なECGモニターが行われます．症状は乏しくても急性心筋梗塞のおそれがあれば，入院が必要です（silent infarctionという用語もあります）．

メモ：不整脈の治療が時代とともに変化していくのと足並みをそろえて，ペースメーカーやステントによる血行再建術，あるいは冠動脈バイパスや血栓溶解療法の適応もどんどん変わってきました．現場での標準的治療と文献的な情報のいずれにも精通しておくことが望まれますが，まずは基本をおさえてください．

● どこが心筋梗塞になったか，どの冠動脈が閉塞したか，あるいはヘミ_____の有無など診断できるようになりましたか？　　　　　　　　　　　ブロック

● 心筋梗塞の患者さんでは電気軸（QRSの向きからわかります）のわずかな変化や_____房室ブロックの予兆にご注意ください．注意深さが要求されます．　　完全

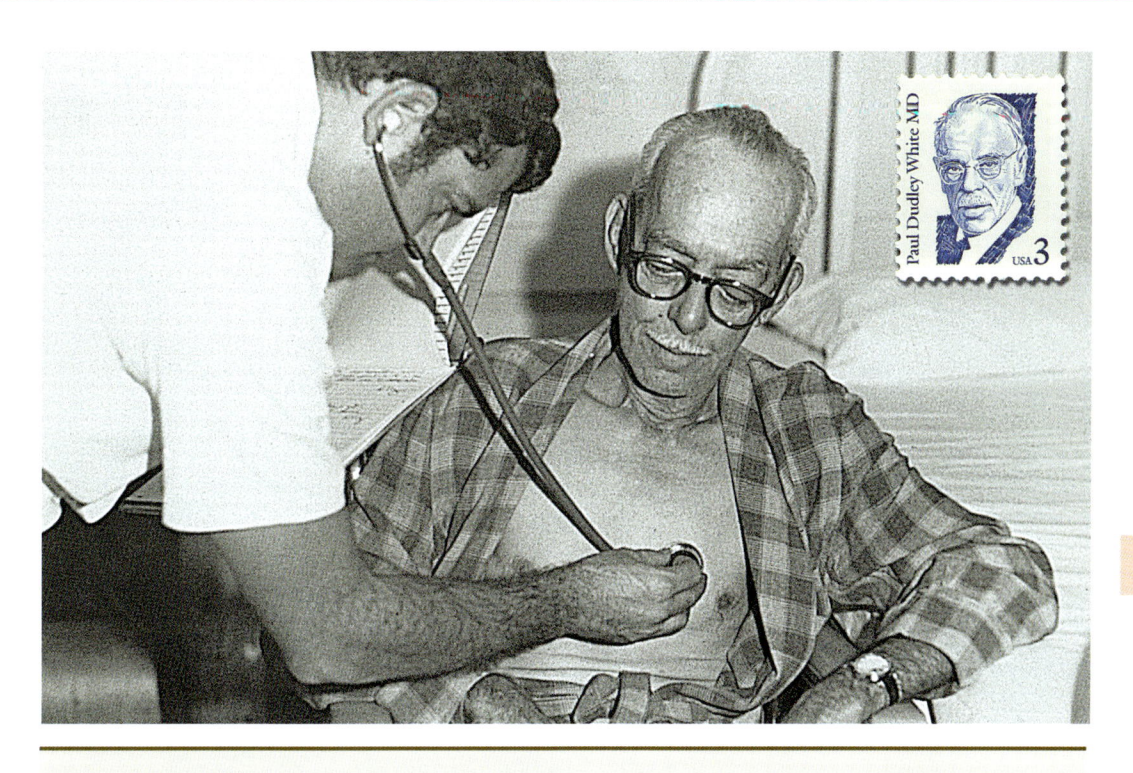

第9章　心筋梗塞（ヘミブロックを含む）　307

病歴と理学所見は心筋梗塞とその合併症の診断に欠かせません．

●ECGは時代を越えた価値をもっています．_____という臓器に関して，ほかのどんな検査よりも簡便で精度の高い情報をもたらします．	心臓
●ともかく患者さんの_____（present history＝いつから胸痛が始まったとか，どのくらい続くかということです）は何にもかえがたい情報です．	病歴
●採血データもとても参考になりますが，経験のある医師にとっては_____がもっとも<u>てっとり早く</u>心筋梗塞の診断をもたらします．	ECG

メモ：以前の ECG と比較することは診断精度を上げるのに有用です．ちなみにこの写真に写っているのはWPW症候群で有名なPaul Dadley White博士です．もみあげがエルビスプレスリーみたいなこのお医者さんは誰でしょうか？

メモ：Personal Quick Reference Sheetsのp.340とp.341を復習してください．p.332のようなシンプルなアプローチも記載してあります．

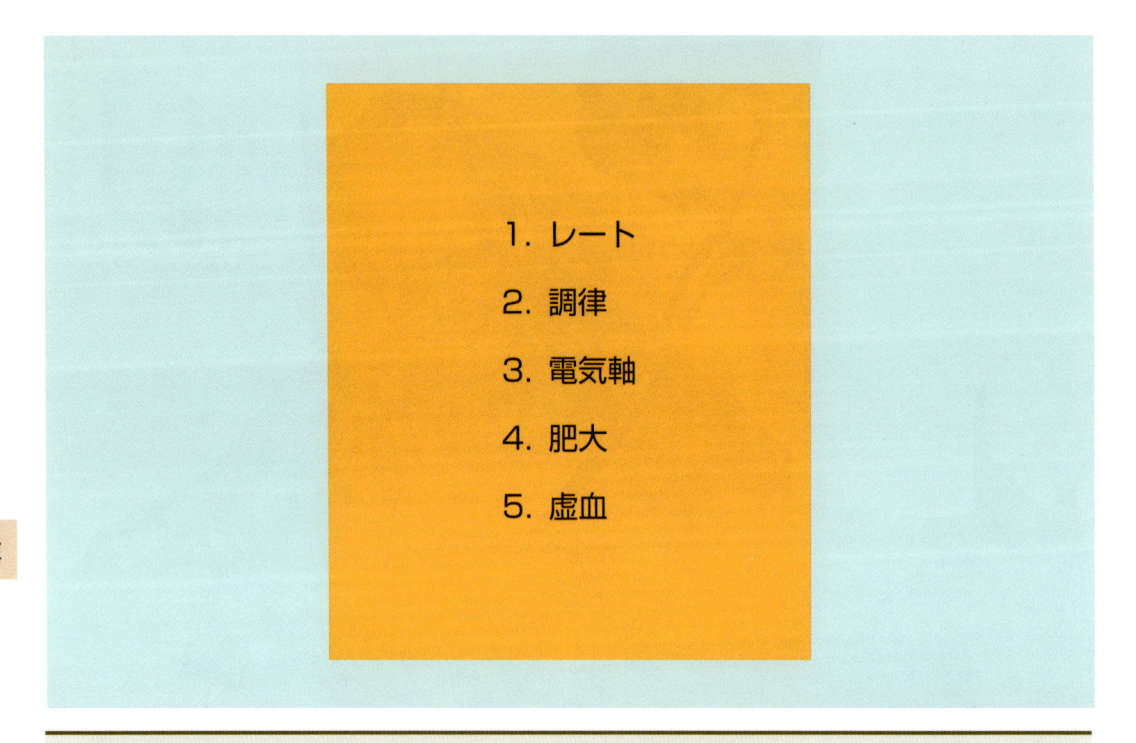

1. レート
2. 調律
3. 電気軸
4. 肥大
5. 虚血

ECGのことがだいぶわかってきましたが，日ごろの判読にあたっては手順を踏んで見落としがないようにしてください．まずレート，次に調律，電気軸，肥大，梗塞などいろいろなところに注意してください．自分なりにどんな順番で読んでいくかパターンを確立しましょう．

メモ：救急の現場ではQ波やST-T変化ばかりに気をとられます．日ごろの手順を忘れると予後を左右する大事な所見を見落としかねません．いつも冷静にECGを判読できるようになりたいものです．治療がうまくいくか否かは，みなさんの診断能力にかかっています．

メモ：最後にp.332を見て下さい．ECG判読の手順を見直してください．次にp.332からp.341にわたって，PQRS全体についてゆっくり復習しましょう．
とはいいながら最後におまけの章を追加します．もうちょっとお付き合いください．

第10章　さまざまなECG所見

この章の要約はp.342とp.343にあります．先にそっちを見ていただいても結構です．

ECGで診断できるそのほかの病態

肺疾患

電解質の変化

薬物の影響

人工ペースメーカー

心移植後の変化

ECGで診断可能な病態をいくつか取り上げます．ただし，必ずしもECGだけで診断できるわけではありませんが．

> **メモ**：それぞれの病態には特徴的な心電図所見があります．この章でとりあげた所見のほとんどは，疾患や薬物の影響，あるいは電解質異常と関連するものです．診断には病歴や理学所見，および検査所見も欠かせませんが，特徴的なECG所見を知っていることはとても役に立ちます．

危険性の高い3症候群
診断は生命を左右します

ブルガダ症候群
- V_1，V_2およびV_3におけるST上昇を伴う右脚ブロック型変化（p.268参照）
- 致死性不整脈を生じることがあります

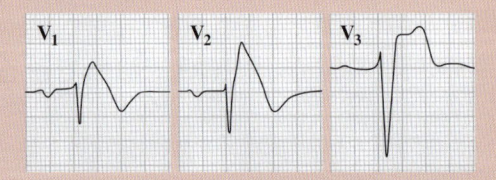

ウェレンス症候群
- V_2とV_3で大きな陰性T波
- 左前下行枝の狭窄

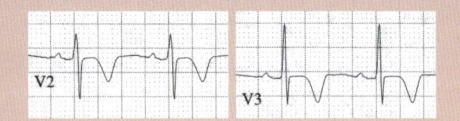

QT延長症候群
- QT時間がRR間隔の50%を超えます
- 心室不整脈が生じやすくなります

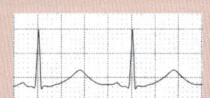

ここにあげた症候群はしばしば症状のない患者さんに認められますが，どれも危険な疾患です．みかけはたいしたことのないECG所見ですが，心事故の回避には適切な診断が必要です．ちゃんと治療すれば予後は悪くはありません．命にかかわることですから，注意深さは大事です．

- ブルガダ症候群は遺伝性疾患と考えられています．致死的不整脈を発症する恐れがあり，ICDにより＿＿＿＿＿＿＿（sudden deathの邦訳です）を予防します．
 　　　　　　　　　　　　　　　　　　　　　　　　　　　　　突然死

- Wellens症候群は前下行枝の狭窄による心筋虚血です．比較的診断は容易です．ステントや冠動脈バイパス術により心筋＿＿＿＿＿＿＿への進展を回避します．
 　　　　　　　　　　　　　　　　　　　　　　　　　　　　　梗塞

- これまで遺伝性QT延長症候群として8タイプが確認されています．この症候群はいずれも危険な心室不整脈を生じます．QT延長症候群ではしばしば＿＿＿＿＿＿＿時間がRR間隔の半分を超えます．
 　　　　　　　　　　　　　　　　　　　　　　　　　　　　　QT

メモ：ここでとりあげた病態は重篤なもので，その診断はとても大事です．ブルガダ症候群なら右胸部誘導をチラッと見るだけで"どうもへんだ"とわかります．もちろん確定診断は簡単ではありません．QT延長症候群も不自然なQT延長から，ある程度直感的にわかるものです．しかし背景となる遺伝子異常まで探るには手間がかかります．

慢性閉塞性肺疾患

I誘導

II誘導

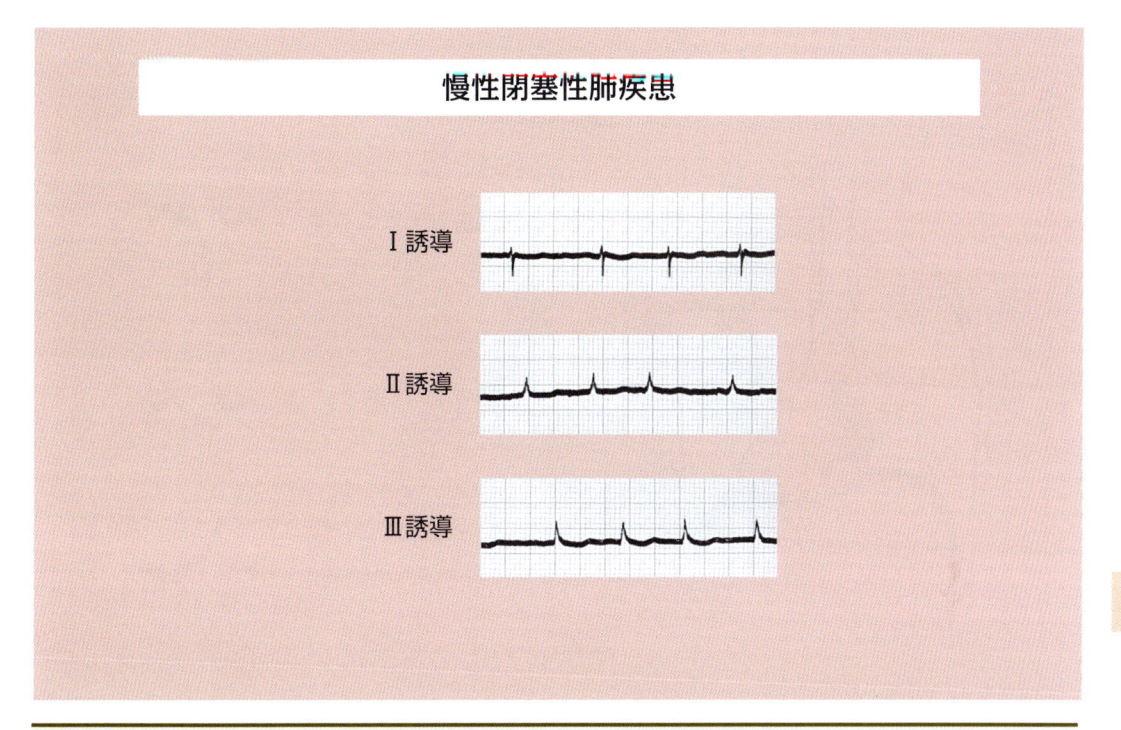

III誘導

慢性閉塞性肺疾患（COPD）は広範な誘導で低電位傾向を示します．右軸偏位も認めます．

- 慢性閉塞性肺疾患（COPD）ではQRSのサイズが小さくなります*．それ以外の振れも，_____では小さくなりがちです．　　　　　COPD

- COPDでは右室は肺の血管抵抗に打ち勝つ必要があり，右室肥大が生じます．この右室肥大により_____軸偏位を認めます．I誘導のQRSは下向きの振れが大きくなります．　　　　　右

メモ：COPDでは多源性心房頻拍（multifocal atrial tachycardia：MAT）も認めます．

*甲状腺機能低下症や慢性の収縮性心膜炎でも全体に低電位になります．

肺塞栓症

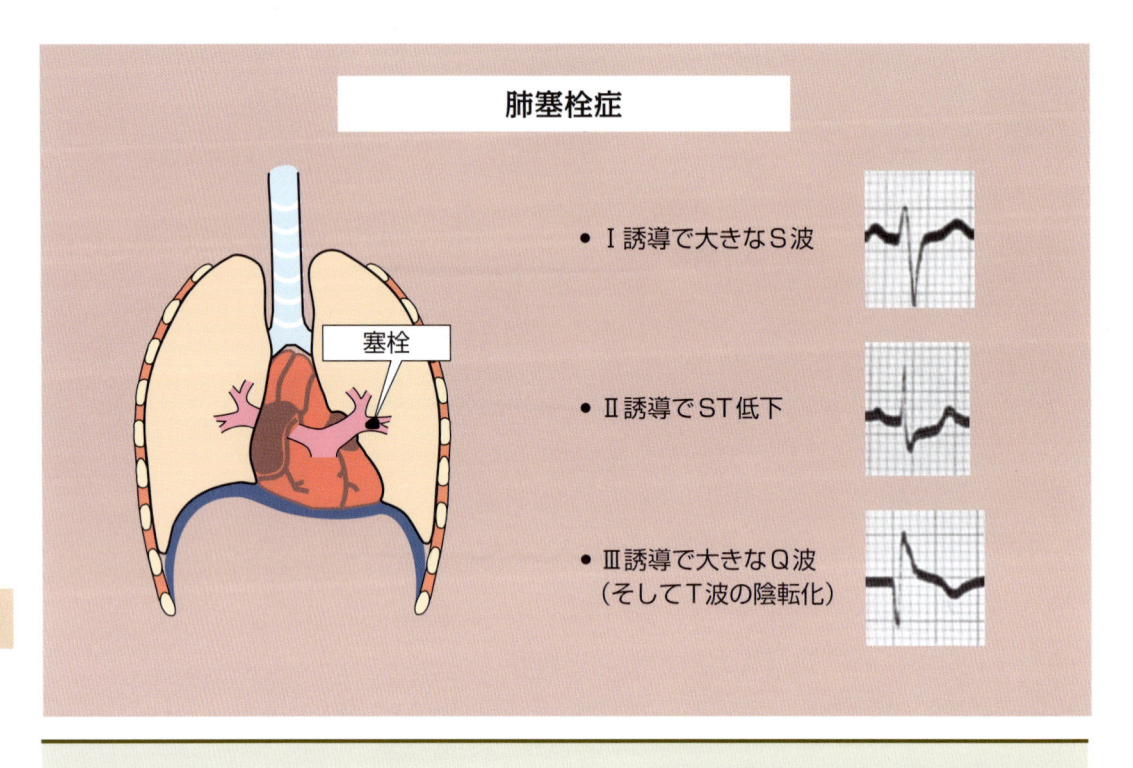

- Ⅰ誘導で大きなS波
- Ⅱ誘導でST低下
- Ⅲ誘導で大きなQ波
  （そしてT波の陰転化）

肺塞栓ではⅠ誘導にS波を，Ⅲ誘導ではQ波と陰性T波を認めます（$S_1Q_3T_3$）．

- $S_1Q_3T_3$は肺塞栓によって生じる急性の肺性心を反映しています．$S_1Q_3T_3$とは，Ⅰ誘導にS波，＿＿＿＿誘導にQ波と陰性T波を認めることです． | Ⅲ

  メモ：肺塞栓では右軸偏位を認めることを忘れないでください．Ⅰ誘導のS波が深くなります．

- 上の図のように，Ⅱ誘導ではST＿＿＿＿を認めることもあります． | 低下

肺塞栓症

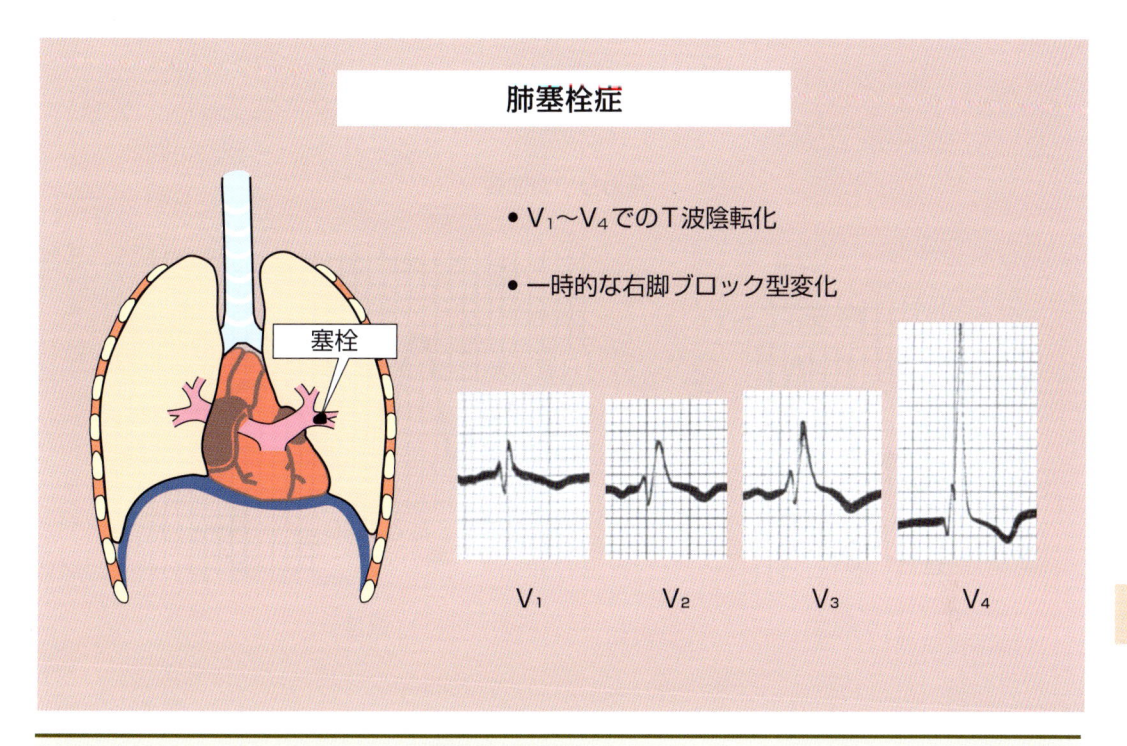

- V₁〜V₄でのT波陰転化
- 一時的な右脚ブロック型変化

肺塞栓ではV₁からV₄あたりまで陰性T波が現れます．しばしば，右脚ブロック型の変化もみられます．

●胸部誘導の陰性T波（V₁からV₄）は肺_____の診断にとても大事です．	塞栓
●肺塞栓は_____脚ブロック型の心電図変化もみられます．これは刺激伝導系の障害による真の右脚ブロックではなく，右室負荷に伴う見かけ上の脚ブロックです．肺塞栓が改善してくれば，心電図変化もある程度もとに戻ります．	右
●右_____誘導ではRR'パターン（右脚ブロック型）を認めます．	胸部

メモ：右脚ブロック型の変化は本物の脚ブロックではありません．せいぜい"不完全"右脚ブロックに近似するにとどまります．QRS幅は正常で，RR'パターンを認めます．

カリウム

高カリウム血症

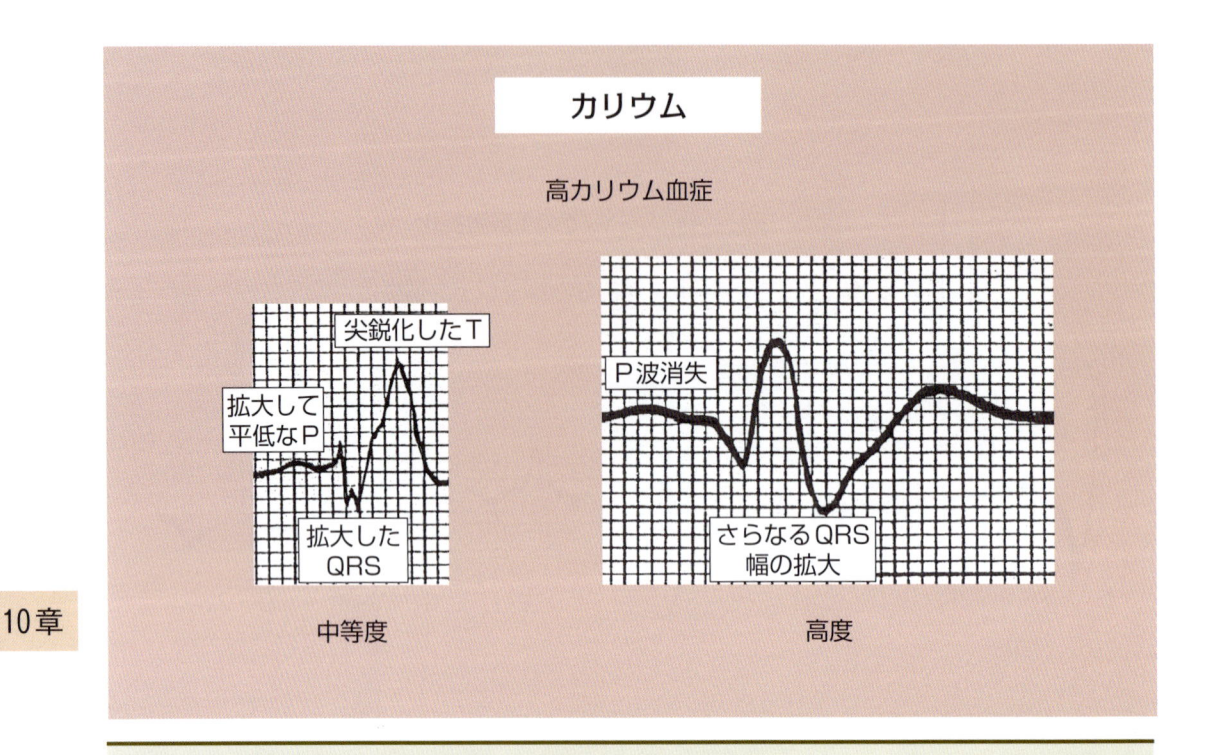

【中等度】
- 拡大して平低なP
- 尖鋭化したT
- 拡大したQRS

【高度】
- P波消失
- さらなるQRS幅の拡大

血清カリウム濃度の上昇に伴ってP波の平低化，QRS幅は拡大し，T波は尖ってきます．

メモ：血清カリウム（K⁺）濃度は心臓の生理学を学ぶときにとても重要です．血清カリウム濃度の正常範囲は比較的せまいものです．血中になんらかの物質が多くなったら，○○血症（-emia）という表現が使われますが，カリウム濃度は正常値を超えるときも下回るときもありますので，より正確に表現するために高カリウム血症と低カリウム血症という言葉を用います．英語では hyperkalemia と hypokalemia と綴り，potassium にかわってカリウムから派生した kalemia といういい方になっています．読み方はハイパーカレーミアとハイポカレーミアです．

- 血清カリウム濃度上昇に伴う特徴的な所見はT波の_____（peaked）です． 　　 **先鋭化（尖ってくること）**

- 血清カリウム濃度が高くなればP波の幅は広がり，高さも低くなります．さらに著しい高カリウム血症では_____波はほとんど見えなくなります． 　　 **P**

- 高カリウム血症になれば心室の脱分極に時間がかかりますから，QRS幅は_____（広がりますか？ 狭くなりますか？）． 　　 **広がります**

カリウム

低カリウム血症

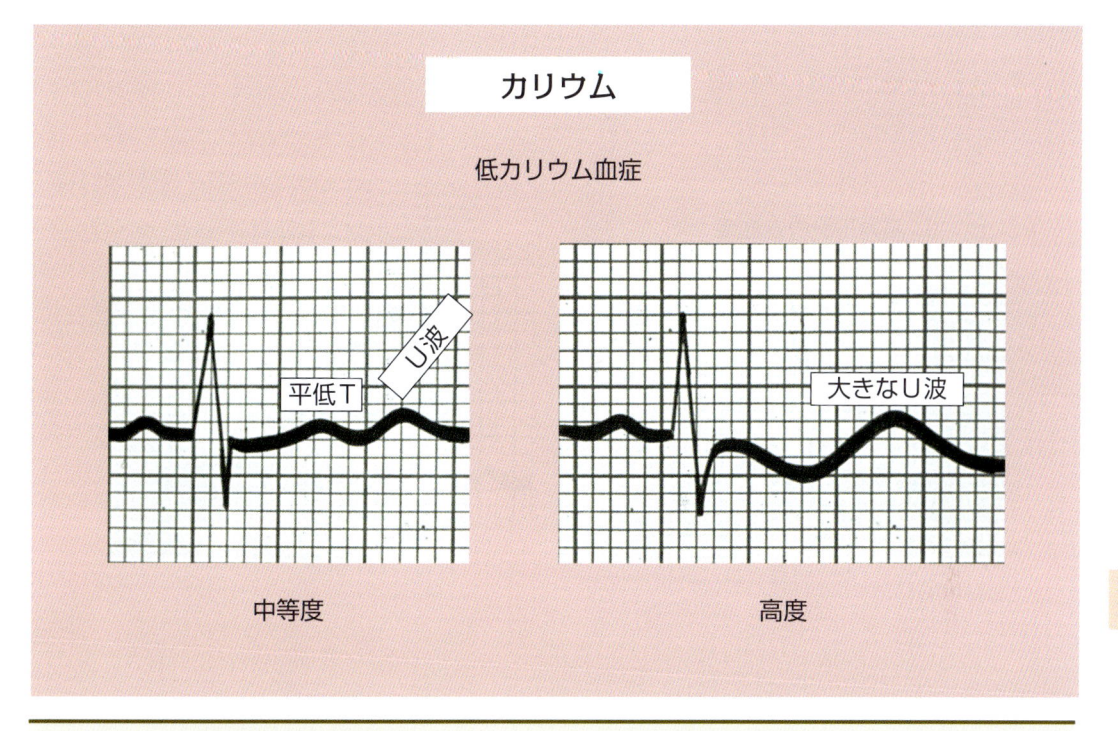

中等度 ／ 高度

平低T ／ U波 ／ 大きなU波

血清カリウム濃度が低下するとT波は平低（ときには陰性）になり，U波も目立ちます．

- 血清カリウム濃度が正常下限を下回るとき低カリウム血症といいます．このとき_____波は平低化し，さらにカリウム濃度が下がれば陰性T波も認めます． 　　**T**

  メモ：T波はカリウムイオンを包みこんでいるテントみたいなものと思ってください．血清カリウム濃度が上昇すればテントは高くなります．逆に血清カリウム濃度が下がればテントは低くなります．

- 低カリウム血症になれば_____波が目立ってきます．カリウム濃度が下がるにつれて，どんどんU波も大きくなります． 　　**U**

  メモ：カリウムイオンは心筋細胞の電気活動に大きな役割をもっています．再分極には欠かせませんし，静止電位の形成にも貢献します．血清カリウム濃度の低下は心室の興奮性を高めます．たとえば低カリウム血症ではTorsades de pointesが生じ，とても危険です．低カリウム血症はジギタリス中毒の発生にも関与します．

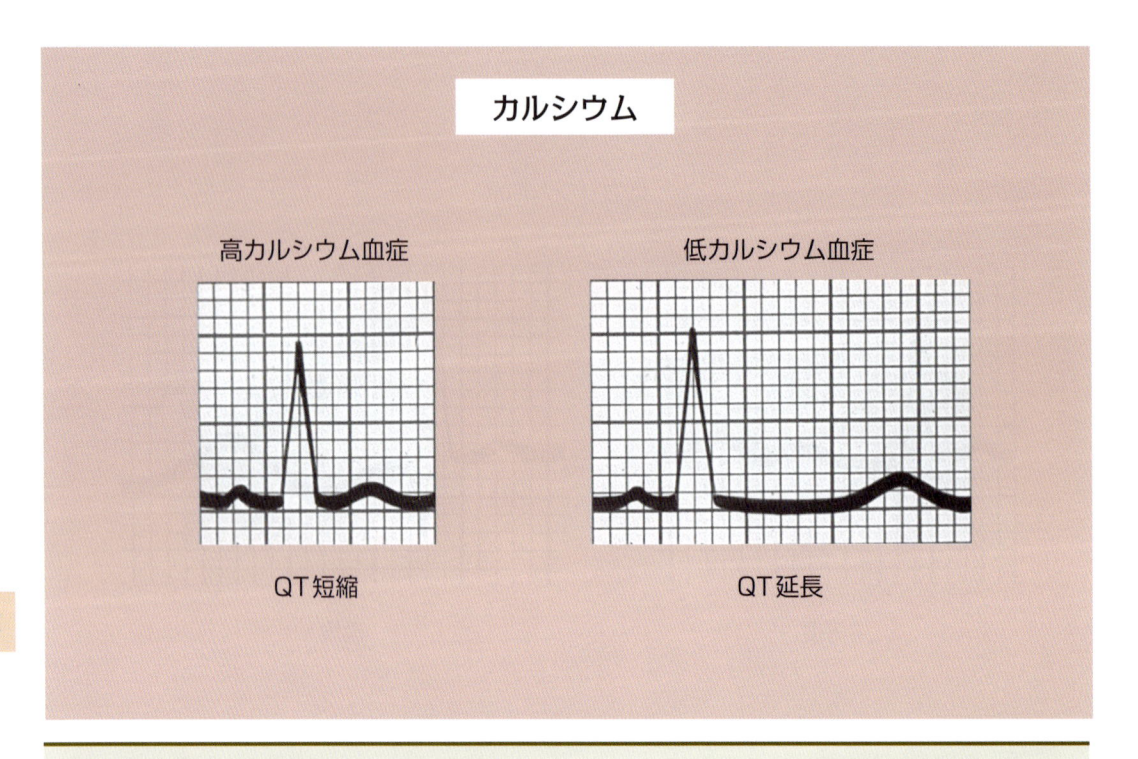

カルシウム

高カルシウム血症　　　　　低カルシウム血症

QT短縮　　　　　　　　　　QT延長

QT 時間は高カルシウム血症（hypercalcemia）では短縮し，低カルシウム血症（hypo-calcemia）では延長します．

メモ：“hyper”と“hypo”の意味はおわかりですか．hyperは“高い”，hypoは“低い”ということです．

●低カルシウム血症は_____時間を延長します．　　　　　　　　　　QT

メモ：QT 時間は QRS の始まりから，T 波の最後までの間隔のことです．正常の QT 時間はRR 間隔の半分より短くなります．

●血清カルシウム濃度の上昇は心室筋の脱分極と再分極を促進します．これはQT_____の短縮を招きます． 　　　　　　　　　　　　　　　　　　時間

第10章　さまざまなECG所見

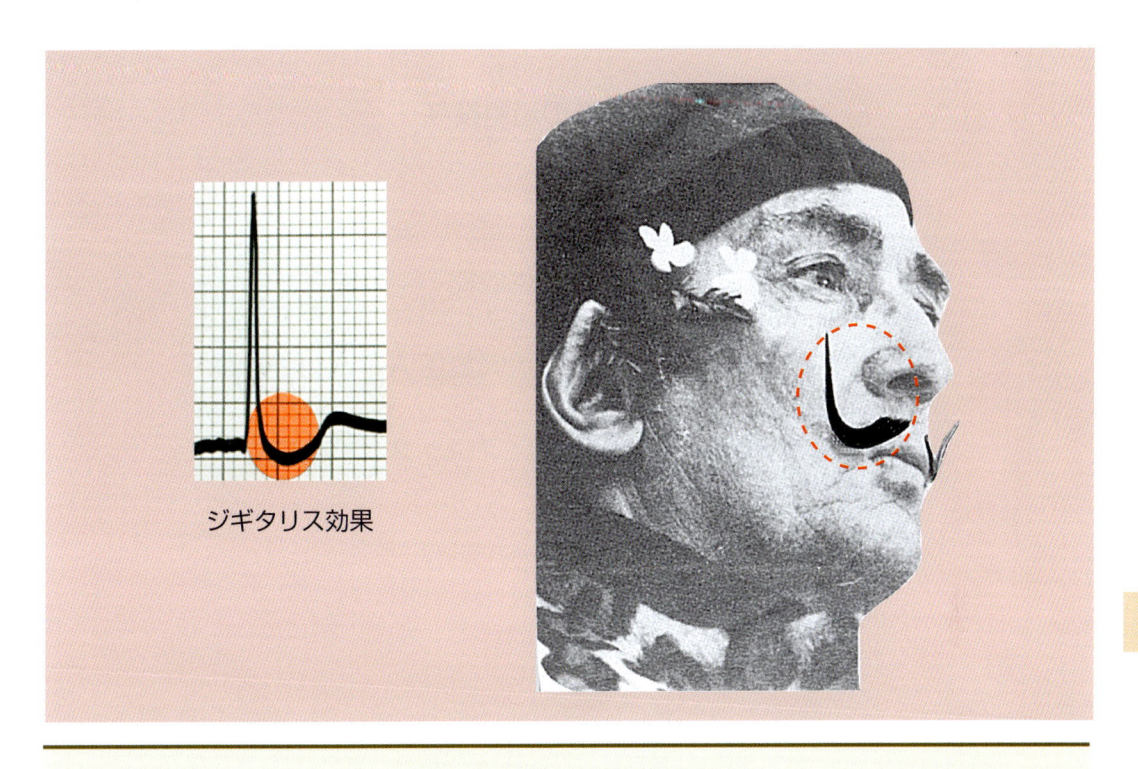

ジギタリス効果

ジギタリスはST部分を盆状に低下させます．サルバドール・ダリSalvador Daliのひげに似ています．ST部分の最下部は基線よりも下方にあります．

●ジギタリスの投与は＿＿＿＿＿部分を盆状に低下させます．この現象をジギタリス効果とよびます．

ST

メモ：典型的なジギタリス効果はS波のない誘導によくみられます．この図では，R波の最後のところがそのままゆるやかにST部分に移行しています．ジギタリス投与中のECGをみたら，この所見がないか注意してください．ジギタリス投与中であってもジギタリス効果を認めないこともあります．

メモ：治療域のジギタリスは少し副交感神経活動を高めます．洞調律ではやや洞結節の発火レートは下がります．房室結節伝導の伝導性も下がりますから，心房や接合部からたくさんの興奮が降りてきても，それらを速やかに通過させることはできません．この現象は心房細動や心房粗動のときのレートコントロールに役立ちます．ジギタリスの治療域は比較的狭く，中毒域ではさまざまな中毒症状が起こります．詳しくは次ページで…．

ジギタリスの過剰投与

- 心房や接合部の期外収縮

- ブロックを伴う心房頻拍(PAT with block)

- 洞停止あるいは洞房ブロック

- 房室ブロック

ジギタリスが過剰なときは房室ブロックが生じます．Ⅰ度AVブロックから完全房室ブロックまで，いろいろです．時には洞停止や洞房ブロックも認めます．

メモ：心房や接合部の自動能もジギタリスに影響を受けます．ジギタリスの濃度が高くなれば心房期外収縮が多くなります．逆に心異常自動能の亢進はジギタリス中毒を示すものです．

● 過剰なジギタリスはときに洞停止や洞房_____をもたらすことがあります． | ブロック

● ジギタリスは房室結節の伝導を遅くします．中毒になれば_____ブロックを引き起こします．心房レートがあがれば，いっそう房室ブロックが目立ちます． | 房室(AV)

● _____の過剰投与は心房や接合部の自動能を亢進させます． | ジギタリス

メモ：低カリウム血症はジギタリス中毒を出現させやすくします．低カリウム血症があれば，ジギタリス濃度が治療域でも中毒症状が生じることがあります．

ジギタリス中毒

- 心房や接合部の頻拍
- PVC
- 心室二段脈や三段脈
- 心室頻拍
- 心室細動

ジギタリスの過剰投与により心房や接合部の自動能が亢進します．さらに高度の中毒になれば心室の自動能がより重篤な不整脈を生じることもあります．

- 心房や接合部のフォーカスはジギタリスの過剰投与に影響を受けます．重篤なジギタリス＿＿＿＿では心室の自動能も亢進しますから，まず心室期外収縮が増加してきます． 　　中毒

- 高度のジギタリス中毒になれば，心室のフォーカスも不安定となります．連続的な発火は重篤な頻脈性＿＿＿＿性不整脈を生じます． 　　心室

メモ：ジギタリスは13世紀あたりから使用されていたそうです．ほかの循環器系薬剤にもいえることですが，高濃度では致死的不整脈を生じます．

キニジンの影響

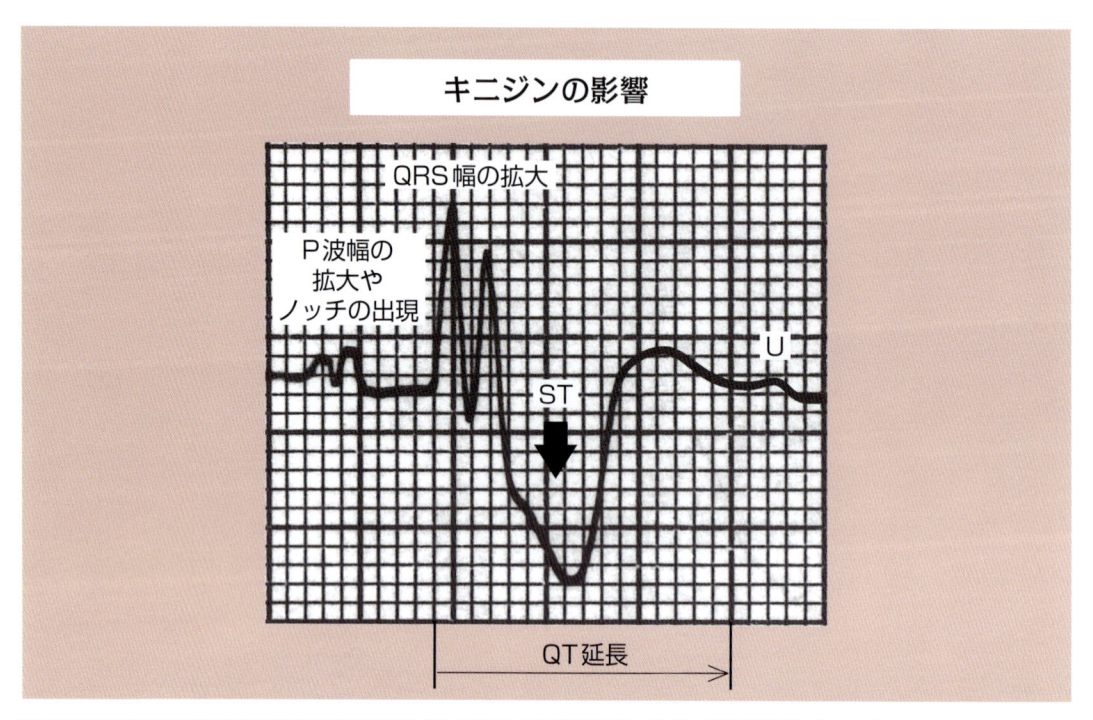

P波幅の拡大やノッチの出現
QRS幅の拡大
ST
U
QT延長

キニジンはP波の幅を拡大しますし，QRSの幅も拡大します．QT延長と，ときにはST低下を認めることもあります．U波も認めることがあります．この図は脚ブロック型の波形ですが，これがキニジン特有の変化というわけではありません．

メモ：キニジンは心房と心室の両方で脱分極と再分極を遅延させます．キニジンによるECG変化はナトリウムチャネルとカリウムチャネルに対する作用によるものです．

● キニジンは_____波の幅を広げ，ノッチを作ります．さらにQRS幅も拡大します． | P

● キニジンは_____時間を延長させます．ST部分を低下させることもあります．U波も見えてきます．U波は刺激伝導系の再分極が遷延したことを意味しているという考え方がありますが，詳しいことはわかりません． | QT

メモ：Torsades de pointes はとても危険な心室不整脈です．キニジン中毒でも生じます（p.158参照）．

人工ペースメーカー

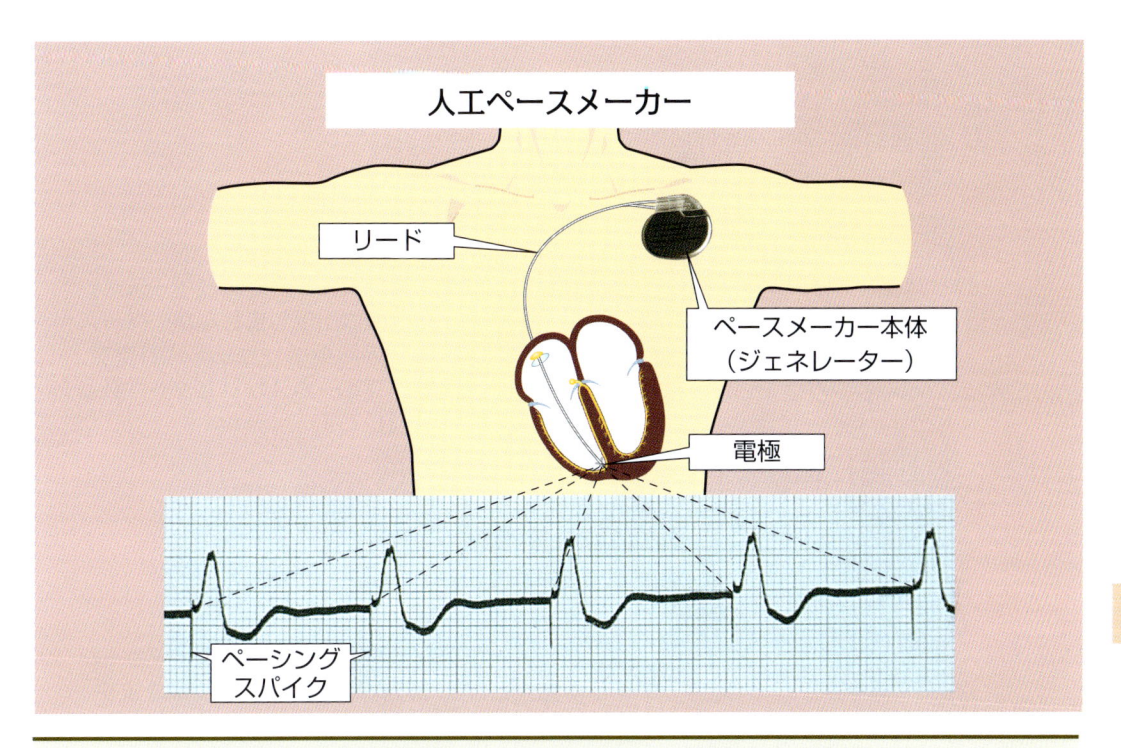

人工ペースメーカーは長寿命のリチウム電池を内蔵した刺激発生装置です．ペースメーカーは心房あるいは心室を刺激します．両方を刺激するペースメーカーもよく用いられます．自発興奮を感知するモードもいろいろ設定できます．

メモ：ペースメーカーとは長期にわたってペーシング可能な機器ですが，体内に植え込みますから普通に生活できます．もともと完全房室ブロックと洞不全症候群の患者さんを対象として開発されてきました．新しい機能をもったペースメーカーも現れています．ここでは，基本的なところだけ説明しておきます．ほとんどの患者さんでは電極リードは経静脈的に挿入され右心系に達します．ときには電極を心臓の外側，つまり心膜に縫いつけることもあります．

● ペースメーカーは規則的なペーシングが可能です．ペーシングスパイクとは＿＿＿＿に現れる細い縦の矩形波のことです． ECG

● ペースメーカーは規則的に電気的な＿＿＿＿を心臓に与えます．それぞれの刺激は電極を経由して心臓を捕捉します．捕捉するとは心筋を興奮させることです．興奮の波は心筋全体に波及します． 刺激

デマンド型ペースメーカー

自発興奮によるQRS
（ペーシングによらないQRS）

早期に自発収縮が生じるとペースメーカーの刺激は出現しませんが，ペースメーカーの周期はリセットされます．自動能のフォーカスがリセットされることと同じです

心休止

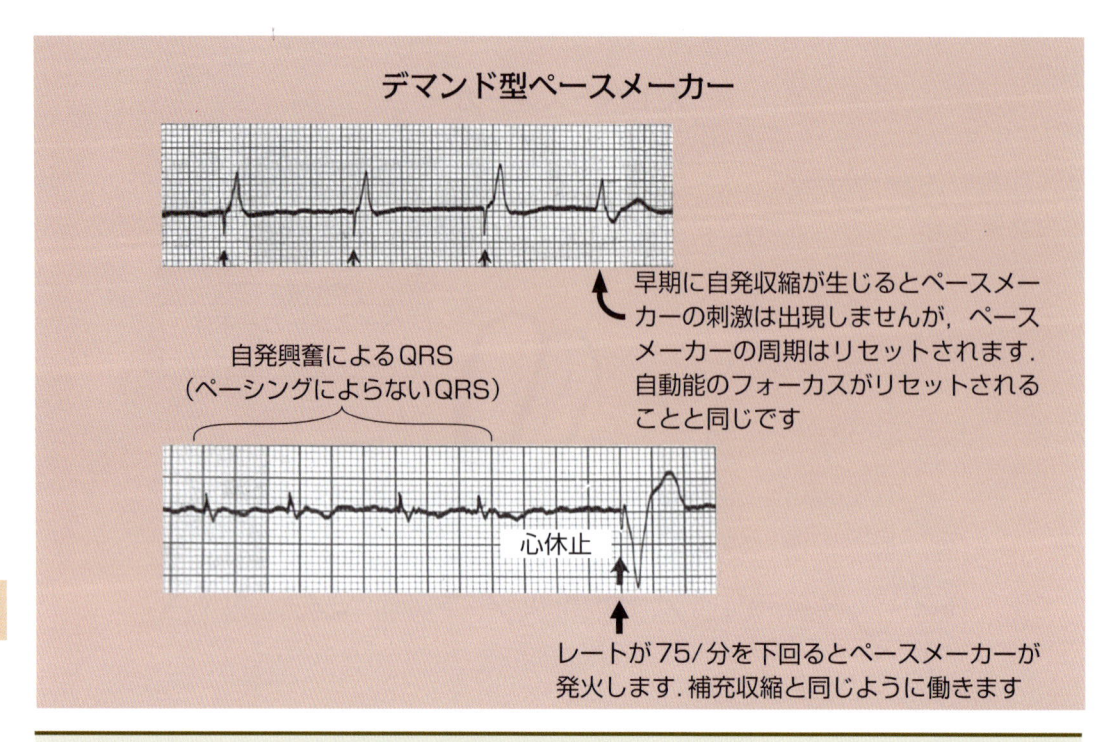

レートが75/分を下回るとペースメーカーが発火します．補充収縮と同じように働きます

> デマンド型とは心臓の自動能に似た機能のことです．なかなかいいアイデアです．デマンド型のペースメーカーは固有のレートに設定されており，洞結節など心臓自体のレートが高いときは抑制されます．

メモ：この図はデマンド型ペースメーカーのECGです．心室リードの電極で心室の興奮を感知し，必要なときに心室を刺激します．

- デマンド型ペースメーカーは洞結節からの興奮によりオーバードライブサプレッションを受けます．洞結節の興奮レートがペースメーカーの設定レートを下回れば，ペースメーカーに対するオーバードライブサプレッションが解消され，設定_____でのペーシングが始まります． 　　　　　レート

- 洞結節が生理的なレートで興奮しているときは（通常，デマンド型ペースメーカーの_____レートより高めですが），デマンド型ペースメーカーはオーバードライブサプレッションによりペーシング刺激は生じません． 　　　　　設定

- デマンド型ペースメーカーは生理的な自動能と同じようにリセットされます．デマンド型ペースメーカーがPVCを感知したら，ペーシング周期を_____ごとにリセットします．この機能により心臓の興奮は途絶えることなく続きます．賢明なエンジニアは心臓特有の生理的な働きに似せてペースメーカーを設計しているのです． 　　　　　PVC

第10章　さまざまなECG所見

心房ペーシング

P波に追従したペーシング

房室順次ペーシング

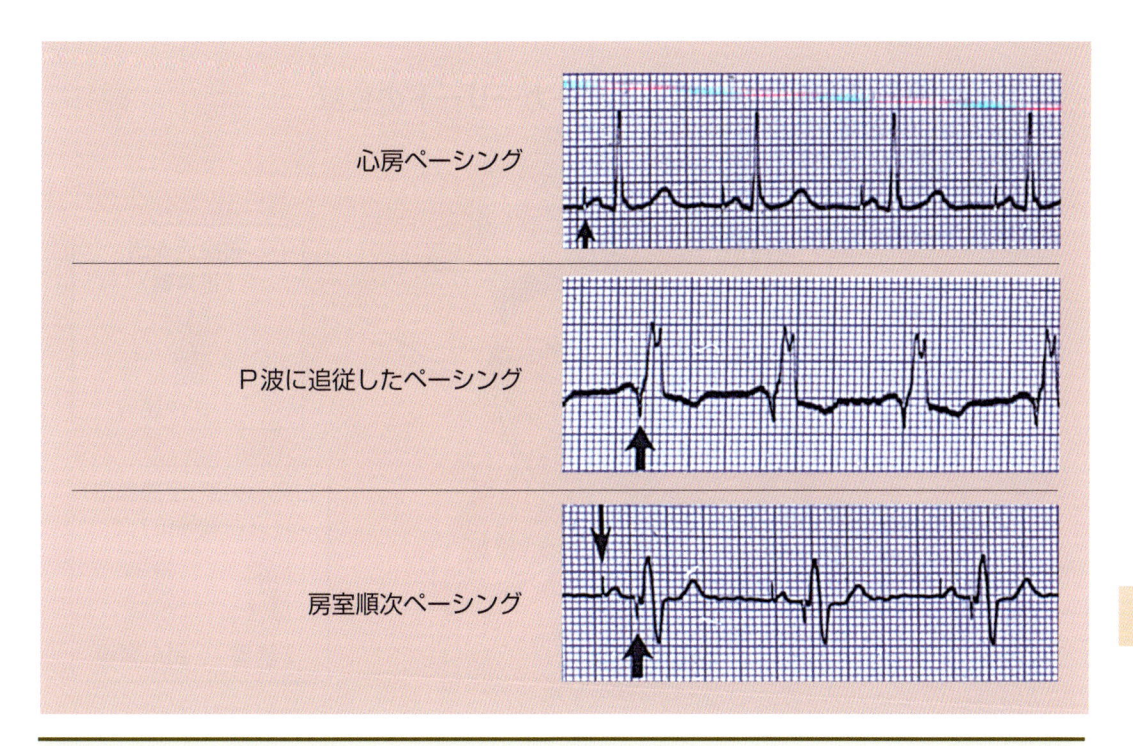

最近のペースメーカーは機能も洗練されてきました．病態に応じてペーシングモードを選択します．

- 洞結節機能の低下では，房室結節と心室の刺激伝導系に障害がなければ心房ペーシングを行います．心房はペースメーカーからの刺激で興奮しますが，心房の興奮は速やかに_____に到達します． | 心室

- 完全房室ブロックがあると洞結節の興奮は心室に達することができず，P波をトリガーとした心室ペーシングが望まれます*．ペースメーカーはまず患者さんの_____波を感知し，少しの時間（このタイミングのズレは房室伝導に要する時間に相当します）をおいて心室を刺激します． | P

- 洞結節機能不全と完全房室ブロックが同時に存在すれば房室順次ペーシング（AV sequential pacing）を行います．心房へのペーシングのあとしばらくして心室に電気刺激を加え，心室を_____（depolarize）させます． | 脱分極

> **メモ**：現在のペースメーカーは技術工学の結晶です．睡眠時には低いレートに，運動時には高いレートになるように細かな気配りをしてくれます．自然な心拍数が得られるように体動を感知してペーシングレートを変化させます．

＊心房同期型（atrial synchronous）とか心房追従型（atrial tracking）という表現も可能です．

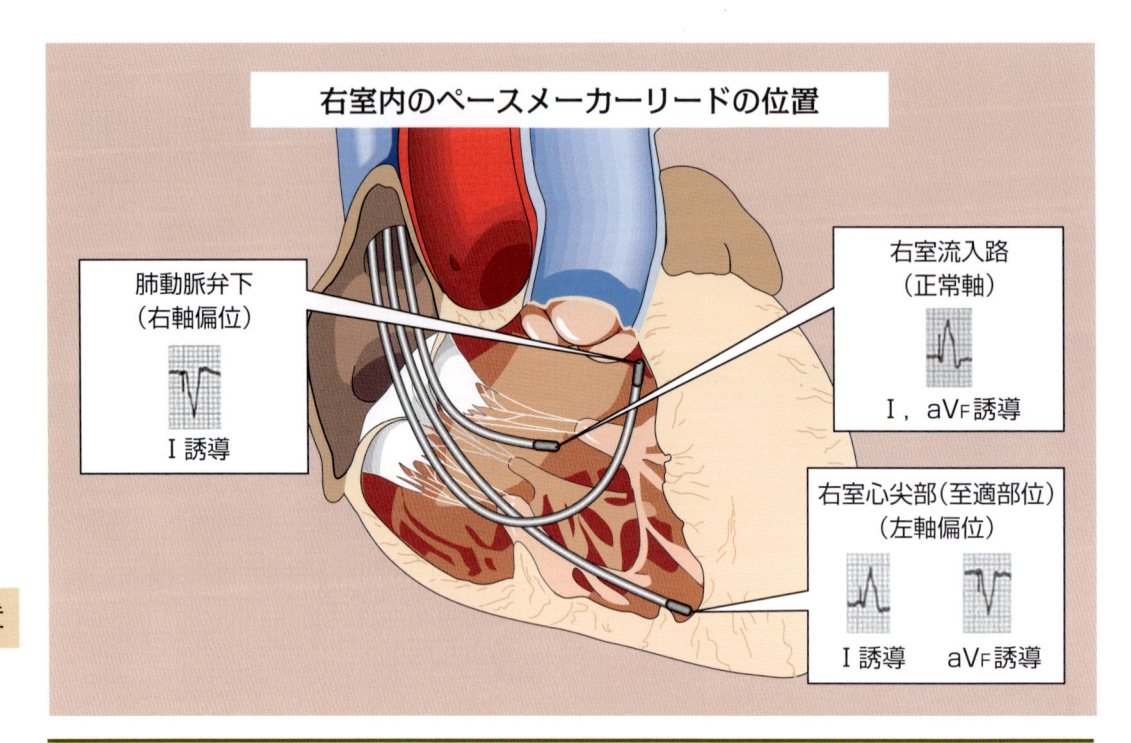

右室内のペースメーカーリードの位置

肺動脈弁下（右軸偏位） Ⅰ誘導

右室流入路（正常軸） Ⅰ，aV_F誘導

右室心尖部（至適部位）（左軸偏位） Ⅰ誘導　aV_F誘導

ペーシングリードの多くは右室に挿入されます．リードの先端は右室心尖部近くに置かれますが，稀にはそれ以外の部位も選択されることがあります．電極先端部からペーシング刺激を発しますが，部位ごとにECGの心室波形は異なります．

メモ：右室にペーシングリードを置くなら，心尖部がベストです．このときのQRSは左脚ブロック，左軸偏位型になります．

● ペーシングによるQRSが左脚ブロック型で正常電気軸なら，電極先端は右_____流入路にあります． 　　室

● もしペーシングによるQRSが左脚ブロック型で右軸偏位なら，_____先端は肺動脈弁の近くにあるでしょう． 　　電極

メモ：広義にはペースメーカーの一種ですが，重症の頻脈性心室不整脈の治療には植え込み型除細動器（implantable cardioverter defibrillator：ICD）という機器を用います．ICDはリズムの不整を検出し，心室頻拍ならオーバードライブ（overdrive：高頻度刺激のことです）やカルディオバージョン（cardioversion：比較的弱いエネルギーでの直流通電です）で治療し，心室細動には除細動を行います．すごい時代になったものです．

第10章　さまざまなECG所見

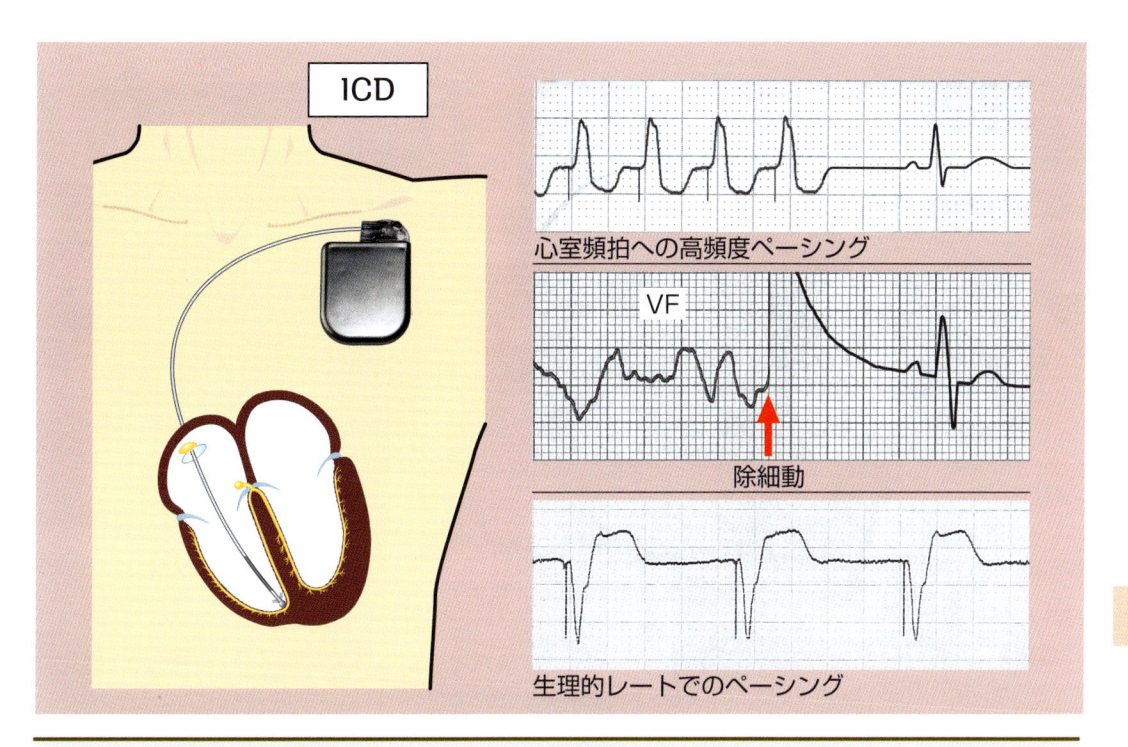

心室頻拍への高頻度ペーシング

VF

除細動

生理的レートでのペーシング

> Implantable cardioverter defibrillator：ICDはさまざまな重症不整脈を即座に解析して治療を行います．複雑なICテクノロジーが集積され，それ自体が単独で作動します．正常な洞調律をシミュレートできるタイプもあります．心室頻拍はオーバードライブを行いますが，頻拍が停止しないときはカルディオバージョンを与えます．心室細動を検出したら除細動のための放電をします．

ICDは頻拍を検出し，必要ならカルディオバージョン（QRSに同期した通電です）が行われます．さらに…

● ICDはどういうタイプの心室頻拍なのか診断できます．解析結果に応じてオーバードライブペーシングを行って頻拍回路を断ち切ります．心室頻拍の多くは興奮がくるくる＿＿＿＿して発生します（興奮旋回／リエントリー）． 　　旋回

ICDが心室細動を検出したら，ただちに除細動が行われます．そして…

● 通電後に洞結節がすぐに十分な心拍数を維持できないときは，ICD自体が必要な＿＿＿＿でペーシングを開始します． 　　レート

メモ：ICDはテクノロジーのかたまりです．

ペーシング スパイク

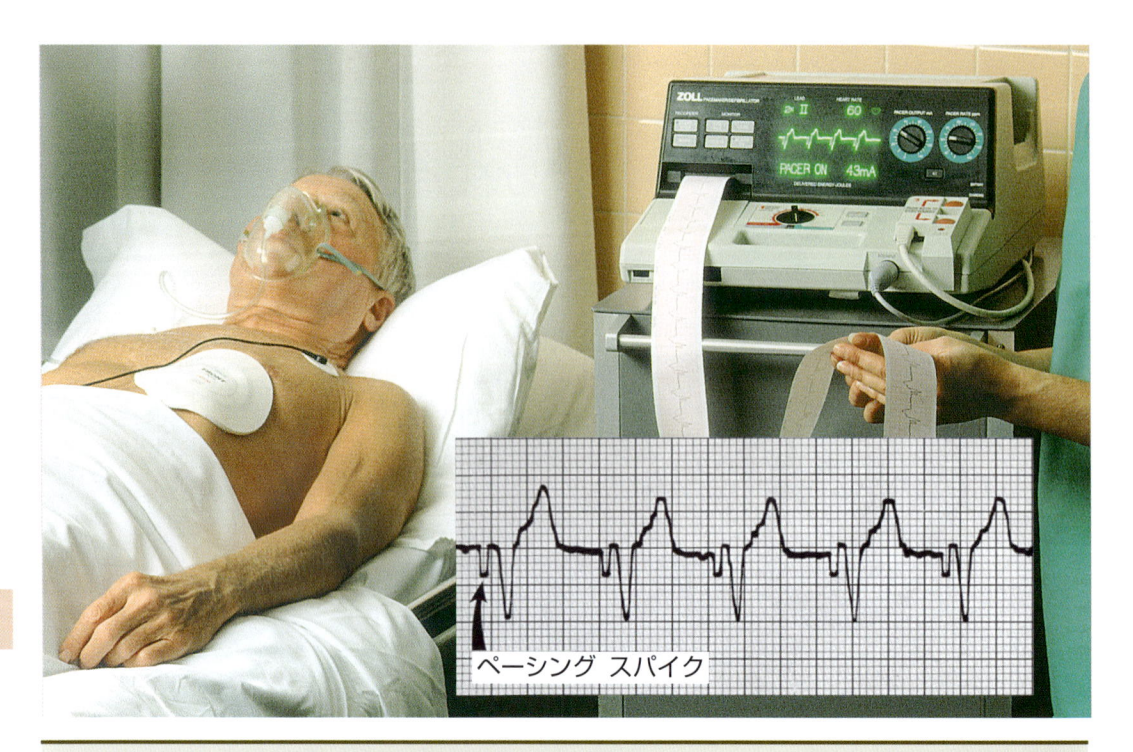

非侵襲的な経皮的ペーシングというのも存在します．急を要するときは経静脈的に電極リードを挿入する余裕はありませんから，体外から胸郭をはさんでペーシング刺激を送ります．

●胸郭から_____的にペーシングできます．患者さんにとって，それほどの苦痛はないそうです．一時的ペーシングとしては，対外式で非侵襲的なペーシングはとても便利です．	経皮
●経皮的ペーシングには経静脈的ペーシングに比べ，刺激パルスの幅は広くなっています．ECGでは経静脈的ペーシングの刺激スパイクはただの線ですが，経皮的ペーシングでは幅のある_____になります．	スパイク

> **メモ**：自動体外式除細動器（automated external defibrillator：AED）は緊急時の除細動に用いる機器で，医療関係者でない人を前提にして作られています．患者さんのECGを判断して致死的不整脈と診断すれば自動的に通電が行われます．AEDは内蔵するコンピュータにより心室細動やレートの高い心室頻拍を正確に診断できます．多くのトライアルと臨床研究で院外心停止にとても有効な治療手段であることが明らかとなっています．p.170もご覧ください．

心臓移植

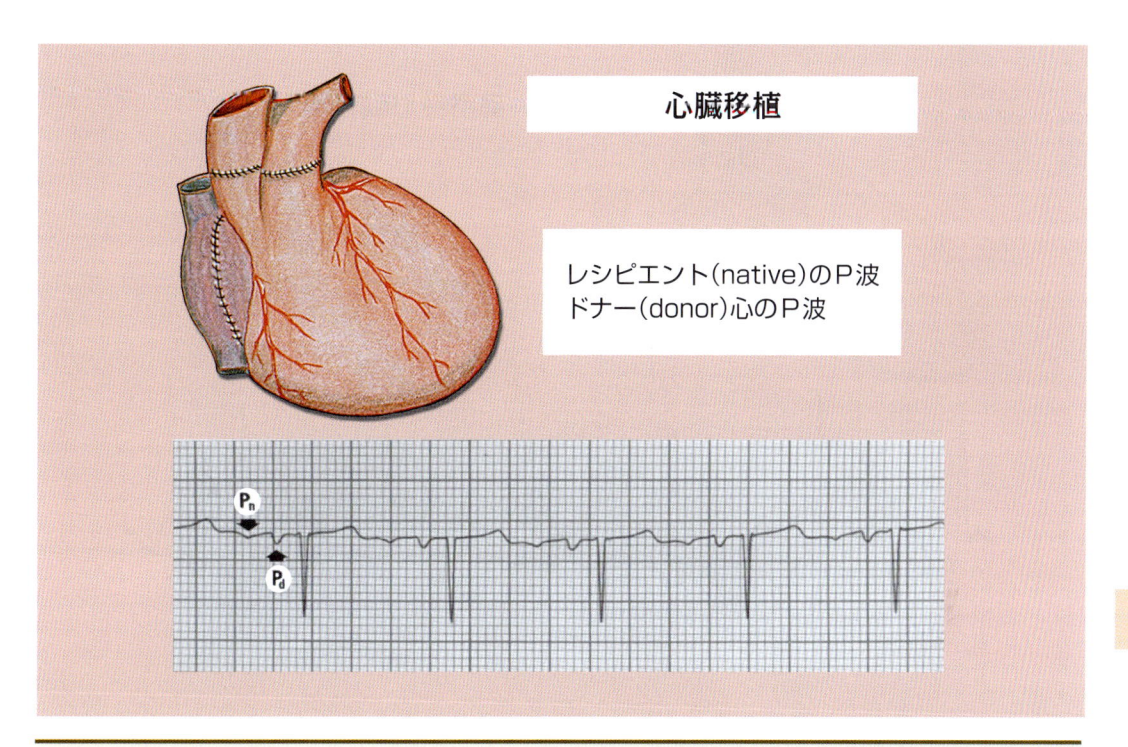

レシピエント(native)のP波
ドナー(donor)心のP波

心臓移植ではレシピエント（移植を受ける患者さん）の心房はそのまま残されます．つまり右房にある洞結節はそのままになっています．さらにドナー（移植心を提供する側）の心房にも洞結節がくっついているので，移植後は2つの洞結節が存在することになります．

メモ：レシピエントの大静脈と心房の一部が残され，移植心の心房と縫合されます．レシピエントの心臓には自分の洞結節が保存されています．ドナー心は縫い代をとるため心房がたくさん残っており，洞結節も含まれています．

- 心臓移植後には2つの洞結節が存在していますから，2種類の_____波を認める可能性があります． | P

- レシピエントの洞結節由来の興奮（P_n）は縫合線を越えることはできませんから，ドナーの_____を興奮させることはできません． | 心房

- 移植後はドナー心の洞結節が主たるペースメーカーとして機能します．ですから，ドナー心のP波（P_d）のあとに_____を認めます． | QRS

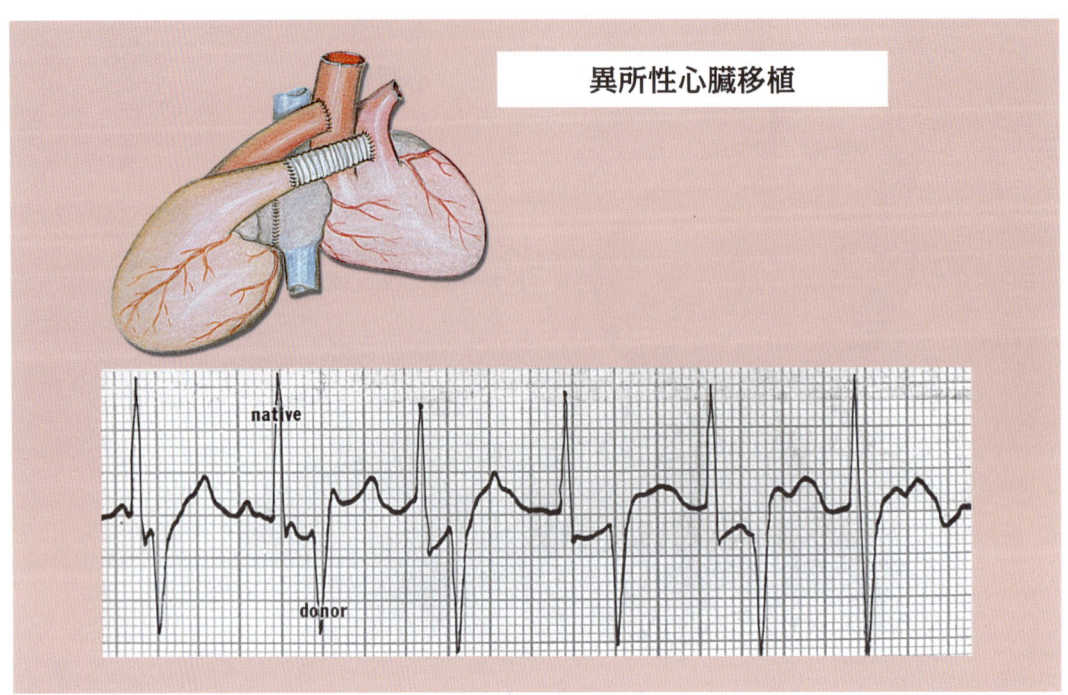

異所性心臓移植

異所性心臓移植とはレシピエントの心臓はそのままにして，ドナー心を補助的なポンプとして追加移植する形態です．急場をしのぐための治療選択です．

● 心不全のときの補助的なポンプとして異所性心臓移植という手段があります．同時に2個の_____が存在します． 　　　　心臓

● ECGには2つの_____の電気現象が反映されます．この手術は緊急避難としての治療です． 　　　　心臓

> **メモ**：医療技術と生体医用工学の大きな進歩を背景にして，いっそう優れた人工心臓の開発が試みられています．しかしどんなに人工心臓の機能が向上しても，効率や安全性の面では人間の心臓に近づくことは容易ではありません．

さて，これで一応おしまいです．楽しんで勉強してもらえたのなら，とても嬉しく思います．いろいろ感想を聞かせてください． 　　　　　　　　著者より

モニター心電図

　12誘導心電図とモニター心電図は基本的には同じ情報をもたらします．ただし，モニター画面に慣れていないと的確な判断ができるかどうかちょっと不安です．いろいろな色調があるでしょうが，背景が黒で波形が輝線で描かれているのが多いようです．電極の位置や基準点の定義も異なりますから，モニター心電図の誘導はスタンダードな誘導とは若干差があります．波形の振幅（高さと深さのことです）は自由に増幅あるいは縮小できますから，遠くからでも視認性が高くなるように設定してください．ただし，自由に大きさを変えられるためボルテージクライテリア（QRSの振幅により肥大などを診断します）は使えません．しかし，モニター心電図は不整脈や虚血の検出が主な目的ですから，支障はないでしょう．慣れてくれば違和感はなくなります．

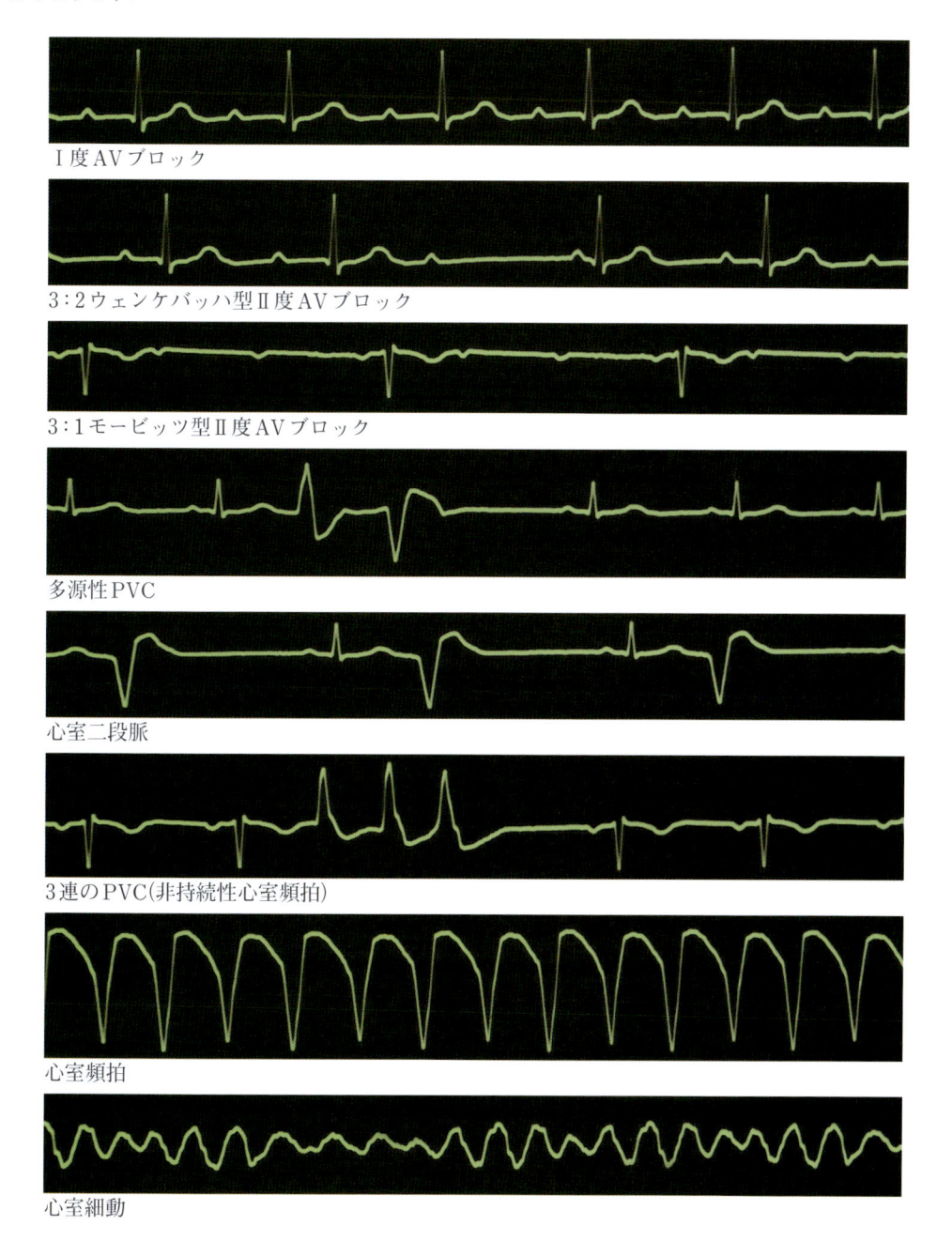

Ⅰ度AVブロック

3：2ウェンケバッハ型Ⅱ度AVブロック

3：1モービッツ型Ⅱ度AVブロック

多源性PVC

心室二段脈

3連のPVC（非持続性心室頻拍）

心室頻拍

心室細動

Personal Quick Reference Sheets

- もしあなたがこの本の持ち主であれば，p.331〜343までを切り離して持ち運んでも便利です．
- でも，コピーによる授受は固く禁じられていますのでご注意ください．本書の内容は著作権によって保護されています．

from: ***Rapid Interpretation of EKG'S***

by

Dale Dubin, MD

Published by:

COVER Publishing Co.,

P.O. Box 07037, Fort Myers,

FL 33919, USA

Personal Quick Reference Sheets
デュービンのECG判読法

1. **心拍数（レート）** (p.65〜96)
   - 徐脈のときは：
     レート＝QRSの数／6秒×10

2. **調律** (p.97〜202)
   基本調律の確認
   期外収縮，心休止，周期の変動，異常波形の検出
   - 確認：QRSの前にP波があるか，P波の後にQRSがあるか
   - 確認：PR時間（房室ブロックの有無）
     QRS幅（脚ブロックの有無）
   - 軸偏位あればヘミブロックの有無

3. **電気軸** (p.203〜242)
   - QRSがⅠ誘導とⅡ誘導で上向きか下向きか（右軸偏位と左軸偏位を決定）
   - 水平面で心臓の回転を判断：胸部誘導の移行帯はどこか（QRSの上下の振幅がほぼ同じ誘導）

4. **肥大** (p.243〜258)
   V_1 をチェック
   - 心房の拡張をP波から推測
   - R波から右室肥大を推測
   - V_1 のS波＋V_5 のR波から左室肥大を推測

5. **心筋梗塞** (p.259〜308)
   すべての誘導で：
   - Q波
   - 陰性T波
   - ST低下とST上昇

   心室のどこに梗塞が生じたかを推測し，同時に冠動脈病変の部位を推測します．

Personal Quick Reference Sheets
心拍数（レート）(p.65〜96)

パッと見てレートを知ります (p.78〜88)

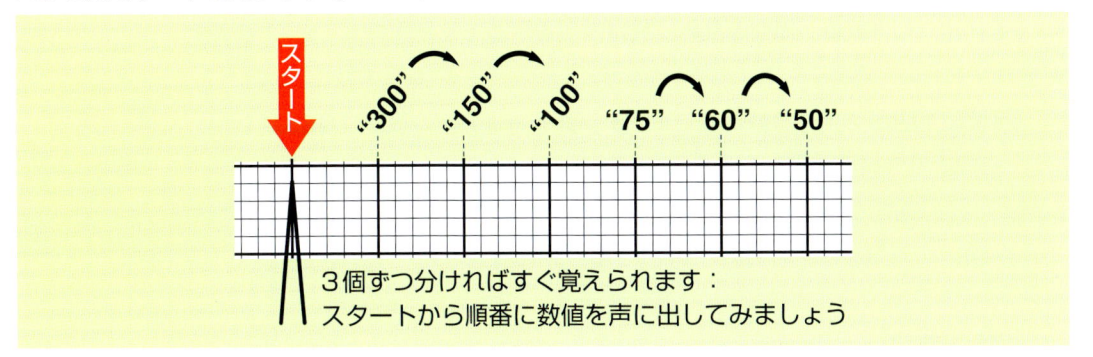

スタート "300" "150" "100" "75" "60" "50"

3個ずつ分ければすぐ覚えられます：
スタートから順番に数値を声に出してみましょう

細いラインと心拍数の関係です：参考までに (p.89)

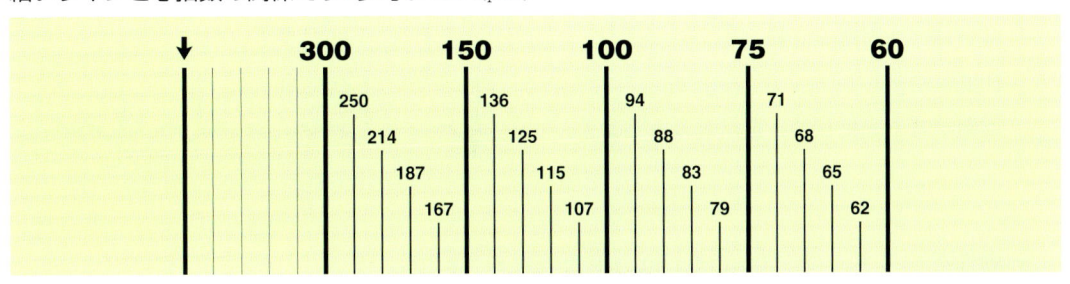

	300		150		100		75		60
		250		136		94		71	
		214		125		88		68	
		187		115		83		65	
		167		107		79		62	

レートを求めるなら： $\dfrac{1500}{\text{RR 間隔 (mm)}} =$ レート

徐脈（低いレート） (p.90〜96)
- レート＝QRSの数/6秒×10
- たとえば2つのQRSのあいだに大きな四角が10個あればレートは30/分です．

洞調律：興奮起源は洞結節です．
　　　　　正常な洞レートは50/分から100/分
- 100/分を超えれば＝洞頻脈 (p.68)
- 50/分を下回れば＝洞徐脈 (p.67)

房室解離のあるときの心房レートと心室レート
- 房室解離：(p.155, p.157, p.186〜189)
洞調律（あるいは異所性の心房調律）のほかに，独立した周期をもつ下位自動能が存在することがあります．それぞれのレートはいくつですか．

不規則な調律：(p.107〜111)
- 不規則な調律（たとえば心房細動）では平均レート（QRSの個数/分×10）を求めましょう．脈拍数も数えてください．

Personal Quick Reference Sheets

調律 (p.97〜111)

★基本調律はなんですか…
　　心休止，期外収縮，周期の乱れ，異常波形を探してください．
★忘れずに：
　　• 確認：QRSの前にP波がありますか，あるいはP波の後ろにQRSは？
　　• 確認：PR時間（房室ブロック）
　　　　　　QRS幅（脚ブロック）
　　• QRSの電気軸は正常範囲？（ヘミブロックの有無）

不規則な調律 (p.107〜111)

洞調律 (p.100)
呼吸に伴う周期の変動
P波形は一定
周期が若干変化しても正常とみなします．

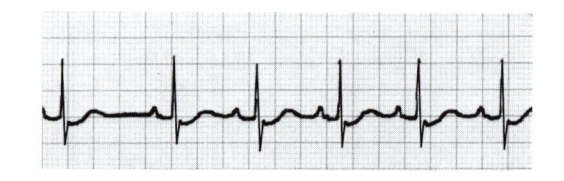

移動性ペースメーカー（wandering pacemaker）(p.108)
不規則な調律
ペースメーカーの移動に伴うP波形の変化
レートは100/分未満

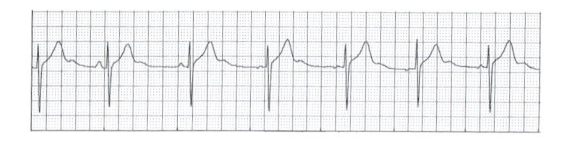

…もしレートが100/分を上回れば
多源性心房頻拍とよばれます (p.109)

心房細動 (p.110, 164〜166)
不規則な心室調律
心房興奮ははっきりした形がありません
P波はありません

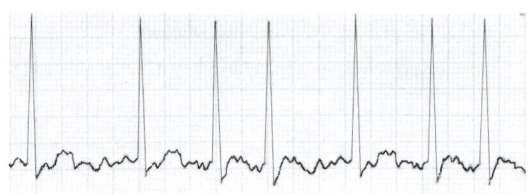

Personal Quick Reference Sheets | 335

Personal Quick Reference Sheets

調律 その2 (p.112～145)

補充調律 (p.112～121) ―心休止が長引かないように

- 洞結節の興奮が心房へ届かないと心休止が生じます（洞停止や洞房ブロック）．下位の自動能から補充収縮が生じます．

ポーズ

(p.119) → 心房補充収縮

(p.120) → 接合部補充収縮 or

(p.121) → 心室補充収縮 or

しかし…
洞結節が再びペースメーカーとして働き出します

- 洞停止や洞房ブロックが長びくと，下位の自動能による補充収縮がペースメーカーの役割を担います．

(p.114)

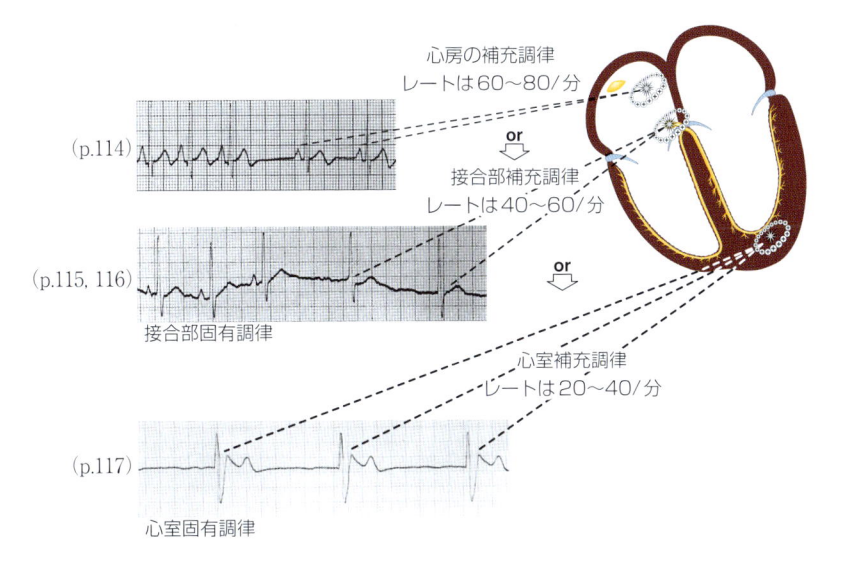

心房の補充調律
レートは60～80/分

or

接合部補充調律
レートは40～60/分

(p.115, 116)
接合部固有調律

or

心室補充調律
レートは20～40/分

(p.117)
心室固有調律

期外収縮 (p.122～145) 興奮性の亢進した自動能フォーカス

- 被刺激性の高まった自動能は周期を乱す発火を生じます．

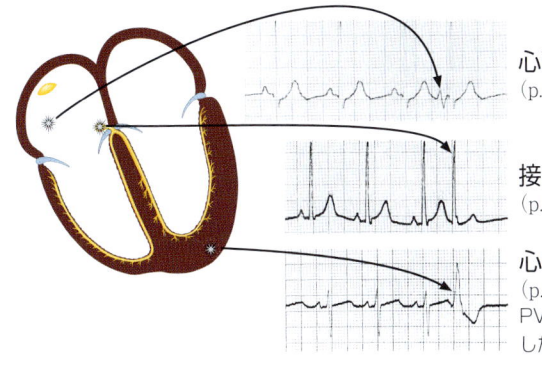

心房期外収縮
(p.124～130)

接合部期外収縮
(p.131～133)

心室期外収縮
(p.134, 135)
PVCは多発したり，多源性だったり，連発したり，二段脈や三段脈にもなります

Personal Quick Reference Sheets

調律 その3（p.146～172）

頻拍（p.146～172）フォーカス＝自動能のフォーカス

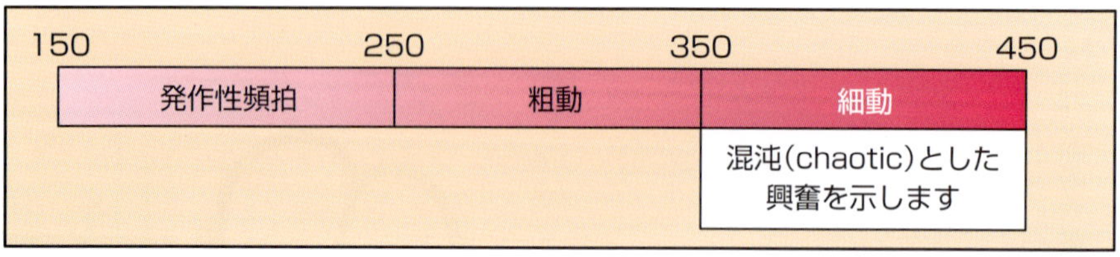

150	250	350	450
発作性頻拍	粗動	細動	
		混沌(chaotic)とした興奮を示します	

発作性頻拍…レートは150～250/分（この範囲のことが多いという意味です）．(p.146～163)

上室頻拍（p.153）

発作性心房頻拍
興奮性の亢進した心房のフォーカスが150～250/分ほどで発火し，P'波のあとにQRSが続きます．(p.149)

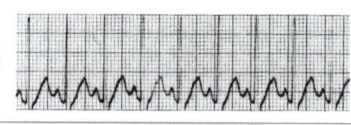

●**PAT with block**
一部のP'波のうしろにQRSが欠落します．(p.150)

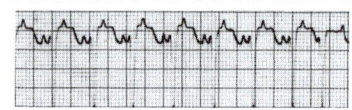

発作性接合部頻拍
接合部で自動能が亢進し，150～250/分ほどのレートです．多くはP波が見えず，QRS-Tのみになります．(p.151～153)

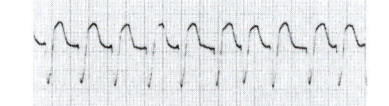

心室頻拍
心室のフォーカス（リエントリーか自動能かメカニズムはいろいろ）がレート150～250/分で幅の拡大したQRSを発生します．(p.154～158)

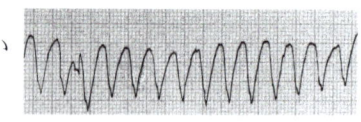

粗動…レート：だいたい250～350/分

心房粗動
鋸歯状の揺れが連続する．多くはリエントリーによる．粗動波2個，あるいは4個にQRS1個を認めることが多くなります．(p.159, 160)

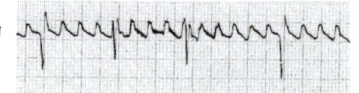

心室粗動(p.161, 162)．Torsades de pointesの項も参照(p.158, 343)
スムーズなサインカーブ状の波形です．比較的一定の振れと周期をしています．通常はやがて心室細動に移行します．

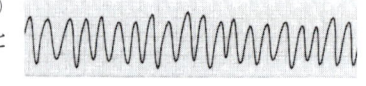

細動…レート350～450/分あたりの乱れた波形です．(p.164～170)

心房細動(p.110, 164～166)
心房に乱れた興奮波が不安的な旋回をしています．どこかにフォーカスがある心房細動もあります．QRSは不規則に出現します．

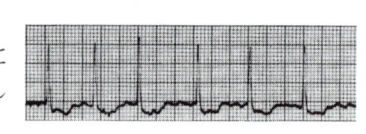

心室細動(p.167～170)
心室に乱れた興奮波が存在します．RR間隔も波形も一定しません．緊急の対処を要します．

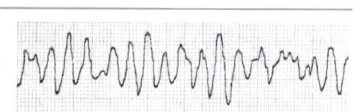

Personal Quick Reference Sheets
調律：ブロック (p.173〜202)

洞房ブロック (p.174)
洞房伝導に障害があるか副交感神経活動が亢進しているときP波を欠くことがあります．

すぐに洞結節からの興奮は心房に届くようになりますが，別の部位から補充収縮が出現することもあります．(p.119〜121)

房室ブロック (p.176〜189)
心房から心室への伝導が遅延あるいは途絶します．

Ⅰ度AVブロック
PR時間延長 (p.176〜178)
PR時間＞0.2秒（大きな四角1個）

Ⅱ度AVブロック
P波のあとのQRSが一部脱落 (p.179〜185)

ウェンケバッハ…PR時間は徐々に延長したのちQRSが脱落します．
(p.180〜182, 184)

モービッツ型…P波のあとのQRSが一部脱落
(p.181〜184) 　PR時間の変化は認めません
QRSの続かないP波が複数連続して見られることもあります．たとえば房室伝導比3：1（P波3個にQRS 1個），あるいはこれより大きな房室伝導比（4：1や5：1）ということもありえます．(p.181)

2：1房室ブロック…モービッツ型もウェンケバッハ型もあります．
(p.182, 183) 　PR時間やQRS幅は参考になりますが，迷走神経刺激に対する反応でも区別できます．

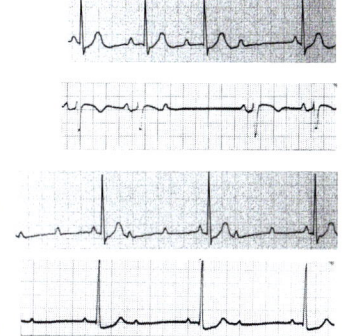

Ⅲ度(完全)AVブロック …P波と対応するQRSがありません．(p.186〜190)

Ⅲ度AVブロック： P波－洞結節起源
(p.188) 　QRS－正常幅で40〜60/分なら接合部調律

Ⅲ度AVブロック： P波－洞結節起源
(p.189) 　QRS－PVCに似て幅が拡大し，20〜40/分なら心室起源

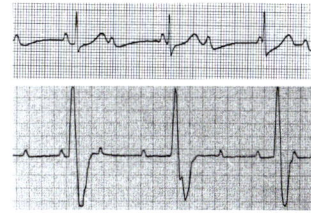

脚ブロック …RR'パターンが右胸部誘導あるいは左胸部誘導にありませんか．(p.191〜202)

右脚ブロック (p.194〜196)
★必ずチェック
● QRSの幅は小さな四角3個分以下ですか？

V₁やV₂のQRS

脚ブロックがあるときは通常の心肥大のクライテリアはあてはめにくくなります．

左脚ブロック (p.194〜197)
V₅やV₆のQRS

注意
左脚ブロックでは心筋梗塞の診断は難しくなります．

ヘミブロック …左脚の前枝あるいは後枝のブロック (p.295〜305)

★必ずチェック
● 電気軸の偏位はありませんか？

前枝ヘミブロック
電気軸は左に向かいます→左軸偏位
Q₁S₃を探してください
(p.297〜299)

後枝ヘミブロック
電気軸は右に向かいます→右軸偏位
S₁Q₃を探してください
(p.300〜302)

Personal Quick Reference Sheets
電気軸 (p.203〜242)

電気軸の決め方 (p.203〜231)

Ⅰ誘導とⅡ誘導でQRSが陽性か陰性か？

電気軸は正常？ (p.227)

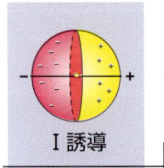

Ⅰ誘導

Ⅰ誘導のQRS (p.215〜222)
…QRSが陽性側（主に上むき）ならベクトルは被検者の左側を向いています．

正常：QRSはⅠ誘導とⅡ誘導で上向き

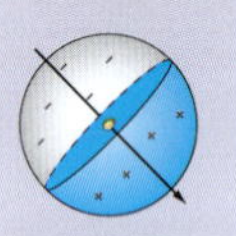

Ⅱ誘導

Ⅱ誘導のQRS (p.223〜226)
…QRSが陽性側（主に上向き）ならベクトルは被検者の左下側を向いています．

電気軸を4つに分けます． (p.214〜231)

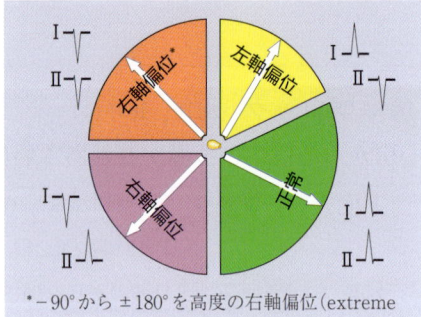

* −90°から±180°を高度の右軸偏位 (extreme RAD) と表現されることもあります

電気軸について (p.233, 234) 前額面

軸偏位がありそうなら，等電位の誘導がどこかさがします．

高度の右軸偏位

等電位性QRS	電気軸
Ⅰ	−90°
aVL	−120°
Ⅲ	−150°
aVF	−180°

左軸偏位

等電位性QRS	電気軸
Ⅰ	−90°
aVR	−60°
Ⅱ	−30°

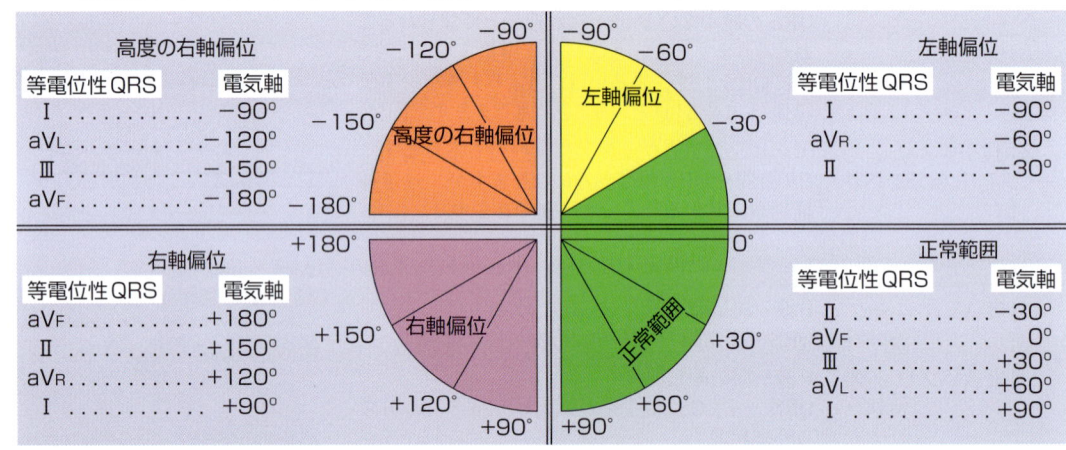

右軸偏位

等電位性QRS	電気軸
aVF	+180°
Ⅱ	+150°
aVR	+120°
Ⅰ	+90°

正常範囲

等電位性QRS	電気軸
Ⅱ	−30°
aVF	0°
Ⅲ	+30°
aVL	+60°
Ⅰ	+90°

水平面での電気軸の回転（ローテーション）(p.236〜242)

"胸部"誘導で等電位のQRSを探してください．

移行帯のQRSは"等電位"です

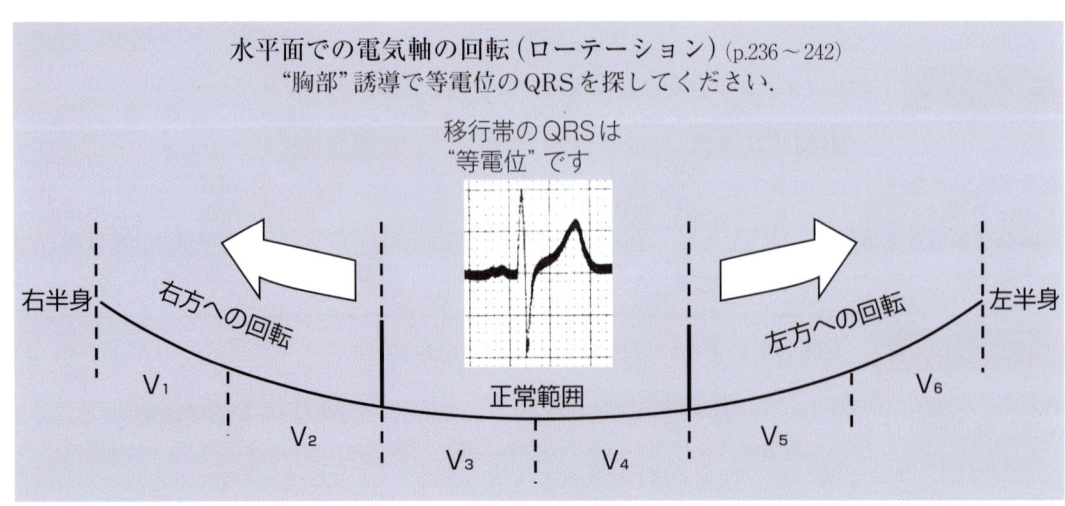

右半身 ← 右方への回転　　　左方への回転 → 左半身

V₁　V₂　V₃　正常範囲　V₄　V₅　V₆

Personal Quick Reference Sheets

肥大（p.243〜258）

心房拡大（p.245〜249）

右房拡大（p.248）
- 大きな二相性のP波．前半成分（initial component）の波高が高いです．

前半成分

左房拡大（p.249）
- 大きな二相性のP波．後半成分（terminal component）が幅広いです．

後半成分

心室拡大（p.250〜258）

右室肥大（p.250〜252）
- V_1のR波がS波より大きいですが，V_1からV_6にかけてR波の増強はわずかです．
- V_5とV_6にS波を認めます．
- QRS幅がやや拡大傾向にあり，右軸偏位
- 水平面では反時計軸回転

左室肥大（p.253〜257）

$$\frac{V_1 のS波（mm）+V_5 のR波（mm）}{} > 35mm$$ のとき左室肥大（ただし，電位のみのクライテリアは偽陽性が多くなります）

- QRS幅はやや拡大するが，基本的に左軸偏位は生じません．
- 水平面で時計軸回転

陰性T波の下降部分の傾きは緩やかで，上向き部分の傾きは急です．

Personal Quick Reference Sheets

梗塞 (p.259〜308)

Q波 = 壊死 (ただし異常Q波のみ) (p.272〜284)

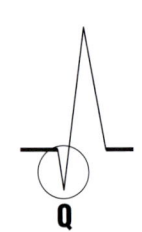

- 幅は1mm (小さな四角1個 = 0.04秒) 以上．QRSの振幅の1/3以上の深さ．
- 異常Q波 (ただし aVR 誘導は除きます) を認める誘導から梗塞領域，および閉塞した冠動脈を推測します．

ST上昇 = (急性) 傷害 (p.266〜271) (ときにST低下も同じ意味をもつ)

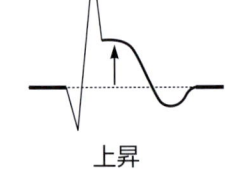

- ST部分が経時的に変化．正常に復帰することもあります．
- ST上昇と異常Q波の両方を認めたら急性心筋梗塞 (acute MI) や最近の心筋梗塞 (recent MI)
- 非Q波梗塞ではST上昇はあっても異常Q波を認めません．ST上昇の誘導から梗塞領域を推測します (次ページ)．
- 持続的なST低下は心内膜下梗塞を示唆します．非Q波梗塞と部分的には重なる概念です．ST低下の誘導から梗塞領域をある程度推測できます (次ページ)．

上昇

陰性T波 = 虚血 (p.264, 265)

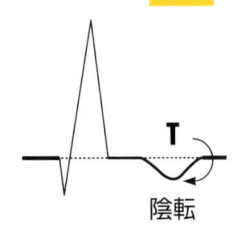

- 虚血による陰性T波は左右対称です．正常ならR波とT波の向きは同じですが，陰性T波では逆になっています．
- 陰性T波とともに異常Q波やST上昇を認めることもよくあります．
- 陰性T波は梗塞には至っていない虚血でも生じます．陰性T波を認める誘導から冠動脈狭窄の部分を推測します．

陰転

メモ：可能なら以前のECGと比較することが大事です．

Personal Quick Reference Sheets | 341

Personal Quick Reference Sheets

梗塞部位と冠動脈病変 (p.259〜308)

冠動脈の解剖 (p.291)

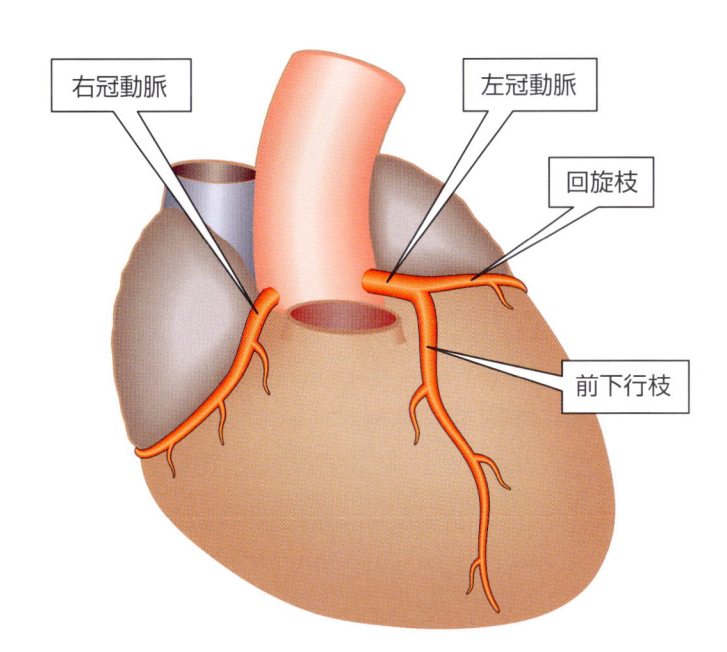

- 右冠動脈
- 左冠動脈
- 回旋枝
- 前下行枝

梗塞部位/責任冠動脈 (p.278〜294)

後壁梗塞
- V_1 と V_2 に大きな R 波と ST 低下
- 鏡像テストやさかさま透過テスト
（右冠動脈）
(p.282〜286, 293)

側壁梗塞
- 側壁誘導の I と aV_L に Q 波
（回旋枝）
(p.280, 292)

下壁梗塞
- 下壁誘導の II，III，aV_F に Q 波
（右冠動脈も左冠動脈も可能性あり）
(p.281, 294)

前壁梗塞
- V_1, V_2, V_3, あるいは V_4 に Q 波
（前下行枝）
(p.278, 292)

Copyright © 2000 COVER Inc.

Personal Quick Reference Sheets
その他の病態 (p.309〜328)

肺塞栓 (p.312, 313)

- $S_1Q_3T_3$ — I 誘導の幅広い S 波, III 誘導に大きな Q 波と陰性 T 波
- 新たに出現した右脚ブロック型変化 (一過性, 不完全右脚ブロックに近いものです)
- 右軸偏位と反時計軸回転
- V_1 から V_4 の陰性 T 波, II 誘導の ST 低下

人工ペースメーカー (p.321〜326)

ペースメーカーはセンシング機能をもっています．必要に応じ周期的なペーシングを行います．ペーシング刺激は小さな縦のスパイクとして ECG に現れます．心房や心室を捕捉していれば，P 波や QRS の直前にスパイクが見られます．

デマンド型ペースメーカー (p.322)
- 自己調律の停止や著明な徐脈化に応じてペースメーカーがペーシングを開始します．

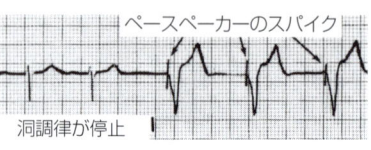

　　ペースメーカーのスパイク
　　洞調律が停止

- 自己調律が一定のレートを維持できていればペーシングは行われません．

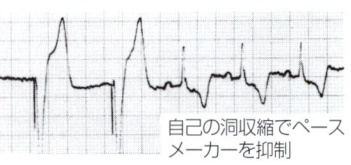

　　自己の洞収縮でペースメーカーを抑制

- 期外収縮が生じたら，設定された周期に復帰すべくリセットが行われます．

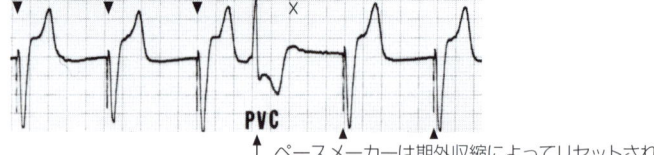

　　PVC がペースメーカーを抑制します．しかし…
　　↑PVC　ペースメーカーは期外収縮によってリセットされます

ペースメーカーのモード

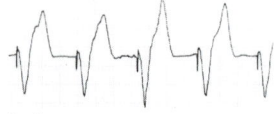

心室ペースメーカー (p.323)
（右室に電極）

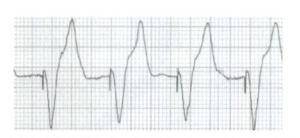

非同期型心表面ペーシング
心室ペーシングは心房興奮とは独立している

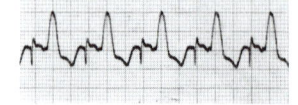

心房ペーシング (p.323)

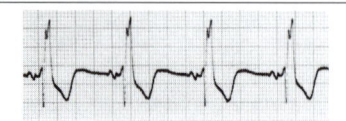

心房同期型ペーシング (p.323)
P 波をセンスして，一定の時間の後に心室ペーシングが行われます．

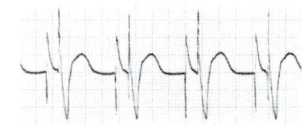

房室順次ペーシング (p.323)

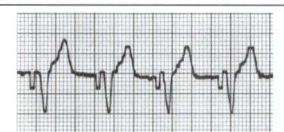

体外式非侵襲的ペースメーカー (p.326)

Personal Quick Reference Sheets
その他の病態

電解質

カリウム (p.314, 315)

　高カリウム血症 (p.314)

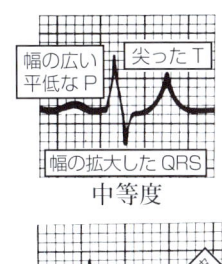

　　　幅の広い平低なP　　尖ったT　　P波はみえません
　　　幅の拡大したQRS　　　　　　　QRS幅の拡大
　　　　　中等度 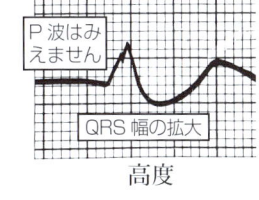　　　　　　　　　　高度

　低カリウム血症 (p.315)

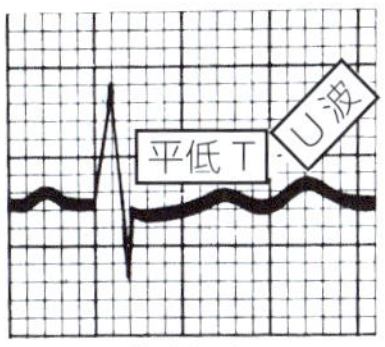

　　　平低T　U波　　　　　　大きなU波
　　　　　中等度 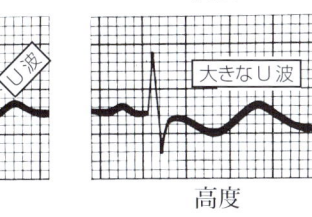　　　　　　　　　　高度

カルシウム (p.316)

　　　高カルシウム血症　　低カルシウム血症 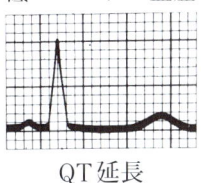
　　　　QT短縮　　　　　　QT延長

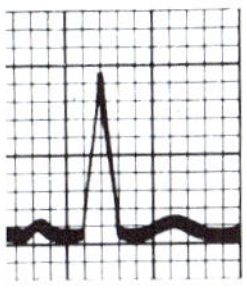

ジギタリス (p.317〜319)

ジギタリス投与中のECG（ジギタリス効果）
- ダリの髭を思い出してください．
- ST低下や陰性T波
- QT時間短縮傾向

STは盆状に低下

ジギタリス過剰投与（さまざまなブロック）　→　ジギタリス中毒（興奮性の亢進）
- 洞房ブロック
- PAT with block
- 房室ブロック
- 完全房室ブロックによる房室解離

- 心房細動
- 接合部頻拍や心室頻拍
- PVCの多発
- 心室細動

キニジン (p.320)

- キニジン投与中のECG変化 (p.320)

キニジンの影響
QRS幅の拡大
副広く二峰化したP　ST低下　U波
QT延長

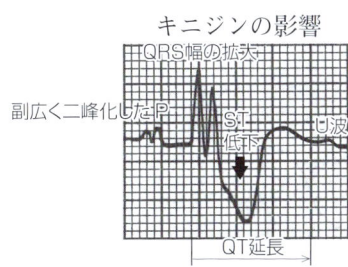

- キニジンを含めカリウムチャネル遮断作用のある抗不整脈薬，つまりQT延長作用のある薬剤はTorsades de pointesを発生させやすくします．ことに低カリウム血症のときは，この催不整脈作用が生じやすくなります． (p.158)

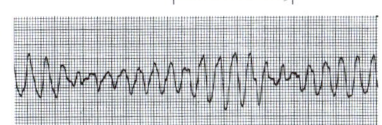

Torsades de pointes

さまざまなECG

　いくつかのECGを判読してみます．解答ものっていますから，これまで学んできたことをどう活かすのか練習してみましょう．順序正しい判読をマスターすることが大事です．これができるようになれば，判読の力はかなりのものです．

29歳の男性．不定愁訴が多く，心気症気味．

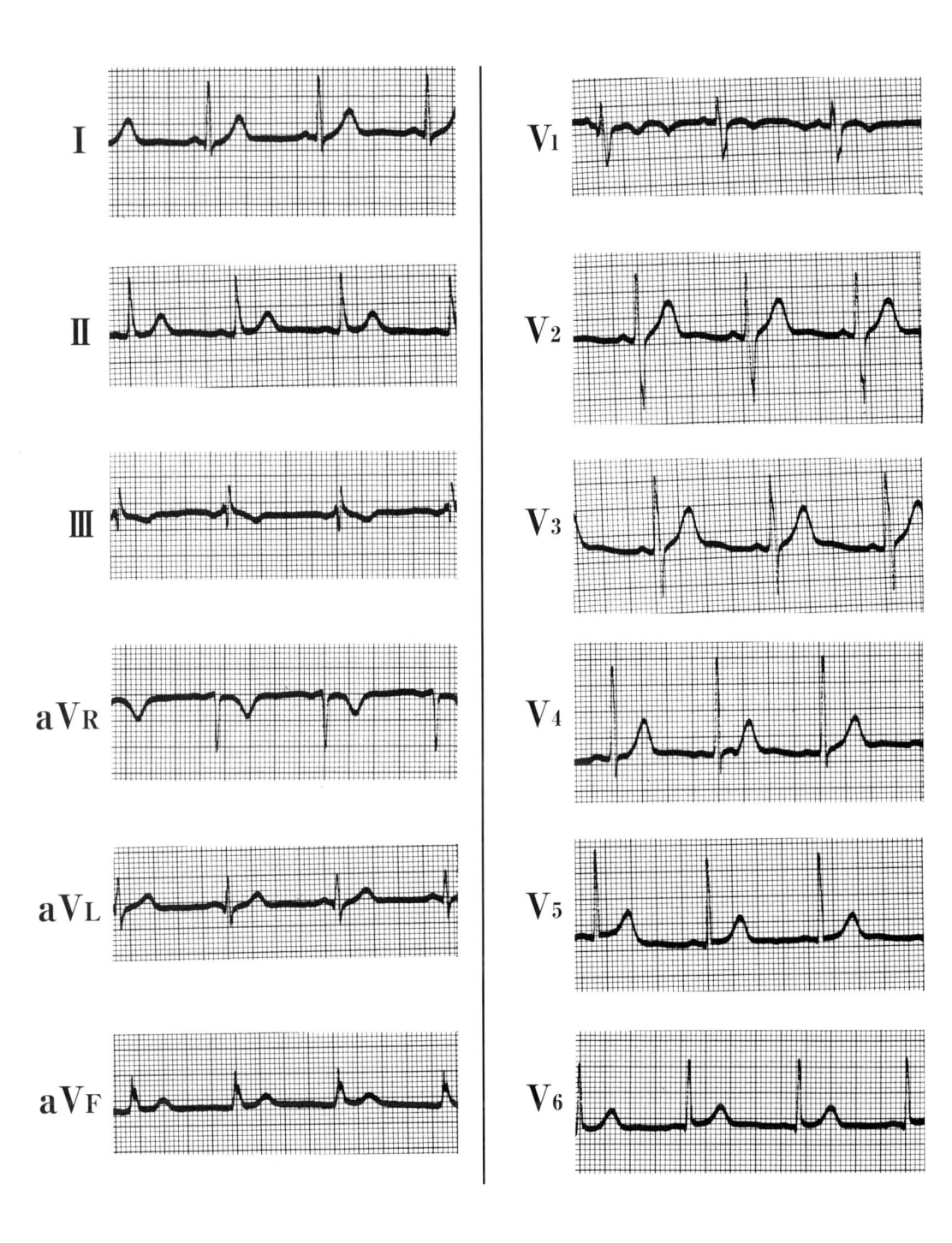

ECG診断

レート：　　およそ70/分

調　律：　　洞調律
　　　　　　PR時間＜0.2秒（房室ブロックなし）
　　　　　　QRS幅＜0.12秒（脚ブロックなし）
　　　　　　しかし，Ⅲ誘導ではRR'パターンを認めます．

電気軸：　　正常範囲（＋30°）
　　　　　　水平面では反時計方向回転

肥　大：　　心房拡大なし
　　　　　　心室肥大なし

虚　血：　　異常Q波なし
　　　　　　ST部分：V_5とV_6に1/2mmの上昇のみ．"早期再分極*"と思われます．

T　波：　　原則として上向き

コメント：　　正常なECGです．ちなみに原著者から記録したECGです．もう29歳ではありませんが．

---

* 早期再分極では胸部誘導を中心にST上昇を認めます．反時計方向回転を伴うこともあります．生理的で正常な所見です．比較的，若年者に多くみられます．

348 | さまざまなECG

　2ページ前の同じく原著者のECGです．30年後に記録しました．25年にわたって，やや血圧が高めになることもありました．以前のECGとは変化しているのがわかります．

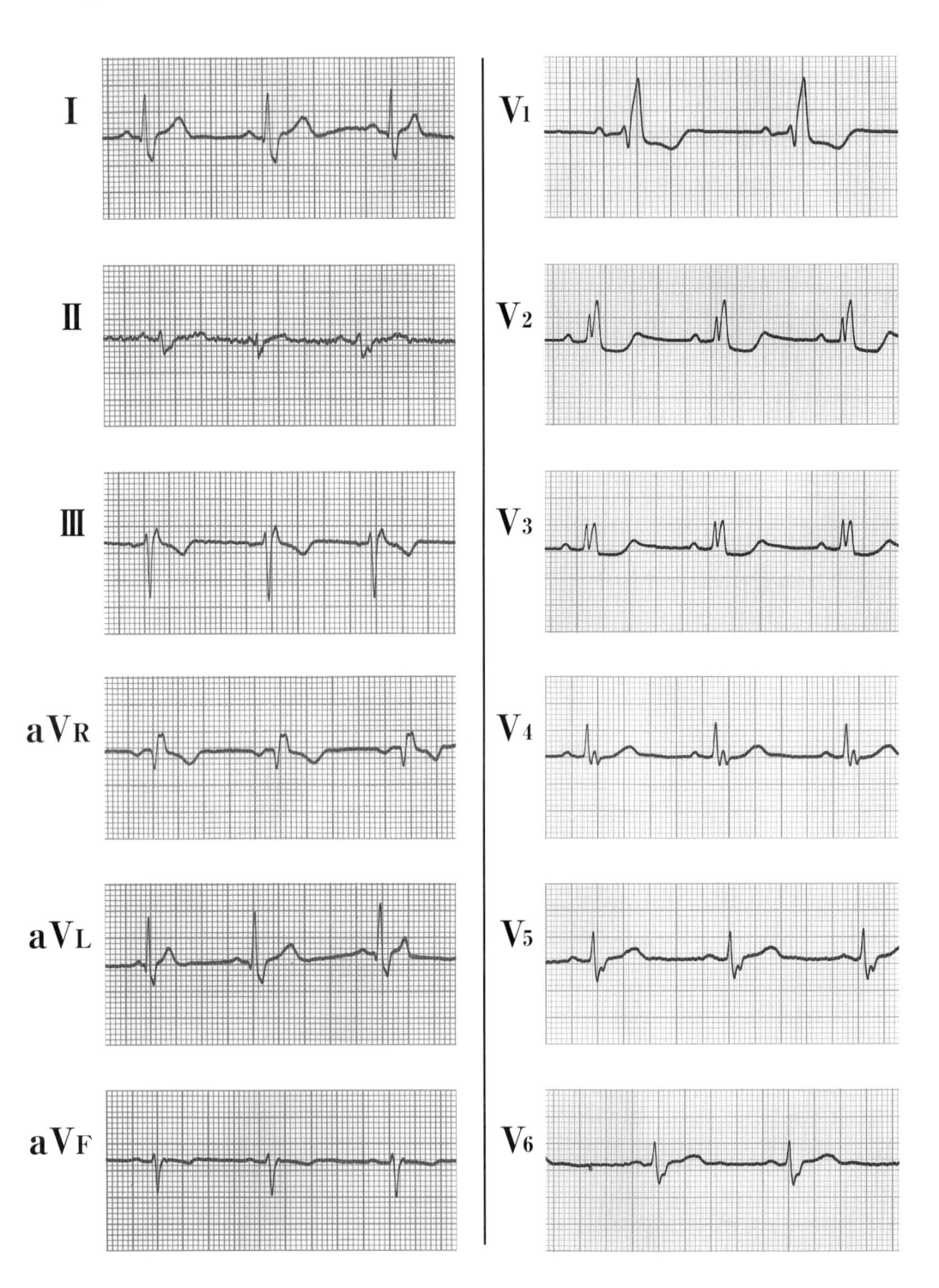

ECG診断

レート： 58/分

調律： 洞調律
PR時間＜0.2秒（房室ブロックなし）
QRS幅＞0.12秒　脚ブロックあり
V_1とV_2でRR'パターンとなっており、右脚ブロックに合致します．

電気軸： 電気軸は－35°の左軸偏位を示しています．II誘導で上向き成分より下向き成分がやや大きいとみなしました．断定的ではありませんが、前枝ヘミブロックの可能性があります．
水平面での回転は右脚ブロックがありますので判断しにくくなっています．

肥大： 心エコーでは左室肥大がありましたが、このECGでは右脚ブロックのせいか左室肥大ははっきりわかりません．

虚血： 異常Q波なし
ST部分：右脚ブロックのためにV_1からV_3でST低下を認めます．
T波：ほとんどの誘導で上向きですが、下壁誘導の一部で右脚ブロックのせいもあり陰性T波となっています．

コメント： p.346の正常ECGに比べるとかなり変化しています．ややレートが下がり、右脚ブロックが出現しています．心筋梗塞にはなっていませんが、前枝ヘミブロックが生じているかもしれません．このECGではP波の変化は乏しいので心房拡大は示唆されませんが、このECGを記録した2, 3日後に下のような心房細動になってしまいました．高血圧がありましたから、左房、あるいは最近心房細動の発生に寄与することがあきらかとなってきた肺静脈開口部あたりに負荷がかかってきたのかと思われます．これらの経過は、困ったことに全部事実です．

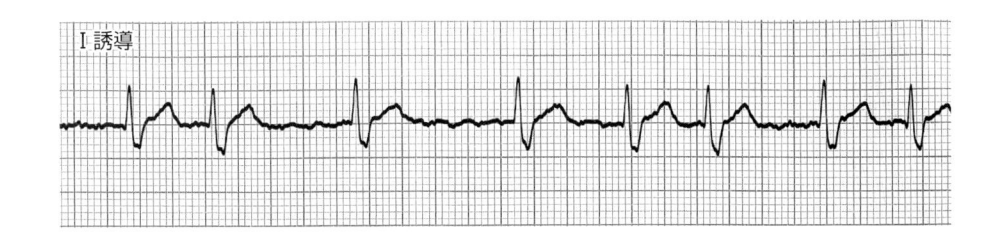

45歳男性. 冠動脈疾患があり, 入院時血圧は210/100.

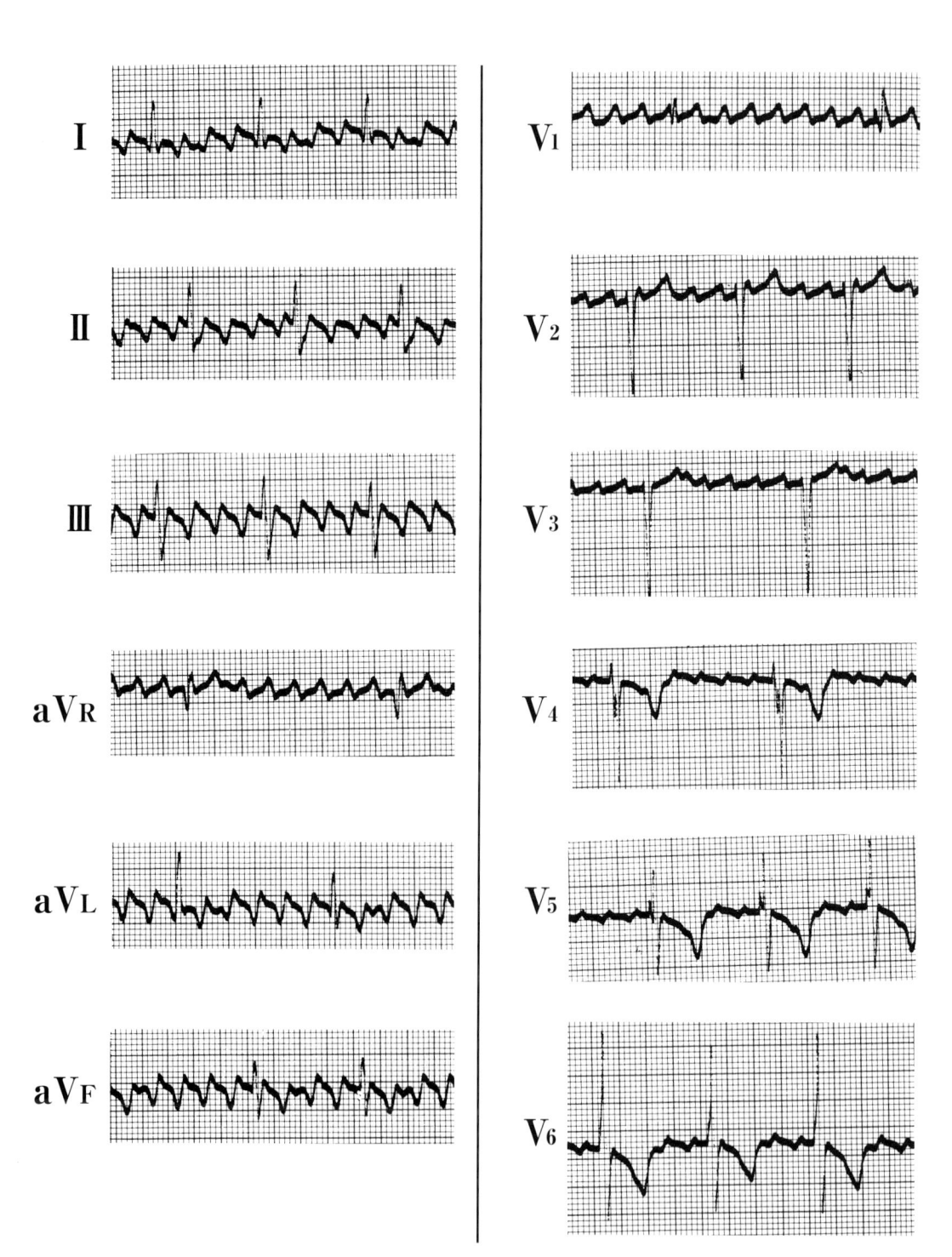

ECG診断

レート： 心房レート　300/分
　　　　　　心室レート　だいたい60/分ですが，RR間隔は不定

調　律： 心房粗動（房室伝導比は不定）
　　　　　　PR時間は計測できません．
　　　　　　QRS幅＜0.12秒　脚ブロックなし

電気軸： 正常（0°）
　　　　　　時計軸回転

肥　大： 心房拡大は不明
　　　　　　心室肥大はありません．

虚　血： 異常Q波の定義には該当しませんが，Ⅰ誘導とaV$_L$誘導にQ波
　　　　　　ST上昇はみられません．
　　　　　　Ⅰ誘導，aV$_L$誘導，V$_4$〜V$_6$に陰性T波

コメント： 粗動レート300/分の心房粗動が主な所見です．心室レートは一定しませんが，およそ60/分．房室伝導比は4：1から7：1までまちまちです．Q波と陰性T波から見て陳旧性側壁心筋梗塞を考えます．左冠動脈回旋枝の閉塞によるものでしょう．V$_4$〜V$_6$の陰性T波は新たな左冠動脈前下行枝の病変によるものかもしれません．ここには提示していませんが，以前のECGは陳旧性側壁心筋梗塞のために右軸偏位を認めていました．このECGではむしろ左軸偏位傾向となりQ$_1$S$_3$所見と併せて前枝ヘミブロックとなっている可能性があります．粗動波で判別しにくくなっていますが，aV$_R$を除く肢誘導のST部分は若干低下傾向をみせています．冠動脈疾患がすでに確認されていますから，ST部分の変化も虚血を示唆する所見かと思われます．

肥満した61歳男性．家族によって救急部に運ばれてきました．急に胸痛が生じたとのことです．血圧は95/65．

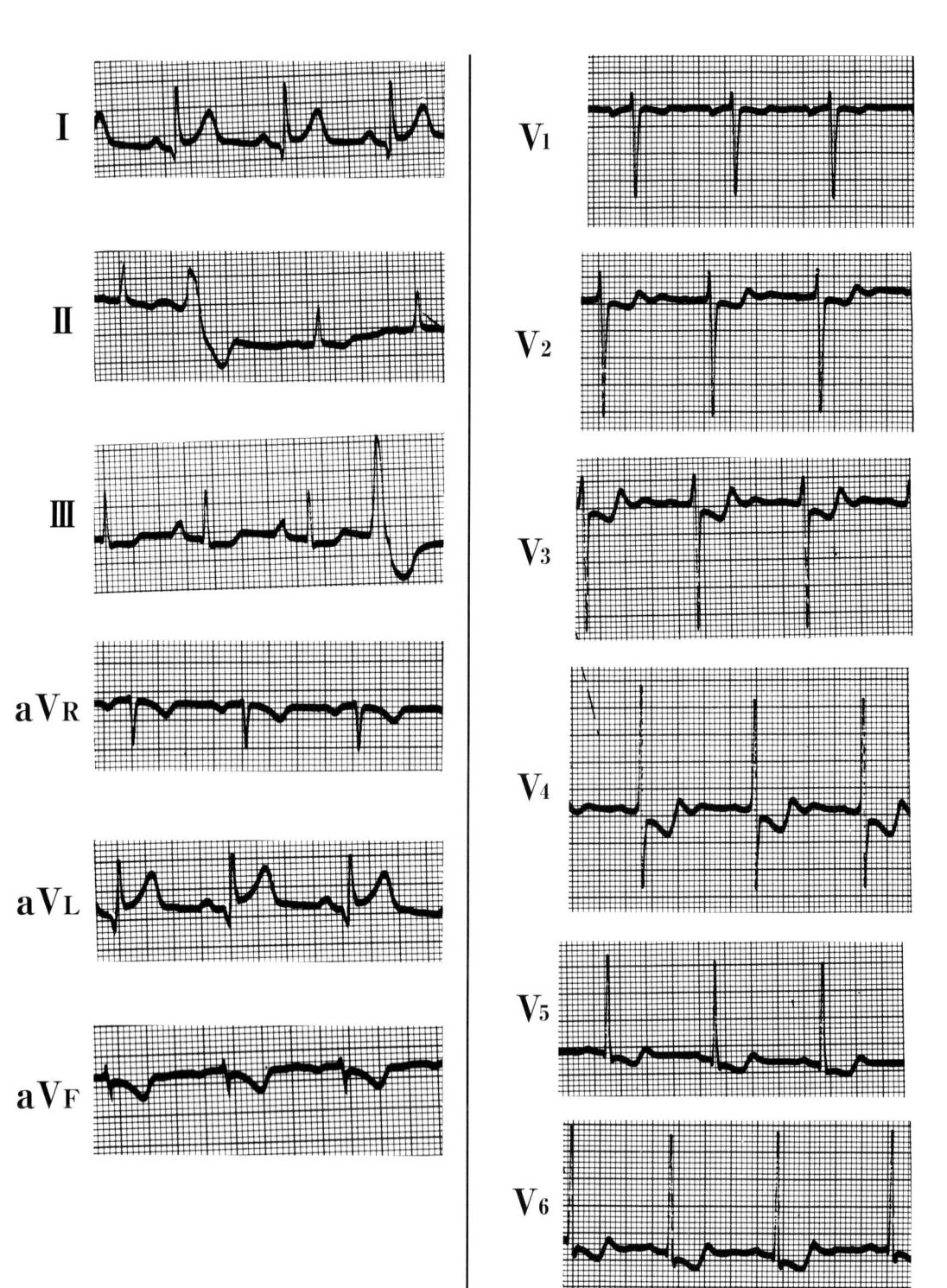

ECG診断

レート： 75/分

調　律： 洞調律．PVCを認めます．
PR時間はちょうど0.2秒．ぎりぎり正常範囲にありますからⅠ度AVブロックとはとりません．
QRS幅＜0.12秒（脚ブロックはありません）

電気軸： 正常範囲（－10°）
水平面での回転はありません．

肥　大： 左房拡大の有無はボーダーライン（V_1の陰性成分が小さな四角1個分）
心室肥大はありません．

虚　血： Ⅰ誘導とaV_L誘導に小さなQ波
Ⅰ誘導とaV_L誘導のST上昇．V_1〜V_6のST低下
胸部誘導では平低T波

コメント： 左冠動脈回旋枝閉塞による急性側壁心筋梗塞を認めます．V_1からV_4でST低下があり，Ⅱ，Ⅲ，aV_Fで陰性T波がありますから右冠動脈閉塞も示唆されます．一方，胸部誘導全体にST低下をみることは前下行枝の病変を疑わせます．Ⅰ誘導とaV_L誘導でT波が高くなっていますが，"超急性期T波（hyperacute T wave）"とよばれるものかもしれません．超急性期T波を記録できることは稀です．このECGは正常電気軸ですが，以前のECGでは左軸偏位を認めています．ちなみに左軸偏位は左室肥大によって生じると思っている人もいるかもしれませんが，これは間違いです．右室肥大は右軸偏位になりますが，左室肥大では左軸偏位にはなりません．PVCが虚血に由来するものかどうかは1枚の心電図からは断定できませんが，虚血の出現と一致して増加してくるようなある程度虚血との関連を思わせます．

45歳男性．労作中に前胸部に強い胸痛が出現してきました．来院時の血圧110/40．

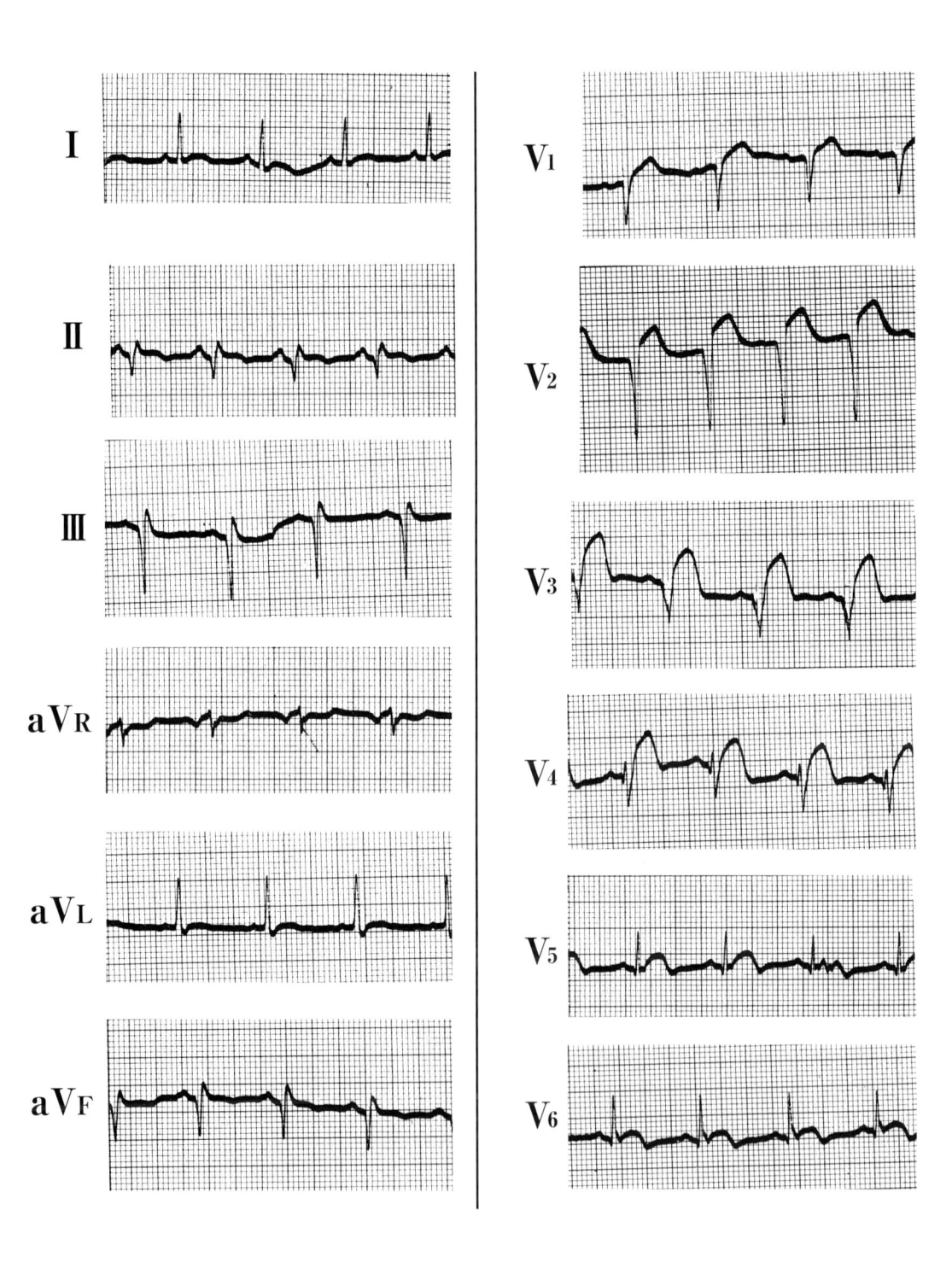

ECG診断

レート： 100/分

調　律： 洞調律．RR間隔のわずかな変動は呼吸性の洞不整脈
　　　　　PR時間＜0.2秒（房室ブロックなし）
　　　　　QRS幅＜0.12秒（脚ブロックなし）

電気軸： 左軸偏位（だいたい－40°）

肥　大： 心房拡大や心室肥大は示唆されません．

虚　血： Ⅱ，Ⅲ，aV$_F$誘導に異常Q波
　　　　　V$_1$からV$_3$まで大きなQ波があります．V$_1$からV$_6$まで広範なST上昇
　　　　　どこからT波か，よくわからないのですが，V$_5$とV$_6$のT波には陰性部分が見られませんか．

コメント： 急性前壁中隔梗塞のようですから，左冠動脈の前下行枝の閉塞を疑います．広範な誘導にST上昇やST低下，および平低T波を認めることはいかにも虚血性心疾患を思わせます．下壁梗塞は以前のECGにも確認されていました．左軸偏位を認めますが，これは下壁梗塞という理由がありますから，前枝ヘミブロックを示唆するものではありません．以前のECGには前壁梗塞の所見がないことから，まず急性前壁中隔梗塞と診断して間違いないでしょう．

65歳の女性．12時間左胸部痛を訴えています．入院時の血圧は110/75でした．

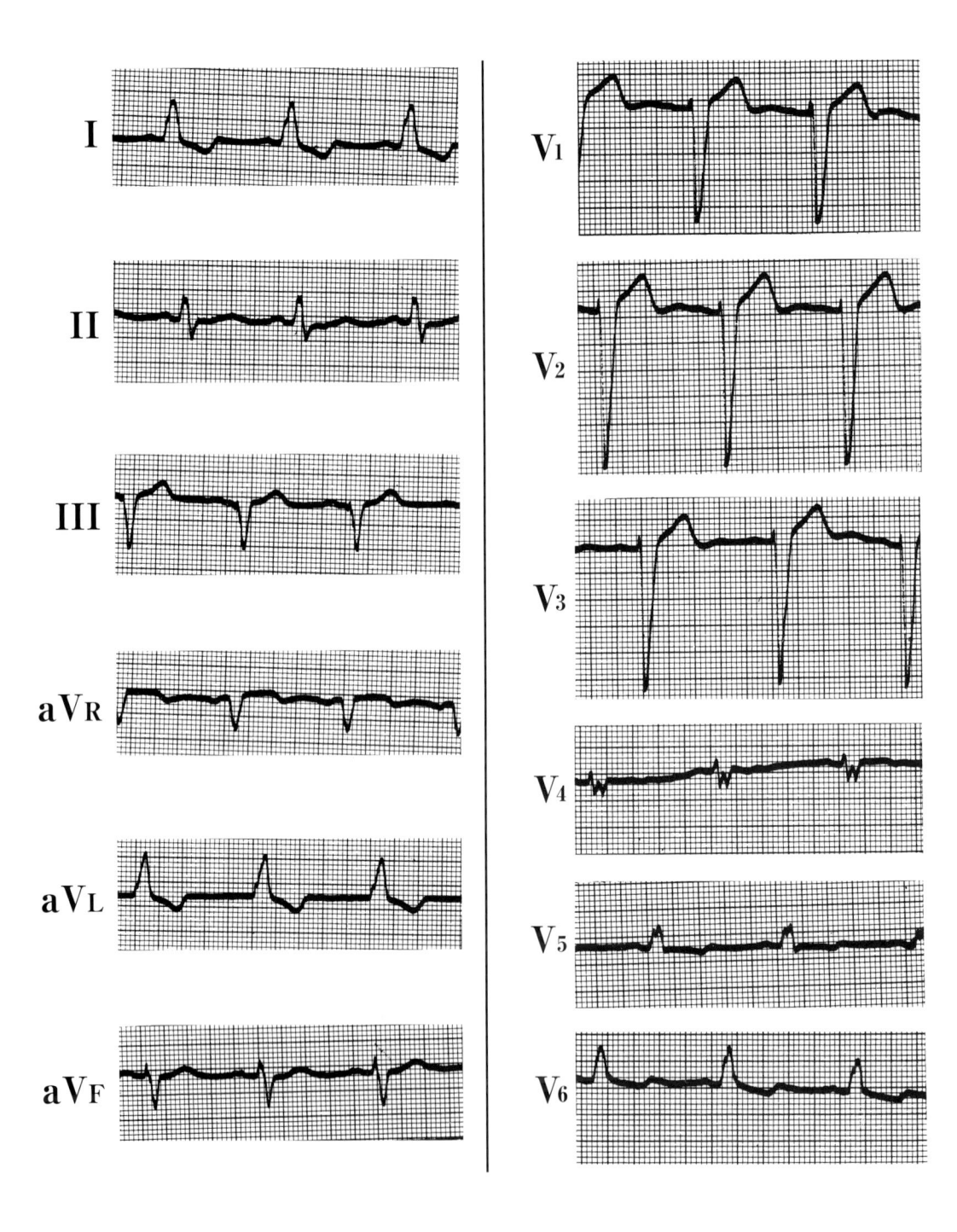

ECG診断

レート： 60/分

調　律： 洞調律
PR時間は0.2秒ほどで一応正常．QRS幅は0.16と拡大．V_5とV_6はRR'パターンで左脚ブロック

電気軸： 正常範囲

肥　大： 心房拡大
心室肥大については脚ブロックのため判断できません．

虚　血： Q波は左脚ブロックのときは判断しにくくなります．
ST部分：これも左脚ブロックでは解釈が難しくなります．

コメント： 症状から心筋梗塞が疑われますが，心筋逸脱酵素の測定値もそれに合致するものでした．

75歳女性．長期に高血圧がありました．

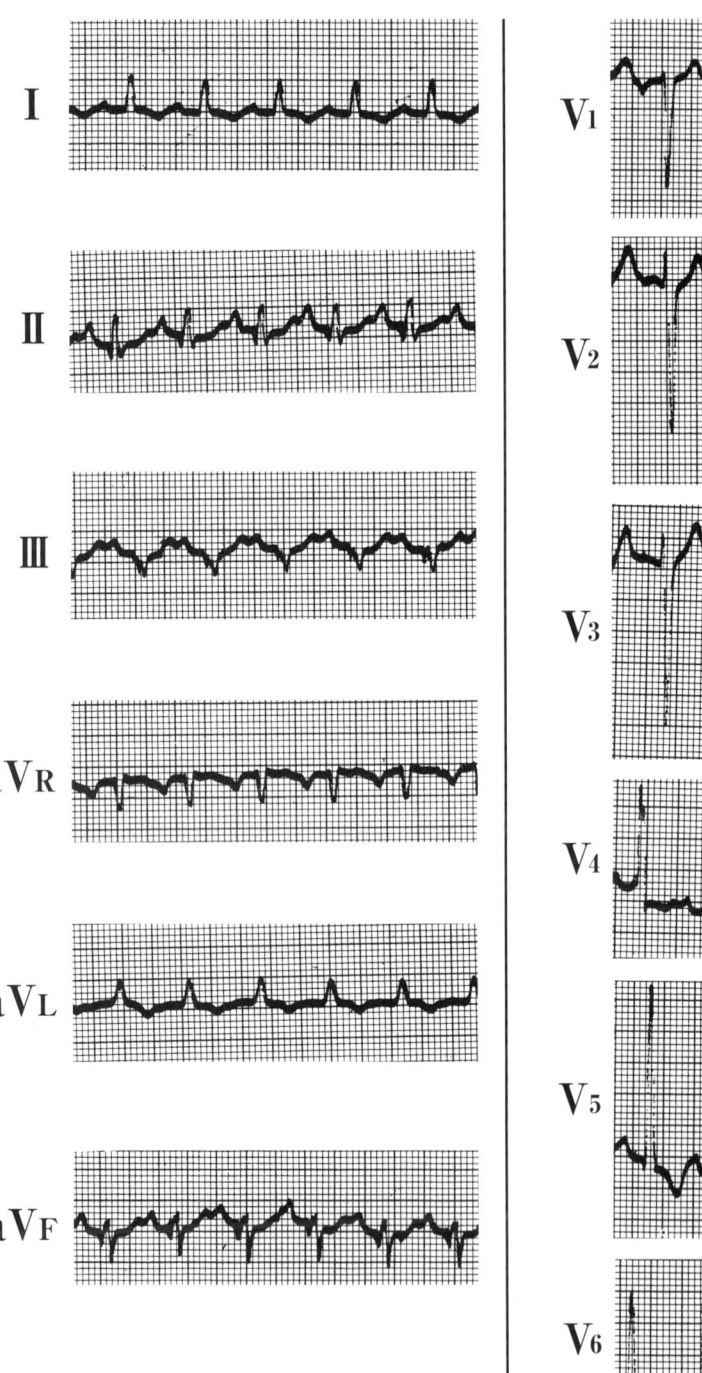

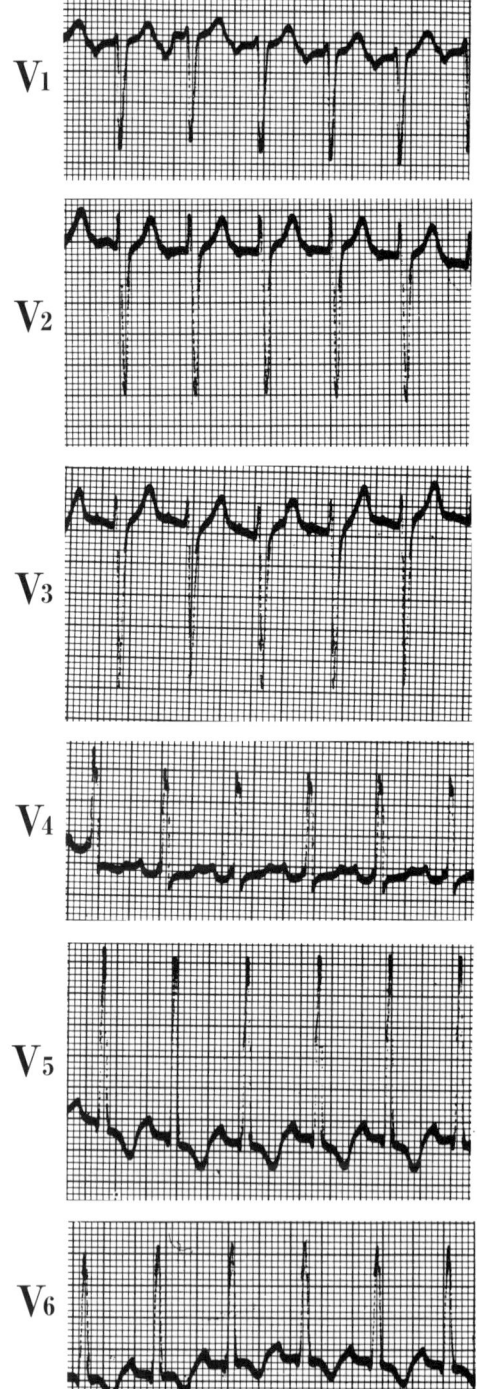

ECG診断

レート： 125/分

調　律： 洞頻脈
PR＜0.2秒（房室ブロックなし）
QRS＜0.12秒（脚ブロックなし）

電気軸： 正常範囲
水平面での回転もありません．

肥　大： 左房拡大
高電位とストレインパターンから左室肥大を疑います

虚　血： Ⅱ，Ⅲ誘導にQ波を認めます．
ST部分：V_5とV_6にST低下，いわゆるストレインパターンです．
T波：Ⅰ，aV_L，V_5，V_6に陰性T波が見られます．

コメント： 左房拡大と左室肥大を認めます．ストレインパターンが特徴的です．
Ⅲ誘導はQSパターンですし，Ⅱ誘導の小さなQ波もあり，陳旧性下壁梗塞は否定できません．しかし，陰性T波がないことや，Ⅱ誘導のQ波が小さいことから，このECGのみから陳旧性心筋梗塞を強く疑うことはできません．

57歳の肥満した男性．訴訟沙汰を抱えていますが，うまくいきません．前胸部に拘扼感を訴えています．救急部では急いで心電図が記録されました．

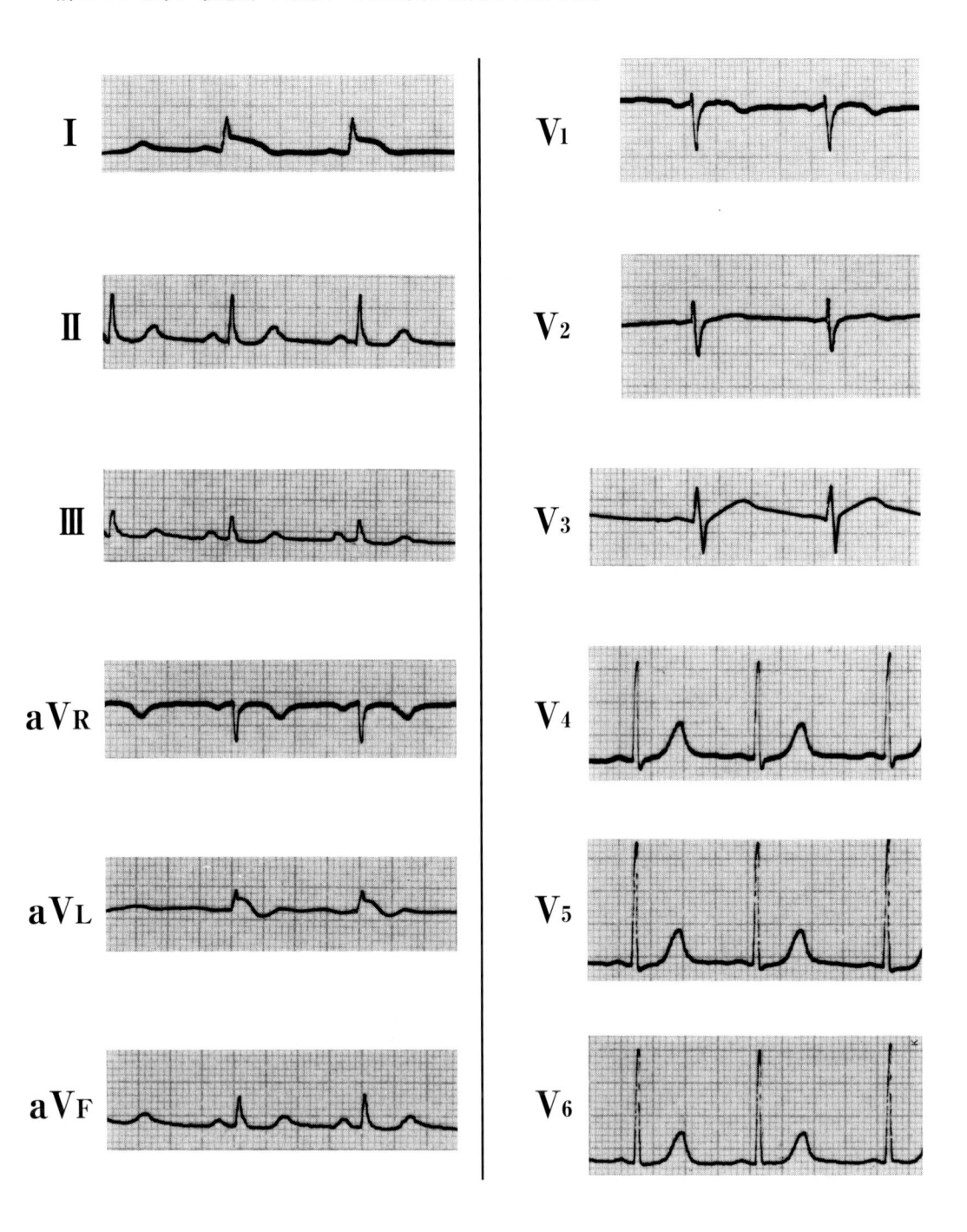

ECG診断

レート： 75/分

調　律： 洞調律
PR=0.16秒（房室ブロックなし）
QRS＝0.08秒（脚ブロックなし）

電気軸： 正常範囲（＋45°）
水平面での回転はありません．

肥　大： はっきりした左房拡大や左室肥大はありません．

虚　血： Q波：異常Q波はありません．
ST部分：Ⅰ誘導とaV_L誘導に2mmのST上昇
T波：aV_L誘導のT波後半が陰転

コメント： Ⅰ誘導とaV_L誘導のST上昇から側壁心筋梗塞が疑われます．虚血らしい症状を訴える患者さんでは油断できません．ECGに加え，心筋逸脱酵素や心エコーなども検討したい方です．

和文索引

あ

アイントーベン　4
アイントーベンの三角　38
アセチルコリン　56
圧受容器(baroreceptor)　62
"圧"受容体　62
アテロームプラーク(atheromatous plaque：粥腫斑)　259
アドレナリン　57
アドレナリン受容体　56
$α_1$(アドレナリン作動性)受容体　57, 59

い

異型狭心症　266
移行帯(transitional zone)　241
異常Q波　272
異所性心臓移植　328
I度AVブロック　177, 337
I度ブロック　178
I誘導　38
遺伝性QT延長症候群　28, 310
移動性ペースメーカー(wandering pacemaker)　108, 111, 334
陰性　33
陰性P′波　132
陰性T波　256, 264, 265, 312

う

ウィルソン　49
植え込み型除細動器(implantable cardioverter defibrillator：ICD)　170, 324
ウェンケバッハ(Wenckebach)型II度AVブロック　179
ウォーラー　3

ウォルフ・パーキンソン・ホワイト(Wolff-Parkinson-White)症候群　171
右冠動脈　291
右冠動脈優位　294
右脚　20
右脚ブロック　194
右脚ブロック型(right bundle branch block：RBBB)のQRS　268
右軸偏位(right axis deviation)　221, 228
右室　7
右室梗塞　260
右室肥大(right ventricular hypertrophy：RVH)　251
右房　7
右房拡大　248
上向きのQRS　116

え, お

壊死　263, 340
エピネフリン　57
横位(horizontal)心　210
大きなR波　284
オーバードライブサプレッション(overdrive suppression)　71, 105
オーバードライブペーシング　325

か

回転(rotation)　236
回転性リエントリー(circus reentry)　152
外膜　21
カテーテル・アブレーション　152
下壁梗塞　281, 294
下壁誘導　47, 235
カリウムイオン　27, 30

カルシウムイオン　19, 30
カルディオバージョン(cardioversion)　324
ガルバニ　1
間欠性完全房室ブロック　199
間欠性ブロック　304
間欠性モービッツ型ブロック(II度AVブロック)　199, 305
冠静脈　101
冠静脈洞　101
完全房室ブロック　76, 186
冠動脈　212
冠動脈疾患　156
冠動脈バイパス　306
冠動脈病変　341
間入性(interpolated)PVC　137
貫壁性梗塞　271
冠動脈攣縮(coronary spasm)　266

き

期外収縮　122, 335
機械的受容体(mechanoreceptor)　63
基線　32, 256
キニジン　320, 343
脚ブロック(bundle branch block：BBB)　191, 337
脚ブロックQRS幅　193
吸引電極　48
急性後壁梗塞　285
吸盤型電極　237
凝血塊(血栓)　259
狭心症　264
鏡像テスト(mirror test)　287
胸部誘導　36, 48, 53, 236
虚血　263, 264, 340
鋸歯状波　159
起立性低血圧　62

記録紙　31

け

経静脈的ペーシング　326
頸動脈洞マッサージ　61
経皮的ペーシング　326
血管迷走神経失神 (vaso-vagal syncope)　60
血行再建　278
血栓溶解療法　278
腱索　143
ケント束 (bundle of Kent)　171

こ

高カリウム血症　190, 314, 343
高カルシウム血症 (hypercalcemia)　316, 343
交感神経　56
後結節間伝導路　101
後枝ヘミブロック　300
甲状腺機能亢進症　123
梗塞　340
梗塞領域　212
高電位　255
高度 (advanced) ウェンケバッハ型ブロック　181
高度 (advanced) モービッツ型ブロック　181
高度の右軸偏位 (extreme RAD)　231
高度の軸偏位　231
興奮旋回路　152
興奮波　203, 204
後壁梗塞　293
コーリッカー　2
ゴールドバーガー　40
コリン作動性受容体　58
コリン受容体　56

さ

細動　164, 336
再分極　10
左回旋枝 (circumflex branch)　291

さかさま透過テスト (reversed trans-illumination test)　287
左冠動脈　291
左冠動脈優位　294
左脚　20
左脚ブロック　194, 289
左軸偏位 (LAD)　228
左室　7
左室梗塞　260
左室肥大 (left ventricular hypertrophy：LVH)　253
左房　7
左房拡大　249
三軸座標系　39
三尖弁　16
Ⅲ度 (完全) AVブロック　337
Ⅲ度AVブロック　186
Ⅲ誘導　38

し

ジェームス束　172
ジェネレーター　321
ジギタリス　343
ジギタリス効果　270, 317
ジギタリス中毒　123, 150, 319
軸　203
軸索末端　55
軸偏位　157
刺激伝導系　20
持続性VT (sustained VT)　141
下向き (downslope型) のST低下　271
下向きのP′　116
失神　60
自動体外式除細動器 (automated external defibrillator：AED)　170, 326
自動能　13, 66
自動能のフォーカス　70
収縮 (systole)　27
収縮中期クリック (mid-systolic click)　143
収縮停止 (asystole)　169

肢誘導　36, 53
肢誘導の変法　54
粥腫斑 (atheromatous plaque：アテロームプラーク)　61, 259
受攻期　144
循環のホメオスタシス　59
傷害　263, 340
上室頻拍 (supraventricular tachycardia：SVT)　153
除細動　169
除細動器　170
徐脈　60, 90
徐脈頻脈症候群 (Bradycardia-Tachycardia Syndrome)　175
自律神経 (autonomic nervous system)　55
自律神経系　56
心外膜 (epicardium)　206
心休止　102
心筋　7, 203
心筋逸脱酵素　267
心筋壊死　272
心筋虚血　156
心筋梗塞 (myocardial infarction：MI)　212, 259
心筋細胞　8
心筋収縮　10
心筋傷害 (injury)　266
心腔　7, 244
神経節　55
神経調節性失神 (neurally-mediated syncope)　63
神経伝達物質 (neurotransmitter)　56
人工ペースメーカー　189, 321, 342
心室拡大　339
心室期外収縮 (premature ventricular contraction：PVC)　122, 135
心室固有調律 (idioventricular rhythm)　76
心室細動 (ventricular fibrillation)　164, 167
心室三段脈　139

心室粗動　161
心室中隔　52
心室二段脈　139
心室のフォーカス　71, 105
心室肥大　211, 250
心室頻拍（ventricular tachycardia：VT）　141
心室副収縮　140
心室不整脈　262
心室壁の伸展（stretch）　134
心室補充収縮　121
心室補充調律　117
心室基部　294
心室四段脈　139
心室瘤（ventricular aneurysm）　267
心周期　29, 93
心静止（cardiac standstill）　169
心臓移植　327
心臓の電気活動　5
心臓の電気現象　3
心臓発作（heart attack）　260
心停止（cardiac arrest）　169, 190
心電図（electrocardiogram：ECG）　5, 6
心内膜（endocardium）　206
心内膜下梗塞　270
進入ブロック（entrance block）　107, 140
心肺蘇生法（Cardio-Pulmonary-Resuscitation：CPR）　169
心拍数　65, 94
心拍変動（heart rate variability）　100
振幅（amplitude）　32
心房拡大（atrial enlargement）　245, 339
心房期外収縮（premature atrial contraction：PAC）　122, 124
心房細動（atrial fibrillation）　110, 164, 165, 334
心房三段脈（atrial trigeminy）　129
心房収縮　15

心房粗動　159
心房追従型（atrial tracking）　323
心房同期型（atrial synchronous）　323
心房二段脈（atrial bigeminy）　129
心房のフォーカス　71, 105
心房補充収縮　119
心房補充調律　114
心膜炎　269

す

水平面　53
ステント　306
ストレイン　257
スリーブ電極　170

せ

生理的拡張物質　59
接合部期外収縮（premature junctional beat：PJB）　122, 131
接合部固有調律（idio-junctional rhythm）　74, 188
接合部三段脈（junctional trigeminy）　133
接合部二段脈（junctional bigeminy）　133
接合部のフォーカス　71, 105
接合部補充収縮　120
接合部補充調律　115
前額面　43, 53
前胸部誘導　49
前結節間伝導路　101
潜在的ペースメーカー　73
前枝ヘミブロック　297
先端電極　170
前壁梗塞　278, 292
前壁中隔梗塞（anteroseptal infarction）　278

そ

双極肢誘導　38
増幅肢誘導　40, 42
僧帽弁　16, 18

僧帽弁逸脱症（mitral valve prolapse：MVP）　134, 143
僧帽弁狭窄　249
束枝（fascicle）　303
促進性心室固有調律（accelerated idioventricular rhythm）　117
促進性接合部固有調律（accelerated idiojunctional rhythm）　115
促進性接合部調律　188
側壁梗塞　280, 292
側壁誘導　47
粗動　336
粗動波　159

た

代償性休止期（compensatory pause）　137
大動脈　18
大動脈弁　18
多源性（multifocal）PVC　142
多源性心房頻拍（multifocal atrial tachycardia：MAT）　109, 311, 334
脱分極　8, 10
"単極"肢誘導　41
単源性（unifocal）PVC　138

ち

中結節間伝導路　101
超急性期T波（hyperacute T wave）　353
調律　97, 201, 334
直流通電　162
陳旧性心筋梗塞　267

て

低カリウム血症　134, 315, 343
低カルシウム血症（hypocalcemia）　316, 343
低血圧　60
低酸素（hypoxia）　263
低酸素血症（hypoxia）　123, 134
デサーティン　158

デマンド型ペースメーカー 322
デルタ波 171
テレメトリー心電図 6
電圧（ボルト） 32
電気軸 203, 338
電極 11, 321
伝導脚 103
伝導遅延 191
伝導途絶 191
伝導ブロック 75

と

洞結節 13, 66
洞結節レート 57
洞徐脈 67
洞性不整脈 100
洞調律 13, 66, 98
洞停止 113, 174
等電位 232
等電位性のQRS 232
洞頻脈 68, 147
洞不整脈 100
洞不全症候群（Sick Sinus Syndrome：SSS） 175
洞房結節 13, 66
洞房ブロック 118, 174, 337

な，に，の

ナトリウムイオン（Na⁺） 9, 30
二相性（biphasic）P波 247
Ⅱ度AVブロック 179, 337
Ⅱ誘導 38
ノッチ 320
ノルエピネフリン 56

は

肺静脈起源の興奮 110
肺塞栓 342
肺塞栓症 312
肺動脈 17
肺動脈弁 17
発火レート 70
バッハマン束 101

貼り付け型電極 48, 237

ひ

非Q波梗塞（non-Q wave infarction） 267
ピーダッシュ 108
ヒス束 20, 103
肥大（hypertrophy） 243, 339
左胸部誘導 51
左前下行枝（left anterior descending branch） 291
左方向（leftward） 242
非伝導性心房期外収縮（non-conducted PAC） 128
皮膚電極 12
病歴 307
頻拍（tachyarrhythmia） 146, 336

ふ

ブートン 55
不応期（refractory period） 127, 195
不完全incomplete脚ブロック 198
不規則な調律 107, 334
不規則なリズム 107
副交感神経 56, 58
副交感神経刺激 58
副収縮（parasystole） 107
副収縮性PVC 140
副伝導路 171
不整脈 97
不整脈の分類 106
プラトー（plateau）相 26
ブルガダ症候群（Brugada syndrome） 268, 310
プルキンエ線維 20
プルキンエ線維の末梢 21
ブロック 173
分極 8

へ

平均QRSベクトル 207
ペーシングスパイク 321

ペーシングリード 197
ペースメーカー 66, 77
ペースメーカーの下方移動（downward displacement of the pacemaker） 117
β₁（アドレナリン作動性）受容体 57
β₁受容体刺激物質 123
ベクトル 204
ヘッドアップティルト検査（Head Up Tilt：HUT） 63
ヘミブロック（hemiblock） 197, 295, 337
偏位（deviation） 236
変行伝導（aberrant conduction） 127
弁輪部 16

ほ

房室解離（AV dissociation） 154, 187
房室結節 16, 102, 214
房室結節リエントリー性頻拍（AV nodal reentrant tachycardia：AVNRT） 152
房室溝 294
房室順次ペーシング（AV sequential pacing） 323
房室接合部 74
房室伝導比 181
房室ブロック（atrioventricular block：AV block） 176, 337
房室ブロックを伴う発作性心房頻拍（paroxysmal atrial tachycardia with AV block） 150
房室弁 16
ポーズ 102
補充（escape） 112
補充収縮 112, 118
補充調律 112, 335
捕捉収縮（capture beat） 155
発作性上室頻拍 153

発作性心室頻拍（paroxysmal ventricular tachycardia：PVTあるいはVT） 154
発作性心房頻拍（paroxysmal atrial tachycardia：PAT） 149
発作性接合部頻拍（paroxysmal junctional tachycardia：PJT） 151
発作性頻拍（paroxysmal tachycardia） 147, 336
ボルテージクライテリア 329

ま, み

慢性閉塞性肺疾患（COPD） 109, 311
右胸部誘導 51
右方向（rightward） 242
ミューラー 2

む, め

無脈性電気活動（pulseless electrical activity：PEA） 169

迷走神経 58
迷走神経刺激 58, 160
迷走神経刺激法 61, 183

も, ゆ, よ

毛細管電位計（capillary electrometer） 3
モービッツ（Mobitz）型Ⅱ度AVブロック 179
モニター心電図 6
融合収縮（fusion beat） 155
誘導 36
遊離Ca^{2+}イオン 30
陽極電極 12
陽性 33
陽性電荷 12, 13

ら, り

ラウン・ギャノン・レビン（Lown-Ganong-Levine：LGL）症候群 172

リード 321
リエントリー 152
リエントリー回路 152
リズム 7
リセット 125
立位（vertical）心 210
リップマン 3
流出ブロック（"exit" block） 174
両側（bilateral）脚ブロック 305

る, れ

ルードヴィッヒ 3
レート 7, 65, 333
連結期 140
連続したPVC（a run of PVCs） 141

ろ, わ

労作性狭心症 264
ワンダリングペースメーカー 108

欧 文 索 引

A

12誘導心電図 53
2：1AVブロック 181
2：1ブロック 181
2束ブロック（bifascicular block） 303
3：1AVブロック 181
3：1ブロック 181
3束ブロック（trifascicular block） 305

Adams-Stokes症候群 117
AED（automated external defibrillator）自動体外式除細動器 170, 326
anterior internodal tract 101
arrhythmia 97
atheromatous plaque（アテローマプラーク）粥腫斑 61, 259

atrioventricular block（AV block）房室ブロック 176
automated external defibrillator（AED）自動体外式除細動器 170, 326
autonomic nervous system 55
AV block（atrioventricular block）房室ブロック 176
AV nodal reentrant tachycardia（AVNRT）房室結節リエントリー性頻拍 152

AV node 102
aV_F誘導 40, 223
aV_L誘導 41
AVNRT(AV nodal reentrant tachy-cardia) 房室結節リエントリー性頻拍 152
aV_R誘導 41
Axis 203

B

Barlow 143
Barlow症候群 143
baroreceptor 62
BBB(bundle branch block) 脚ブロック 191
bouton 55
bradycardia 67
bundle branch block(BBB) 脚ブロック 191
bundle branches 103

C

capillary electrometer 毛細管電位計 3
Cardio-Pulmonary-Resuscitation(CPR) 心肺蘇生法 169
CCU(coronary care unit) 306
CPR(Cardio-Pulmonary-Resuscitation) 心肺蘇生法 169

D

Dessertenne 158
dominant pacemaker 73
dysrhythmia 97

E

ECG(electrocardiogram) 心電図 5, 6
Einthoven 4
EKG 6
electrical axis 203
electrocardiogram(ECG) 心電図 5, 6
electrokardiogram 6

F, G

fascicle 束枝 197
frontal plane 43
Galvani 1
Goldberger 40
group beating 129, 180

H

Head Up Tilt(HUT) ヘッドアップティルト検査 63
heart block 173
His bundle 103
HUT(Head Up Tilt) ヘッドアップティルト検査 63
hyperacute T wave 353

I

ICD(implantable cardioverter defibrillator) 植え込み型除細動器 170, 324
idiojunctional rhythm 115
implantable cardioverter defibrillator(ICD) 植え込み型除細動器 170, 324
Interval(間隔, 時間) 177
irregular rhythm 107
isoelectric QRS 232

K, L

Kollicker 2
lateral infarction 280
left ventricular hypertrophy(LVH) 左室肥大 253
LGL(Lown-Ganong-Levine) ラウン・ギャノン・レビン症候群 172
Lippman 3
Lown-Ganong-Levine(LGL) ラウン・ギャノン・レビン症候群 172
Ludwig 3
LVH(left ventricular hypertrophy) 左室肥大 253

M

MAT(multifocal atrial tachycardia) 多源性心房頻拍 109, 311
"Maze"手術 160
MI(myocardial infarction) 心筋梗塞 259
middle internodal tract 101
mitral valve prolapse(MVP) 僧帽弁逸脱症 143
Mueller 2
multifocal atrial tachycardia(MAT) 多源性心房頻拍 311
MVP(mitral valve prolapse) 僧帽弁逸脱症 143
myocardial infarction(MI) 心筋梗塞 259
myocardium 7

N

Na^+ 9, 12, 13
neuro-cardiogenic syncope 63
neurotransmitter 56
normal sinus rhythm 99

P

P prime 108
PAC(premature atrial contraction) 心房期外収縮 124
paroxysmal atrial tachycardia(PAT) 発作性心房頻拍 149
paroxysmal junctional tachycardia(PJT) 発作性接合部頻拍 151
paroxysmal ventricular tachycardia(PVTあるいはVT) 発作性心室頻拍 154
PAT(paroxysmal atrial tachycardia) 発作性心房頻拍 149
PAT with block 150
pause 102
PEA(pulseless electrical activity) 無脈性電気活動 169

PJB (premature junctional beat) 接合部期外収縮　131
PJT (paroxysmal junctional tachycardia) 発作性接合部頻拍　151
plateau　26
posterior internodal tract　101
PP間隔　99
premature atrial contraction (PAC) 心房期外収縮　124
premature junctional beat (PJB) 接合部期外収縮　131
premature ventricular contraction (PVC) 心室期外収縮　135
PR時間　184, 201
PR時間延長　180
pulseless electrical activity (PEA) 無脈性電気活動　169
PVC (premature ventricular contraction) 心室期外収縮　135
PVTあるいはVT (paroxysmal ventricular tachycardia) 発作性心室頻拍　154
P波　14, 245
Pベクトル　235

Q

Q_1S_3　297
QRS　21, 205
QRSの消失　184
QRS幅　201
QTc時間　28
QT延長症候群　158
QT時間　28
Q波　23

R

R on T　144
RAD　221
RBBB (right bundle branch block) 右脚ブロック型のQRS　268
right bundle branch block (RBBB) 右脚ブロック型のQRS　268
right ventricular hypertrophy (RVH) 右室肥大　251
R-prime (R´波)　192
RR間隔　99
RR´パターン　196
RVH (right ventricular hypertrophy) 右室肥大　251
R波　23, 79

S

S_1Q_3　300
SA node　98
Segment (部分)　177
Sick Sinus Syndrome (SSS) 洞不全症候群　175
silent infarction　306
sino-atrial node　98
SSS (Sick Sinus Syndrome) 洞不全症候群　175
ST上昇　267, 278
ST低下　285
ST部分　26
supraventricular tachycardia (SVT) 上室頻拍　153
SVT (supraventricular tachycardia) 上室頻拍　153
S波　24

T

tachycardia　68
Torsades de pointes　158
T波　26

V

V_2　238
ventricular tachycardia (VT) 心室頻拍　141
VT (ventricular tachycardia) 心室頻拍　141

W

Waller　3
wandering pacemaker　111, 334
Wellens症候群　265, 310
Wilson　49

検印省略

図解心電図テキスト

定価（本体4,500円＋税）

1972年 3月25日	第 1 版	発 行		
1976年 4月28日	原著第3版	第 1 刷発行		
2005年 4月11日	同	第34刷発行		
2007年 1月24日	原著第6版	第 1 刷発行		
2018年10月23日	同	第 8 刷発行		

著　者　Dale Dubin, M.D.
訳　者　村川　裕二
　　　　（むらかわ　ゆうじ）
発行者　浅井　麻紀
発行所　株式会社　文光堂
　　　　〒113-0033　東京都文京区本郷7-2-7
　　　　TEL（03）3813-5478（営業）
　　　　　（03）3813-9591（編集）

ⓒDale Dubin, M.D.・村川裕二，2007　　　　印刷・製本：公和図書

Printed in Japan

乱丁，落丁の際はお取り替えいたします．

ISBN978-4-8306-1679-2

・本書の複製権，翻訳権・翻案権，上映権，譲渡権，公衆送信権（送信可能化権を含む），二次的著作物の利用に関する原著作者の権利は，株式会社文光堂が保有します．
・本書を無断で複製する行為（コピー，スキャン，デジタルデータ化など）は，私的使用のための複製など著作権法上の限られた例外を除き禁じられています．大学，病院，企業などにおいて，業務上使用する目的で上記の行為を行うことは，使用範囲が内部に限られるものであっても私的使用には該当せず，違法です．また私的使用に該当する場合であっても，代行業者等の第三者に依頼して上記の行為を行うことは違法となります．
・JCOPY〈出版者著作権管理機構　委託出版物〉
本書を複製される場合は，そのつど事前に出版者著作権管理機構（電話 03-3513-6969，FAX 03-3513-6979, e-mail : info@jcopy.or.jp）の許諾を得てください．